전 영국 주재 북한공사 태영호의 증언

3층 서기실의 암호

전 영국 주재 북한공사 태영호의 증언

3층 서기실의 암호

기파랑

차 례

2장 | 고난의 행군 외교

3장 | 한국이 살린 북한

4장 | 영국 통해 미국 견제

5장 | 김정일에서 김정은으로

2부 | 노예 해방을 위하여

7장 | 소년 유학생

8장 | 명천 태서방

머리말

한국에 와서 대외 활동을 시작한 후, 기회가 있을 때마다 북한의 실상을 알렸다. 정부 고위 관료부터 국회의원, 정당인, 기업인, 언론인, 종교인, 북한 전문가, 대학생까지 수많은 사람을 만났다. 상대적으로 통일에 관심이 많은 사람들이었다고 할 수 있다. 그들은 대부분 이런 것을 물었다.

'북한은 어떤 사회입니까.'

'통일은 어떻게 이룰 수 있습니까.'

나는 내가 아는 전부를 최선을 다해 쏟아냈다. 그들의 반응은 대체로 비슷했다. 새로운 사실을 알게 되어 충격을 받았다는 것이었다. 내 나름대로 통일을 위해 무언가를 하고 있다는 자부심을 느꼈다. 시간과 체력이 허락하는 대로 여기저기 다녔다. 행사나 모임이 5, 6건씩 잡힌 날도 꽤 있었다.

그런데 내가 그 이전에도, 이후에도 한 번도 들어보지 못한 질문을 한 사람이 있었다. 재단법인 통일과 나눔 안병훈 이사장이었다. 그는 나에게 물었다.

"태 공사님께서 통일을 위해 일하고 계신데 우리 재단과 제가 무엇을 도와드리는 것이 좋겠습니까."

인상적이었다. 내가 만난 대부분의 사람들은 묻고 싶은 것을 묻고 나의 답변을 듣는 것으로 끝이었다. 그중에는 대기업 회장이나 사장도 꽤 있었지만 안병훈 이사장처럼 도와주겠다고 나선 사람은 없었다. 그에게 나는 이렇게 대답했던 것 같다.

"남북한의 현실을 서로에게 정확히 알리는 일을 한다면 통일에 도움이 될 것입니다. 그런 일을 해주셨으면 합니다."

그러자 안 이사장은 북한의 실체를 낱낱이 드러낼 수 있는 책을 써보라고 권유했다. 나는 선뜻 동의할 수 없었다. 자서전이든 회고록이든 책을 쓴다는 것이 당시 내게는 어울리지 않는다고 생각했다. 내 나이 아직 50대 중반에 불과했고 무슨 거창한 업적을 이룬 것도 아니었다. 통일을 위해 노력하고 있었지만 다른 통일운동가보다 특별할 것도 없었다. 망설이는 나에게 안 이사장은 몇 번씩이나 용기를 주었다. 북한에서 겪었던 일을 알려주는 것 자체가 통일을 앞당기는 데 기여할 것이라고 했다.

그의 설득에 겨우 용기를 낸 결과가 자서전에 가까운 이 책이다. 많은 사람들이 충격으로 받아들인 '새로운 사실', 곧 '평양 심장부'의 실상과 허상을 드러내는 데 중점을 두긴 했지만 이 책을 통해 내가 기대하는 또 다른 바람이 있다. 내 삶에 녹아 있는 북한의 시대상, 사회상, 생활상과 그 변천사를 한국 사회라는 스크린에 투영하고 싶었다. 북한 사회라는 거울로 보면 한국인 스스로는 알기 힘든 한국의 위상이 비춰진다.

대한민국은 자유와 인권, 그리고 민주주의와 번영을 세계에 자랑할 만한 자격이 있는 나라다. 노예 상태에 빠져 있는 북한 주민을 해방시키고 한반도의 평화적 통일을 주도해야 할 책임이 한국에 있다. 하지만 이를 인식하지 못하는 한국인이 많은 것 같다. 이 책은 또한 그런 안타까움의 소산이기도 하다.

나는 원래 이 책을 3월초에 내려고 했었다. 그런데 3월부터 남북관계는 급격한 해빙무드에 들어섰고 정상회담으로 이어졌다.

나의 책이 정상회담 성사에 찬물이라도 끼얹을 수 있을 것 같아 정상회담 뒤로 출간을 미루기로 했다.

남북정상회담 당일 나는 하루 종일 TV 앞에 앉아 숨을 죽이고 그 과정을 지켜보았다.

이번 정상회담은 대한민국의 국력과 자유민주주의가 가져온 성과라고 볼 수 있다. 북한의 진정성이 관건인데 곧 열리게 될 북미회담까지 지켜보면 김정은의 진정성 여부가 판단될 것이다.

하지만 일각에서 김정은을 평화의 천사, 정상적인 인간으로 묘사하면서 대한민국의 국력이 가져온 회담 성과를 김정은의 과감한 결단과 용단으로 돌리는 것은 마음이 아팠다. 북한 주민들은 하루 빨리 노예 상태에서 해방될 날만을 고대하고 있는데 한국에서는 김정은을 평화의 사도로 묘사하고 있는 것이다.

분단된 현실에서 북한의 통수권자와 대화도 하고 악수도 해야 하는 것은 피할 수 없는 현실이지만 김정은을 '천사'나 '평화의 사도'

로 묘사하는 것은 북한 주민이야 어떻게 살든 한국이 알 바는 아니라는 말로 들렸다. 악마가 아닌 사람을 악마로 묘사하는 것도 잘못된 일이지만 악마를 천사로 묘사하는 것도 역시 잘못되었다고 본다.

북한 체제에 대한 증오는 책에서 최대한 누그러뜨리려고 했지만 크게 성공한 것 같지는 않다. 등장인물의 실명과 언행을 드러내는 데도 많은 고민을 해야 했다. 끝내 실명을 밝히지 못한 경우도 상당하다. 북에 있는 동료들이 불이익을 당하지 않도록 최선을 다했지만 혹시 놓친 대목이 없을까 걱정이 된다.

내 이름을 건 첫 책이다. 이 책을 낼 수 있게 용기를 북돋아준 통일과 나눔 안병훈 이사장, 붉은 줄을 그어가며 면밀히 원고를 읽고 조언해준 국가안보전략연구원 조동호 원장과 세심히 원고를 읽으며 조언해준 김현호 뉴시스 상임고문, 내가 쓴 북한식 어투와 문장을 읽기 쉽게 정리해준 정윤재 작가, 책을 쓰는 데 많은 도움과 자문을 해준 윤석홍 단국대 명예교수, 디자인을 맡아준 Design54의 조의환 대표와 오숙이 씨, 나로서는 과분한 책을 만들어준 도서출판 기파랑 식구 허인무 씨, 박은혜 씨 등 여러분에게 진심으로 감사를 드린다.

2018년 5월

태영호

프롤로그

이제 무엇을 할 것인가

북한을 탈출해 한국으로 가겠다는 결심을 굳히고 난 뒤, 안해(아내)는 제빵과 관련된 책을 사 모으기 시작했다. 서울에 가서 빵 가게를 열면 먹고살 수는 있을 것이라는 순진한 생각에서였다. 탈북은 현실적인 문제였다. 자유를 얻는 동시에 생계에 대한 책임이 뒤따른다. 어떻게 살아야 할지 막막했다. 대학에 보낼 두 아들을 보면 한숨까지 나왔다.

영국 주재 북한대사관의 한 구석에서 나는 동료들 몰래 인터넷을 뒤졌다. 탈북자에 대한 한국 정부의 지원은 1인당 정착금 700만 원, 주거지원금 1,300만 원이 다였다. 결코 적은 돈은 아니었지만 그 이후는 북한식 표현으로 '자력갱생'을 해야 한다는 의미였다. 특별한 대출 규정도 없었다.

한국 정부가 나에게 일자리를 줄 것이라고 기대하지는 않았다. 어떻게든 아내와 내가 두 아들을 키우며 살아가야 했다. 이도저도 안 되면 아내와 둘이서 세탁소나 편의점을 차리기로 했다. 어떤 나라라도 이민 1세대는 2등 공민으로 분류된다. 우리가 2등 공민이 된들 어떤가. 2세대인 내 자식에게 자유가 주어지고 잘 살 수 있는 길이 열리는데 그 정도는 아무 것도 아니었다.

한국 땅에 첫 발을 디디는 순간, 머리가 하얘졌다. 꿈속을 걷는 듯했다. 내 발이 내 발 같지 않았다. 마중 나온 국정원 요원들도 내게 아무 말도 건네지 않았다. 긴장한 탓인 듯했다. 필요한 수속을 거쳐 차에 올랐다. 차창 밖으로 보이는 산과 들은 북한과 똑같았다. 좀 더 일찍 왔어야 했다는 생각을 하면서도 빨리 숙소에 들어가 한잠 푹 자고 싶은 마음뿐이었다.

그러나 잠을 설쳤다. 지금도 더러 북한 체포조에 쫓기는 꿈을 꾸곤 하지만 한국에 도착한 처음 며칠 동안은 계속 그런 악몽을 꿨다. 밤새 체포조에 쫓기다가 겨우 눈을 떴을 때 비로소 한국에 왔다는 현실감을 되찾았다. 병실에 걸린 태극기를 보며 안도감을 느꼈다는 탈북 JSA 북한 병사의 심정을 나는 안다.

매일같이 악몽에 시달리며 2016년 여름부터 12월 말까지 국정원 조사를 받았다. 한 국정원 요원은 제빵과 관련된 책이 왜 그렇게 많으냐는 질문을 했다. 먹고살기 위해서라고 답했더니 그 요원은 서울에 넘쳐나는 게 빵집인데 어설프게 했다간 생계를 유지하기 힘들 것이라고 했다. 이런 조사를 받으면서도 내 머릿속에서 한 번도 떠나지 않은 생각이 있었다. 이제는 정말 무엇을 해야 할 것인가.

다행히도, 또한 고맙게도 한국 정부는 내게 국가안보전략연구원 자문연구위원이라는 과분한 직책을 주었다. 감히 말을 꺼내지는 못했지만 탈북을 결심하던 무렵부터 꿈꿔왔던, 통일을 위해 나의 마지막 힘까지 보탤 수 있는 자리다. 나는 더 이상 무엇을 할 것인가 고민하지 않는다.

한국에 올 때 나의 큰아이가 만 스물여섯이었다. 30여 년 전, 꼭 그 나이였던 나는 '사회주의 조국'에 대한 확신과 열정으로 가득 차 있었다. 북한 외무성의 '붉은 전사'로 일하게 되면서다. 북한에서 태어난 이의 숙명이라고 생각해 주시면 좋겠다.

지금은 그때와 달라진 게 있다. 대한민국이라는 새로운 조국과, 통일 한국이라는 벅찬 과업이 생겼다. 그리고 30여 년 전 꽃다운 20대 청년의 확신과 열정도 되살아났다. 새로운 조국의 과업이 시간을 거슬러 내게 되돌려준 선물이 아닐 수 없다. 이제 나의 길은 오직 하나, 통일이다.

1부

평양심장부

1장

핵으로 가는 길

김일성, "교황을 평양에 초청하라"

내가 북한의 공직자로 첫 발을 내디딘 것은 2차 중국 유학을 끝내고 돌아온 후였다. 1988년 10월 25일, 나는 외무성(당시 명칭은 외교부) 유럽국 영국·아일랜드 담당자로 공식 발령을 받았다. 한국은 88 서울올림픽의 감동과 여운으로 들썩이고 있었지만 북한 또한 세계청년학생축전 준비가 한창이었다.

내 나이 스물일곱이었다. 만경대구역에 하루가 다르게 조성되는 축전 거리를 보면서 나는 사회주의 조국에 내 뜨거운 젊음을 바치겠다고 다짐하고 있었다. 하지만 나는 무리한 축전 준비의 후유증으로 북한 경제가 곤두박질치기 시작한다는 것을, 그 부담이 동구권 붕괴와 맞물려 '고난의 행군'으로 이어진다는 것을 그때는 모르고 있었다.

당시 외무상(외교부장)은 김영남이었으나 실권은 강석주 1부상(한국의 제1차관에 해당)이 쥐고 있었다. 외무성의 규율은 상당히 엄격했다. 모든 일이 군대식으로 돌아갔지만 성원 자체가 외교관이었기 때문에 사상적으로 열려 있는 사람들이 많았다. 선배들로부터 조언도 많이 받았다.

아직도 깊은 인상으로 남아 있는 것은 외무성 내의 당 생활총화 분위기다. 토요일 아침마다 열린 당 생활총화에서 선배들은 자기비판은 물론 호상(상호)비판에도 적극적으로 참여했다. 당 세포가 김일성·김정일의 노작과 덕성실기(수령의 덕성에 대해 적은 기록), 항일빨치산 참가자들의 회상기 등을 발제하면 당회의 참석자들은 진지하게 호상 토론을 했다. 지금처럼 발제 후 온 당원들이 달라붙어 베껴 쓰는 것은 상상도 못 할 때였다.

분기별 당 생활총화에서는 전체 당원 앞에 나가 미리 준비한 자기비판을 한다. 그리고 당원들이 번갈아 일어나며 호상비판을 하는 형식이었다. 누가 준비를 시키지 않아도 모두 열성껏 나서서 상대방을 비판했다. 당원들은 호상비판을 자신의 당성을 과시하는 기회로 삼는 듯했다. 1992년경 김정일이 당 조직지도부를 내세워 강석주 1부상을 전면 재검토한 적이 있다. 강석주가 호상비판 무대에 올랐을 때 어떤 여성은 눈물을 흘리며 그를 비판하고 단죄했다. 강석주는 농장 혁명화(힘든 일을 시키는 일종의 근신) 처벌을 받고 한 달여 만에 복귀했다.

생활총화는 북한의 노예사회를 유지하는 핵심 중의 핵심이다. 자기 검열과 상호 검열을 통해 체제에 순응하는 인간형을 만들어

낸다. 하지만 이것은 훗날 깨닫게 된 진실이었고 당시는 생활총화가 마치 바람직한 당 생활의 기본인 것처럼 느낄 때였다. 외무성의 분기별 당 생활총화 분위기는 시간이 흐르면서 많이 변했다. 지금은 조는 사람이 부지기수다. 그때는 생활총화에서 잠깐이라도 존다는 것은 상상도 할 수 없었다. 그러기에는 분위기가 너무 팽팽했다. 모두가 공산주의 영마루(고갯마루)가 앞에 보이는 것처럼 열정에 사로잡혀 있었다.

외무성에 입직한(들어간) 지 1년쯤 지난 1989년 11월 9일, 동서독 분단의 상징이던 베를린 장벽이 붕괴됐다. 이 무렵 북한외교는 위기를 맞이하고 있었다. 동구권 국가들이 연이어 무너졌고 1989년 6월 천안문 사태가 발발했다. 북한은 세계청년학생축전을 치르고 나면 대외 환경이 개선되리라고 기대했지만 1990년대에 들어서면서 상황은 급박하게 돌아가며 갈수록 험난해졌다.

1990년 9월 한국과 소련이 외교관계를 수립했다. 10월에는 통일 독일이 출범했고, 같은 달 한국과 중국은 상호 무역대표부를 설치하기로 합의했다. 노태우 정부의 '북방외교'가 속도를 내고 있었다. 중국이 한국과 외교관계를 설정하는 것은 시간 문제였다. 북한 외무성은 한동안 정신이 나간 듯했다. 급변하는 정세에 어떻게 대처해야 할지 몰라 밤을 새우면서 회의를 거듭했다.

이듬해 12월 북한의 보호막 역할을 해주던 소련이 해체됐다. 그렇지만 사회주의가 패배했다고 생각하는 사람은 별로 없었다. 남한과의 체제나 이념 대결에서 진 것은 더욱 아니라고 믿었다. 소련이 힘을 잃고 급작스럽게 붕괴된 것으로 인한 일시적인 어려움이라고 봤다. 그러나 북한은 고립돼 갔다. 북한이 마지막으로 기댈 언덕은 중국밖에 없었지만 한국과 중국은 1992년 8월 마침내 국교를 열었다. 북한과 북한외교는 사면팔방으로 포위되는 형국이었다. 한중수교가 이뤄졌을 때 외무성 성원들은 피눈물을 흘렸다. 이는 결코 지나친 말이 아니다.

이때 김일성이 얼마나 다급했는지를 보여주는 일화가 있다. 김일성은 로마 바티칸 교황청과도 접촉을 모색했다. 교황이 다른 나라를 방문할 때마다 열광적인 환영을 받는 뉴스를 보면서 교황 요한 바오로 2세를 북한에 오게 한다면 외교적 고립에서 벗어날 수 있다고 기대했다. 김일성은 김영남에게 관련 조치를 지시했고, 1991년 외무성 내에 교황을 평양에 초청하기 위한 상무조(TF)가 편성됐다. 이때 나는 상무조의 일원으로 활동했다.

진짜 기독교인 늘어날까 김정일이 반대

상무조 내에서 임무와 역할 분담이 이뤄졌다. 외무성은 교황 방문과 관련된 의전을, 당 통일전선사업부(이하 통전부)는 종교행사와 연관된 업무를 맡았다. 우연찮게 나는 후자에 속했다. 그런데 통전부 소속 일꾼들의 근무 태도가 영 실망스러웠다. 책이나 보고 잡담을 하면서 퇴근 시간만 기다렸다. 외무성 성원이라면 당장 벼락이 떨어질 행동이었다.

며칠 동안 지켜보다가 통전부 일꾼들에게 왜 실무준비를 하지 않느냐고 슬며시 물었다. 답은 이러했다.

“교황의 조선(북한) 방문은 이미 김정일 지도자 동지께서 안 된다고 결론을 내신 문제다. 더는 진척시킬 수 없는 문제인데 (김일성) 수령님께서 해보라 하시니 어쩔 수 없이 자리만 지키는 것이다. 외무성이나 한 번 잘해 보시라."

모든 권한이 김정일에게 넘어간 이후였기 때문에 교황의 방북이 이뤄질 리가 없다. 하지만 내 생각에도 교황이 평양에 오면 북한의 외교적 고립을 해소하는 데 큰 도움이 될 것이 분명했다. 그러나 통전부 일꾼들의 이야기는 이랬다.

"교황이 조선에 오면 그 이후의 뒷감당은 통전부와 보위부가 해야 한다. 외무성은 지금 조선에 교인이 있는지 없는지, 있으면 얼마나 있는지 전혀 모른다. 교황이 다녀가면 천주교 신자가 무섭게 늘어날 텐데 누가 책임을 지겠는가."

나는 어릴 때부터 종교는 나쁘다는 교육을 받았다. 북한 영화 〈최학신의 일가〉, 〈성황당〉 등을 통해 반종교적인 성향을 키워 왔다. 북한에 교인이 있을 수 있다는 그들의 말이 믿어지지 않았다.

당시 바티칸 교황청에 북한의 천주교 신자를 데리고 가기도 했다. 교황청이 "북한에 진짜 가톨릭 신자가 있다면 바티칸에 데려와 달라"고 요구하자 북한 노동당 가톨릭교협회가 한 할머니를 찾아냈다. 사회안전부(지금의 보안성) 주민등록부를 뒤져 6·25 전쟁 전까지 독실했던 신자를 골라낸 것이다.

노동당의 가톨릭교협회 간부들이 할머니를 찾아가 "아직도 하느님을 믿느냐"고 물어보았다. 할머니는 "수령님과 노동당이 있는데 하느님을 믿는다는 것이 무슨 소리냐"며 정색하며 당 간부를 안심시켰다.

"솔직히 말해도 괜찮다. 아직도 하느님을 믿는 신자를 찾아 로마 교황청에 보내야 할 필요성이 있어서 물어보는 것이다. 독실한 신앙인을 찾아내면 당과 국가에 오히려 도움이 된다."

할머니는 그때서야 마음을 열고 "한번 마음속에 들어오신 하느님은 절대로 떠나지 않는다"고 했다. 당 간부는 할머니에게 어떻게 신앙을 지켜왔는지 물었고 할머니는 그들을 집 뒷담으로 데려갔다. 뒷담 앞에 꾸려진 예배단의 분위기만으로 이곳이 종교적 장소임을 쉽게 알 수 있었다.

당 간부는 할머니가 신자임을 확신하고 "혁명의 이익을 위해 대표단 성원으로 바티칸에 한 번 가셔야 되겠다"고 했다. 할머니는 하늘을 바라보며 이렇게 대답했다.

"하느님, 일생을 열심히 기도를 드렸더니 이렇게 어린 양을 불러주시네요."

당황한 당 간부는 "하느님이 부른 것이 아니라 혁명의 이익을 위해 바티칸에 가는 것"이라며 다시 한 번 주지시켰지만 할머니는 여전히 하느님이 불러주었다고 믿는 눈치였다. 그러면서도 할머니는 "내가 밤마다 여기서 기도하는 사실은 아들도 모르니 제발 아들에게는 말하지 말아 달라"고 부탁했다.

대표단을 따라 바티칸에 간 할머니는 북한에 종교의 자유와 가정예배소가 있음을 증언했다. 교황 앞에서 가톨릭 예법대로 경의도 표했다. 교황청 사람들은 할머니의 눈빛만 보고서도 진짜 신자가 분명하다고 인정했다고 한다. 이 일을 통해 노동당은 종교의 '무서움'을 절감했다. 통전부 관계자들이 교황 초청 사업에 열성을 내지 않는 이유도 이것이었다. 교황이 평양에 오면 실제로 북한에 가톨릭 열풍이 일 것을 두려워한 것이다. 교황 초청을 위한 상무조는 출범 두 달 만에 슬며시 해산되었다.

남북 유엔 동시가입 막전막후

김일성의 바티칸 교황 초청 시도는 무산됐고 북한의 외교적 고립은 더욱 심화됐다. 1990년대 들어 김일성은 생애 마지막 좌절을 맛보고 있었던 것 같다. 1991년 초 중국은 북한에 청천벽력 같은 소식을 통보했다. 대략적인 내용은 이랬다.

"소련이 한국과 외교관계를 설정함으로써 동북아 세력구도에 커다란 변화가 생겼다. 중국은 향후 동북아 정세가 미국에게만 유리하게 재편되는 것을 막기 위해 한국과 외교관계를 설정하기로 결정했다. 그러나 무작정 한국과 외교관계를 설정할 수는 없다. 유엔 회원국도 아닌 한국을 중국이 먼저 인정해 주는 것은 법률적으로 문제가 있다. 중국은 남북한이 우선 유엔에 가입한 후, 한국과 외교관계를 설정하는 순서로 가려고 한다. 그러므로 조선 노동당도 종전의 '두 개 조선' 반대 정책을 철회하고 남북 유엔 동시가입 과정에 합류해 주기 바란다."

얼마 후 북한 주재 소련 대사도 비슷한 방침을 북한에 통보해 왔다. 중국과 소련은 남북 유엔 동시가입 문제에 대해 이미 한국, 미국과 합의를 이룬 것이 명백했다. 김일성은 남북 유엔 동시가입을

'두 개의 조선'을 만들려는 제국주의 국가의 책동이라고 규정하며 평생 반대해 왔다. 김일성이 펄쩍 뛴 것은 당연했다. 반면 김정일은 이 문제를 피할 수 없는 과정으로 보고 있었지만 아버지 김일성을 설득시키기가 쉽지 않았다.

북한이 중국과 소련의 주장을 받아들이지 않자 두 나라의 압박이 좀 더 구체화됐다.

"조선 동지들이 사태를 냉정하게 보기 바란다. 1991년 9월에 열릴 유엔총회에서 한국과 미국은 한국의 유엔 가입을 시도할 것이다. 중국과 소련도 무작정 조선 편에 서서 한국의 유엔 가입을 반대할 수는 없다. 하지만 조선이 동의하면 남북 유엔 동시가입으로 미국과 조정할 수 있다. 만일 조선이 끝까지 유엔 가입을 반대하면 결국 한국만 가입이 성사될 수 있다. 그럴 경우 한국은 한반도의 유일한 합법 정부로 인정받게 된다. 이런 사태는 막아야 한다. 남북 유엔 동시가입은 막을 수 없는 과정이다."

김일성은 1990년 9월 소련 외무상 셰바르드나제가 북한을 방문해 한국과의 수교를 결정했다고 통보했을 때 대로한 바 있다. 더욱 기막힌 것은 셰바르드나제가 남북 유엔 동시가입을 더는 미뤄서는 안 된다고 주장한 점이었다. 김정일은 같은 해 10월에 진행된 1차 남북 고위급 회담에서 남북 단일 의석에 의한 유엔 가입을 한국에 제기하고 합의를 보려고 했다. 하지만 한국 정부의 반대로 실현되지 못했다. 여기에 중국까지 돌아선 형국이었다. 남북회담을 통해 남북 유엔 동시가입을 차단해 보려던 북한의 전략은 실패로 귀결되고 있었다.

1991년 5월 유엔총회 의장국이었던 몰타 정부로부터 통보가 왔다. 몰타 외무상이 유엔총회 의장 자격으로 북한을 방문해 김일성을 만나려 하니 유엔 가입 문제를 최종적으로 정리해 주기 바란다는 내용이었다. 북한 외무성 내에 상무조가 조직되었고 나는 몰타 외무상을 수행하는 통역 겸 안내로 선발되었다. 이때부터는 모든 것이 김정일의 의사대로 진행된다. 얼마 후 김정일의 지시가 외무성에 내려왔다.

"수령님이 유엔 동시가입에 동의하는 결단을 내렸다. 우리는 중국과 소련으로부터 그 대가를 받아내야 한다. 중소가 조선과 미국의 외교관계 설정을 보장해야 하며 이를 관철해야 한다."

한국 단독가입할까봐 북한이 신청서 먼저 내

1991년 5월 27일 북한은 외무성 성명을 통해 유엔 동시가입 의사를 밝힌다. 그런데 유엔 동시가입 문제를 추진하려고 보니 큰 문제가 있었다. 유엔 가입신청서를 북한이 먼저 내면 자기모순에 빠지게 된다. 남북 유엔 동시가입을 한반도 영구분단의 시작이라고 선전해 왔기 때문이다. 그렇다고 한국이 가입신청서를 낼 때까지 기다리기도 어려웠다. 한국이 먼저 가입한 후 미국이 북한 가입 안에 거부권을 행사하면 북한으로서는 대참사였다.

북한은 중국, 소련과 가입 순서에 대해 논의했다. 중소는 미국이 말로는 남북 동시가입을 지지한다고 하나 실질적인 담보는 제시하지 않았다고 했다. 북한은 가입신청서를 북한이 한국보다 앞서 제출하고 미국이 동의하는 경우에만 중소도 한국의 가입을 승인한다는 약속을 받아냈다.

김정일은 김일성에게 북한이 먼저 가입신청서를 제출하겠다고 보고했다. 김일성은 처음엔 노발대발했으나 자칫하면 한국만 가입할 수 있다는 논거에 밀려 결국 한숨을 쉬며 동의했다고 한다. 7월 북한은 한국보다 먼저 기습적으로 가입신청서를 제출했다. 예상을 깬 북한의 행보에 한국과 미국은 의외라는 반응이었다. 8월 남북한의 유엔 가입 문제는 유엔 안보이사회를 통과했고 9월 총회에서 만장일치로 채택되었다.

한국과 국제사회는 크게 환호했다. 하지만 북한으로서는 기뻐할 일이 아니었다. 이 소식은 짤막한 보도 하나로 북한 주민에게 알려졌다. 김일성이 평생 고집해 온 남북 유엔 동시가입 반대 정책이 한순간에 무너졌다. 김일성은 또한 북한이 먼저 유엔 가입신청서를 제출하게 되면서 '한반도 영구분단의 책임'까지 떠안았다.

나는 아직도 의문이 풀리지 않는다. 남북 유엔 동시가입을 공세적으로 추진하던 한국이 북한보다 늦게 가입신청서를 제출한 이유는 무엇일까. 한반도 영구분단의 책임을 지지 않기 위해서였을까. 도무지 알 수 없다.

당시 북한 외무성은 한국이 신청서를 먼저 내고 미국을 이용해 북한의 가입을 막을지도 모른다고 우려하고 있었다. 물론 노태우 정부의 기본 외교 정책이 '북방외교'였으므로 한국은 북한의 유엔 가입을 지지하고 있었겠지만 북핵 문제를 서서히 수면 위로 끌어올리고 있었던 미국은 그렇지 않았을 가능성이 있다.

김정일이 남북 유엔 동시가입을 결정하면서 중소에 북미 수교를 보장하라고 요구한 것은 남북 교차승인 반대라는 김일성의 두 번째 원칙마저 뭉개버린 조치였다. 남북 교차승인이란 중소가 한국을, 미일이 북한을 교차해 승인한다는 뜻이다.

그때까지 북한의 모든 교과서에는 남북 유엔 동시가입과 '두 개 조선' 조작 책동을 반대한다고 나와 있었다. 따라서 이 두 가지 '책동'을 받아들이는 데 대한 당의 해명이 필요했다. 동독, 서독의 경우 기본 조약을 체결해 양자가 국가 간이 아닌 특수한 관계임을 내외에 선포한 뒤 유엔에 가입한 바 있다.

그러나 남과 북은 독일과는 달리 아무런 조약이나 협정 없이 휴전 상태 그대로 유엔에 가입했다. 북한 또한 남북이 두 개의 국가가 아니라는 점을 북한 주민에게 납득시키는 것이 문제였다. 이 문제는 1991년 12월 「남북 사이의 화해와 불가침 및 교류협력에 관한 합의서」가 체결되면서 해결된다. 「남북 기본합의서」라고도 불리는 이 합의서는 남북관계를 '나라와 나라 사이의 관계가 아닌 통일을 지향하는 과정에서 잠정적으로 형성되는 특수관계'라고 규정하고 있다. 사후에 약을 처방하는 것과 같은 합의였지만 북한으로서는 남북 유엔 동시가입을 합리화하는 계기가 되었다.

북한의 남은 문제는 중소의 지원을 받아 미국, 일본과 수교하는 것이었다. 그래야만 김정일이 애초에 노렸던 남북 교차승인이 이루어진다. 그러나 이미 한국과 외교관계를 수립한 소련은 북한의 요구에 미지근하게 반응했다. 중국은 "교차승인을 위해 최선을 다하고 있으나 미국과 일본이 북한을 인정하려고 하지 않는다"며 우는 소리만 했다.

남북 합의서가 체결되던 달에 해체된 소련은 북한 입장에서 더는 기댈 언덕이 아니었다. 중국은 미국으로부터 북한과 외교관계를 설정한다는 답변도 받지 못하고 한국과 수교부터 했다. 김일성과 김정일에게 소련과 중국은 이젠 믿을 수 없는 동맹국이었다. 특히 중국은 북한과 미국이 외교관계를 설정할 수 있게 중재하지 않고 오히려 미국 편에 섰다. 중국은 북한이 핵 의혹을 해결해야 미국과의 외교관계가 가능할 것이라며 상처 난 곳에 소금까지 뿌렸다.

주중 이탈리아 대사의 방북에 들뜬 김씨 부자

소련과 중국의 '배신'에 골머리를 앓았던 북한에 뜻밖의 낭보가 날아들었다. 1992년 11월 이탈리아 정부는 중국 주재 이탈리아 대사 올리비에르 로시와 외교부 아주국장 피니를 평양에 보내겠다며 양국의 관계 발전 문제를 토의하자고 제의해 왔다. 피니의 풀네임은 기억나지 않는다.

한국은 북한의 주요 동맹국인 소련, 중국과 외교관계를 맺었지만 북한은 미국, 일본은 물론 서방의 어느 국가와도 국교를 수립하지 못한 상황이었다. 외무성은 이때 김일성과 김정일에게 역발상적인 보고를 한다.

"한국과 중국의 국교 수립은 향후 조선 외교에 새로운 활력을 불어넣을 것이다. 우리의 자주적인 대외정책에 대해 지금까지 많은 선전을 해왔지만 국제공동체는 조선을 소련과 중국의 위성국으로 인식하고 있다. 하지만 이제는 소련이 붕괴되었고 한중이 수교했다. 조선이 얼마나 자주적인 국가인지 뚜렷이 보여줄 수 있는 기회가 마련되었다. 향후 조선의 대외적 지위는 더욱 강화될 것이다. 이제부터 미국과 대화의 문을 여는 한편 유럽과 아시아, 라틴아메리카 국가와의 관계 발전에도 박차를 가하겠다."

김일성과 김정일은 보고안대로 추진하라는 방침을 하달했다. 이에 앞선 1992년 9월에는 이탈리아 대외교류재정그룹 이사장 카를로 바엘리를 초청해 1억 달러 차관 협상을 벌였다. 소련에서 갈라져 나온 독립국가연합 11개국과도 같은 해 집중적으로 새로운 외교관계를 설정했다. 소련과 동구권 몰락으로 인한 외교적 손실이 메워지는 듯 보였지만 실질적인 성과는 거의 없었다.

이런 상황에서 이탈리아 정부가 주중 대사를 평양에 보내겠다고 제의해 온 것이다. 김일성과 김정일이 반색한 것은 당연했다. 이탈리아에는 이종혁이 유엔식량농업기구(FAO) 주재 북한대표로 나가 있었는데 사업을 상당히 잘한다는 평가를 받았다. 이종혁은 월북작가인 이기영의 아들이며, 현재 북한아태평화위원회 부위원장이다. 한국과의 회담에도 가끔 얼굴을 드러내는 인물이다.

이탈리아 국회는 전통적으로 사회당과 공산당의 영향력이 강했다. 냉전체제 붕괴 이후 이탈리아 국회는 행정부에 북한과의 외교관계 설정을 고려해 볼 것을 요구하고 있었다. 이탈리아 정부로서도 북한에 대한 1억 달러 차관 문제를 결정해야 할 시점이었다. 북한과 이탈리아 사이에서 어떤 외교적 성과물이 나올 만한 분위기였다. 김일성은 잔뜩 기대를 걸고 이렇게 말했다.

"이탈리아는 서유럽에서 자주성이 강한 국가다. 이탈리아가 우리나라에 대사를 파견한다는 것은 그냥 와서 '냄새'나 맡고 돌아가려는 것이 아니다. 남북 유엔 동시가입으로 이제는 '두 개의 조선'이 출범한 것이나 다름없다. 이탈리아의 계산은 남북 조선과의 관계를 동시에 발전시키려는 '등거리 외교'로 가겠다는 것이다. 이번에 잘하면 이탈리아와 외교관계를 맺을 수 있다. 내가 직접 이탈리아 대사를 만나 주겠다."

김정일도 들떠 있는 것이 분명했다. 그는 세세하고 구체적인 지시를 내렸다.

"이탈리아 대사 일행에 대한 수령님의 기대가 크다. 이탈리아와 외교관계를 맺을 수 있게 당에서 모든 것을 지원해 주겠다. 대사 일행을 잘 접대해야 1억 달러 차관도 순조롭게 들여올 수 있다. 대사 일행을 고려호텔의 맨 위층 국가원수급 숙소에 묵게 하고 승용차와 식사도 최상으로 제공하라. 공연관람도 만수대예술극장에서 열지 말고 강석주 1부상이 직접 당중앙위원회 목란관에서 개최하라. 내가 보천보전자악단, 왕재산경음악단의 공연을 보장해 주겠다.

대사 일행이 가장 궁금해 하는 대목은 우리와 어떠한 경제적 관계를 맺을 수 있느냐는 문제일 것이다. 내가 39호실(노동당 재정경리부)에 말해 놓을 테니 대사 일행을 강원도 문천제련소로 데려가 금 창고(보관소)를 보여줘라. 창고를 보여주면 입이 저절로 벌어질 것이며 우리에게 확 달라붙을 것이다. 문천제련소로 갈 때는 직승기(헬기)를 이용하라. 괜히 승용차로 가면 도로사정도 좋지 않고 낙후된 우리의 현실을 보여줄 수 있다."

김일성 피해 김정일에 먼저 모든 것 직보

강석주는 1992년 가을 김정일로부터 비판을 받은 뒤 검열총화에서 혁명화 지시를 받았다. 평양 근교 농장에서 돼지우리의 똥을 치우던 그는 한 달여 만에 김정일의 부름을 받고 복귀했다. 이탈리아 대사 일행이 방북할 무렵은 그가 복귀한 지 얼마 지나지 않은 시점이었고 김정일과 그의 관계도 서먹한 상황이었다. 그런 차에 김정일이 보천보전자악단과 왕재산경음악단까지 동원해 주겠다고 하면서 그에게 중대한 업무를 맡겼다. 두 악단은 사실상 김정일의 '기쁨조'였다. 강석주는 백골난망의 충성을 발휘해야 할 처지에 있었다.

강석주는 유럽국장 김흥림에게 이탈리아 대표단에 대한 안내 책임을 맡겼다. 통역으로는 최선희와 내가 선발되었다. 최선희는 대사 부인 통역을, 나는 로시 대사와 피니 아주국장의 통역을 맡기로 했다. 최선희는 한국 TV에도 자주 얼굴이 나오는 '유명 인사'가 되어 있다. 현재 외무성 미국담당 국장에서 부상으로 승진했다고 한다.

이탈리아 대표단이 도착하기 전날, 강석주 1부상 사무실에서 회의가 열렸다. 강석주는 김흥림 국장과 내게 이런 지시를 내렸다. 매우 흥분된 목소리였다.

"이번 사업에 대한 수령님과 지도자 동지의 관심이 얼마나 큰지 잘 알 것이다. 긴 말 하지 않겠다. 내가 지도자 동지에게 수시로 보고해야 하니 대사 일행의 일거수일투족을 관찰해야 한다. 특히 수령님과 지도자 동지는 대표단 개개인에 대한 구체적인 정보를 원하고 있다. 대사 일행이 도착한 직후부터 그들의 성향, 취미, 가족관계 등을 구체적으로 보고하라. 수령님이 전희정 주석부 외사국장을 통해 대표단의 동향을 보고하라고 요구할 수도 있다. 지도자 동지보다 수령님에게 먼저 보고가 올라가면 큰일 난다. 이 점을 명심하라. 외무성이 모든 사안을 지도자 동지에게 우선 보고하고 그 후 지도자 동지가 수령님에게 보고하는 것이 당 내부의 보고 질서다. 이를 반드시 지킬 수 있게 유념하라."

1980년대 말부터 모든 정보를 김정일에게 먼저 보고해야 한다는 사실은 알고 있었지만 내가 직접 체험해 보니 새삼스러웠다. 평양 비행장에서 고려호텔까지는 차량으로 30분 거리였다. 나는 이 시간 동안 대표단 일행과 동승해 그들의 신상정보를 요령껏 파악해야 했다. 차안에서 로시 대사와 부인은 이탈리아어로 대화했다. 무슨 말인지 알 수는 없었지만 부인의 이탈리아어가 유창해 보이지는 않았다. 나는 대사 부인에게 이탈리아 어디에서 태어났느냐고 물었다. 부인은 "이탈리아인이 아니라 이집트 사람"이라고 대답했다. 당시 유엔 사무총장이었던 부트로스 부트로스 갈리와 사촌이라는 말도 했다.

고려호텔에 도착해 수속을 밟으면서 피니 아주국장과도 몇 마디 나눴다. 그가 한국어를 아는 것 같다는 느낌을 받았다. 국장에게 한국어를 할 줄 아느냐고 물었더니 조금 한다고 했다. 내가 "어디서 조선어를 배웠느냐"고 하니 국장은 "아내가 한국인이라 약간 할 줄 안다"고 설명했다. 대화가 좀 더 이어졌다.

"당신의 방북이 알려졌을 텐데 로마 남조선대사관이 가만있던가. 남조선대사관 측과 관계가 깊을 것 같은데……."

"나는 한국 여인과 결혼했지만 정치적으로는 한반도의 남과

북을 균등하게 대해야 한다고 생각한다. 평양에 오기 전에 로마 한국대사를 만나기는 했다. 그는 방북 목적을 물어보면서 한국대사관 측에 방북 후의 결과를 통보해 줄 것을 요청했다.”

나는 아주국장에게 한국대사의 이름을 물었다. 이기주라고 했던 것 같다. 사실 그와 대화를 나눌 때부터 호텔 접수처가 전화를 받으라고 야단을 치고 있었다. 주석부 외사국장 전희정이 통화를 원한다며 기다리고 있다는 것이었다. 김일성에게 절대로 먼저 보고해서는 안 된다는 지시를 받은 나는 대표단과 함께 숙소로 올라가야 한다고 핑계를 대고 그 자리를 피했다. 그리고는 외무성 상무조(TF)에게 대표단 일행에 대한 정보를 보고했다.

내가 전희정 외사국장의 전화를 받은 것은 나의 보고가 김정일에게 들어갔다는 것을 확인한 후였다. 전희정 외사국장은 원래 차분한 성격이었다. 누구에게도 큰 소리를 치는 사람이 아니었다. 하지만 전화기를 들자마자 그의 짜증 섞인 질책을 들어야 했다.

“당신 이름과 직책이 무엇인가. 왜 전화를 받지 않았는가. 외무성에는 언제 들어왔는가. 수령님께서 관련 보고를 기다리고 있는데 한 번 혼 좀 나보겠는가.”

물론 그도 김정일에게 먼저 보고해야 한다는 ‘내부 질서’를 알고 있었을 것이다. 하지만 김일성으로부터 계속 재촉을 받으니 짜증과 안달이 난 것도 당연한 일이었다. 나는 “죄송하다. 대사 일행의 숙소부터 잡아주느라고 전화가 온 것을 미처 몰랐다”고 변명했다. 나중에 듣고 보니 김일성과 김정일이 기뻐한 부분은 대사 부인이 갈리 유엔 사무총장의 사촌이라는 사실이었다고 한다. 갈리는 반미 감정이 강한 것으로 알려져 있었다. 김씨 부자가 불쾌해 한 대목도 있다. 피니 국장의 부인이 한국인이라는 점이었다.

금괴 과시하려 헬기까지 동원했지만 금 창고 텅 비어

이틀 후 김일성이 이탈리아 대사 일행을 접견했다. 김일성은 "냉전이 허물어졌고 북남이 모두 유엔 회원국이 되었으므로 북한과 이탈리아도 이제는 기존의 블록 개념에서 벗어나 외교관계를 설정해야 한다"고 강조했다. 하지만 이탈리아 대사는 "북한이 국제원자력기구나 미국을 통해 핵 의혹을 우선 해결해야만 이탈리아도 북한과 외교관계를 설정할 수 있다"는 엉뚱한 대답을 했다. 이처럼 이탈리아 정부가 대사를 보낸 이유는 북한과 외교관계 설정문제를 타진해 보려는 것보다 북한이 핵 의혹을 해결할 의사가 있는지를 탐색하기 위한 것이었다.

대표단 일행은 김일성을 만난 다음날 강원도 문천제련소를 방문했다. 김정일의 지시대로 헬기를 통해서였다. 공장 노동자들이 나와 헬기 착륙을 지켜보고 있었다. 모든 직원이 거의 다 나온 듯했다. 제련소 간부들은 "지금까지 여기에 직승기가 내린 적은 없었는데 얼마나 중요한 대표단이기에 헬기까지 띄웠느냐"고 궁금해 했다.

공장 지배인이 대표단을 안내했다. 금과 아연을 생산하는 공정을 설명하면서 대사 일행에게 도가니에 금물을 부어 금괴를 만드는 구체적인 공정까지 보여주었다. 대사는 나에게 농담조로 "금괴를 하나 달라"고 했다. 나를 대신해 답변을 한 것은 김흥림 국장이었다. 그는 웃으면서 "이탈리아와 외교관계를 맺게 되면 금괴를 10개 주겠다"고 했고 대사도 크게 웃었다.

남은 일정은 김정일의 지시 사항이기도 했던 금괴 보관소를 시찰하는 것이었다. 그런데 지배인은 공장 견학 일정이 끝났다고 생각한 모양인지 대표단과 작별 인사를 나눌 듯한 태도를 보였다. 김흥림 국장이 "우리는 대표단에게 금 창고를 보여주기 위해 왔는데 공장 측은 그런 지시를 받은 적이 없느냐"고 넌지시 물었다. 지배인의 대답이었다.

"금 창고에 금이 없다. 금괴는 생산되는 즉시 평양에서 가져간다. 오늘 본 금괴는 대표단이 오면 보여주기 위해 며칠 전부터 생산을 중단하고 모아둔 광석으로 만든 것이다. 오늘처럼 금괴를 매일 생산할 수 있다면 우리나라가 이렇게 힘들게 살겠는가."

김정일도 이런 사정을 모르고 있었던 것이다. 동원한 헬기가 부끄러울 지경이었다. 이탈리아 대표단도 어리둥절해 했다. 고작 금괴 생산을 보여주려고 여기까지 오게 했느냐는 눈치였다. 이탈리아는 북한이 따라갈 수 없는 선진국이다. 그런 선진국가의 국민들에게 공화국의 경제적 위력을 금괴 덩어리로 과시하려는 생각 자체가 시대착오적인 것이었다. 설령 수백 개의 금괴가 있었다고 해도 이탈리아 대표단에게 특별한 감흥을 주지는 못했을 것이라고 생각한다.

저녁에는 목란관에서 대표단과의 만찬이 있었다. 연회장에 들어가니 강석주가 이미 와 있었고, 국제부와 내각에서 나온 간부들도 좀 보였다. 주빈석에 대표단이 앉았고 그 사이사이에 강석주와 김흥림, 최선희와 내가 자리를 잡았다. 강석주, 로시 대사, 피니 국장 옆에는 시중을 드는 어여쁜 처자들이 착석했다.

소문으로만 들었던 '기쁨조'라는 생각이 들었다. 처음에는 호기심에 한 명, 한 명의 얼굴을 자세히 관찰했다. 무척 예뻤다. 그러다 보니 나중에는 눈을 마주치는 것조차 쑥스럽고 어색해졌다. 연회 시작 전, 강석주의 말이 생각났다.

"CCTV로 지도자 동지가 보고 있을 수 있다. 연회를 흥겹게 운영해야 한다. 그러자면 통역의 역할이 중요하다. 흥겨운 분위기가 연출될 수 있도록 당신이 잘 유도해야 한다."

식사가 들어왔다. 기쁨조 처녀들이 대사와 일행에게 포도주를 부어주었다. 어여쁜 처자들 사이에 앉아 식사를 하는 것은 나로서도 처음 경험하는 일이었다. 한참 음식이 돌아가다가 공연이 시작되었다.

기쁨조 접대에 피니 국장, "불편하다"

보천보전자악단과 왕재산경음악단의 연주와 노래, 춤이 나왔다. 초반에는 북한 노래와 음악 위주였다. 그러다가 재즈, 디스코 음악이 연주되었고 밝았던 천장 조명이 어두운 네온등으로 바뀌었다. 그리고 야릇한 옷을 입은 무용수들이 무대 위에 나타났다. 미국 영화에서나 보았던 브로드웨이에 와 있는 것 같은 느낌이었다. 공연자가 바뀔 때마다 옆에서 대기하고 있던 남성 접대원들이 우리에게 꽃다발을 건네주며 공연자들에게 선사하라고 종용했다.

현재 유튜브에는 '유쾌한 춤', '알로하오에', '담부링(탬버린) 춤' 같은 북한 무용이 꽤 유포돼 있다. 그날 내가 관람했던 무용은 유튜브에 나오는 춤과 거의 비슷하지만 확연히 다르다고도 할 수 있다.

음악은 더 끈적끈적했고 의상도 훨씬 야해 비키니보다 노출이 심했다. 거기에 검은 모자와 검은 양말을 착용하고 검은 지팡이까지 들었으니 분위기가 요상했다.

연회가 열린 목란관은 조선노동당 중앙위원회 청사 안에 있다. 조선노동당은 공산주의 도덕과 혁명적 문화예술을 주창하면서 자본주의 문화예술이 부패하고 타락했다고 선전해 왔다. 공산주의 도덕과 혁명적 문화예술의 '전당'인 목란관에서 '부패하고 타락한 문화예술'을 보는 것 같았다.

미국 영화 같은 데서 선정적인 춤을 볼 때는 그러려니 하고 유쾌하게 볼 수 있었다. 하지만 북한 여성들이 배꼽을 드러내놓고 엉덩이가 보이는 비키니를 입은 채 다리를 들었다 내렸다 하는 모습을 보게 되니 뭔가 죄의식을 느꼈다. 그때까지만 해도 나는 정말 순진한 공산주의자였던 것 같다.

그런데 어느 순간 분위기가 이상해졌다. 로시 대사는 공연자들과 호흡을 맞추며 박수도 쳤는데 피니 국장은 불편한 표정을 드러내며 아무런 호응을 하지 않았다. 공연자들은 사라지고 무대에는 연주 음악이 흘러나왔다. 사교춤을 추기에 적합한 곡들이었다. 흥을 돋우어야 할 시간이었다.

옆에 앉아 있던 처자들이 대사와 국장에게 춤을 권했다. 대사와 부인은 플로어로 나가 왈츠와 탱고 같은 춤을 추었다. 국장은 자리에서 꼼짝하지 않았고 처자가 재차 권해도 요지부동이었다. 강석주가 나에게 신호를 주었다. 국장을 부추겨 춤을 추게 하라는 의미였다. 대사도 국장에게 춤을 권했지만 국장은 연회 분위기를 일순간에 얼어붙게 만드는 말을 했다.

"대사님, 저는 '기생파티'가 익숙하지 않아 이 자리가 좀 불편합니다."

영어로 말했지만 '기생파티'라는 단어만큼은 우리말로 또박또박 발음했다. 나는 순간 가슴이 철렁 내려앉는 것 같았다. 국장 옆에 앉은 처자의 눈빛부터 살폈다. 국장이 '기생파티' 운운한 것을 김정일이 알게 되면 이만저만 큰일이 아니었다. 대사는 국장에게 쓸데없는 말을 한다는 눈빛을 보냈다. 강석주와 김흥림은 못 들은 척하고 대사와 대화를 나눴다. 음악과 무용이 이어졌지만 눈과 귀에 들어올 리 없다. 전체 공연자들에게 꽃다발을 전달하는 시간이 돼서야 공연이 끝난 것을 알았다.

연회 후 외무성에 들어와 보고서를 작성했다. 나뿐만이 아니라 강석주, 김흥림, 최선희도 모두 외무성에 들어왔다. 우리에게 연회는 연회가 아니었던 것이다. 보고서의 제목은 '목란관 행사 진행정형 보고'였다. 내용은 좋은 것으로만 채웠다.

"연회는 매우 흥겹게 진행되었다. 로시 대사와 피니 국장 등은 '이런 공연은 처음 본다. 조선의 예술 수준이 대단히 높다. 성악의 본고장인 이탈리아보다 훨씬 낫다'는 반응을 보였다."

보고서를 보내면서도 김흥림 국장과 나는 좀 불안했다. 훗날 이탈리아 대사 일행 중 누군가가 '북한에 가서 김정일의 기쁨조 공연을 봤다'고 언론에 흘리면 큰 사달이 날 수 있었다. 상상만 해도 끔찍했다. 그런 일이 실제로 일어나 김정일의 '비판 말씀'까지 나온다면 가혹한 처벌을 받을 수도 있었다.

다행히 대사 일행은 입을 다물었지만 나는 아직도 이해가 되지 않는다. 왜 김정일은 기생파티처럼 보일 수 있는 야밤의 연회를 열었을까. 차라리 이탈리아 사람들의 문화 수준에 맞는 '피바다'나 '꽃 파는 처녀'와 같은 혁명적인 오페라를 보여주는 것이 훨씬 낫지 않았을까. 한동안 나는 그날 연회에 나와 노출이 심한 옷을 입고 춤을 추던 무용수들이 떠오르곤 했다. 그들의 부모는 자신의 귀한 딸이 당중앙위원회 청사 안에 갇혀 밤마다 이런 행사에 동원된다는 것을 알고 있었을까. 알았다면 어떤 생각을 했을까.

김정일은 나름대로 최상의 환대를 베풀었지만 오히려 북한 지도부의 추악한 실상만 노출시키고 말았다. 이탈리아 대사 일행이 돌아간 후에도 북한과 이탈리아는 외교관계 설정에 돌입하지 못했다. 그 주된 이유는 1993년 3월 1차 북핵 위기가 터진 탓이겠지만 뜬금없는 기쁨조 공연과 완전히 무관한 것도 아니라는 생각이 든다. 이탈리아와의 외교관계는 그로부터 8년 후인 2000년 1월에 설정되었다.

모택동, 김일성에게 "조선은 핵무기 꿈도 꾸지 말라"

1993년 1월 한국과 미국은 한 해 동안 중단했던 팀스피리트 훈련의 재개를 공식 발표했다. 북한은 이를 핑계로 이 해 3월 핵확산금지조약(NPT) 탈퇴를 선언한다. 수십 년 동안 잠복해 있던 북핵 문제가 수면 위로 올라와 1차 북핵 위기가 발발하는 순간이었다. 그 위기가 4반세기가 지난 지금까지 이어지고 있다.

북핵 문제는 뿌리가 깊다. 역사적 견지에서 접근할 필요가 있다. 북핵 문제의 연원부터 NPT 탈퇴까지의 과정을 짚어보기로 한다.

김일성이 핵무기가 지니는 심리적인 위력을 체감한 것은 6·25 전쟁 때다. 인천상륙작전 성공 이후 유엔군은 압록강까지 진격했지만 중공군의 개입으로 전세가 밀리기 시작한다. 후퇴하던 미 주력군은 장진호 인근에서 중공군에 포위된다. 북한에서는 이때 미국 트루먼 대통령이 만주 또는 한반도 북부에 원자폭탄을 투하하려 한다는 소문이 퍼졌다.

김일성도, 모택동(毛澤東·마오쩌둥)도, 스탈린도 그 첩보를 믿지 않았지만 북한 주민들은 원자폭탄이 떨어질지도 모른다는 불안과 공포에 휩싸인 채 남쪽으로 피란을 떠났다. 내가 북한에서 교육받은 내용은 그랬다. 아버지와 할아버지로부터도 비슷한 이야기를 직접 들었다.

'미국이 원자탄 쏘면 다 죽는다.'

'식구들 모두가 피란을 갈 수는 없으니 아들만이라도 살아남아 대를 이어라.'

이것이 당시 북한 주민들의 분위기였다고 한다. 물론 원자폭탄이 무서워서가 아니라 자유를 찾아 월남한 피란민도 많은 것으로 안다. 남한 사람 대부분은 그렇게 알고 있을 것이다. 6·25전쟁 이후에 태어난 내가 어느 쪽이 더 진실에 가까운지는 확언할 수 없다. 내가 말하고 싶은 것은 당시 원자폭탄에 대한 북한 주민의 공포심이 우리가 상상하는 것보다 훨씬 심각했다는 점이다.

김일성은 핵무기에 대한 북한 주민의 공포심을 조금 다른 각도에서 본 것 같다. 당시 북한 노동당의 주민 통제력은 지금과는 비교할 수 없이 느슨했다. 당에서 아무리 '미국은 절대로 원자탄을 쏘지 못한다. 남으로 내려가지 마라'고 선전해도 피란민들을 통제할 수 없었다. 이들을 모두 총살할 수도 없는 일이었다. 피란민 행렬을 속수무책으로 지켜본 김일성은 핵무기의 위력을 절감했다. 물리적, 군사적 위력이 아니라 인간에게 미치는 심리적 위력에 대해서다. 김일성이 원자폭탄 개발을 결심하고 핵에 집착하기 시작한 것은 이때부터다.

북한은 6·25전쟁 중이던 1953년 3월 「원자력 평화적 이용 협정」을 소련과 체결하고 1950년대 말에 이미 원자폭탄을 개발하기 위한 핵 연구소를 만들었다. 미군 폭격에 의해 북한 전역이 재 가루가 된 상황에서 핵 연구소를 건립했다는 것은 김일성의 핵에 대한 집착을 여실히 보여주는 실례다.

그러나 소련은 북한의 핵무기 개발을 용인하지 않았다. 공산권 내의 원자폭탄과 핵 발전 기술은 소련만이 가져야 한다는 방침이 확고했다. 공산권 국가에 핵발전소를 직접 지어주고 기술과 원료, 운영요원까지 통제하면서 핵 물질 또한 다시 가져가는 방식이었다. 이에 따라 북한과 중국, 동구권 국가들은 소련 두브나(북한에서는 '류블리나'로 부른다) 합동원자핵연구소에 연구원을 보내 핵 발전 기술을 배웠다. 북한의 경우 1956년 물리학자 30여 명을 파견했다고 알려져 있다. 주로 김일성종합대학 물리수학부 학생들이었다고 한다. 명목상 원자력 발전 기술을 배우러 간 이들은 당으로부터 '핵무기 개발을 염두에 두고 공부하라'는 지침을 받은 상태였다. 북한이 실질적으로 핵 개발을 개시한 순간이었다.

북한은 1962년 평안북도 영변에 원자력 연구소를 완공하면서 핵무기 개발에 한 걸음 더 다가섰다. 그러나 중화학공업의 기반이 없는 북한의 기술력과 경제력으로는 원자로 하나 만들기도 어려웠다. 1963년 6월 연구용 소형 원자로(IRT-2000)가 소련으로부터 도입됐다. 모든 것을 소련에 의지할 수밖에 없던 형편이었다.

중국 역시 핵 개발을 서두르고 있었지만 모택동은 소련만 쳐다보지는 않았다. 소련의 핵 독점 정책에 공공연히 반기를 들었고 독자적으로 핵무기 개발을 시도했다. 이때 북한은 전 세계 공산권 국가 가운데 유일하게 소련으로부터 막대한 원조를 받고 있었음에도 김일성은 중국 모택동 편에 섰다. 미국과 싸우려면 각자가 핵무기를 가져야지 왜 소련만 독점하는가, 총대를 메고 나선 중국이 핵무기를 개발하면 북한도 따라가겠다는 속셈이었다.

1963년 10월 28일자 노동신문은 소련을 현대 수정주의자라고 비난하는 사설을 게재한다. 이 사설에는 이런 구절이 있다.

"(소련은) 형제국가들 간의 협정을 일방적으로 파기하고 경제적 기술적 협조관계를 거의 단절하다시피 하고 있으며 원조에 대해서는 자랑하기만 좋아하며 그것을 정치적 간섭과 경제적 압력의 수단으로 이용하고 있다."

당시 소련은 미국, 영국 등 핵 보유 국가들과의 핵실험중지 합의에 상당한 진전을 보이고 있었고 이 합의에 중국을 끌어들이려고 했다. 겉으로는 중소 이념분쟁의 모습을 띠고 있었지만 그 이면에는 소련의 핵 독점 정책에 대한 중국의 반발도 있었던 것이다. 이러한 상황에서 김일성이 모택동을 지지한 것은 중국을 등에 업고 북한도 핵을 개발하겠다는 계산의 발로였다.

1964년 10월 16일 중국은 핵실험에 성공하면서 핵보유국이 된다. 김일성은 속으로 쾌재를 불렀을지도 모르겠지만 그의 계산이 틀렸다는 것을 스스로 깨닫게 된다. 1975년 4월 18일 베이징에서 모택동과 회담을 갖게 된 김일성은 넌지시 이렇게 물었다.

"원자탄 개발에 비용이 얼마나 들었는가?"

모택동은 동석한 관료에게 얼마가 들었는지 김일성에게 알려주라고 지시했다. 20억 달러가 들었다는 보고가 있었다. 백주(배갈)까지 겸한 화기애애한 자리였지만 모택동은 냉정하게 말했다.

"조선은 핵무기를 가질 꿈도 꾸지 말라. 중국이 독자적으로 핵을 개발하면서 소련과의 관계가 나빠지고 경제가 악화되어 수천만 명이 굶어죽었다. 조선처럼 작고 경제가 취약한 나라에서 핵무기를 만들면 경제를 다 말아먹고 인민 생활이 어려워진다. 그러면 사회주의 자체를 지키지 못하게 된다."

북한 경제와 체제를 걱정해서 한 말은 아니었다. 북한의 핵무기 개발을 견제하려는 속셈인 것이 분명했다. 김일성은 "우리가 핵무기를 개발하겠다는 뜻은 아니다"라고 얼버무렸지만 북한으로 돌아오는 기차에서 당 정치국 회의를 열고 이렇게 말했다.

"모택동이 나한테 이야기하는 걸 들었지? 앞으로 우리가 핵무기 만드는 데 가장 큰 적은 미국이 아니라 중국이다. 우리가 넘어야 할 가장 큰 산이 중국이라는 뜻이다. 중국은 끝까지 우리의 핵무기 보유를 반대할 것이고 그러면 핵 개발은 불가능하다. 그러니 우리는 중국을 옆에 끼고 나가야 한다."

여기서 '옆에 끼고 나간다'는 것은 '어르고 달랜다'는 북한식 표현이다. 김일성과 모택동의 이 일화는 북한의 한 소설에도 등장한다. 북한의 핵무기 개발 비화를 다룬 소설로 기억한다. 나 역시 오래전부터 알고 있었던 내용이다.

'조선반도 비핵화' 주장하며 뒤편에서 핵무장 시도

북한의 핵무기 개발에 중국이 더 이상 도움이 되지 못한다고 확신한 김일성은 귀국 후 치밀한 전략을 세웠다. 이 전략은 이후 긴 시간을 통해 점진적으로 추진되는데 대강은 이러하다.

먼저 남한에서의 전술 핵무기 철수다. 처음엔 중국과 소련을 통해 미국과 협상해 줄 것을 요청했다. 중소의 반응은 차가웠다. 한마디로 '미국이 우리의 말을 듣겠는가'였다. 특히 소련이 더 난색을 보였다. 소련이 남한의 핵무기 철수를 미국에 요구하게 되면 미국으로부터 '소련도 동구권에서 핵무기를 빼라'는 소리를 듣지 않겠느냐는 것이었다. 이 무렵 소련은 유럽 내 전술 핵무기 철수 문제로 미국과 협상을 벌이고 있었다.

김일성은 중소에 의지하지 않고 자체적으로 남한에서의 전술 핵무기 철수를 추진하기로 한다. 북한이 중소로부터 핵 문제에 대한 결정권 혹은 주권을 받아냈다는 뜻이다. 김일성은 중국 방문 직후인 1970년대 중반부터 '조선반도의 비핵지대화'를 주장하기 시작했다. 비핵화 구호를 내세워 미국과 중국의 의심을 사지 않으면서 핵무기를 개발한다는 전략이었다. 1980년 북한은 일본 사회당과 조선반도의 비핵화를 공동선언 형식으로 발표했다. 또한 1985년 '조선반도 비핵화 평화지대화'를 주장하고, 같은 해 12월 핵확산금지조약(NPT)에 서명했다.

김일성의 두 번째 전략은 미국으로부터 북한에 핵무기를 사용하지 않겠다는 '핵 불사용 선언'을 이끌어 낸다는 것이었다. 미국이 남한에서 핵무기를 철수시켰다고 하지만 북한이 이를 확인할 수 없고, 또한 그것이 사실이라고 해도 북한이 미국의 핵 타격권에서 벗어난 것은 아니지 않느냐는 논리였다. 그러면서 미국이 북한의 실체를 인정하고 '핵 불사용 선언'을 해주지 않으면 북한도 핵무기를 개발할 수밖에 없다는 결의를 더욱 공고히 했다.

북한은 이 같은 두 가지 전략을 설정하고 비밀리에 핵 개발에 전력했다. 소련의 해체 위기, 걸프전 발발 같은 상황이 일어나지 않았다면 북한의 핵 개발은 순조롭게 진행됐을지도 모른다. 미국은 1991년 2월 걸프전에서 승리하면서 핵확산 방지를 최대의 외교안보 과제로 설정했다. 이 무렵 소련은 저절로 붕괴되고 있었다. 미국이 원하는 것은 소련의 15개 연방 공화국에 분산 배치된 전술 핵무기를 러시아로 집결시켜 폐기하는 것이었다.

이 문제가 미국이 바라는 대로 흘러가자 미국은 점차 북한의 핵 의혹을 해결하는 데 집중하기 시작했다. 김정일로서는 북한의 핵 의혹을 파헤치려는 미국을 잠시나마 달래면서 최대한 시간을 끄는 것이 중요했다. 김정일은 남북회담을 이용해 미국의 압력을 이완시키는 전술을 썼다. 북한이 고립과 위기에 빠질 때마다 어김없이 꺼내드는 카드가 남북회담이었다.

그 결과 1991년 7월 30일 남북 당사자들에 의한 한반도 비핵화 방안이 발표됐다. 미국은 미국대로 핵확산 방지 차원에서 9월 28일 '전 세계에 배치된 전술 핵무기를 철수한다'고 발표했다. 북한과 미국은 서로 다른 속셈을 지니고 있었지만 우선은 '한반도 비핵화'라는 명분 아래 모이는 듯했다. 12월 13일에는 「남북기본합의서」에 남북 총리가 서명했고, 12월 31일 남북한 당국은 「한반도의 비핵화에 관한 공동선언문안」에 합의하고 「남북공동발표문」을 발표했다.

그런데 1991년 12월 한반도 비핵화 선언 협상 때와 유사한 상황이 2018년에 다시 재현되고 있다.

1991년 비핵화 선언 협상 시 가장 큰 난점은 '사찰 대상 선정 문제'였다. 남측은 '상대측이 선정한 대상에 대한 사찰'을 주장했고 북은 이를 '자주권 유린'이라고 완강히 거부했다. 결국 비핵화 선언에는 '상대측이 선정하고 쌍방이 합의하는 대상들을 사찰'한다는 절충안이 반영되었다.

사찰대상을 '쌍방이 합의하는 대상'으로 좁혀놓은 북한 외무성 최우진 부상은 김정일로부터 치하를 받았고 외무성 내에서는 한반도 비핵화 선언을 두고 대학시험문제를 학생과 교수가 사전에 합의하고 치르는 '시험 방식'이라고 평가했다. 북한의 '승리'인 셈이다.

당시 핵무기도 없고 핵실험장도 없었던 북한이 왜 그처럼 미국과 한국이 제기한 '강제사찰' 개념을 반대했을까?

남북회담에서 남측이 사찰 대상 선택 권한을 상대측이 가져야 한다고 들고 나오자 북한 외무성 내 조약국 등은 앞으로 어차피 IAEA에게 영변핵시설을 보여주어야 할 텐데 남측 제안에 동의를 주어도 문제없지 않겠냐며 기웃거렸다.

그러나 외무성 인권과 성원들과 국가보위부 등은 사찰 대상 '선정 권한'을 한국에 주면 결국 마지막에는 '정치범수용소'까지 보자고 할 수 있다며 사찰대상 '선택 권한'을 절대로 주어서는 안 된다고 완강히 주장했다.

앞으로 북핵폐기의 최종단계는 결국 CVID(완전하고 검증가능하며 돌이킬 수 없는 핵폐기)를 통한 검증인데 북한 내부의 정치범수용소와 김씨 가문만 사용하는 '특수지역'을 수없이 가지고 있는 북한으로서는 죽어도 CVID를 받아들이지 못할 것이다.

4월 27일 남북정상회담에서도 북핵폐기의 구체적 로드맵은 들어가지 못했다.

만일 북미정상회담에서도 CVID가 아니라 '쌍방이 합의하는 대상'으로 사찰대상을 한정시키는 '절충안'이 나온다면 그것은 또 다른 사기극이 될 것이며 몇 년 후 우리는 새로운 핵 위기에 빠져들 수밖에 없을 것이다.

김정일, "우리가 전쟁에 지면 지구를 깨버리겠다"

국제사회는 '비핵화'라는 허울 좋은 구호에 현혹되고 있었지만 미국은 아니었다. 북한의 핵 개발에 대해 의혹을 품은 채 경계의 눈길을 거두지 않았다. 결국 미국이 정확했다. 김씨 부자는 핵무기 개발을 포기할 의사가 추호도 없었다. 이것은 훗날 〈노동신문〉을 통해 알려진 김정일의 "전쟁에 지면 지구를 깨버리겠다"는 발언으로 입증되는 사실이다. 소련의 공식적인 해체가 선언된 이 해 12월 25일, 김일성은 인민군 간부와 항일혁명투사들을 모아놓고 이렇게 물었다.

"이제는 소련까지 붕괴되고 중국도 남조선에 달라붙게 되었다. 앞으로 조국통일은 어떻게 실현시킬 수 있겠는가. 남조선과 미국이 조선을 공격해 오면 우리의 힘만으로 싸워 이길 수 있겠는가. 한 번 솔직히들 말해 보라."

군 간부들과 항일혁명투사들이 "수령님 걱정하지 마십시오. 수십 년 동안 조국통일을 준비해 왔는데 우리가 무조건 이깁니다"라고 답변하자 김일성의 질문이 재차 이어졌다.

"조국해방전쟁(6·25전쟁)을 해보지 않았는가. 전쟁은 생각했던 것처럼 되지 않는다. 만일 우리가 진다면 어떻게 하겠는지 답변해 보라."

모두가 답변을 주저하고 있는 사이 김정일이 자리에서 일어나 목청을 높였다.

"수령님, 우리가 전쟁에서 지면 이 지구를 깨버리겠습니다."

그제서야 김일성은 책상을 탁 치면서 "내가 듣고 싶었던 답변이 바로 그것이다. 우리가 지면 이 지구를 깨버려야 한다. 우리가 없는 지구는 필요 없다"고 만족해했다.

북한 노동당은 이듬해(1992) 초부터 이와 같은 내용의 강연사업을 내부적으로 진행하기 시작한다. 그 목적은 북한이 핵무기 개발로 갈 수밖에 없다는 것을 전당적으로 각인시키는 데 있었다. 당시 나 또한 '북한이 없는 지구는 필요 없으며 그러자면 핵무기를 가지는 방법밖에 없겠구나'라는 생각을 했다.

하지만 북한은 대외적으로는 국제사회의 핵 사찰을 수용하겠다는 입장을 표명했다. 1992년 1월 한국과 미국은 이 해 팀스피리트 합동군사훈련을 중지하겠다고 선언하며 북한에 명분을 제공했고 같은 달 북한은 국제원자력기구와 핵안전조치협정을 체결했다. 핵 사찰 대표단의 방북을 허용한 것이다. 한국과 미국은 핵무기 철수와 팀스피리트 훈련 중지 대가로 북한으로부터 핵 사찰 수용 등의 양보를 얻어냈다고 선전했다. 하지만 핵문제 해결에서 가장 중요한 문제인 강제사찰에 기초한 '남북 상호사찰'을 받아내지 못해 불씨는 남게 된다.

이 해 5월 북한은 핵물질과 시설에 관한 「최초보고서」를 국제원자력기구에 제출한다. 여기까지는 모든 것이 한반도 비핵화 선언대로 이행되는 듯했다. 미국도 더 이상의 압력은 행사하지 않을 것처럼 보였다.

그러나 문제는 북한이 제출한 최초보고서에서 터진다. 북한은 보고서를 통해 90g의 플루토늄을 보유하고 있다고 신고했지만 미국은 북한이 이미 10~14kg의 플루토늄을 추출했다는 의혹을 제기했다. 북한이 이를 투명하게 밝히지 않으면 핵무기를 개발하고 있는 명백한 증거가 된다는 것이 미국의 주장이었다. 국제사회는 북한이 최초보고서에 대한 의혹을 해명해야 한다고 압력을 가해왔다.

의혹은 사실이었다. 북한 원자력공업성의 핵전문가들은 핵물질 계산이 상당히 복잡한 문제여서 일정량을 감추고 신고해도 국제원자력기구와 미국을 속일 수 있을 것이라고 생각했다. 김정일이 원하는 계산이었을지도 모른다. 외무성은 원자력공업성의 예측에 의문을 품으며 논쟁까지 벌였지만 핵물질을 철저히 숨기고 신고하라는 김정일의 지시를 어길 수 없었다.

외무성은 떨떠름한 느낌을 지우지 못한 채 국제원자력기구에 최초보고서를 제출했고 급기야 문제가 터졌다. 모든 사안을 보고받은 후 본인이 직접 내린 결정임에도 김정일은 책임을 회피했다. 원자력공업성과 외무성에 책임을 돌렸다. 국제원자력기구에 최초보고서를 제출한 것이 혹을 떼려다가 혹을 붙인 격이 되었다며 노발대발했다.

외무성에 불똥이 떨어졌다. 우선 국제원자력기구와의 사업을 담당했던 조약법규국에 대한 비난이 쏟아졌다. 조약법규국을 책임진 오창림 참사(부상급)의 입지가 줄어들었다. 조국통일담당국의 수장인 최우진 부상의 발언권도 축소되었다. 남한과의 비핵화 선언 채택 및 이행, 팀스피리트 합동군사훈련 중지 문제를 담당했던 조국통일담당국과 최우진은 비핵화 공동선언을 채택하면 미국의 압력을 완화시킬 수 있다고 주장한 바 있었다. 미국과의 사업을 담당한 미국국과, 최초보고서 제출 문제를 전체적으로 총괄한 강석주 1부상 또한 김정일의 눈총을 피해가지 못했다.

원자력공업성의 보고만 믿고 벌였던 김정일의 사기극이 드러났지만 국제원자력기구와 미국에 플루토늄을 정확히 신고한다는 것은 있을 수 없는 일이었다. 그것은 북한의 핵 개발 계획을 포기한다는 것을 의미했다. 북한이 핵물질에 대한 의혹을 투명하게 해명하지 않자 한국과 미국은 1993년 팀스피리트 합동군사훈련 재개를 선언하고 북한이 핵 사찰을 수용할 것을 요구했다. 이에 반발한 북한이 핵확산금지조약(NPT)을 탈퇴하면서 1차 북핵 위기가 일어난 것이다.

제네바 핵합의는 시간 끌기 기만극

1993년 7월 제네바에서 북미 고위급 회담이 열렸다. 미국은 북한이 특별사찰을 수용하지 않으면 전쟁으로 갈 수밖에 없다고 위협했다. 미국 대표단 단장 로버트 갈루치는 "두 나라 사이의 불미스러운 무력충돌을 피해 보려고 마지막까지 노력했으나 결국 실패했다"고 했다. 회담에 참여한 강석주 외무성 제1부부장 등 북한대표단들은 겉으로는 표현하지 않았지만 전쟁은 피할 수 없게 되었다는 생각을 품고 귀국했다. 북한이 굴복하지 않는 한 전쟁으로 갈 수밖에 없는 상황이었다.

김정일은 강석주를 불러 갈루치의 말과 행동 하나하나를 구체적으로 물어보았다. 김정일은 이때 미국의 전쟁 강행 의지를 확인하고 불안에 떨었다. 북한의 실질적인 통치권은 김일성이 사망하기 10여 년 전부터 이미 김정일에게 넘어가 있었다. 이때 김일성은 허수아비나 다름없었다.

제네바에서의 북미 회담이 결렬된 후, 미국 언론들은 클린턴 대통령이 영변 핵시설을 타격할 계획을 추진하고 있다고 보도했다. 김영삼 대통령은 클린턴의 외과수술식 타격안을 결사적으로 반대했다. 정세는 일촉즉발의 위기로 치달았다. 이때 카터 전 미대통령이 북한에 들어가 위기를 풀겠다고 발표하고 1994년 6월 김일성·카터 회담이 성사됐다. 카터는 김일성에게 미국의 대북제재 중단, 경수로 제공 등의 의사를 전했다. 카터의 주선으로 남북정상회담까지 성사됐지만 김일성이 갑자기 사망했다.

전 세계는 김일성이 죽었으므로 북한이 얼마 가지 못할 것이라고 추정했다. 그러나 그것은 북한을 잘 모르고 한 예측이었다. 나는 1980년 4월 국제관계대학에 입학했는데 그때 이미 북한의 실질적인 지도자는 김정일이었다. 김일성은 상징적인 존재에 불과했다.

김일성 사망이 발표된 1994년 7월 8일 나는 외무성 회의실에 모이라는 급박한 호출을 받았다. TV를 통해 김일성의 사망 소식이 보도됐다. 모두들 강당에서 나오면서 울었다. 어머니는 동네 아주머니들과 함께 만수대에 있는 김일성 동상에 올라가 한참 동안 울다가 내려오셨다. 외무성에서도 매일 꽃을 들고 만수대 동상에 올라가 묵도하고 울었다. 난리였다. 그 후부터 100일 동안 추도 기간으로 정하고 매일 만수대에 올라가 울거나 추도 모임들에 참가했다.

100일이 지나고 추모 열기가 좀 잠잠해질 것이라고 생각했지만 곧이어 총화사업이 진행됐다. 김일성에 대한 추모 정형(태도)을 두고 총화사업이 진행되면서 또 다시 숙청사업이 진행됐다. 당시 외무성 내 주요 부서원들은 귀가하지 못하고 당직을 자주 서며 해외에서 제기된 여러 문제들을 처리하곤 했다. 이 과정에서 여러 명이 걸려들었다.

국내 대외사업국 직원 4명은 야간 당직을 서며 주패(카드)를 친 사실이 발각되어 지방으로 추방됐다. 전보정리실 직원 한 명은 중국 주재 북한대사관에서 보낸 전보문을 읽고 혼잣말을 했다가 역시 지방으로 전출됐다. 전보문은 '고려민항편으로 김일성 동상에 헌화할 꽃을 보낸다'는 내용이었는데 별 생각 없이 '중국 애들이 요새 꽃장사로 돈을 많이 벌겠네' 했다가 곤욕을 치른 것이다. 대외선전국 직원은 추모 기간 중에 이사를 했다는 이유로, 다른 한 직원은 머리가 아파 사우나를 했다는 이유로 지방으로 쫓겨났다. 북한에서는 지금도 간부문건요해(간부 평가)를 할 때 김일성과 김정일이 사망했을 때 어떤 태도를 보였느냐가 중요한 평가 항목이다.

어쨌든 김일성이 죽기 전에 카터와 회담한 성과는 있었다. 이해 10월 제네바에서 「조미 기본합의문」이 채택된다. 이른바 「제네바 핵합의」이다. 북한은 핵 개발을 포기하고 한국과 미국은 북한에 경제적 보상과 안전 보장을 약속하며, 북미 관계의 완전한 정상화와 남북대화를 계속 추진하겠다는 내용이었다. 1차 북핵 위기는 이렇게 일단 봉합되는 듯했다.

하지만 그 이후의 전개는 잘 알다시피 제네바 핵합의는 북한의 시간 끌기용 기만극이었다. 제네바로 협상을 떠나는 강석주에게 김정일이 내린 지침은 '우리에게 필요한 건 시간이다. 시간을 벌어라'였다. 애초부터 김정일은 합의를 지킬 마음이 전혀 없었고 시간만 벌자는 전략이었다. 협상에 임하는 북한의 태도가 얼마나 기만적이었는지를 보여주는 실례가 있다.

한국과 미국이 약속한 경제적 보상의 핵심은 북한에 경수로를 지어주겠다는 것이었다. 북한과 미국은 곧 경수로 협상에 착수했다. 경수로 협상에는 전력공업성 전문가들도 참여했는데 이들은 제네바 합의 내용을 듣고 '외무성이 합의를 잘못했다'며 반발했다. 요지는 이러했다.

'경수로만 지어준다는 합의만 받으면 어떻게 하는가. 변전소는 무슨 돈으로 지으며 핵 연료봉이나 송전 시설은 어떻게 마련하는가.

합의문에 그런 내용이 없다. 변전소와 송전 시설 건설, 핵 연료봉 구입에 대한 남조선이나 미국의 지원이 약속되어야 완벽한 합의문이다. 재협상을 해야 한다.'

외무성은 이때 '시간을 벌기 위해 사기를 치고 있으니 모르면 가만히 있으라'고 대응했다. 외무성 내에서 북한이 제네바 합의를 지킬 것이라고 믿는 사람은 한 사람도 없었다. 이때까지 북한은 대외적으로 '우리의 목표는 조선반도 비핵화이지 핵 개발이 아니다'라고 선전해 왔지만 내부적으로는 완전 반대였다. '무조건 핵을 가져야 한다'는 것이다. 공식적인 것은 아니었지만 암묵적인 지령이나 마찬가지였다.

북한 농촌 현실 보고 외국 대표단 '경악'

「제네바 핵합의」로 북한은 시간을 벌었다. 미국이 북한과 합의한 것은 북한의 핵 개발을 조금만 더 지연시키면 북한 경제가 먼저 무너질 것으로 봤기 때문일 것이다. 경제가 무너지면 핵 개발 역량 자체가 사라질 것이라고 본 것이다. 미국은 미국대로 시간 끌기용 합의를 한 셈이다. 실제로 당시 북한 경제는 붕괴 직전이었다. 나는 외무성 관리로서 그 참상을 직접 목도했다.

제네바 핵합의가 있었던 1994년은 북한으로서는 정말 불운한 해였다. 7월 김일성이 사망했고, 8월에는 황해 남북도에서 엄청난 홍수 피해가 발생했다. 북한의 식량부족은 1990년대 초부터 시작됐지만 홍수 피해까지 겹쳐 더욱 심각해졌다. 북한 혼자의 힘으로 난국을 타결하기에는 역부족이었다. 식량 협조(원조)가 절실했다. 하지만 누구도 김정일에게 국제사회에 식량 원조를 요구해야 한다고 건의할 수 없었다. 잘못하다가는 목이 날아갈 판이었는데 당시 스위스에서 김정철·김정은 형제를 돌보고 있던 스위스 대사 리수용이 용기 있게 나섰다. 그는 현 북한 노동당 부위원장이다.

그는 김정일에게 "조선이 국제공동체에 식량협조를 호소하면 조선 경제가 난국에 직면하였다는 인상을 줄 수는 있지만 동시에 이를 매개로 서방 나라들과의 교류와 접촉을 확대함으로써 조선의 외교적 고립을 타파할 수 있다"는 의견을 제시했다. 그러면서 식량협조보다는 외교적 고립 타파에 역점을 둠으로써 김정일의 자존심도 세워주었다. 자녀들 문제로 리수용을 자주 만나던 김정일은 그의 주장에 일리가 있다고 판단하고 한 번 추진해 보라고 지시했다.

1994년 8월 리수용은 국제기구 대표들과 함께 북한에 도착했다. 외무성은 즉시 상무조를 조직했다. 국제기구국과 유럽국 중에서는 내가 뽑혔다.

처음 해보는 사업이었다. 북한외교에서 흔히 준비하는 발언원고라든가 활동계획서 같은 것도 없었다. 대책은 일단 대표단과 만나가며 세워나가기로 했다. 그때까지 나는 외국 대표단들에게 북한의 '찬란한 현실'만을 소개해왔다. 처음으로 북한의 황폐한 모습, 홍수 피해 지역의 처참한 모습을 외국인들에게 보여주며 괴로움을 느꼈다.

외국 대표단은 경악했다. 사회주의 지상낙원을 떠들던 북한의 농촌이 이렇게 낙후할 줄은 몰랐던 것이다. 외국인들은 영양실조에 걸려 병원, 유치원, 탁아소 등에 누워 있는 아이들을 보면서 눈물을 흘렸다. 나를 포함해 대표단을 수행한 외무성 일꾼(직원)들도 울음을 참지 못했다. 북한이 세계에 선전하던 사회주의 문화농촌, 지상낙원의 민낯과 허구성이 여지없이 드러났다.

북한을 방문한 외국 식량협조 대표단들에 의해 북한의 현실이 알려지면서 세계는 경악했다. 뼈만 앙상한 채 굶어 죽어가는 아이들을 목격한 국제기구들과 세계 비정부기구(NGO)들이 북한에 식량을 보내왔다. 제네바 합의 직후 진행된 국제사회의 식량원조는 북한과 서방 사이에 눈녹이(해빙)를 가져오기 시작했다. 리수용이 김정일에게 주장한 대로였다.

영국의 비밀접촉 제의에 김정일 흥분

나는 국제사회의 식량원조가 몰고 온 해빙의 분위기를 체험해 볼 기회가 있었다. 1995년 1월 베이징 주재 북한대사관으로부터 전보가 날아왔다. 영국 정부가 북한과 비밀접촉을 희망하고 있으며 가능하면 3월 제네바 영국대사관에서 두 나라 외무성 국장들이 만났으면 한다는 내용이었다. 의사를 타진해 온 베이징 영국대사관은 보안을 지켜달라는 당부를 덧붙였다.

관련 내용이 즉시 김정일에게 보고됐다. 김정일은 흥분했던 듯하다. 강석주에게 이렇게 말했다고 전해진다.

"서방 국가 중에서 미국과 제일 가까운 영국이 우리에게 먼저 접근해 온 것이 흥미롭다. 필경 미국과 협의를 거쳤을 것이다. 미국이 우리와 핵 합의문(제네바 합의)을 맺어 물꼬를 텄으니 이제는 영국을 들여보내 우리를 탐문해 보려는 것이다. 나쁠 것이 없다. 잘 하면 영국과 외교관계를 맺을 수도 있다. 영국과 외교관계를 맺으면 다른 유럽나라들이 따라 올 것이다. 그러면 프랑스하고도 쉽게 관계를 맺을 수 있다."

김정일의 언급 속에서 특히 프랑스와의 수교 의지를 읽을 수 있는데 이 대목은 뒤에 이야기하겠다.

김정일의 지시가 떨어지자 곧바로 대표단이 꾸려졌다. 외무성 유럽국장 김춘국, 영국 및 북유럽 담당과장 문봉녀, 그리고 내가 선발됐다. 베이징과 모스크바밖에 가보지 못한 나로서는 난생 처음 서방 국가에 간다는 생각에 밤잠을 설칠 정도였다.

1995년 3월 21일 화요일 오전 10시 북한대표단은 제네바 영국대사관의 한 회의실에 앉아 있었다. 현지 대표부 참사였던 한창훈도 대표단에 합류한 상황이었다. 영국 측에서는 외무성 아시아태평양지역 국장, 한국담당 처장, 동북아담당 정세연구관 짐 호어가 참석했다. 그는 훗날 북한 주재 영국대사관 초대 임시대리대사가 되는 인물이다. 나는 그를 '제임스 호'로 불렀다. 영국대표단의 발언 요지는 이러했다.

"우리 두 나라는 너무 오랫동안 교류가 없었다. 영국은 최근 북한이 미국과 제네바 합의를 맺고 국제공동체의 한 성원으로 합류하려는 결정을 환영한다. 북한이 핵 합의문을 성실히 이행하여 앞으로 영국과 북한의 외교관계가 설정될 날이 반드시 오리라고 믿는다.”

요컨대 북한이 제네바 합의를 성실히 이행하면 양국 관계를 정상화할 수도 있다는 말이었다. 조건을 달긴 했지만 시간을 두고 서서히 관계를 진전시키는 것이 영국의 고유한 외교술이었다. 북한대표단은 이렇게 화답했다.

“냉전 시기, 우리 두 나라는 너무나 소원한 관계였다. 그러나 이제는 냉전 체계가 허물어졌고, 이념과 체제에 기초한 블록이 해체됐다. 영국도 더는 미국의 대(對)조선 적대시 정책에 얽매일 필요가 없다. 유엔 안보리 상임이사국답게 영국이 대조선 정책에서도 자주적으로 나오기를 바란다.”

영국대표단은 “두 나라가 장기간 접촉과 대화가 없다 보니 서로에 대해 잘 모르고 정책적 차이점도 너무 많다. 소통을 확대하기 위해 1년에 적어도 두 번 이상 공식 대화를 이어가자”고 제의했다. 거절할 이유가 없었다. 양측은 다음 회담을 가을에 베이징에서 가지기로 하고 회담을 끝냈다. 회담 결과를 보고받은 김정일은 영국과의 대화를 계속 끌고 나가면서 외교관계 수립을 다그치라는 지시를 내렸다.

나는 그해 가을 영국대표단과의 두 번째 회담에도 참여했다. 북한과 영국은 5년 후인 2000년 12월 12일 국교를 수립하게 된다. 우연찮게 나는 수교 직전, 영국 측과의 마지막 회담에도 대표단의 일원으로 참석했다. 북영 수교의 시작과 마무리를 함께한 셈인데 훗날 영국 주재 공사로 재직 중에 망명까지 성공했으니 영국은 여러모로 내게 인연이 깊은 나라인 것 같다.

스위스의 북한 진심 떠보기

제네바에서 영국과 비밀회담을 가졌으니 스위스 당국이 우리의 입국을 모를 리 없다. 스위스 측은 우리 대표단에게 체류 기간 동안 핵발전소를 참관하고 미팅을 가지자고 제의해 왔다. 의도를 파악하기는 어려웠지만 일단 응하기로 했다.

영국과의 회담을 마친 다음날 스위스 측의 안내로 제네바에서 100㎞ 정도 떨어진 핵발전소를 참관했다. 나로서도 처음이었다. 생각했던 것과는 완전히 달랐다. 학생이 절대 다수를 차지하기는 했지만 수백 명의 관광객들이 견학 중이었다. 안내원은 핵발전소가 얼마나 안전한지 설명하고 있었다.

참관 후 스위스 측과 마주 앉았다. 스위스 측은 이리저리 말을 돌려가며 핵에너지의 평화적이고 안전한 이용에 대해 강조하는 듯했다. 그러나 속내가 담겨 있는 듯한 대목들을 모아보면 이런 말이었다.

"북한이 미국으로부터 경수로 발전소를 받아낸다고 해서 에너지 문제가 해결되는 것은 아니다. 생산된 전기를 송전해야 하는데 북미 합의문에는 그런 내용이 없다. 핵 연료봉도 문제다. 스위스도 핵 연료봉은 프랑스에서 수입하고 있다. 비용은 전기요금으로 충당한다. 북한은 핵 연료봉을 무슨 자금으로 구입하려는 건가. 전기요금도 생산원가를 반영하지 않고 상징적으로 받고 있지 않은가. 발전소를 운영하려면 정기적으로 가동을 멈추고 보수해야 한다. 스위스의 경우 발전소를 건설한 미국 웨스팅하우스사가 보수를 담당하지만 북한은 한국이나 미국 기술자들이 정기적으로 들어와 보수를 해야 한다. 이런 문제들을 다 알고 미국과 합의한 것인가."

겉으로는 경수로 발전소가 건설된다고 해도 북한은 에너지 부문에서 한국과 미국에 의존해야 한다는 점을 지적하는 것으로 보였다. 하지만 뒤집어 생각해 보면 전혀 다른 말일 수도 있었다. 북한이 이런 문제를 다 알면서도 시간을 벌기 위해 사기를 치는 것인지, 아니면 미국이 북한을 속이고 있는 것은 아닌지 탐문해 보려고 했는지도 모른다. 북한대표단의 답변이다.

"경수로 발전소만 들어온다면 다음 문제는 우리가 알아서 해결할 것이다. 발전소에서 전기만 생산된다면 조선의 경제발전에 엄청난 도움이 될 것이므로 그때는 차관을 빌려서라도 송전이나 변전 설비를 현대화할 수 있다. 핵 연료봉 문제는 차후 미국과 별도로 협상할 수도 있을 것이다."

적당히 얼버무린 지극히 외교적인 답변이었다. 평양에 돌아와 강석주 1부상에게 보고했더니 그는 "미국이 스위스를 내세워 조선의 의중을 떠보려고 했던 것"이라며 잘 처리했다고 격려했다. 외교는 총성 없는 전쟁이라는 사실을 새삼 깨닫게 해준 경험이었다.

실세 리수용은 왜 힘이 센가

제네바에서 영국과 비밀접촉을 하면서 스위스 대사 리수용과의 관계가 더 깊어졌다. 김정일의 최측근이었던 리수용은 김정은 체제 하에서도 그 역할을 하고 있으므로 주목을 요하는 인물이다. 당시에는 리철이라는 가명을 사용하고 있었다.

리수용은 북한에서 파견된 우리들을 인터라켄 스키장 등 스위스의 명소로 데리고 다녔다. 저녁에는 술집에서 치즈를 손수 끓여주기도 했다. 이런 자리에서도 대화 주제는 북한외교와 관련된 것이었다. 내가 놀랐던 것은 그가 높은 직위에 있으면서도 나처럼 젊은 외교관들의 생각과 의견을 경청한다는 점이었다. 단순히 듣는 데 그치지 않고 자신의 생각도 구체적으로 이야기해 주었다. 인간적인 풍모를 지녔다고 판단했다.

스위스에서 북한으로 떠날 때 대사관 성원들로부터 자기 집에 짐을 가져다달라는 부탁을 많이 받았다. 리수용은 "처음 스위스에 온 사람에게 무슨 부담을 그리 주느냐"고 힐난하면서 북한대표단에 자신이 쓰던 가죽가방을 건네주었다. 적어도 몇 백 달러는 되어 보이는 고급 제품이었다. 그 가방에 성원들이 부탁한 짐을 넣어가라는 뜻이었는데 대사관 성원들과 나, 양쪽의 마음을 모두 배려한 행동으로 읽혔다.

한 번은 내가 해외 출장을 다녀오는 길에 리수용을 우연히 만났다. 독일 프랑크푸르트 공항 환승장에서 다음 비행기를 기다리는데 그가 나타났다. 그는 우리 일행을 보더니 공항 술집으로 데려가 생맥주를 사주면서 용돈까지 주었다. 그 후로도 나는 스위스에 출장을 갈 때마다 그를 만났다. 몇 시간씩 차를 같이 타고 이동할 때도 있었는데 나는 피곤해 졸기도 했지만 그가 자는 모습은 한 번도 보지 못했다. 이동 중에 대사관 성원들에게 보고를 받거나 새로운 지시를 내리는 모습이 인상적이었다.

리수용이 언제부터 언제까지 김정철, 김정은 형제를 돌봤는지 사실 나도 잘 모른다. 다만 그가 1990년대 초반부터 김정일을 수시로 만나며 그에게 상당한 영향력을 발휘한다는 것은 알고 있었다. 김정일이 외무성에 지시하는 '말씀' 대부분이 리수용을 거쳐 내려왔다. 그가 김정일의 지시를 어떻게 정리하느냐에 따라 외무성의 사업 방향이 달라질 수도 있었다. 그 힘은 결국 김정일의 자녀들로부터 나왔다고 볼 수도 있겠지만 나는 리수용이라는 인물 자체가 지닌 능력도 대단하다고 생각한다.

리수용이 김정일로부터 승인을 받은 문제 중에는 외무성이 감히 제기할 수 없었던 것이 많았다. 그 대표적인 사례가 해외에서 근무하는 외교관과 그 가족이 필요에 따라 김일성의 초상휘장(배지)을 '내려 모실 수 있게' 한 조치다. 김일성배지를 양복에서 뗄 수도 있다는 뜻인데 이런 조치가 내려진 것은 가히 혁명적인 변화였다.

순간이라도 '수령님의 초상휘장'을 몸에서 뗄 수 없다는 것이 북한외교가의 철칙이었다. 이유가 어떻든 김일성배지를 '내려 모시겠다'고 말한다면 당장 목이 날아갈 일이었다. 리수용은 김정일에게 이렇게 건의했다고 한다.

"스위스에 대사로 나가 사업해 보니 외교관의 월급이 많지 않아 할 수 없이 좀 눅은(싸다는 뜻) 상점에 갈 수밖에 없다. 눅은 상점에 가는 것이 창피한 일은 아니나 그런 곳에 수령님의 초상휘장을 모시고 가는 것이 송구스럽다. 비행기에서도 남조선 괴뢰들의 눈에 띄기 쉬워 신변안전상 불리한 점도 있다."

리수용이 용감하게 이 문제를 김정일에게 제기할 수 있었던 이유는 그가 김정은 형제를 데리고 스위스를 수시로 드나들었기 때문이다. 김정은 형제의 신변을 숨겨야 하는 그로서는 김일성배지를 항상 달고 다녀야 한다는 규정이 상당히 거추장스러웠을 것이다. 그의 건의로 북한외교관과 가족들은 필요에 따라 김일성배지를 뗄 수도 있게 됐다.

리수용은 김정일에게 외교관의 생활비 문제도 제기했다. 북한 외교관의 월급은 서유럽 국가는 물론 한국 외교관에 비해서도 턱없이 부족했다. 그럼에도 당에 월급 문제를 제기하지 못했던 이유가 있다. 북한의 일반 주민에 비하면 외교관 생활은 '천국'의 그것과 다름없었기 때문이다. 리수용의 문제 제기로 월급이 오른 것은 아니었지만 수년에 한 번씩 국제 물가와 해당 상주국의 물가에 월급을 맞추는 조정이 이뤄졌다.

김정일의 저팔계식 실용외교

외무성은 김일성이 사망한 직후인 1994년 8월 내부 기구를 대폭 개편했다. 외무성 내 블록불가담국(비동맹국)을 해산하고 국제기구국의 한 개 부서로 축소시켰다. 비동맹국의 지도원에서 외무성 참사까지 승진한 김계관은 미국 담당 참사를 맡게 되었다.

내가 일하던 서유럽국은 동유럽국과 함께 유럽국으로 통합됐다. 서유럽국은 조직 개편 전까지 동유럽국에 비해 인원도 적고 업무량도 많지 않은 부서였다. 눈에 띄지 않는 부서라고 할 수 있었는데 통합 유럽국이 출범하면서 서유럽국 출신들의 입지가 격상되었다. 유럽국 국장 등 비중 있는 직책을 차지하게 된 것이다. 미주국의 '미국과'는 미국국으로 승격하면서 독립했다. 아시아국의 '일본과'는 부상급이 직접 지도하게 됐고, 아시아국 부국장은 일본 전문가가 맡게 되었다.

외무성의 대폭적인 조직 개편은 김정일의 이른바 '저팔계 외교' 원칙에 부응하기 위해서다. 요컨대 저팔계 외교는 이념에 기초한 외교로부터 탈피해 실리를 챙기는 외교로 나가야 한다는 것이었다. 중국 소설 《서유기》에 나오는 저팔계처럼 솔직한 척, 어리석은 척, 억울한 척, 미련한 척을 하면서 어딜 가나 얻어먹을 것은 다 챙기는 외교를 해야 한다는 의미였다. 김정일이 이런 외교 방침을 세운 것은 시대적 변화와 맞물려 있다. 남북 유엔 동시가입, 소련 해체, 한중 수교, 1차 북핵 위기 등을 겪으며 김정일은 중소의 취약점과 한계를 파악했다.

자기 잇속만 챙길 수 있다면 이념에 상관없이 적과도 손을 잡아야 한다. 속으로는 원칙을 지키면서도 겉으로는 북한외교가 무엇을 추구하는지, 전략과 목표가 무엇인지 드러내서는 안 된다. 모든 것을 불투명하게 처리해야 하며, 실리를 위해서라면 적대국으로 규정한 미국, 일본과도 대담하게 접촉할 필요가 있다.

이같은 저팔계 외교의 등장은 김일성이 사망하면서 그의 비동맹국 중시 정책도 막을 내렸다는 것을 의미한다. 김일성의 외교는 비동맹 국가와 연대하여 세계 도처에서 '미국의 각을 떼어내는' 세계혁명전략의 노선 위에 있었다. 하지만 김정일은 유럽을 이용해 미국을 견제한다는 전략으로 외교 노선을 수정했다. 김일성의 '혁명외교전략'이 김정일의 '견제외교전략'으로 바뀐 것이다.

김정일은 미국으로 일극화된 국제 질서를 다극화해야 한다는 '세계 다극화' 전략도 제시했다. 프랑스, 영국, 독일 등 서유럽 국가가 중심이 된 유럽연합은 다극화 전략의 주요한 축이었다. 외무성의 기본 라인은 이전 소련, 비동맹 전문가로부터 미국, 중국, 일본, 유럽 전문가로 바뀌기 시작했다. 아시아, 아프리카, 중동, 중남미는 점차 뒷전으로 밀려났다.

"동무들은 나처럼 살지 마시오"

1995년에 들어서면서 북한 사정은 급격히 악화되기 시작했다. 외무성도 마찬가지였다. 문건을 만들 종이가 보급되지 않았다. 당은 자력갱생을 요구했다. 외무성 내에 종이 공장을 건설했다. 파지를 탱크에 넣어 시약 처리를 하면 종이가 생산된다는 것을 그때 알았다. 종이의 질은 한심했지만 그래도 문건은 만들 수 있었다. 가정에서 목욕조차 마음대로 할 수 없는 상황이어서 외무성 구내에 목욕탕도 마련되었다.

이 해 초부터 평양시 배급소에서도 쌀이 나오지 않는 경우가 많았다. 외무성에서 쌀을 주지 않고 직원들에게 배급표만 나눠주던 시절이다. 각자가 동배급소에서 쌀을 타야 했다. 장마당이 형성되기 전이어서 배급소에서 쌀을 주지 않으면 어디 가서 쌀을 구해 올 곳도 없었다.

외무성은 생활이 어려운 직원들에게 점심 한 끼를 무료로 주는 비상대책을 취했다. 점심이라 해봐야 강냉이 국수가 전부였다. 해외 근무를 통해 외화를 저축한 성원들의 형편은 나쁘지 않았다. 해외 근무 경력이 없는 사람들은 외무성 식당에서 주는 국수 한 그릇으로 하루 끼니를 때웠다. 유럽국 인원이 40명 정도였는데 5명쯤이 외무성 '빈민구제식당'을 이용했다. 나는 해외 근무 경험은 없었지만 처가의 보탬을 받아 국수까지는 먹지 않았다.

나머지는 다 벤또(도시락)를 싸왔다. '벤또'라는 낱말은 일제식민지 잔재였지만 북한 사람들은 스스럼없이 쓰고 있다. 해외에서 들어온 지 얼마 안 되는 성원들은 국내에서 어렵게 생활한 동료들을 위해 도시락 두 개에 밥과 반찬을 따로 한가득 담아왔다. 어려워도 정은 넘쳤다.

점심시간이 하루 중에 가장 행복했던 때였던 것 같다. 큰 사무실에 10명 정도 모여앉아 각자 싸온 반찬을 먹는 것이 그렇게 즐거울 수 없었다. 특히 점심시간을 좋아했던 한 동료가 생각난다. 예순을 넘어 퇴직을 앞둔 분이었는데 12시 전부터 도시락을 꺼내 다들 모이라고 재촉하곤 했다. 생활이 어려워 밥만 가지고 올 때가 많아 그랬는지도 모른다.

이분은 가장 먼저 출근해 사무실을 청소하고 일도 열심히 했다. 마음속으로 존경하고 좋아했던 분이었다. 그런데 하루는 점심식사 후에 "동무들은 나처럼 살지 마시오"라며 한숨을 쉬었다. 그러면서 신세한탄을 했다.

이분은 전쟁 때 유럽 유학을 하고 돌아와 외무성에서 일했다. 평생 남부러울 것 없이 돈 걱정을 모르고 살았다. 3~4년씩 외국과 평양을 오가며 근무했다. 김일성을 하느님처럼 생각했고 매일 저녁 '당의 유일사상 체계 확립의 10대원칙'을 되새겼다. '김일성 수령과 김정일 지도자 동지의 가르침'대로 생활했는지 하루를 총화지은(반성한) 후에야 잠자리에 들었다.

1980년대 말 어느 나라에서 참사로 근무할 때였다. 대사나 당비서, 안전대표(보위원)들이 주어진 일은 하지 않고 사적으로 돈벌이를 했다. 물가가 저렴한 나라에서 담배를 사와 비싸게 되파는 식이었다. 동구권 국가에서 북한외교관이라고 하면 단속도 하지 않던 시절이었다.

수령의 교시에 어긋나는 행위를 참을 수 없었다. 토요일 생활총화 시간이 되면 "수령님께서 대사관에서 장사를 하지 말라고 했는데 일부 동무들은 이를 어기고 있다"며 대사를 비판했다. 벌써 돈맛을 들인 대사와 동료들은 골치가 아팠다.

어느 날 대사가 불렀다. 여권을 쥐어주며 인근 국가에 가서 담배를 사다 팔라고 했다. 생활비에 보태라는 뜻이었다. 무슨 소리냐며 대사의 제의를 거절했다. 다들 담배밀수를 했지만 나는 끝까지 고지식하게 수령의 교시대로 근무하다가 귀국했다.

귀국한 지 몇 년 후 '고난의 행군'이 시작됐다. 해외에서 수령의 교시를 어기고 돈을 벌어온 사람들은 도시락을 잘 싸오는데 이 분은 돈이 없어 밥밖에 가지고 올 수 없었다. 퇴직할 날은 얼마 남지 않았고 남은 생을 생각하면 눈앞이 아득했다.

나는 그분의 신세한탄을 들으며 '나처럼 살지 말라'던 그의 말이 너무 때늦은 회한으로 느껴졌다.

북한외교가 강해 보이는 이유

한국에 와서 보니 북한외교에 대한 평가가 대단히 높았다. 나 역시 북한에 있을 때 외무성의 성원으로서 자부심을 느꼈고 북한의 외교술에 대해 감탄할 때가 많았지만 한국에서도 북한외교를 높이 평가할 줄은 몰랐다.

북한외교가 강한 이유는 여러 가지로 분석할 수 있다. '벼랑 끝 외교'라는 표현이 상징하듯이 기본적으로 생존을 위한 외교이기 때문에 절박하다. 강할 수밖에 없다. 외교 라인이 오래 지속되며 외교관의 전문성을 중시한다. 정권이 바뀐다고 외교 라인이 통째로 교체되거나, 외교관의 경력을 쌓아주기 위해 이곳저곳 보내는 사례가 있을 수 없다.

사실상 왕조국가인 북한에서는 외교와 안보를 담당하는 국가수반이 20년이든, 30년이든 자리를 지킬 수 있다. 김일성과 김정일은 외교와 안보라는 측면에서 볼 때 산전수전을 다 겪은 '베테랑'이었다. 한 가지 사례를 소개한다.

김정일은 소련 공산당 총서기 고르바초프가 주창한 글라스노스트(개방)와 페레스트로이카(개혁)를 공산주의 체제를 허물어버리는 시도라고 비판하며 매우 부정적인 시각으로 보고 있었다. 소련의 혼란과 무질서가 극에 달한 가운데 1991년 8월 19일 '국가비상사태위원회'라고 자칭한 소련 공산당 강경세력이 쿠데타를 일으켰다. 이들은 고르바초프가 건강상의 이유로 대통령 직무를 수행할 수 없게 되었다고 하면서 모스크바 시내에 공수부대와 탱크를 풀었다. 쿠데타 세력은 방송을 통해 고르바초프의 개혁개방 정책이 소련의 붕괴를 가져올 수 있으므로 이제부터 군부가 나서 혼란을 수습하겠다고 선포했다.

당일 저녁 북한 방송은 소련 국가비상사태위원회의 선언을 구체적으로 보도했다. 아나운서의 목소리만 들어도 북한이 소련의 쿠데타를 얼마나 갈망했는지 알 수 있었다. 노태우 정부의 북방정책에 놀아나 한국과 외교관계를 수립한 고르바초프에 대한 분노의 표출이었다. 이날 하루 외무성은 긴박하게 돌아갔다. 평양 주재 소련대사는 북한 외무성에 들어와 쿠데타 세력의 정책방향을 통보했다. 대사는 쿠데타를 지지하면서 '혁명의 붉은 기'는 내릴 수 없다고 덧붙였다. 늦은 밤까지 외무성 간부들과 3국(소련 담당) 성원들은 귀가하지 못하고 김정일에게 상황을 보고했다.

이튿날인 8월 20일 아침 강석주는 김정일의 전화를 받았다. 고르바초프를 못마땅하게 생각하고 쿠데타를 반길 줄 알았던 김정일은 담담하게 이런 지시를 내렸다.

"외무성이 올린 문건에는 쿠데타 세력이 성공해 소련 정세가 안정될 것이라고 되어 있다. 내가 볼 땐 성공하기 어렵다. 쿠데타가 성공하려면 시민과 노동자를 동원해 지지 집회를 조직해야 한다. 공수부대와 탱크를 앞세운 것은 자본주의 국가의 군인들이 쓰는 쿠데타 방식이다. 공산당은 그러면 안 된다. 공산당대회를 열어 고르바초프를 비판하고, 시민과 노동자들로 군중집회를 열어야 한다. 비상사태위원회가 당을 움직이지 못하는 것은 이미 소련 공산당이 변질됐기 때문이다. 비상사태위원회가 당원을 동원하지 않고 군대에 의존하는 것을 보면 쿠데타는 실패할 것 같다. 우리가 쿠데타를 공개적으로 지지하는 것과 같은 모습을 보이지 말라."

이날 오후부터 북한 언론은 소련 정세에 대한 해석이나 논평 없이 사건 중심으로 보도하기 시작했다. 사정을 모르는 사람들은 왜 조선 노동당이 쿠데타 지지성명을 발표하지 않는지 이해하지 못했다. 쿠데타 발발 3일째인 8월 21일 모스크바 시민들은 탱크와 장갑차 위를 점령했다. 시위진압에 나선 특수부대가 진압을 거절함으로써 쿠데타는 '3일 천하'로 막을 내렸다. 김정일의 예측이 맞아떨어진 것이다.

김용순을 제친 강석주

김정일의 외교적 안목과 판단력이 처음부터 타고난 것은 물론 아니다. 오랜 기간 동안 외교 현장에서 이를 키워 왔기 때문일 것이다. 또한 북한은 김정일의 눈 밖에만 나지 않으면 외교부장도 10년, 20년 할 수 있다. 이 정도만 해도 자유민주국가가 따라 하기 어려운 부분이며 북한외교가 지닌 강점이라고 볼 수 있다.

국가 생존의 위기를 극복하는 과정에서 북한외교가 강해진 측면도 있다. 북한외교는 동구권 붕괴, 소련 해체, 남북 유엔 동시가입,

한중 수교, 1차 북핵 위기로 이어지는 흐름에서 갈피를 잡지 못했다. 외교 전문가 또한 중국과 소련, 동구권 국가에 편중돼 있어 서방 국가와 협상할 인재도 부족했다.

핵 위기를 극복하는 것이 북한외교의 절대적 과제였지만 외무성 내에서도 혼선이 빚어졌다. 최우진 등은 남북회담과 한국의 역할을 중시했다. 이들은 '한국 역할 중시파'라고 칭할 수 있다. 남북회담을 이용해 한국과 비핵화 선언을 채택하면 한국의 지원을 받아 미국으로부터 핵 불사용 선언을 이끌어낼 수 있으며 나아가 북미 수교도 가능하다는 의견이었다.

반면 강석주는 남북회담과 한국의 역할에 한계가 있다는 관점이었다. 정세를 긴장시켜 미국이 북한과 직접 회담에 나서게 해야 한다는 주장이었다. 그의 주장에 국제부장 김용순도 동의하면서 당 국제부가 북미 관계를 주도해 보겠다고 했다.

김정일 역시 중심을 잡지 못하던 때가 있었다. 1990년대에 들어서면서 북핵 문제는 국제원자력기구를 중심으로 논의되었다. 그 뒤에는 물론 미국의 막후조종이 있었다. 김정일은 핵문제 해결의 조종타를 강석주에게 줄 것인지, 김용순에게 줄 것인지 고심했다. 핵 위기를 국제원자력기구를 중심으로 한 국제사회와 풀어가느냐, 북미 간의 협상으로 좁혀 해결하느냐의 문제도 결론을 내지 못했다.

머리는 강석주가 김용순보다 좋다는 평이 다수였다. 실무진도 강석주의 외무성이 김용순이 이끄는 당국제부보다 우수했다. 그런데 강석주는 하라는 대로 따르는 스타일이 아니었다. 때로는 너무 창조적인 데가 있었다. 김정일은 이를 감안해 국제원자력기구 등 국제사회와의 협상은 강석주에게, 북미 관계의 조율은 김용순에게 맡기는 '쌍궤도 전술'을 구사했다.

김용순은 1992년 1월 미국을 방문해 아놀드 켄터 미 국무차관과 회담을 가졌다. 김용순은 "남조선에 주둔한 미군 철수를 요구하지 않는 대신 조미 수교를 원한다"는 파격적인 제안을 했지만 북미 합의문이나 성명서가 나오지는 않았다. 김정일은 김용순 팀을 미숙하다고 보았다. 김정일은 핵문제를 국제원자력기구와의 협상보다는 북미 간의 대화로 좁혀나가야 한다고 생각하면서도 그 역할은 김용순보다 강석주에게 맡겨야겠다는 결심을 굳힌다.

강석주 말고는 1차 북핵 위기를 극복할 마땅한 인물이 없는 것도 사실이었다. 하지만 김정일은 강석주에게 그냥 그 임무를 맡기지 않았다. 이 무렵 김정일은 외무성을 벼르고 있었다. 북한외교의 위기 상황에서 외무성의 대처가 미흡했다고 평가했기 때문이다. 특히 김정일은 외무성 주도로 국제원자력기구에 제출한 최초보고서가 빌미가 되어 1차 북핵 위기가 일어난 것에 대해 불만이 많았다. 김정일은 외무성의 '큰놈'을 하나 쳐서 군기를 잡으려고 했다. 외무성의 '큰놈'은 두말할 것 없이 강석주였다.

김정일의 군기 잡기에 실세 강석주도 쫓겨나

1992년 9월 군기를 잡을 기회가 우연찮게 찾아왔다. 이 달 국제원자력기구(IAEA) 정기이사회가 오스트리아 빈에서 열렸다. 주요 의제는 북한의 핵안전 협정 이행사항을 검토하는 것이었다. 한국과 북한, 미국의 3자 협상도 진행됐는데 북한대표단 단장은 외무성 참사였던 오창림이었다.

한국 측 단장이 오창림에게 비공개 식사 겸 미팅을 갖자고 제의해 왔다. 한국 측의 의도는 미국이라는 상대가 있지만 남북의 소통 창구를 열어 '통미봉남'(미국과 통하고 남한은 봉쇄)을 사전에 차단하려는 데 있었던 것 같다. 오창림은 '남조선 측 단장을 만나 미국과 남조선 사이에 어떤 내용이 오가는지 알아보는 것이 좋겠다'는 전보를 외무성에 보냈다. 그럴 듯하다고 생각한 강석주는 '오창림에게 한 번 만나보라는 지시를 내리겠다'는 보고를 김정일에게 전자메일로 보냈다. 이때는 핵문제 해결에 관한 명확한 방침이 없었고 '한국 역할 중시파'와 '미국과의 직접 해결파'의 의견이 갈려 있던 시기였다. 한국을 이용해야 한다는 최우진 부상도 상당한 발언권을 가지고 있던 때다.

무슨 이유인지 김정일의 결재가 바로 내려오지 않았다. 현지지도를 나간 것인지, 고심이 깊은 것인지 알 수 없었다. 하루가 지나 '남조선 대표단 만날 필요 없음'이라는 김정일의 친필 문건이 내려왔다. 강석주는 즉각 김정일의 지침을 담은 전보를 오스트리아 주재 북한대표부에 타전하라고 지시했다.

유선전신과 국제전화가 있었음에도 보안을 요하는 사안은 무선전신을 고집하던 시절이었다. 단파무전기로 북한에서 오스트리아로 전보를 보내려면 모스크바 주재 북한대표부를 거쳐야 했다. 무선전신도 수시로 하는 것이 아니라 하루에 두 번 교신시간이 있었다. 사정이 이렇다 보니 오창림은 외무성이 보낸 전보를 한국대표단과의 약속 시간 전에 받지 못했다.

오창림은 평양에서 별다른 지시가 내려오지 않은 것으로 생각하고 한국대표단을 만나 의견을 교환했다. 그 내용은 평양에 보고했다. 외무성 규정에 어긋나는 행위였다. 지시가 내려올 때까지 기다리거나, 지시가 없으면 만나지 말았어야 했다.

강석주가 난감해졌다. 한국대표단을 만날 필요가 없다는 지시를 내려 보냈는데 오히려 만났다는 전보가 올라왔다. 이미 일어난 일이라 강석주는 김정일에게 사실대로 보고할 수밖에 없었다. 김정일은 만나지 말라고 했는데 왜 만났느냐며 노발대발했다. 강석주는 죽을 죄를 지었다고 하면서 무선전신이 지연됐다는 핑계를 댔다. 안 그래도 외무성의 군기를 잡으려 작심하고 있었던 김정일은 강석주의 혼을 빠지게 했다.

"무선전신 절차가 면피용이 될 수 있는가. 네가 내 지시를 집행할 생각이 있었다면 즉시 오창림에게 전화를 해서라도 중지시켰어야 했다. 결국 너는 질서(규정)대로 행동했다는 것인데 그런 식으로 일하겠으면 이제부터 외무성이 보고하는 문건을 보지 않겠다. 너 혼자 다 해먹어라."

강석주의 보고는 전화로 이뤄졌다. 김정일이 수화기를 거칠게 내리치는 소리가 들렸다. 다음날부터 외무성은 김정일에게 전자메일로 보고할 수 없었다. 김정일이 컴퓨터를 꺼버렸던 것이다.

며칠 후 중앙당 조직지도부와 국제부 성원들로 구성된 40명의 당중앙위원회 검열 그루빠(그룹)가 외무성에 들이닥쳤다. 검열 책임자는 당국제부 부부장 권민준이었다. 강석주는 직무를 정지당하고 사무실에서 쫓겨났다. 권민준이 강석주의 역할을 대신했다.

검열그룹 성원들이 외무성 각 국에 한 명씩 배치되었다. 이들은 김정일의 지시집행정형을 기록하는 대장부터 들추기 시작했다. 북한에서는 김정일이 내린 지시와 이에 대한 집행 결과를 각 부서별로 정리하고 기록해 둔다. 이것이 방침집행등록대장인데 검열이 실시될 때마다 가장 먼저 들여다보는 문건이다. 김정일이 지시를 내린 순간부터 이를 포치(관계 부서에 전달)하고 집행대책을 어떻게 토의했으며 시간별로 어떻게 집행했는가가 담겨 있다. 조금이라도 작성을 지연시켰다가는 감당할 길이 없어 매일 1시간 간격으로 빠짐없이 기록한다.

숙청으로 단련되는 북한외교

방침집행등록대장은 외무성 국별로 1년이면 책 몇 권 분량이 나온다. 내가 있던 유럽국은 당국제부 대외정책과장이 검열에 달라붙었다. 한 달 동안 검열 끝에 외무성 강당에서 검열총화가 진행되었다. 회의집행은 중앙당 경제사업부 비서 계응태가 했고 옆에서 중앙당 국제사업부 부장 김용순이 지원했다. 외무성 당원들은 어떻게 장군님의 지시를 그렇게 허술하게 집행할 수 있느냐면서 눈물을 흘리며 강석주와 오창림을 비판했다. 평소 강석주에게 앙심을 품은 일부 국장들은 그의 출당까지 제기했다. 출당은 아니라 해도 적어도 지방으로 추방될 것으로 보였다.

검열총화에서 김용순은 강석주에 대한 개인적인 미움을 감추지 않았다. 김용순이 국제부 부부장으로 있을 때 강석주는 유럽담당 과장에 불과했다. 강석주가 외무성 1부상으로 승진하면서 김용순보다 발언권이 높아졌다. 김용순은 불안해하는 것 같았다. 김용순의 비판이었다.

"강석주 동무는 교만해졌다. 당 정치국 회의를 할 때 정치국 위원도 아니면서 맨 앞자리에 앉는다. 그 자리는 정치국 위원이 앉는 곳이다. 이제는 자신이 어디에 앉아야 하는 것도 모르는 것인가."

그러나 강석주가 자기 마음대로 그 자리에 앉지는 않았을 것이라고 생각하는 사람도 꽤 있었다. 회의 때마다 김정일이 자주 강석주의 의견을 물어보니 아무래도 김정일 가까이에 앉을 수밖에 없었을 것이라는 이야기였다.

총화 결과 강석주에게는 농장 혁명화, 오창림은 평안남도 평성시로 가족과 함께 추방하는 조치가 내려졌다. 이때부터 강석주는 농장에서 일을 했고, 돼지우리의 똥을 치웠다. 김정일은 강석주의 군기를 잡는 데 목적이 있었지 그를 완전히 내칠 생각은 아니었다. 한 달쯤 지나 김정일에게 자필 편지를 써서 용서를 빈 강석주는 원래의 자리로 복귀되었다. 강석주 혁명화 사건을 계기로 외무성의 방침은 미국과의 직접 대화로 굳어지게 된다. 남북회담을 주도했던 최우진은 차츰 일선에서 밀려났다.

물의의 당사자인 오창림은 평성시에 주저앉았다(정착했다). 그는 유능한 외교관이기도 했지만 하늘이 무너져도 살 길은 있다는 신념의 소유자였다. 1990대 후반 '고난의 행군'이 시작되자 오창림 부부는 빵을 만들어 장마당에 내놓았다. 빵은 잘 팔리며 유명해졌고 '오창림 빵'으로 불리기 시작했다. 지금은 두 사람 모두 세상을 떠났다.

기사회생한 강석주는 이후 '벼랑 끝 외교'의 주역이 된다. 북한의 치부지만 이렇듯 숙청이 있다는 점도 북한외교가 강한 이유 중의 하나다. 물론 숙청은 충격 요법에 불과하다. 일시적으로 강해진다고 해도 그것이 영속된다는 보장은 없다.

리용호, 핵협상 관련 미국서적 밤새 읽어

강석주가 대미 협상을 이끄는 과정에서 막후 책사 역할을 했던 인물이 현 북한 외무상인 리용호다. 외교관으로서 그의 발전과 성장은 외무성 내에서 귀감이 된다. 중소, 동구권을 중심으로 외교를 해온 북한에는 1990년대 전까지만 해도 서방 국가와 대화할 수 있는 군축전문가가 없었다. 그런데 1990년 유엔에서 외무성으로 공문이 왔다. 미국에서 6개월 과정 군축전문가 양성 프로그램이 실시되니 각 회원국마다 1명씩 보내달라는 내용이었다.

외무성 군축과 과장으로 있던 리용호는 이 공문을 들고 강석주를 찾아갔다. 보내달라는 얘기였다. 국제기구국 군축과는 1년 내내 할 일이 없어 허송세월을 보내는 부서였다. 누구도 그곳에서 일하겠다는 사람이 없었다. 북한 권력의 실세인 '3층 서기실' 리명제 실장의 아들인 리용호가 왜 군축과에서 일하는지 다들 의아해 했다.

외무성의 원칙상 해외연수는 최소한 2인이 한 조를 이뤄야 했다. 한 명을 보낸 전례가 드물어 강석주는 고심했다. 원칙은 지켜야 하지만 리명제 실장의 아들이 찾아와 부탁하니 무작정 거절하기도 어려웠다. 강석주는 김정일에게 "리용호를 미국 군축 강습에 보내려고 한다"는 보고를 올리며 '리명제 실장의 아들'이라는 주해를 달았다. 리명제를 대단히 신임했던 김정일은 곧 승인을 내렸다.

리용호는 1990년 미국의 군축전문가 양성 프로그램에 참가해 6개월 동안 다양한 싱크탱크들을 돌아보았다. 귀국할 때 가지고 온 책만 한 배낭이었다. 이때는 북한과 미국 사이에 핵 위기가 터질 것이라고 예측하는 사람은 많지 않았다. 리용호는 남들보다 빨리 이를 전망하고 미국 학자들이 쓴 핵협상 관련 책을 밤을 밝혀가며 모두 읽었다.

얼마 후부터 국제원자력기구(IAEA)가 북한의 핵 개발 의혹을 제기했고 1차 북핵 위기가 터졌다. 미국 언론은 영변핵시설에 대한 외과수술식 타격이 임박했다고 보도했다. 북한 내부에서도 '기어이 전쟁이 일어나는구나'라는 분위기가 지배적이었다. 외무성마저 당황하고 어쩔 줄 몰라 하는 상황에서 중심을 잡고 나선 사람이 리용호였다.

그는 '북한이 핵확산금지조약(NPT) 탈퇴와 준전시 상태를 선언하여 전쟁 임박 상황으로 몰아가야 한다'고 주장했다. 평소 차분하고 온화한 그가 이와 같은 강경책을 주장한 것은 실력과 경험이 바탕이 된 확신이 있었기 때문이다. 1차 북핵 위기는 그의 주장대로 전개되면서 북한 입장에서는 뜻대로 마무리되었다. 북한의 강한 외교가 또 한 번 그 저력을 발휘한 것이다.

잘 나가던 장인 숙청, 내 앞길에도 암운

외무성에서 근무하면서도 나는 유럽 발령을 기대하지 않았다. 1990년대까지만 해도 외국어를 잘하면 경력 3, 4년차에 해외 발령이 나곤 했다. 내가 일했던 유럽국은 덴마크어, 스웨덴어 등 개별 민족어를 전공한 사람이 다수였다. 이런 사람들은 어렵지 않게 발령을 받았다. 그러나 나 같은 영어 전공자는 당 간부의 자녀가 아닌 이상 유럽으로 나가기 힘들었다. 나 같은 사람은 아프리카나 아시아로 나가기 쉬웠다. 여기에 나의 유럽 발령을 더욱 어렵게 만드는 일이 일어났다. 장인이 프룬제아카데미 사건이 몰고 온 숙청 광풍에 휩쓸려 지방으로 추방된 것이다.

북한은 항상 체제 위기를 숙청으로 수습해 왔다. 동구권 붕괴, 소련 해체로 북한 내부가 흔들리게 되자 김정일에게는 공포감을 조성할 새로운 사건이 필요했다. 그중 하나가 프룬제아카데미 사건이다. 프룬제아카데미는 소련 적군의 창설자 가운데 한 사람인 프룬제의 이름을 딴 옛 소련의 군사학교다. 1986년부터 1990년까지 이 학교에 250여 명의 북한군 엘리트들이 유학했다. 북한은 1980년대 후반 동구권이 붕괴되자 소련과 동유럽에 보낸 유학생들을 황급히 철수시켰다. 유학생들을 통해 개혁개방의 물결이 북한으로 유입될까 봐 우려했던 까닭이다. 프룬제아카데미 유학파들은 북한 독재체제에 비판적이었던 것 같다.

나는 1992년 초에 외무성 대표단의 일원으로 러시아를 방문한 적이 있다. 영화에서 봤던 모스크바의 모습과는 달리 쓸쓸하기 그지없었다. 광장에는 매일처럼 군중들의 시위가 이어지고 있었다. 상점 진열대는 텅텅 비었고, 지하철과 지하도에는 여성과 노인들이 신발, 버터, 빵, 외투 등 팔 수 있는 물건들을 들고 서있다.

외무성 대표단은 크렘린의 레닌 묘에도 가보았으나 우리 말고는 인적이 드물었다. 러시아 소설 《강철은 어떻게 단련되었는가》의 주인공 파벨과 같은 사람들이 목숨을 내걸고 세운 사회주의 조국은 그렇게 맥없이 무너지고 있었다. 모스크바 출장에서 돌아오니 여러 사람들이 러시아 상황에 대해 물었다. 차마 말문이 열어지지 않았다. 의구심이 생겼다. 소련과 동구권이 무너졌는데 북한은 어떻게 버텨낼 것인가. 이런 의구심은 가족에 대한 걱정으로 이어졌다.

프룬제 사건으로 소련 유학파 군인들 추풍낙엽

1993년 2월 프룬제아카데미 유학파 출신 인민무력부 성원들이 처결되면서 '프룬제 사건'이 일어났다. 북한으로 망명한 옛 KGB 요원이 반체제 친소파 장교들의 명단을 넘겼다고 한다. 북한 당국은 군 내부에서 암약한 KGB 간첩단을 적발했다고 선전했다. 1998년까지 수많은 사람들이 쫓겨나고 체포되고 처형됐다.

불똥은 모든 유학파에게 튀었다. 외국 물을 먹은 죄였다. 빨치산 혈통인 오극렬조차도 소련 공군대학 출신이라는 이유로 김정일의 경계 대상이 되었다. 1988년 소련 이지체브 군총정치국장이 북한을 방문했을 때 오극렬 총참모장이 영접했다. 이때 김정일은 오극렬의 집무실, 승용차 등에 도청장치를 설치하고 그의 일거수일투족을 감시했다.

1989년 소련군사대학 대표단이 방북했을 때는 나의 장인이 피해를 봤다. 내가 결혼한 지 몇 달 안 되던 때였다. 러시아어에 능했던 장인은 김일성정치대학 총장 자격으로 소련 대표단을 맞이했다. 대표단과 함께 북한의 여러 곳을 참관하면서 장인은 소련에 대한 친근감을 표시하기 위해 자신의 유학 생활에 대해 이야기했다. 소련 대표단과의 사업을 잘해야 한다는 김정일의 지시를 충실히 이행하기 위해서였다.

그러나 장인의 말을 도청했던 인민군 보안사령부는 장인이 소련에 남다른 애착을 가지고 있다고 김정일에게 보고했다. 장인은 해임 사유도 통보받지 못한 채 1990년 총장직에서 해임되어 조국해방전쟁승리기념관 부관장으로 좌천되었다. 장인이 도청에 걸려 좌천되는 과정은 1999년 7월 5일자 연합뉴스의 보도로 한국에도 알려져 있다. 연합뉴스는 “오기수(장인의 이름) 중장은 김일성정치대학 총장에서 갑자기 해임되어 조국해방승리전쟁기념관 부관장으로 좌천된 이유에 대해 지금도 모르고 있을 것"이라는 최주활의 증언을 인용했다. 소련 주재 북한대사관 무관이었던 최주활은 현재 탈북자동지회 회장을 맡고 있다.

장인은 1994년 조선인민군 체육지도위원회 위원장으로 다시 승진했지만 1995년 갑자기 전역 명령을 받고 함경남도 덕성군 인민위원회 부위원장으로 내려갔다. 추방 이유는 이러했다.

장인은 벨기에에서 열릴 예정인 세계군대체육올림픽을 준비하면서 평양시 교외 서산호텔에서 숙식을 해결했다. 장교들과 자주 저녁 회식을 가졌는데 어느 날 북한의 현실을 비관하는 발언을 했고, 이것이 도청에 걸렸다. 비난도 비판도 아닌 비관이었다. 김정일을 반대하는 발언은 더욱 아니었다. 다행인 것은 장인이 출당철직을 당한 것은 아니었고, 덕성군 인민위원회 부위원장으로 혁명화 조치를 받았다는 점이다. 자녀들과 그 배우자에게는 불이익이 없었다.

장인뿐만이 아니라 내 지인 중에서도 프룬제 사건으로 추방된 사람이 있다. 외무성 아랍담당국에서 일하던 최광수가 그중 한 명이다. 어릴 때 시리아에서 유학했던 그는 국제관계대학을 졸업한 동문이다. 하루는 나를 찾아와 친형이 이 사건에 연루돼 체포됐고 자신은 고향인 함흥으로 내려간다고 했다. 평양에서 결혼한 아내와는 이혼하고 혼자만 내려간다는 말이었다. 외교단사업총국에서 일하던 엄철호도 이혼 후 지방으로 전출됐다. 그 역시 시리아 유학파로 국제관계대학을 나온 내 친구였다.

직계나 형제가 이 사건 때문에 체포되면 본인은 지방으로 추방되고, 처권(처가) 친척이 잡혀가면 강제로 이혼하는 것이 보통이었다. 지방으로 추방된 기혼 남자들은 대부분 홀로 떠났다. 평양에서 고생 모르고 자란 여자들과 결혼했기 때문에 아내를 험한 외지로 데리고 갈 수 없었다. 그러다가 현지에서 만난 여성들과 다시 결혼을 하게 되어 두 가정을 꾸리게 된 경우도 꽤 있었다.

외무성 성원 가운데 여러 명이 프룬제 사건으로 쫓겨나거나 불이익을 받았다. 나 역시 마음을 놓을 수 없었다. 유학파와 그 가족들은 극심한 불안에 떨었다. 자신들도 모르게 간첩단이나 체제반대세력이라는 혐의를 뒤집어쓸 수도 있었기 때문이다. '러시아 카잔 유학생 사건' 역시 그런 사례 중의 하나다.

카잔은 러시아연방 타타르스탄 공화국의 수도다. 1980년대 말부터 북한 학생 수십 명이 이 도시에서 유학했다. 그런데 이들이 모여 북한 체제의 허구성에 대해 논의하고, 북한에 돌아와서도 자주 모임을 가지며 반체제 음모를 꾸몄다는 것이다. 내가 보기에는 황당한 혐의였다. 하지만 카잔 유학생들은 모두 체포됐고, 가족들은 지방으로 쫓겨났다. 내 친구 김정호는 평양외국어대학에 다니다가 카잔에서 유학 생활을 했다. 귀국 후 무역성에서 일했는데 내 아내의 동료이기도 하다. 그는 카잔 유학생 사건에 연루돼 체포됐고 결국 총살됐다. 그의 매부가 2013년 12월 '장성택 사건'이 일어났을 때 북한으로 소환된 전 프랑스 주재 북한 총대표 윤영일이다.

강명도 탈북이 열어준 나의 첫 해외 발령

이런 분위기 속에서 내가 해외로 발령받는다는 것은 꿈도 꿀 수 없는 일이었다. 하지만 운명이라는 것이 있는지 뜻밖의 행운이 찾아왔다.

1994년 김일성의 외가 친척이며, 강성산 총리의 사위인 강명도가 탈북했다. 그는 내가 다녔던 평양외국어혁명학원 몇 년 선배였다. 강명도의 탈북은 일반 주민들에게는 공개되지 않았지만 외무성 등 대외사업부서에는 당 간부 자녀들의 해외여행이나 파견을 보류하라는 지시가 내려왔다. 나는 당 간부의 자녀가 아닌 영어 전공자여서 유럽 발령을 받기 어려운 처지였는데 나의 발령을 막아오던 '장애물들'이 한꺼번에 사라진 것이다.

해외에 보낼 외교관을 교체할 때 외무성은 그 6개월 전에 후임을 정하고 간부사업을 시작한다. 간부사업은 신원조회 등 인사사업을 말한다.

내 경우, 유럽국에 소속된 모든 동료들이 나의 생활정형(근무 태도)에 대해 요해(점검)했다. 이때 5명 이상이 나를 보증하는 문건에 서명하고 손도장을 찍었다. 이뿐만이 아니다. 중학교, 대학, 사회생활 등 전 과정에서 같이 공부했거나 일한 사람들로부터 내가 변절할 사람이 아니라는 보증을 받았다.

외교관으로 선발되기 위해서는 본인의 친켠(친가) 6촌, 외켠(외가) 4촌, 처켠(처가) 4촌까지 북한의 핵심 계층에 속해 있어야 한다. 친척 중에 형사범이나 출당철직과 같은 정치적 과오를 범한 사람이 있어서도 안 된다. 혼자만 북한 체제에 충성하는 것만으로는 부족하며 일가친척 수십 명이 사상적으로 흠결이 없어야 한다.

이러한 과정을 거쳐 간부문건이 준비되면 외무성 간부처장을 거쳐 당 비서, 외무성 1부상, 외무상의 사인을 받아 중앙당 간부부에 제출한다. 간부부는 담당 직원을 외무성에 보내 다시 전면적으로 간부문건을 요해한다. 이상이 없음이 확인되면 간부부 과장이 해당자를 불러들여 면접한 뒤, 당 부부장과 부장이 최종적으로 인물심사를 한다. 여기에 김정일 보고 후 '방침'을 받고 나서야 비로소 외교관 한 명이 선발된다. 한국에서는 상상도 할 수 없는 복잡하고 치밀한 절차다.

여섯 살 아픈 아이를 떼놓고 가라니…

나에 대한 간부사업은 1995년 6월경부터 시작됐는데 당시 강명도의 탈북으로 간부 자녀들의 해외 발령이나 파견이 보류됐던 시기였다. 당시 유럽국 내의 영어 전공자가 나밖에 없었다. 나로서는 천운이었다. 나는 이듬해 1월 중앙당 간부로부터 덴마크 주재 북한

대사관 3등 서기관으로 선임되었다는 통보를 받았다.

남은 문제가 하나 있었다. 북한 외교관은 자녀조차도 마음대로 해외에 데리고 나가지 못한다. 우선 인민학교(소학교) 취학 대상이거나, 재학 중인 아이는 해외로 나갈 수 없다. 북한 내에서 소학교 교육을 받으라는 취지지만 부모 입장에서는 가혹한 처사가 아닐 수 없다. 만14세 이상인 고등중학교 4·5·6학년 학생도 동반 출국이 불가능하다. 3년 전부터 대학입학시험 준비를 해야 한다는 명분이다. 대학생 자녀는 부모의 보살핌을 받지 않아도 되는 성인이기 때문에 당연히 안 된다.

동반 출국이 가능한 대상은 소학교 취학 대상 이하이거나, 고등중학교 1·2·3학년인 자녀다. 이 경우에도 아이가 둘 이상일 때는 한 명만 출국 가능하다. 쌍둥이라도 예외는 없다. 중학교 1·2·3학년인 자녀의 동반 출국이 허용되는 것은 대학 진학 이전에 북한에 돌아올 수 있기 때문이다.

당시 둘째는 태어나기 전이었고 맏이가 만6세였다. 소학교 취학 대상이어서 원칙적으로는 같이 나갈 수 없었다. 중앙당 간부부와 외무성에서는 “수령님께서 아이의 성장과정에서 우리말을 배우는 초등교육이 중요하므로 외교관 자녀들이 인민학교 교육은 조국에서 받아야 한다고 교시하셨다. 아이를 평양에 남기고 나가라”고 했다.

당시 맏이는 세 살 때 얻은 병을 고치지 못해 심하게 앓고 있었다. 나는 큰아이를 데리고 가기 위해 온갖 수단을 다 썼다. 대학병원에서 아이의 진단서를 받아 중앙당 간부부에 하소연했다. 나는 “여섯 살 아이가 부모의 보호를 받지 못하면 병이 도져 생명에 지장이 있을 수 있다. 이번 기회에 아이를 데려가 병을 고쳐주고 싶다"고 빌다시피 했다. 간부부 담당 지도원은 대학병원 의사까지 만나 확인을 하고서야 상부의 승인을 받아 허용해 주었다. 그렇게 나는 큰아이와 아내와 함께 덴마크로 나올 수 있었다.

2장

고난의 행군 외교

북한 외교관 담배 밀수 사진, 세계에 공개돼

사전교육과 출국준비를 거쳐 가족들과 덴마크 코펜하겐에 도착한 것은 1996년 6월이었다. 한국에 망명한 후 일부 언론은 내가 덴마크에서 김정일의 1호 통역연수과정을 거쳤다고 보도했지만 사실이 아니다. 나보다 먼저 덴마크에서 서기관으로 근무하다가, 나중에 김일성의 덴마크어 통역까지 맡았던 하신국과 혼동한 듯하다. 하신국은 영어도 잘해 후에 영국에서 나와 함께 근무하기도 했다.

덴마크에 온 지 얼마 안 돼 스웨덴 주재 북한대사관이 사고를 쳤다. 당시 스웨덴 대사관에는 대사 김흥림, 참사 한창엽·전덕찬, 서기관, 변신원(암호를 푸는 요원), 무전수 등이 있었다. 이 가운데 서기관과 변신원이 에스토니아의 수도 탈린에서 체포되는 사건이 발생했다. 경위는 이러하다.

이들은 승합차를 타고 여객선에 승선해 에스토니아 탈린항으로 갔다. 현지에서 담배를 대량으로 구입해 승합차에 적재한 뒤, 다시 여객선을 통해 스웨덴으로 돌아오려다가 승선 과정에서 검거됐다. 한마디로 밀수 사건이 적발된 것인데 꼬리가 길어 밟힌 격이었다.

이 무렵 북한에서는 '고난의 행군'이 한창이었다. 외교관 월급도 몇 달씩 밀릴 때다. 김흥림 대사는 "조국이 이처럼 어려운데 조국에 손만 내밀 수 없다. 우리가 자체로 '외화벌이'를 하여 대사관을 운영하고 시설도 보수하자"고 나섰다. 스웨덴 전문가였던 그는 평양에 있을 때 나의 직속 상사이기도 했다. 외무성 국장을 할 때도 자리에 가만히 앉아 있는 성품이 아니었다. 불가능을 모르는 사람이었다.

김흥림 대사는 담뱃값이 비싼 스웨덴의 실정에 착안했다. 발트해 주변 국가에서 눅은(싼) 담배를 밀수해 스웨덴 밀수조직에 넘기기로 했다. 1995년 말부터 이듬해 초까지 거의 매달 에스토니아, 라트비아, 리투아니아로 가 담배를 실어 날라 수만 달러를 벌었다. 그 돈으로 낡은 대사관 건물을 보수했고 외교관들에게 골고루 생활비를 나눠주었다. 어찌됐든 대사관 건물을 자체적으로 보수한다는 것은 기적과 같은 일이었다.

김흥림으로서는 외교관 생명을 건 '북한식 애국'이었다. 외무성은 전 세계 대표부에 "스웨덴 대표부의 자력갱생 정신을 따라 배우라"고 치하전보를 내려 보냈다. 명분은 '자력갱생', '충성심 독려'를 내세웠지만 불법을 저질러서라도 대사관 자체의 생존을 유지해야 한다는 묵시적인 압력이었다. 불법 행위를 하다가 걸리면 본인 책임이고 안 걸리면 본인도 좋고 나라에도 좋다는 논리였다.

문제는 스웨덴 주재 북한대사관의 꼬리가 너무 길었다는 점이다. 스웨덴은 진작부터 북한대사관의 활동을 주시하고 있었다. 몇 번은 눈감아 줬지만 도가 지나치다고 판단한 모양인지 북한대사관의 밀수를 저지하기로 단안을 내렸다. 하지만 외교특전과 특권이 있는 북한 외교관을 함부로 단속할 수는 없었다. 스웨덴 정보기관은 북한과 외교관계가 없는 에스토니아에서 일을 벌이기로 결정한 듯하다. 북한대사관 성원들이 자주 드나들던 리투아니아, 라트비아는 북한의 수교국이었다.

스웨덴 정보기관은 에스토니아 측에 정보를 미리 제공했다. 북한대사관의 서기관과 변신원이 에스토니아 탈린항에서 승합차로 배에 오르는 순간, 현지 세관당국과 경찰이 덮쳤다. 외교관의 면책특권을 내세울 수 없어 꼼짝없이 당했다. 이들은 북한 외교관들을 강제로 하차시키고 승합차 트렁크를 열고 담배 상자를 뜯었다. 이 장면은 이미 정보를 입수하고 대기하고 있던 사진기자들에 의해 찍혀 전 세계에 공개된다.

체포, 추방, 징역, 초토화된 스웨덴 주재 북한대사관

체포된 북한 외교관들은 담배를 몰수당하고 억류되었다가 하루 만에 에스토니아에서 추방되어 스웨덴으로 돌아왔다. 스웨덴에서는 이전에도 북한 외교관과 관계된 사건이 몇 차례 있었다. 1976년 스웨덴 주재 북한대사였던 길재경이 마약 밀수사건으로 추방됐고, 1992년에는 체코 주재 북한대사관 참사 김형구가 마약과 위조여권을 소지한 채 스웨덴에 들어왔다가 체포되어 징역을 살고 있었다.

스웨덴 정부는 1996년 7월 김흥림 대사, 한창엽 참사 등을 위시한 외교관 대부분을 추방했다. 대사관에는 담배 밀수에 한 번도 참가하지 않은 전덕찬 참사와 무전수만 남게 되었다. 전덕찬 참사는 평양에서 파견된 지 한 달밖에 안 됐고, 무전수는 외교여권을 소지하고 있지 않아 밀수에 가담할 수 없었다.

김흥림 대사는 그 후 이탈리아 대사를 거쳐 외무성 경제국장으로 일하다가 위암으로 사망했다. 한창엽은 김일성, 김정일의 스웨덴어 1호 통역이었고, 장성택의 조카 사위였다. 외교관으로서 전도가 양양했으나 밀수 사건 때문에 외무성에서 나가 인민무력부 대외사업국 지도원으로 갔다. 이후 그는 쿠바 주재 무관으로 나가는 등 다시 출세의 길을 걷는 듯하다가 장성택의 처형과 함께 수용소로 끌려갔다. 그의 생존 여부는 아직도 알 수 없다.

스웨덴 주재 북한대사관에 남은 외교관은 전덕찬 참사뿐이었다. 그는 노르웨이어 전공이었고 영어가 약했다. 덴마크 북한대사관에 있던 나에게 스웨덴으로 가라는 명령이 떨어졌다. 스웨덴 북한대사관에 새로운 성원들이 파견될 때까지 업무를 도우라는 지시였다. 가족을 덴마크에 둔 채 스웨덴으로 간 것이 1996년 7월이었다. 북한 외교관들이 추방된 그 달이다.

스웨덴에 도착한 지 며칠 후의 일이다. 스웨덴조선친선협회 위원장 린스트렘이 북한대사관을 방문해 이렇게 말했다.

"스웨덴 언론이 북한 외교관 담배 밀수 사건을 매일 보도하는 것을 보고 참을 수 없어 찾아왔다. 스웨덴 정부는 밀수사건을 조작해 반공화국(반북한) 공세를 펼치고 있다. 스웨덴조선친선협회 명의로 이를 당장 중지할 것을 요구하는 항의서한을 보내려고 한다. 언론에 관련 성명도 발표할 것이다. 내 딸은 매일 TV를 보면서 운다. 왜 스웨덴은 저렇게 선량한 북한을 계속 비난하고 공격하느냐고 억울해 한다."

그는 나에게 "북한대사관 명의로 '담배 밀수 사건'을 부정해 달라"고 요청했다. 착잡했다. 밀수 사건이 터진 후 스웨덴 북한대사관은 언론과의 접촉을 일절 금지하고 긍정도 부정도 하지 않는 입장을 견지하고 있었다. 그의 요구대로 스웨덴 정부의 주장을 부인하면 사건 관련 자료가 더 나올 수도 있었다. 그에게 이렇게 답을 했다.

"담배 밀수가 있었던 것은 사실이다. 미국의 대조선 제재압박 조치가 극도에 달해 지금 조국에서는 고난의 행군이 진행되고 있다. 사실 대사관 유지비도 나오지 않는 형편이다. 이런 상황에서 가만히 앉아 죽을 수는 없었다. 수단과 방법을 찾아 일단 살아남아야 했다. 그런 차원에서 이해해 줬으면 좋겠다. 지금은 스웨덴 정부와 싸울 것이 아니라 무시하고 가만있어야 한다. 혁명에는 항상 상승기와 퇴조기가 있는 법이다. 현재는 혁명의 퇴조기라고 볼 수 있다. 하지만 우리는 인차(곧) 현 난국을 극복하고 다시 동방의 사회주의 보루로 살아날 것이다."

내 말을 들은 그는 북한 외교관들의 담배 밀수를 인정하지 않을 수 없었다. 그러나 혁명의 상승기와 퇴조기라는 대목에는 공감을 표시했다. 스웨덴 정부를 상대로 한 항의 성명발표는 취소하겠다고 했다. 그와의 면담 후 나는 북한이 무슨 짓을 해도 미국의 '대조선 적대시 정책'으로 합리화하는 것이 가장 효과적이라고 생각했다.

노르웨이에서 위조여권으로 체포된 장성택

스웨덴에 오고 나서 며칠 후의 일이다. 전덕찬 참사가 같이 일을 좀 하자며 작업복으로 갈아입으라고 했다. 15분 정도 차를 타고 가니 2층짜리 전원주택이 보였다. 규모는 그다지 크지 않았다. 전덕찬은 집 안팎을 청소하자고 했다. 나는 누구 집이냐고 물었다. 그의 이야기다.

"여기서 본 일은 누구에게도 발설하면 안 된다. 당신은 물론 나도 끝장난다. 이곳은 장성택과 김경희 동지의 딸 장금송의 집이다. 장금송이 여기서 중학교에 다닌다. 지금은 방학이라 평양에 있지만 개학을 앞둔 8월 말이면 돌아올 것이다. 그때까지 우리가 일주일에 한 번씩 와서 청소를 하고 정원 잔디도 깎아놓아야 한다. 장금송이 돌아오면 대사관에도 자주 들를 것이다. 만나면 허리를 굽혀 인사해야 하며, 호칭할 필요가 있을 경우 반드시 '대장동지'라고 불러야 한다."

그때서야 나는 장성택이 노르웨이에서 체포된 사건이 떠올랐다. 때는 5년 전인 1991년 12월로 거슬러 올라간다. 당시 평양 외무성에 출근하니 김흥림 국장이 중요한 면담이 있으니 준비하라고 했다. 오전 9시경 김흥림 국장과 나는 외무성 면담실에 내려가 평양 주재 스웨덴 임시대리대사(이하 임대)를 만났다. 그의 이야기는 충격적이었다.

"어제 저녁 노르웨이 오슬로에서 위조여권을 지니고 체류 중인 북한인을 경찰이 체포했다. 이 사람은 자신이 김정일의 매부인 장성택이라고 주장하면서 북한 외무성에 자신이 억류되어 있다는 사실을 알려달라고 요구하고 있다."

스웨덴 임대에 따르면 노르웨이 당국으로부터 이런 요청이 왔다고 한다. 북유럽 국가 가운데 평양에 대사관을 둔 나라는 스웨덴뿐이었다.

"우리(노르웨이)의 판단으로서도 장성택이 맞는 것 같기는 하다. 그러나 북한 고위 인사가 위조여권을 들고 노르웨이에 입국했다는 것이 이해되지 않는다. 스웨덴 주재 북한대사를 노르웨이에 보내 장성택이 맞는지 확인해 줄 것을 요청한다. 또한 위조여권 소지는 형사범죄에 해당된다는 것을 북한 당국에 전달해 주었으면 한다."

나는 임대의 말을 통역하면서도 정말 황당한 일이라고 생각했다. 누가 위조여권을 사용하다가 잡혔다고 감히 장성택 동지라고 사칭한단 말인가. 장성택 동지가 그 먼 노르웨이까지 왜 간단 말인가. 나는 임대의 말을 믿을 수 없었다.

북한에서는 통상 이런 어처구니없는 일을 외국 대사가 확인해 달라고 하면 즉석에서 그런 것은 확인해 줄 수 없다고 쳐 갈긴다(즉석에서 부정한다). 그런데 김흥림 국장의 대답이 나를 더 놀라게 했다. 국장은 "확인해 보겠다. 하지만 일단 확인이 될 때까지 이 사실을 언론에 공개하지 말아 줄 것을 노르웨이 정부에 요청하니 이를 반드시 전달해 달라"고 했다. 스웨덴 임대는 시급한 문제니 조속한 확인을 바란다며 돌아갔다.

면담이 끝난 후 국장은 철저한 보안 유지를 당부하고 강석주 1부상의 방으로 달려갔다. 얼마 후 다시 돌아온 국장은 나에게 "장군님께 보고드릴 문건을 신속히 준비하라"고 했다. 외무성에 컴퓨터가 없던 시절이었다. 최종적인 결재가 나오기 전까지 모든 문건은 수기로 작성된다. 국장, 부상, 강석주 1부상, 김영남 외교부장 단계로 수기 문건이 오르락내리락하며 수정 작업을 거친다. 외교부장의 마지막 수표(사인)가 떨어져야 비로소 타이핑된 문서가 팩스로 김정일에게 올라간다.

이런 식으로 장성택 체포 사건에 대한 최종 문건이 김정일에게 보고됐다. 그런데 김정일이 강석주 1부상에게 무슨 지시를 내렸는지 몇 시간도 안 돼 국장이 다시 스웨덴 임대를 불렀다. 국장이 임대에게 통보했던 내용이다.

"노르웨이에 억류된 사람은 장성택이 맞다. 노르웨이 정부는 언론에 공개하지 말고 장성택을 즉시 석방해 주기 바란다. 만일 노르웨이 측이 이 사실을 공개하거나 그에게 형사범죄를 적용한다면 남조선과 미국 등 적대세력이 반공화국 선전에 이용할 수 있다. 그러면 조선반도 정세는 걷잡을 수 없는 방향으로 격화될 것이다. 노르웨이 정부가 조선반도의 평화보장 견지에서 이 사건을 해결해 주기 바란다."

스웨덴 유학하며 '대장동지'로 불리던 장성택 딸, 파리서 자살

국장의 말을 그대로 받아쓴 스웨덴 임대는 노르웨이 정부에 즉시 통보하겠다고 했다. 이날 오후 스웨덴 주재 북한대사 전영진이 '대사친전'으로 보낸 전보가 평양에 날아왔다. 그는 장성택의 매부였다. 북한에서 대사친전이라는 표현은 대사만 내용을 알고 직접 보고한다는 뜻이다. 전영진의 전보는 뒤늦은 상황 보고였다. 노르웨이 오슬로 경찰서에 '장XX가 억류되어 있다'는 연락을 받고 현지로 출발했다는 내용이었다.

스웨덴 주재 북한대사관이 평양에 전보를 보내려면 거의 하루가 걸리던 때였다. 단파무전기를 사용해야 했고, 중간에 모스크바 주재 북한대사관을 거쳐야 했다. 서로 교신시간을 맞출 필요도 있었다. 그러는 사이, 평양 주재 스웨덴 임대는 전화 몇 통으로 사건 파악과 관련 조치를 끝낸 상황이었다. 해외공관과 외무성 사이의 전보 업무만 보더라도 그 시절 북한 시스템의 낙후성을 충분히 알 수 있다.

다음날 스웨덴 임대는 외무성에 "노르웨이 정부는 해당 사건이 형사범죄에 해당되는 사항이나 북한 정부의 요구사항을 심중히 받아들여 사건을 공개하지 않고 장성택을 현지에 도착한 스웨덴 주재 북한대사에게 인계해 주었다"고 통보했다. 당시 나는 장성택이 무슨 이유로 노르웨이까지 갔는지, 그의 체포 사실을 알고도 김흥림 국장은 왜 놀라지 않았는지 이해가 되지 않았다.

하지만 장금송의 스웨덴 전원주택을 청소하면서 그 의문이 풀렸다. 장성택은 딸 장금송을 만나기 위해 스웨덴에 왔다. 노르웨이 관광을 가고 싶었지만 북한에는 노르웨이대사관이 없었다. 사전에 사증을 신청하지 못해 위조여권을 사용했다. 이렇게 추정하면 앞뒤가 들어맞게 된다.

장금송 집 청소는 일주일에 한 번 어김없이 진행되었다. 8월 말 개학일이 다가왔지만 장금송은 오지 않고 경호원만 혼자 스웨덴에 왔다. 경호원은 장금송이 다녔던 학교에 가서 "장금송이 사정이 생겨 학교에 나올 수 없다"고 통보했고, 은행에서 관련 계좌도 정리했다. 전덕찬 참사의 영어가 약해 그때마다 내가 통역으로 도와주었다.

두 달 가까이 장금송의 집을 청소하고, 그 뒤처리까지 해주면서 심정이 복잡해졌다. 김정일의 자녀들이 스위스에서 공부하고 있다는 사실은 어렴풋이 들었지만 장성택의 딸까지 유학 생활을 하고 있다는 것을 알게 되었다. 나는 큰아이를 데리고 나오기 위해 그 난리를 치렀다. 김씨 부자와 친인척에겐 아무 것도 아닌 일을 전쟁처럼 힘겹게 치러낸 것을 떠올리며 잠시 울화가 치밀었다. 외교관 자녀들은 조국에서 초등교육을 받아야 한다던 김일성이나, 자기 자녀들은 다 외국에서 공부시키는 김정일이 아니꼽다는 생각도 순간 들었다. 하지만 이런 반발심이 오래 갈 수는 없었다.

9월 초, 스웨덴어 전문가인 최춘영이 참사로 임명되어 스웨덴에 왔고, 나는 덴마크로 돌아왔다. 그 후에도 장금송에 대한 이야기를 종종 들었다. 장금송은 끝내 스웨덴으로 돌아오지 않았다. 스웨덴 북한대사관의 담배 밀수사건 때문에 북한 사람에 대한 이미지가 나빠져 프랑스로 전학을 갔다고 한다.

스웨덴에서 생활할 때 장금송은 대사관 자녀로 신분을 등록하고 스톡홀름에 있는 국제학교에 다녔다. 경호원 1명과 여자 요리사 1명이 나와서 돌봐주었다. 학교로 오가는 길목에 있던 대사관에도 가끔 들렀다고 한다. 어떤 때는 자기 집 요리사가 만든 메밀 냉면을 가지고 대사관을 찾아왔다. 김경희와 장성택도 번갈아가며 딸을 보러 스웨덴에 왔다. 내가 오기 전의 일이긴 하지만 스웨덴 북한대사관 성원들이 고생을 많이 했던 것 같다. 김정일의 외조카, 여동생, 매부가 대중없이 드나들었으니 그 수발의 어려움은 안 봐도 눈에 선하다.

장금송은 2006년 프랑스 파리에서 자살했다. 2009년 김정은이 처음 등장했을 때 이름은 공개되지 않았다. 그저 '대장동지'라고 불렀다. 대장동지라는 호칭을 듣는 순간, 나는 장금송을 대장동지로 불러야 한다는 전덕찬 참사의 말이 떠올랐다. 김정일 가문의 자녀들은 일률적으로 '대장'이라 부르는 모양이라고 생각했다.

최근 나는 고 이한영 씨가 쓴 《로열패밀리》라는 책을 읽었다. 이한영은 김정일과의 사이에 김정남을 낳은 성혜림의 조카다. 이 책에는 김정남의 어린 시절이 묘사돼 있다. 김정일은 김정남의 생일 때마다 군복을 입혔다. 처음에는 대장 계급장을 단 군복을, 다음 생일에는 원수복을, 또 다음에는 대원수복을 입게 하고는 명예 위병대를 사열하게 했다. 주변 사람들은 군복을 입은 꼬맹이 김정남을 철저히 '원수', '대원수'라고 불러야 했다.

나도 처음에는 중학생에 불과한 장금송을 대장동지라고 불러야 한다는 말에 어처구니가 없었다. 그러나 주변 동료들이 다 대장동지라고 부르고, 대사관 자녀들은 '대장누나'라고 부르는 것을 듣다 보니 저절로 내 입에도 익었다. 나 또한 대장동지라는 호칭이 자연스럽게 나왔다.

식량원조 받으러 동분서주, 덴마크 지원 약속에 눈물

북한에선 수많은 사람들이 기아에 허덕이던 때였다. 지방에서는 수십만 명이 굶어죽었다는 소문까지 들렸다. 하지만 덴마크는 정말 평온하고 부유한 나라였다. 부러웠다. 교육과 보건은 다 국가에서 관리하고 있었다. 무상교육, 무료치료나 다를 바 없었다. 내가 배워왔던 자본주의 사회의 빈익빈 부익부 현상은 찾아볼 수 없었다. 북한에선 무슨 큰 재산처럼 여기는 자전거를 덴마크 시내에서는 무료로 빌려주고 있었다.

매일 외국 대표단들을 수행하면서 북한의 여러 지방을 돌아다녔던 터라 그 대비가 더욱 극명하게 느껴졌던 것 같다. 북한 주민들은 고난의 행군을 하고 있는데 나는 덴마크처럼 풍요로운 나라에서 호의호식하는 것 같아 죄스러웠다.

이 무렵 북한은 활발한 대미 외교를 펼치고 있었다. 제네바 핵합의(1994.9) 이후 클린턴 정부의 대북 연착륙 정책이 정착된 결과였다. 북한의 경제적 난관을 극복할 수 있게 도와준 것은 중국이 아니라 미국이었다.

1996년 초부터 미국이 지원한 식량이 들어오기 시작했다. 북한의 외교적 목표는 최대한의 '실리'를 챙겨 당면한 경제 난국을 해결하는 것으로 전환되었다. 사회주의 수호전이 시작된 것이다. 북한의 모든 해외공관에는 식량을 보내라는 평양의 지시가 매일같이 내려왔다.

3등 서기관이었던 나는 덴마크에 도착한 첫날부터 대사 이태균과 함께 '식량공작'에 나섰다. 덴마크 외무성 아시아국과 국제협력국, 적십자와 민간 자선단체 등을 찾아가 식량을 지원해 달라고 호소했다. 북한 외무성은 조국이 '고난의 행군'을 하고 있다며 모든 외교관들은 조국에 더 많은 쌀과 의약품을 보내기 위해 매진하라는 지시를 날마다 보내왔다.

덴마크 북한대사관은 '식량공작활동'을 맹렬히 전개했다. 정말 열심히 했던 것 같다. 덴마크 외무부 아시아국장이 이태균 대사에게 "코펜하겐 주재 외교단 중에서 북한대사관이 가장 열성적으로 활동하고 있다"고 말할 정도였다.

그 덕분인지 9월 덴마크 개발협조상 니엘슨이 이태균 대사에게 만나자고 연락이 왔다. 니엘슨은 대사를 만나 이렇게 말했다.

"북한대사관의 활동을 높이 평가한다. 덴마크 정부는 세계식량계획을 통해 100만 달러 분량의 식량을 북한에 제공하기로 결정했다. 앞으로도 매년 국제기구를 통해 북한에 대한 식량협조에 참가하겠다."

그 말을 듣는 순간 나도 모르게 눈물이 흘러내렸다. 대사의 눈에도 이슬이 맺히는 것이 보였다. 우리의 눈에 눈물이 고이는 것을 목격한 개발상도 한동안 말을 잇지 못하다가 앞으로 북한이 현 난국을 반드시 극복하리라고 믿는다는 덕담을 했다. 대사관으로 돌아온 우리는 만세를 불렀다. 국제기구를 통해 일부 국가들로부터 조금씩 식량 지원을 받은 사례는 있었지만 덴마크처럼 한 번에 100만 달러 분량의 식량을 지원한 적은 없었기 때문이다. 식량을 받아 안고 좋아할 북한 인민들의 모습이 눈에 떠올랐다.

김정일 진상품 구매에 허탈, "인민은 굶어 죽는데"

즉시 평양에 보고했다. 하루 만에 대사관의 활동을 높이 평가한다는 전보문이 내려왔다. 전 세계 대사관들에는 '덴마크 북한대사관 성원들처럼 높은 충성심을 발휘해 조국이 어려움을 겪고 있는 이 때 실적으로 보답하라'는 회시전보가 전달됐다.

덴마크에서 '식량공작'에 열중하던 1996년 9월, 강릉 잠수함 침투사건이 터졌다. 덴마크 언론은 11월 초까지 한국군의 토벌 작전을 연일 보도했다. 서울발 보도를 인용하며 북한 무장공비 몇 명이 사살되고 몇 명이 도주했으며 몇 명은 자폭했다는 식이었다. 덴마크 외무성은 이태균 대사를 호출해 강력히 항의했다. 북한대사관은 무장공비 침투에 대해 인정도 부인도 하지 않고 한반도 분단의 특수성만을 부각시킬 수밖에 없었다. 그러나 속으로는 덴마크 측이 식량 지원을 중단하지 않을까 걱정했다. 그런데 외교가에서는 상상외의 반응이 나왔다.

"식량을 보내달라고 결사적으로 매달리는 북한을 보면서 북한이 얼마 못 갈 줄 알았다. 우리끼리 뒤에서 그렇게 수군거린 것이 사실이다. 하지만 북한 요원이 끝까지 귀순하지 않고 자폭하는 것을 보니 북한이 붕괴되는 것은 아직도 요원한 이야기 같다."

좌익계 인사들은 "세상에 진짜 군대는 북한 군대밖에 없다. 거기에 비하면 한국군은 군대가 아니다"라며 대놓고 우리들을 부추겼다. 그럴 때마다 죽은 잠수함 요원들을 떠올리며 가슴이 아팠지만 한편으로는 어깨가 으쓱했다. 강릉 잠수함 침투사건은 북한의 변하지 않은 대남 적화전략을 세계에 보여준 사례이지만 북한 군대의 강한 정신력을 보여준 측면도 있다고 본다. 북한의 조기붕괴설을 누그러뜨리는 데 상당한 역할을 한 듯하다.

북한대사관의 걱정과는 달리 다행히 덴마크와의 관계는 순탄하게 흘러갔고 식량지원도 계속 되었다. 우리는 기세를 늦추지 않고 비정부기구들과도 접촉해 덴마크 적십자, 카리타스 등으로부터 한 해에 무려 수십만 달러 분량의 식량협조를 얻어냈다.

우리의 활동으로 조국의 굶주린 인민에게 식량을 보낼 수 있어서 보람을 느끼긴 했다. 그러나 이미 내 마음속에는 북한 체제에 대한 자괴감이 자리 잡고 있었다. 외교관들은 다만 얼마간의 식량이라도 본국에 들여보내기 위해 동분서주하는 반면, 평양에서 오는 구입대표단은 김씨 가문에 진상할 품목에만 관심을 쏟았다. 물론 그들 탓만은 아니었다. 김정일의 지시에 따랐을 뿐이다.

한 번은 은곡농장에 들여갈 소와 소의 정자(精子)를 구입하기 위해 대표단이 왔다. 은곡농장은 김씨 가문에 소고기와 유제품을 공급하는 목장이다. 금수산기념궁전 바닥에 깔 목재타일을 구입하려고 온 대표단도 있었다. 심지어 김일성 서거 3돌 추모행사 후 간부들이 마실 덴마크 생맥주를 사기 위해 대표단이 온 경우도 있다. 한결같이 인민들의 식량 형편을 개선하는 것과는 전혀 상관없는 품목이었다.

영어 통역이 가능한 성원이 나밖에 없어 평양에서 구입대표단이 올 때마다 내가 지원을 맡았다. 나는 물론이고 대사관의 다른 성원들까지 괴로워했다. 몇몇 동료는 취중에 조국에서 인민들이 굶어 죽어가고 있는데 도대체 이게 무슨 짓이냐고 노골적으로 불만을 털어놓기도 했다. 겉으로는 인민과 군인들의 생활을 걱정하는 체했지만 김정일은 자신의 일가가 잘 먹고 잘 사는 데만 신경을 쓰고 있었다. 당 간부들도 크게 다를 바 없었다.

황장엽 탈북, "남조선 납치" 주장하다 "비겁한 자여"로 돌변

김정일과 북한 체제에 대한 자괴감이 깊어가던 1997년 2월, 황장엽 선생이 베이징 주재 한국총영사관으로 망명을 신청했다. 세계 언론들이 관련 보도를 내놓기 시작했지만 그때까지만 해도 나는 그 사실을 믿지 못했다. 황장엽은 북한 주체사상의 창시자였다. 그의 망명은 주체사상의 망명이었다.

북한대사관에 사실여부를 확인하는 전화가 쇄도했다. 대사관은 평양의 지시대로 한국 정보기관에 의해 납치된 것이라고 강변하면서 당장 황장엽을 내놓지 않으면 엄중한 결과가 초래될 것이라고 경고했다. 대사관 분위기는 침통했다. 대사는 즉시 회의를 소집해 지시를 내렸다.

"남조선 괴뢰들의 책동이 도를 넘었다. 덴마크 정부는 물론 좌익단체들을 동원해 황장엽 동지를 구출하기 위한 작전을 펴야 한다."

대사는 황급히 덴마크 외무성 부상을 만났다. 그는 '덴마크 정부가 남조선 괴뢰들의 납치행위를 규탄하는 성명을 발표해 줄 것'을 요청했다. 나는 주로 좌익 정당들을 찾아가 규탄성명을 발표하거나 서한을 써줄 것을 요구했다.

며칠 후 프랑스 북한대표부로부터 전화가 왔다. 팩스로 중요한 문건을 보낼 테니 이제부터 황장엽 석방 운동을 중지하라는 말이었다. 본국의 지시라는 것이다. 모두 팩스기 앞으로 모여들었다.

"황장엽이 혁명을 배반하고 적들 편으로 넘어갔으니 이제부터 석방 운동을 중지하며 모든 대외 활동의 중심을 '비겁한 자야 갈 테면 가라'에 두라."

이런 지시문을 읽은 대사는 그 자리에 털썩 주저앉았다. 내게는 아직도 눈에 선한, 결코 잊을 수 없는 장면이었다.

또 며칠 후 평양 중앙당으로부터 연락이 왔다. 당장 당회의를 열고 모든 당원들의 결의를 조국에 보고하라는 지시였다. 회의 주제는 '비겁한 자여, 갈 테면 가라. 우리는 붉은 기를 지키리라'였다. 대사관 내에서 당회의가 열리자 모든 당원들이 격분하며 황장엽을 비난했다. 회의의 결론 역시 '황장엽은 떠나갔지만 우리는 붉은 기를 끝까지 지킨다'였다.

당회의에서는 나 또한 목청을 높여 토론했지만 집에 돌아와 한참을 생각했다. 북한 사람치고 황장엽 선생이 주체사상을 만들었다는 것을 모르는 사람은 없다. 체제의 사상적 기초를 만든 사람이 탈북했다는 것은 북한 엘리트 계급에 주는 영향이 클 수밖에 없었다. 외무성에서 근무하면서 황장엽 선생을 수차례 만난 적이 있다. 나는 그의 사람됨을 안다. 서유럽 정당 대표단이 평양을 방문해 황장엽 비서를 접견할 때 몇 차례 통역을 맡았다.

그는 사리에 밝고 논리정연했다. 남을 배려할 줄 아는 인품의 소유자다. 식사를 겸한 접견일 경우, 그는 통역이 먼저 식사하라고 하면서 식사가 끝날 때까지 외국인에게 양해를 구했다. 좋은 분이라는 인상이 머리에 새겨져 있다. 자신이 많은 활동을 했다는 것을 알리기 위해 통역이 식사를 하든 말든 개의치 않고 이야기하는 다른 간부들과는 확연히 달랐다.

한국에 온 뒤에야 나는 황 선생이 서울 현충원이 아니라 대전 현충원에 안장됐다는 사실을 알았다. 언젠가는 서울 현충원에 모셔야 한다는 것이 나의 생각이다. 통일이 되면 북한 민주화를 위해 투쟁한 선열들의 묘지를 평양에 만들어 황 선생을 모시고 싶은 바람도 있다.

황 선생의 탈북은 북한에 또 한 차례 숙청 폭풍을 몰고 왔다. 만경대구역에 있던 주체사상연구소는 해체됐고, 건물은 군대에 넘어갔다. 그곳에 있던 대다수가 수용소로 끌려갔다. 그나마 화를 면한 사람들은 김일성 가계인 김창주 부총리의 아들을 비롯한 고위층 자녀들 정도였다. 김정일은 주체사상연구소가 학술연구와 대외사업을 병행한 것은 잘못이라고 비판했다. 그는 "대외사업은 미국, 남조선 괴뢰들과의 치열한 투쟁인데 학술단체인 주체사상연구소가 주체사상의 대외 선전보급 사업까지 하다 보니 황장엽이 마음대로 할 수 있었다"며 "앞으로 주체사상의 대외 보급사업은 대적(對敵) 투쟁에 대한 경험과 각성이 있는 외무성이 맡고, 학술연구는 사회과학원이 담당하라"는 지시를 내렸다. 그의 지시대로 현재 주체사상과 관련된 대외 보급 업무는 외무성 7국(대외선전국)이, 학술연구는 사회과학원이 담당하고 있다.

스위스에 북한 우표 120톤 팔고, 덴마크에 또 팔았다가

1997년 여름이었던 것으로 기억한다. 중앙당 선전선동부에서 "조선

우표사 사장이 덴마크에 갈 테니 그의 사업을 성의껏 지원해 주라"는 지시가 내려왔다. 얼마 후 덴마크 북한대사관을 찾아온 조선우표사 사장은 60대 후반의 점잖은 분이었다. 당중앙위원회 선전선동부 출판지도과장으로 수십 년 동안 일했고 사장이 된 지는 얼마 되지 않았다고 했다.

사장은 북한대사관에 도착한 다음날부터 새벽 6시에 일어나 대사관 마당을 혼자서 청소했다. 나의 관용차까지 세차해 준 적도 있었다. 그러지 말라고 부탁했음에도 고집을 굽히지 않았다. 북한에서 흔히 볼 수 있는 '중앙당 일꾼'의 표본이라 할 만한 사람이었다.

조선우표사의 주요 사업은 해외에 우표를 팔아 외화를 버는 것이었다. 직속 상급 기관인 외국문출판사의 '돈줄' 역할을 했다. 외국문출판사는 당 선전선동부의 산하 기관으로 주체사상에 대한 소개 자료를 외국어로 출판한다. 외국문출판사가 우표를 찍으면 조선우표사가 판매하는 체계였는데 이런 체계를 세운 것은 김정일이었다.

사장이 덴마크에 온 이유를 듣고 나는 격분했다. 덴마크 우표회사에 조선우표 4톤을 발송했는데 아직 판매 대금을 받지 못하고 있다는 것이었다. 하지만 이해가 되지 않는 부분도 있었다. 판매 대금이 60만 달러 정도에 불과했다. 우표 4톤이라면 6,000만 달러는 돼야 납득할 만한 가격이었다. 어쨌든 우표 대금은 쉽게 받아낼 수 있을 것 같았다.

북한대사관에서 영어가 가능한 사람은 나뿐이었다. 조선우표사 사장과 함께 덴마크 우표회사를 방문했다. 단단히 항의하려고 벼르고 있었는데 오히려 덴마크 회사 측이 조선우표사 사장을 보고 '협잡꾼', '사기꾼'이라고 하면서 노발대발했다. 회사 측의 설명을 들으니 나도 어이가 없었다. 전말은 이러했다.

조선우표사가 덴마크 우표회사에 유럽 독점판매권을 주기로 계약하고 우표 4톤을 발송했다. 수송비까지 부담한 덴마크 우표회사는 조선우표 판매를 기대하고 유럽 각국의 우표상에 견본을 보냈다. 구입 의사를 밝힌 우표상은 단 한 곳도 없었다. 사정을 알아보니 스위스 로잔의 우표회사가 이미 북한과 독점판매 계약을 맺고 무려 120톤 분량의 조선우표를 보유하고 있었다.

덴마크 회사 측의 항의가 이어졌다.

"우표는 화폐와 같은 것이다. 어떻게 우표를 120톤이나 인쇄하여 세계시장에 내놓을 수 있는가. 독점판매권을 여기저기에 주는 것도 위법이다. 북한에 소송을 걸 수도 있다. 우리는 북한우표가 필요없으니 다 가져가라."

맞는 말이었다. 우표는 화폐와 비슷한 성격을 지니고 있고 우표를 몇 백 톤씩 판매한 것은 화폐를 그만큼 거래한 것과 크게 다를 바가 없었다. 하지만 조선우표사 사장의 반응은 한심했다. 그는 "60만 달러를 받아내기 어려우면 10만, 6만 달러라도 받아가자"며 나에게 흥정을 해보라고 했다. 어쩔 수 없이 그의 말은 전달했지만 덴마크 측은 한 푼도 줄 수 없다고 했다.

조선우표사 사장은 절박했다. 내가 "우표를 도로 가져가 조선에서 팔면 어떻겠느냐"고 하자 그는 "조선에도 우표가 창고에 가득 차 있다. 여기서 얼마라도 받아가야지 다시 가져가봐야 처치 곤란"

이라고 했다. 나도 하도 답답해 사장에게 별 소용도 없는 말을 했다.

"외화 몇 푼을 벌기 위해 우표를 그렇게 찍어내면 어떻게 하는가. 우리 우표가 헐값에 팔리면 다른 나라 사람들이 우습게 본다. 조선이 붕괴될 위험에 처해 있으니까 저렇게 우표를 마구 찍어내는 것 아니냐, 이렇게 묻는다면 뭐라고 할 것인가."

조선우표사 사장은 "상부에서 하라고 하니 나도 별 수 없다"며 한숨을 내쉬었다. 나는 외화만 벌 수 있다면 무엇이든 팔 수 있고, 나라의 근간도 뒤흔들 수 있는 지도자를 위해 일하고 있었다. 갑자기 내 처지가 서글퍼졌다. 아직도 덴마크와 스위스에는 그때 가져오지 못한 북한 우표가 있을 것이다.

덴마크TV서 본 영화 〈태백산맥〉, 한국 와서 임권택 감독 만나

북한 체제에 대한 자괴감은 깊어갔다. 그러던 1997년의 어느 날, 덴마크에서 난생 처음으로 한국 영화를 봤다. 북한에서 고난의 행군이 시작돼 수십만 명이 아사로 죽어갈 때다. 생애 처음으로 본 한국 영화여서 그런지 아직도 장면 하나, 대사 하나하나가 다 기억난다.

덴마크 현지 신문을 뒤적이다가 이날 저녁 9시에 TV에서 한국 영화를 방영한다는 사실을 알게 됐다. 일반적으로 대사관 성원들은 저녁 식사를 하고 다시 사무실에 들어가 늦게까지 야근을 하는데 그날만큼은 야근자가 없었다. 필경 조용히 집에서 한국 영화를 봤을 것이라고 본다.

영화는 〈태백산맥〉이었다. 꽤 놀랐다. 한국전쟁을 전후한 남로당 빨치산 투쟁을 다루고 있었다. 한 뙈기 땅을 얻기 위해 목숨을 걸고 싸우는 남로당 빨치산의 모습을 보면서 마치 할아버지, 아버지 세대를 다시 보는 것만 같았다. 나의 할아버지도 빈농 소작농이었고 글을 모르는 무식쟁이였으나 공산당이 땅을 무상으로 준다고 하여 당에 들어갔다. 6·25전쟁 때도 북한 공산당 편에 섰다. 나의 할아버지와 아버지 세대들은 세상을 떠날 때까지도 사회주의, 공산주의가 과학이라고 믿었다.

처음에는 용공영화인지 반공영화인지 구분이 되지 않았다. 도덕적으로 공산주의자들은 건전한 사람들로, 반공분자들은 불결한 사람으로 그려졌다. 그런데 영화가 흐르면서 느낄 수 있었던 사상(메시지)은 참으로 심오했다. 정의로운 이상을 표방하면서도 자기의 사상과 대치되는 모든 사람들을 무자비하게 없애버리는 것은 북한 실상과 매우 유사했다. 당시 북한에서는 심화조가 조직되어 수많은 사람들을 잡아가거나 수용소로 보내는 어마어마한 숙청이 벌어지고 있었다. 해외 근무자들은 혹시 자기 가족들이 본국에서 걸려들지 않을까 가슴을 조였다.

특히 마지막 장면이 인상적이었다. 김범우(안성기 분)가 공산당 군당위원장에게 "당신들은 사람의 목숨을 귀중히 여기지 않기 때문에 실패할 것"이라고 하는 말과, 무수한 숙청을 지켜보며 '어디서부터 무엇이 잘못되었을까' 고민하는 염상진(김명곤 분)의 모습에 내 자신이 투영됐다.

한국에 오자마자 나는 국정원 측에 〈태백산맥〉을 연출한 임권택 감독을 만나게 해달라고 요청했다. 그가 어떻게 남북의 체제대결, 이념대결은 끝났다는 메시지를 한 편의 영화로 던질 수 있었는지 물어보고 싶었다. 영화가 제작된 1994년에 이미 그런 판단을 내렸다는 사실이 놀라웠다.

2017년 3월 17일 임권택 감독과의 만남이 성사됐다. 그로부터 뜻밖의 대답을 들었다. 임권택 감독은 영화를 만들면서 우익의 비판과 정부의 간섭을 많이 받았다고 했다. 하지만 자기 집안이 한때 몸담았던 공산주의 이념에 대해 나름대로 총화짓고(정리하고) 싶었다고 한다. 그는 2000년대 북한에 직접 가보기도 했다. 자기 집안사람들이 목숨을 바쳐 실현하고자 했던 사회를 보기 위해서다. 그가 목격한 것은 공산주의 사회의 허상과, 믿을 수 없을 만큼 참담하고 실망스러운 북한의 현실이었다.

북한을 뒤흔든 '심화조 사건', 숙청 주도자도 처형 당해

덴마크TV에서 〈태백산맥〉을 방영할 무렵 북한에서는 하룻밤 자고 나면 누가 잡혀가고 누구는 수용소로 끌려갔다는 이야기뿐이었다. 1997년부터 북한에서는 '심화조 사건'이라는 대규모 숙청사건이 시작되었다. 거의 3년 동안 진행된 이 사건은 2000년경에야 끝이 난다. 북한의 식량사정은 1996년에 들어서면서 더욱 극심하게 악화됐고, 1997년경에는 지방에서 아사로 인한 떼죽음이 발생했다. 평양에서도 식량 배급이 끊겼다.

주민들의 불만이 점점 고조되자 김정일은 기발한 착상을 했다. 주민들의 관심을 다른 곳으로 돌리기 위해 심화조 사건을 일으킨다. 사회안전부 총정치국장 채문덕 등이 이 사건에 앞장섰다.

채문덕은 사회안전부 내에 '심화조'를 조직하고 모든 주민들의 인적 사항을 다시 조사했다. 특히 당중앙위원회 고위직에 있던 사람들이 6·25전쟁 때 무슨 일을 했는지, 경력에서 빈 공간은 없는지를 세세하게 훑기 시작했다. 제일 먼저 당중앙위원회 비서국 농업담당 비서 서관희가 체포돼 총살됐다. 이어 농업상이었던 김만금의 시신이 부관참시됐다. 묘를 파 꺼낸 시신에 총질을 가했다는 의미다. 전당적으로 진행된 비판회의에서는 두 사람이 당의 주체농법을 제대로 집행하지 않아 식량기근이 일어났다며 모든 화살을 그들에게 돌렸다.

심화조는 당지도부 내의 대규모 간첩망도 적발했다. 중앙당 본부 책임비서 문성술, 평양시당 책임비서 서윤석, 황해남도당 책임비서 피창린, 개성시당 책임비서 김기선, 강원도당 책임비서 림형구 등이 연이어 체포됐다. 외교관들도 그 사태를 피해갈 수는 없었다. 문성술의 사위, 피창린의 사위, 부관참시된 김만금의 조카딸, 림형구의 아들 등이 외무성에서 근무하다가 수용소로 끌려갔다. 림형구의 아들 림진수는 자메이카 주재 북한대사관 참사를 지낸 바 있다.

전국적으로 서북청년단 특공대원들을 색출하는 숙청작업이 진행돼 수많은 사람들이 피해를 입었다. 북한에서는 서북청년단 특공대를 6·25전쟁 때 국군과 미군이 조직한 것으로 선전하고 있다. 황해제철 노동자들이 공장의 강판과 설비들을 뜯어내 중국에 고철로 파는 사건이 일어났을 때는 곧바로 탱크가 투입됐다. 탱크가 시내를 돌며 공포감을 조성하는 동안, 군인들은 공장 물품을 제자리에 돌려놓지 않으면 가만두지 않겠다며 노동자들을 위협했다. 평양 중앙기관 간부들은 공포에 떨며 꼼짝 못 했고, 일반 주민들 역시 쌀이 없다고 불평조차 할 수 없었다.

공포로 불만을 억누른 것뿐일 테지만 심화조 사건으로 북한 체제는 안정을 찾은 듯 보였다. 김정일은 채문덕 등 사회안전부 간부들에게 영웅 칭호를 수여한다. 그러나 이 사건으로 초래된 사회적 피해와 후유증이 너무나 컸다. 원성이 터져 나올 수밖에 없었다. 그렇다고 아무나 나설 수는 없는 일이어서 출신성분이 확실한 원로가 총대를 멘 듯하다. 김정일이 아기였을 때부터 돌봐준 항일투사 황순희가 '심화조 사건이 지나친 것 같다'는 편지를 김정일에게 보냈다고 한다. 다른 항일투사들도 심화조 사건에 대해 의심을 품기 시작했다.

안정을 찾았다고 확신한 김정일은 칼날을 거꾸로 돌려 이제는 채문덕과 사회안전부를 겨냥했다. 국가안전보위부와 인민군 보위사령부가 공동으로 심화조 사건과 사회안전부에 대해 조사하라는 명령을 내렸다. 채문덕 등 주동자가 처형됐고 일부는 처벌을 받았다. 심화조 사건을 허위 날조해 무고한 사람들을 죽였다는 혐의였다.

사후약방문도 있었다. 전당회의를 열어 심화조 사건의 부당성을 공포했고 생존한 피해자들을 복권시켰다. 사회안전부는 김정일의 지시로 인민보안성으로 개칭됐다. 김정일은 자신이 직접 억울한 희생자의 누명을 벗겨준다는 명목으로 정치범수용소에 갇혀 있던 이들을 최고사령관 훈령으로 석방했다. 하지만 이미 큰 상처를 입은 피해자들에게는 아무런 의미가 없는 조치였다. 가정이 풍비박산된 것은 물론 정신질환을 앓거나 중병에 걸린 경우가 많았다. 기혼자들은 대부분 이혼을 당해 돌아갈 가정이 없었다. 가정의 붕괴는 피해자들이 무엇보다 견디기 어려워하는 부분이었다. 예전의 거처를 빼앗긴 이들은 석방 후 집단 거처에 수용됐고, 약간의 쌀과 기름이 제공됐다.

수용소 생활을 하던 외교관들도 복권되어 외무성으로 돌아왔다. 피창린의 사위는 후에 말레이시아 대사까지 승진했으나 문성술의 사위는 병에 걸려 돌아와 퇴직했다.

병원도 못 가는 외교관들, 친구 김춘국 대사의 죽음

덴마크에서 근무하면서 둘째 아들이 태어났다. 1997년 6월이었다. 맏이와의 나이 차이는 7년이다.

맏이와 둘째의 나이 차이가 이렇게 많은 데는 그럴 만한 이유가 있다. 부모님은 그래도 자식이 둘은 있어야 한다고 하면서 맏이를 낳은 후 3년이 지나자 둘째를 보았으면 하는 눈치였다. 지금은 달라졌지만 당시 북한 외교관은 자녀 한 명만 해외로 데리고 나갈 수 있었다. 쌍둥이를 둔 한 친구는 남미 주재 공관에 파견될 때 아이 하나는 평양에 남겨둬야 했다. 온 가족이 울며 떠났다. 아내와 나는 그런 고통은 이겨낼 수 없으니 둘째는 해외에 나가서 낳기로 작정했다. 그러면서 한 해 두 해 기다리다가 아이들의 나이 차이가 7년이 된 것이다.

1996년 6월 덴마크에 부임한 후 나는 이태균 대사에게 아이를 하나 더 낳겠다고 말했다. 해외에서 아이를 낳지 않는 것이 규정이지만 아이를 가지겠다는 나의 의지는 그만큼 강했다. 내가 한국으로 망명한 후 이태균 대사는 〈우리 민족끼리〉(북한 대남 언론 매체)에 나와 나의 탈북을 비난했다. 하지만 나는 아직도 그분에게 고맙고 미안한 마음만 남아 있다.

아내는 곧 임신했다. 아이를 해외에서 낳는 것 자체가 규정을 어기는 일이고, 더욱이 임신검진을 받을 수 있는 재정적 여유도 없어 아내는 한 번도 병원에 가보지 못했다. 출산 때 며칠 입원한 것이 유일하다.

북한은 해외 주재 외교관의 의료비를 국가가 부담해 주지 않는다. 입원비와 수술비는 자비 부담이다. 그러므로 해외발령을 받기 전에 건강검진을 대단히 깐깐히 한다. 병이 있거나 건강이 좋지 못하면 해외에 나가지 말라는 이야기다. 그러나 해외에 나가야 돈을 좀 벌 수 있으므로 외교관들은 건강이 나빠도 병이 없는 것으로 문건을 위조한다.

2016년 1월 이탈리아 주재 북한대사로 있던 김춘국이 현지에서 사망했다. 나의 가장 가까운 친구였다. 간암으로 몇 달 동안 앓다가 고통스럽게 세상을 떴다. 당시 한국 언론들은 대사가 어떻게 건강검진을 한 번도 받지 않고 간암 말기가 돼서야 병원에 갔느냐고 의아해 했다. 본인이 건강을 소홀히 한 탓도 있겠지만 아마도 재정적 어려움 때문에 병원에 못 갔을 것이라고 생각한다.

독일이 건넨 동독 유학생 명단, 보위부가 간첩단으로 조작

'심화조'에 의한 대규모 사건이 진행되는 와중에 유사한 사건이 또 터졌다. '독일 유학생 사건'이다. 나중에 역시 부당한 사건이라고 규정되고 관련자들이 석방됐지만 전후 사연은 정말 기가 막힌다.

1990년 통일 이후 독일 정부는 옛 동독이 다른 나라와 맺은 협정과 관계를 존중한다면서도 유독 북한과 맺은 외교관계 협정은 부정했다. 그러면서 북한과는 향후 외교관계를 설정할 때까지 기존 대사관의 지위는 이권보호사무소 형태로 유지하되 대사관 건물과 신임 외교관의 특전과 특권은 허용하는 임시 조치에 합의했다. 독일은 평양의 옛 동독 대사관을 그대로 쓰기를 원했고 북한도 베를린 대사관에서 나올 의향이 없었다. 두 대사관 모두 규모가 상당했기 때문에 양쪽의 이해관계가 맞아떨어진 것이다. 이에 따라 평양의 옛 동독 대사관은 '북한 주재 스웨덴대사관 독일이권보호사무소', 베를린 북한 대사관은 '독일 주재 중국대사관 조선민주주의인민공화국 이권보호사무소'라는 명칭을 쓰게 된다. 대사라는 칭호는 이권보호사무소 대표로 변경됐다.

1990년대 말의 어느 날, 독일이권보호사무소 대표가 북한 외무성을 찾아왔다. 대표는 동독에서 유학한 북한 학생 수백 명의 명단을 들고 와 "유학생들과 연계를 맺고 양국 관계를 발전시키려고 한다. 이들의 주소와 연락처를 알려 달라"고 요청했다. 흔히 하는 교류 방법이었다. 그런데 대사관 통역으로부터 이 사실을 통보받은 대사관 담당 보위원은 통역에게 그 명단을 훔쳐오라는 지시를 내렸다. 자발적으로 들고 온 명단을 훔칠 필요는 없었다. 통역은 명단을 한 부 복사해 담당 보위원에게 제출했다.

그 무렵 내부 간첩단 사건은 북한 군보위사령부가 거의 도맡아 해결하고 있었다. 프룬제아카데미 사건이 대표적이다. 반면 국가보위부는 김정일로부터 실적이 없다는 질책을 받던 차였다. 어쩌다 명단을 확보한 국가보위부는 김정일에게 독일로부터 간첩단 명단을 입수했다고 보고하고 1980년대 동독 유학생 대부분을 체포했다.

외무성 유럽국 독일담당자로 일하던 동료 김광식도 그때 끌려갔다. 가족들이 지방으로 추방되지 않고 별일 없이 평양에 남은 것이 그나마 다행이었다. 카잔 유학생 사건이나 프룬제아카데미 사건과는 다른 대목이었다. 아직 예심 중이어서 추방하지 않는다는 이야기도 나왔으나 수년이 흘러도 가족들은 여전히 평양에 있었다. 애초부터 무리하게 엮은 조작 사건이어서 다른 사건들과는 달리 비교적 단기간에 결말이 났다. 김광식 등 피해자들은 2000년대 초반 대부분 풀려나왔다. 그러나 일부 유학생들은 수용소 내의 노동과 스트레스를 이겨내지 못해 살아 돌아오지 못했다.

치즈 원조 받으면서 "싣고 갈 배도 제공해 달라"

행운은 전혀 예상치 않은 상황에서 찾아오는 것 같다. 하루는 덴마크 적십자사로부터 연락이 왔다. 덴마크 회사가 이란을 위해 생산한 페타치즈가 유럽연합의 대(對)이란 무역수출금지 조치로 항구 창고에 묶여 있다며 북한에 무상으로 주겠으니 인수해 가라는 내용이었다. 서글픈 것은 북한이 배를 보낼 여력조차 없다는 점이었다. 평양에 보고했으나 예상했던 대로였다. 배를 보내는 것은 불가능하니 덴마크 측으로부터 수송까지 지원을 받으라는 것이다.

페타치즈는 인류 역사상 가장 오래된 치즈 중의 하나로 꼽힌다. 그리스와 발칸반도 인근에서 처음 개발됐다고 한다. 이 지역은 산세가 험하고 돌이 많아 소를 키우기에는 부적합하다. 양이나 염소의 젖으로 만드는 페타치즈는 맛이 좀 짜긴 하지만 영양분이 풍부했다. 영양실조에 걸린 북한 아이들이 조금씩만 먹어도 효과가 클 것 같았다. 생각만 해도 가슴이 뛰었다.

나는 치즈회사 사장에게 면담을 요청했다. 당시 덴마크 북한대사관은 재정사정으로 철수 명령이 내려와서 모든 대외 활동을 나 혼자 해야 하는 형편이었다. 사장에게 이렇게 말했던 것으로 기억한다.

"귀사의 무상협조에 사의를 표한다. 그러나 지금 조선은 치즈를 수송할 배도, 자금도 없다. TV를 통해 봤겠지만 조선에서는 수십만 명의 아이들이 영양실조에 걸려 있다. 페타치즈가 조선에 들어가 죽어가는 아이들을 살린다면 조선 주민들은 귀사의 지원을 영원히 잊지 않을 것이다. 당신의 아이들이 굶주린다고 생각하고 제발 도와 달라."

사장은 한동안 아무 말도 하지 못하더니 이사회에서 토의해 보고 결과를 알려주겠다고 했다. 보름 만에 어느 레스토랑에서 만나자는 연락이 왔다. 느낌이 왔다. 회의가 아니라 식사를 함께하자는 것은 필경 좋은 소식이 있다는 의미였다. 하늘을 나는 것 같았다.

약속된 장소에 가보니 사장과 이사회 이사들이 모두 참석해 있었다. 사장은 정중히 일어나 굶고 있는 북한 어린이들을 위하여 페타치즈 3,200톤을 회사 부담으로 북한에 전달해 주겠다고 약속했다. 공장 인도가격으로 페타치즈 1kg은 10달러가 넘었다. 치즈 가격만 3,200만 달러 이상이었고 수송비까지 더하면 3,300만 달러에 달했다. 눈물이 나오려고 했지만 겨우 참고 "고맙다, 정말 고맙다"고 몇 번이나 말할 수밖에 없었다.

김정일, "태영호가 원하는 것 다 해주라"

얼마 후 약속한 치즈 전량이 북한 남포항에 내려졌다. 포장이 잘돼 있어 장기간 보관도 가능했다. 나중에 북한에 소환된 뒤에야 알게 됐지만 이 모든 사연은 김정일에게 보고됐고, 크게 기뻐한 김정일은 강석주를 불러 다음과 같이 말했다고 한다.

"인민군 부대들을 현지지도하면서도 매번 걱정이었다. 식량형편이 말이 아니다. 현지지도를 나갈 때 뭐라도 가지고 가면 좋은데 아무 것도 없어 안타까웠다. 외무성이 정말 큰일을 했다. 태영호를 평양으로 불러 크게 표창하고, 원하는 것이 있으면 무엇이든 다 해주라."

이 지시에 따라 나는 평양으로 들어갔다. 1998년 2월 초였다. 이때 나는 덴마크를 떠나 스웨덴 주재 북한대사관 2등 서기관으로 근무하고 있었다. 1997년 말 북한은 재정 문제로 대사관 수를 대폭 줄였다. 유럽에서는 핀란드, 유고슬라비아와 함께 덴마크가 포함돼 해당 국가의 북한대사관이 철수했다. 이듬해 1월 대사 이태균은 프랑스에 있는 유네스코 주재 대사로 갔고, 나는 스웨덴 발령을 받았다.

평양으로부터 귀국 명령을 받았을 때 나는 극도로 긴장했다. 내가 왜 소환되는지 그때는 정확한 이유를 몰랐기 때문이다. '덴마크 치즈 지원과 관련해 확인할 것이 있다'는 전보가 내려왔지만 그런 문제라면 담당자인 나만 소환하면 되는 일이었다. 나와 함께 스웨덴 주재 북한대사관에서 근무하고 있던 백승철까지 소환하는 까닭을 이해할 수 없었다.

한창 심화조 사건의 광풍이 불고 있던 무렵이었다. 백승철과 나는 대사관 내에서 오직 둘뿐인 해외 유학파였다. 중국에서 유학한 나보다는 러시아 유학생 출신인 백승철이 더 긴장했다. 그는 신의주외국어학원 노어과(러시아어과)를 졸업하고 평양외국어대학 재학 중에 러시아 유학생으로 뽑혀 모스크바외국어대학에서 스웨덴어를 전공했다. '카잔 유학생 사건' 이후 해외 발령을 받지 못하다가 1997년에야 겨우 제재에서 벗어나 해외 발령을 받은 상황이었다. '심화조 사건'으로 해외 유학생들을 다시 숙청한다는 소식은 듣지 못했지만 불길한 마음을 지울 수는 없었다.

두 사람이 함께 소환된다는 것은 둘 중의 하나는 숙청 대상이라는 의미였다. 북한에 들어올 때까지 서로 감시하라는 뜻이기도 했다. 귀국 과정에서 한 명이 탈북하면 다른 사람이 피해를 입게 된다. 누가 숙청 대상자인지 모르는 상황에서 짐작만으로 먼저 탈북할 수는 없는 일이다.

백승철은 유학 기간 동안 정치적 모임에는 절대로 참가하지 않았다며 의연한 모습을 보이려고 했다. 그런 면에서는 나도 떳떳했다. 조사를 받아도 들어가서 받자는 공감대가 형성됐고 우리는 베이징행 비행기에 몸을 실었다. 당시 스웨덴 주재 북한대사관 성원은 대사 손무신, 참사 전덕찬·최춘영, 3등 서기관 백승철, 그리고 나까지 총 5명이었다. 그중 2명이, 그것도 '막내들'만 소환됐으니 우리의 불안함은 이루 말할 수 없었다.

호송하는지 호송 당하는지 동료 간에도 모른다

베이징에 도착해 하루를 묵었다. 다음날 북한행을 앞두고 백승철이 갑자기 평양의 동서에게 전화를 해보고 싶다고 했다. 북한 외교관들은 해외에서 사적인 용무로 평양에 전화할 수 없다. 국가기밀 보호라는 명목에서다. 백승철의 동서는 당시 체육지도위원회 집단체조창작단 무역회사 사장이었던 김영남이었다. 나의 국제관계대학 1년 선배여서 나와도 잘 아는 사이였다.

두 명이 해외여행을 할 때도 그중 한 명을 단장으로 임명하는 것이 북한의 관례다. 백승철이 평양에 전화하려면 같은 동료이긴 해도 한 직급이 높은 나의 승인이 필요했다. 다소 난감했다. 백승철이 동서와 통화하면서 뭔가 석연치 않은 기미를 읽는다면 평양에 들어가지 않고 탈북할 수도 있는 상황이었다. 그렇다고 전화하지 말라고 하면 동료로서 미안한 일일뿐더러 백승철이 불쾌해 할 것이 분명했다.

고심 끝에 통화를 허락하고 나는 옆에서 지켜보기로 했다. 백승철의 동서는 먼저 "언제 평양에 도착하는가. 아내와 함께 공항으로 마중을 가겠다"고 했다. 비로소 안심한 백승철의 얼굴에 화기가 돌았다. 그러자 내가 불안해졌다. 나는 평양에 전화를 걸고 싶어도 걸 수 없었다. 북한에서 해외통화를 하려면 보통 전화기로는 안 되고 국제전화가 따로 있어야 한다. 김영남은 무역회사 사장이어서 사무실에 국제전화가 있었지만 내 친척 중에는 그런 사람이 없었다.

다음날 고려민항기를 타고 평양에 도착했다. 김영남 부부와 외무성 동료들이 마중을 나와 있었다. 만나자 마자 우리는 '(숙청 대상이)누구냐'고 물었다. 백승철이었다. 나는 외무성 동료에게 "백승철에게 무슨 과오가 있느냐. 러시아 유학생 사건이 터졌느냐"고 물었다. 백승철의 아버지가 사회안전부에 끌려가 처형됐다는 답이 돌아왔다. 김영남으로부터 간략한 소식을 전해들은 백승철은 아무 말 없이 하늘만 바라보며 눈물만 흘렸다.

무슨 영문인지 도무지 이해할 수 없었다. 백승철의 부친은 평안남도 인민위원회 위원장(한국의 도지사 격)의 비서로 오랫동안 일했다. 한 번은 위원장이 비서의 아들인 백승철을 보게 됐고 그의 훤칠한 풍채가 마음에 들어 사위로 삼았다. 북한식으로 말한다면 백승철 부부는 '간부집 자녀들'이었다. 백승철이 스웨덴 발령을 받을 무렵, 그의 부친은 평안북도의 어느 군수공장 당 비서로 일했다. 상당한 규모의 공장이었다. 남부러울 게 없는 나날이었다.

그런 백승철의 부친이 처형됐다는 사실이 믿어지지 않았다. 발단은 공장 노동자들의 식량 부족과 이를 해결하려는 합리적인 선의에서 비롯되었다. 당국의 배급이 중단되자 공장 노동자들은 식량을 자체적으로 해결해야 했다. 아무리 고난의 행군 시기라고 해도 군수공장만은 계속 돌아가고 있었는데 백승철의 부친은 묘안을 짜냈다. 포탄을 깎고 남은 쇳가루를 중국에 팔아 식량 문제를 해결한 것이다. 사실 당 비서로서는 정말 현명한 조치였다.

그런데 중국 판매를 담당한 무역일꾼이 자꾸 돈을 횡령하자 백승철의 부친은 어쩔 수 없이 그를 해임했다. 무역일꾼은 앙심을 품었다. 그는 '군수공장 당 비서가 쇳가루를 중국에 팔아넘기는 방법으로 남조선 안기부에 중요한 군사비밀을 넘겨주었다'고 신고했다. 백승철의 아버지는 심화조에 의해 체포돼 취조를 받았다. 심화조는 간첩명단을 내놓으라며 고문까지 했다. 연로한 부친이 고문을 견디지 못하고 사망하자 심화조는 모든 것을 그에게 뒤집어 씌웠다. 심화조는 '당 비서가 모든 죄를 인정했으므로 총살했다'는 거짓 문서를 만들고 사건을 종결했다. 없는 죄를 조작한 이상 자식인 백승철에게도 소환 명령을 내릴 수밖에 없었다.

일단 백승철과 나는 외무성에 들어가 도착보고를 했다. 간부들은 우리를 보며 뭐라 할 말을 찾지 못한 듯했다. 후에 간부처에 있던 한 동료는 내게 이렇게 말했다.

"백승철을 무사히 데려오느라고 수고했다, 백승철이 러시아 유학생으로서는 거의 10년 만에 처음 대사관으로 나갔는데 만일 백승철이 탈북하면 외무성 내의 러시아 유학파 수십 명이 또 몇 년 동안 해외에 나가지 못한다. 소환 전보를 보낸 후 백승철이 탈북할까봐 한잠도 못 잤다.”

며칠 후 백승철은 나에게 “고향에 어머니만 홀로 계셔서 빨리 내려가야 한다. 아내에게 줄 편지를 써줄 테니 스웨덴으로 돌아가면 아내에게 걱정 말고 빨리 들어오라고 전해 달라”고 했다. 가슴 아픈 일이었다. 북한은 이런 경우 가족이 다 탈북할 수 있으므로 그럴듯한 구실을 붙여 세대주를 먼저 소환한다. 다음 단계는 가족들에게 소환 지시를 내려 세대주를 살리기 위해 아내와 자녀들이 평양으로 들어오게 한다. 백승철의 가족들도 그 과정을 예외 없이 거치게 되었다.

영양실조 아이들 주라는 치즈가 ‘장군님 선물’이 돼 군대로

당이 나를 소환했던 이유는 두 가지였다. 하나는 나 자신도 몰랐던 ‘백승철을 무사히 소환하라’는 것이었고, 남은 하나는 ‘덴마크 치즈’와 관련된 것이었다.

백승철과 내가 도착보고를 할 때는 할 말을 잃은 듯했던 외무성 간부들은 나중에 나만 홀로 대면할 기회가 생길 때마다 기쁨을 감추지 못했다. 외무성은 김정일의 생일(2월 16일)을 앞두고 마땅한 ‘생일 선물’을 마련하지 못했던 형편이었다. 인민무력부는 취사병들을 불러 모아 페타치즈를 먹어보게 하고 조리법 강습까지 진행했다. 소금에 절인 두부 같다는 반응이었다. 김정일은 군부대를 방문할 때마다 페타치즈를 ‘장군님의 선물’로 지급했다. 덴마크가 영양실조에 걸린 북한 어린이들에게 보낸 치즈는 이렇게 북한군 무력강화에 기여하고 있었다.

강석주가 나에게 물었다.

"장군님께서는 고난의 행군시기에 인민군대의 무력강화를 위하여 특출한 공로를 세운 동무를 높이 평가하였다. 그러시면서 동무가 요구하는 것들을 다 들어주라고 말씀하시었다. 당에 요구할 것이 없는가."

한동안 어리둥절했다. 내가 한 것은 굶고 있는 북한 아이들을 위해 뛰어다닌 것뿐이었다. 그러다가 행운이 제 발로 찾아온 것인데 '인민군대의 무력강화에 큰 기여가 되었다'는 김정일의 치하를 들으니 다소 불편한 마음도 있었다. 북한에서는 이럴 때 대답을 잘해야 한다는 말을 자주 듣는다.

북한의 표창 기준이 있다. 100만 달러 이상의 지원을 끌어오면 노력영웅표창이 나온다. 노력영웅표창을 요구하면 받을 수도 있었지만 그러기에는 조금 낮부끄러웠다. 외무성의 기본 사명이 식량 원조를 끌어들이는 일로 변한 지가 오랜 터라 자기 일을 하면서 노력영웅칭호를 달라고 요구하기가 민망했다. 나는 아직 입당하지 못한 아내를 노동당에 입당시켜주면 좋겠다고 대답했다. 강석주는 김정일에게 보고하겠다고 했다.

다음날 강석주 1부상이 불렀다.

"장군님께 동무의 소원을 보고 드렸소. 장군님께서는 동무가 그처럼 큰일을 하고도 안해(아내)를 입당시켜 달라는 정치적 요구밖에 제기하지 않는 것을 보니 동무의 사상적 준비가 아주 좋다고 하셨소. 안해는 화선입당을 시키고 동무에게는 (김일성) 수령님의 시계를 표창하라는 것이 장군님의 지시였소. 조만간 후속 조치가 있을 것이오."

나는 "경애하는 장군님의 신임과 배려에 충성으로 보답하겠습니다"라고 격식을 갖추었다. 강석주는 앞으로 일을 더 잘하라고 거듭 치하했다.

며칠 후인 2월 16일, 외무성 강당에서 표창수여식이 열렸다. 김일성의 존함이 들어간 존함시계를 받았다. 아내는 김정일의 특별지시로 현지(스웨덴)에서 화선입당을 했다. 화선입당이란 전시(戰時)에 사기를 북돋워 주기 위해 큰 무공을 세운 군인을 전선(戰線)에서 당원으로 받아들이는 것을 말한다.

외교관의 여인들, 남편따라 생사 넘나들기도

북한에는 '당원이 되어야 사람값에 든다'는 말이 있다. 한국식 표현으로는 사람 구실을 한다, 정도로 이해하면 될 듯하다. 남자는 군대에 가면 비교적 쉽게 입당할 수 있지만 외교관 중에는 군대에 가지 않고 외국어학원을 거쳐 외국어대학이나 김일성종합대학 외문학부, 국제관계대학을 졸업한 사람이 많다. 북한에서는 이러한 경력 소유자를 '직통생'이라고 부른다. 직통생들이 사회에 나와 입당하려면 현직에서 적어도 4~5년 이상 일해야 한다.

그런데 외교관 부인들의 경우, 남편을 따라 외국에 나가면 경력이 단절된다. 한 직장에서 중단 없이 일한 경력이 얼마 되지 않아 입당할 기회가 별로 없다. 처음 외국에 나갈 때는 서기관 부인이어서 당원이 아니어도 덜 창피스럽다. 하지만 남편이 참사, 대사로 나갈 때는 부인 나이도 40~50대에 들어서는데 비당원일 경우 체면이

서지 않을 때가 있다. 이를테면 서기관 부인이 당원이고 참사 부인이 비당원이면 서기관 부인만 세대주와 함께 당회의에 참석할 수 있다. 대사관 생활을 하다 보면 당회의를 자주 하는데 참석을 하고 싶어도 못하게 되면 그보다 창피한 일도 없다.

내 아내는 1989년 무역성에 들어가 1996년에 나를 따라 덴마크로 왔다. 무역성 남자 성원들도 입당을 하려고 줄서 있는데 7~8년 경력의 여성이 입당 원서를 내기도 어렵다. 나를 따라 3~4년을 주기로 평양과 외국을 오가다 보면 평생 입당할 기회가 없을 듯했다. 내가 김정일에게 아내를 입당시켜달라고 요청한 것은 그런 이유에서다.

'김일성 존함시계'를 받은 후 동료들과 술자리가 있었다. 동료들은 "집이나 한 채 달라고 하지 왜 그런 말도 못 했느냐"고 핀잔을 주었다. 실은 나도 개선동 작은 집에 부모님을 모시고 있어서 큰 집으로 이사 가고 싶은 마음이 없던 것도 아니었다. 하지만 다른 사람들은 조국에서 고난의 행군을 하고 있는 와중에 편안히 외국에서 생활하는 내가 차마 집까지 달라고 말하기는 거북스러웠다.

평양에 체류하면서 볼일도 보고 지인도 만났다. 이제 스웨덴으로 돌아가야 했다. 백승철의 편지를 그의 아내에게 전달해야 한다고 생각하니 마음이 무거웠다. 외무성은 내게 백승철 가족에 대한 소환 지시를 전보로 보내지는 않을 것이라며 스웨덴 손무신 대사에게 구두로 전달하라고 지시했다. 백승철 가족에 대한 호송 임무는 김용국에게 맡겼다. 김용국은 당시 스웨덴에서 양성통역 과정을 거쳤고 현재는 스웨덴 주재 북한대사관 참사로 있다. 양성통역 과정이란 대학 졸업 후 외무성에 들어간 상태에서 해외공관에 나가 외국어를 배우는 과정을 이른다.

베이징에 도착하여 손무신 대사에게 국제전화를 걸었다. 나만 혼자 돌아간다고 보고하니 대사는 백승철의 아내에게 어떻게 그 말을 하겠느냐고 한숨만 쉬었다. 스웨덴 스톡홀름 공항에 대사 부인과 최춘영 참사가 마중을 나왔다. 내가 돌아온다는 소식을 내 아내조차 모르고 있었다.

대사관에 도착했다. 백승철의 아들 영복이가 제일 먼저 뛰어나왔다. 승용차에서 내가 내리자 영복이는 당연히 자신의 아버지도 왔을 것이라고 생각하고 “아버지가 왔다!”고 소리쳤다. 뒤이어 백승철의 아내가 나왔다. 나만 내리는 것을 본 그녀는 왜 남편은 같이 오지 않았느냐고 다그쳐 물었다. 차마 입이 떨어지지 않아 일단 들어가서 이야기하자고 했지만 그녀는 이미 모든 것을 짐작한 모양인지 소리쳐 울었다.

겨우 달래 대사관으로 함께 들어온 뒤에도 상황은 진정되지 않았다. 한쪽은 울음바다였고 한쪽은 백승철의 아내를 달래느라 경황이 없었다. 그녀에게 백승철의 편지를 전달했다. 그때야 남편이 살아 있다는 것을 알고 눈물을 멈췄다. 보위부에 잡혀가 남편이 죽었을 것이라 생각했다고 한다. 남편이 살아 있고 고향에 내려갔다는 소식을 들은 그녀는 비장한 결심을 다졌다. 조국으로 돌아가 남편과 생사를 함께하겠다고 했다.

외무성에서 근무하면서 숙청 사건을 자주 접했다. 부부가 숙청 사건에 휩쓸리면 평양에 남을 수 있는 쪽이 이혼을 택했다. 남편을 따라 지방으로 내려가겠다고 하는 여성은 백승철의 아내가 처음이었다. 그녀는 평양에 남으라는 친정 식구들의 말을 물리치고 자신의 말을 지켰다. 남편의 고향인 평안북도 동림군으로 내려갔다. 부부가 다시 평양으로 올라올 때까지 고생을 많이 했다고 한다.

백승철 가족은 2000년 김정일이 심화조 사건의 부당성을 지적하고 훈령을 내리면서 다시 평양으로 올라왔다. 부친 문제가 해명됐다는 통보를 받으면서 백승철과 가족들은 '김정일 장군님 만세!'를 소리 높여 외쳤다고 한다. 하지만 그의 마음속에서 부친을 잃은 설움과 한마저 사라졌을 리 없다. 백승철은 현재 스웨덴 주재 북한대사관 참사로 북한을 위해 충실히 일하고 있다. 마지막까지 빛바랜 붉은 기를 지키고 있는 것이다.

'김대중 선생'의 대통령 당선, 환영과 당혹 사이

덴마크를 비롯한 국제사회의 지원은 아사 직전인 북한 주민들을 죽음으로부터 구했다. 인도적인 차원에서 분명 좋은 일이었다. 그러나 북한 경제의 막힌 숨통만 틔워주는 결과를 낳았고, 한숨을 돌린 북한은 다시 비밀리에 핵무기 개발에 전력을 쏟았다. 그러는 사이 1997년 8월 경수로 건설을 위한 기초공사가 시작되지만 본격적인 건설은 2001년 9월에야 착공된다. 이 부분은 미국식 '시간 끌기'로 봐도 좋을 것이다. 경수로 건설을 빌미로 핵 개발을 지연시키면 북한 경제가 먼저 무너지리라고 본 것이 미국의 계산이었다.

그런데 북한의 입장에서는 충격적이면서 미묘한 일이 일어났다. 1997년 12월 대통령선거에서 김대중 후보가 당선됐다. 이때 나는 덴마크 주재 북한대사관에서 근무하고 있었는데 그의 당선은 내게도 충격적이었다. 북한은 수십 년 동안 한국의 민주화 투쟁의 상징이었던 김대중 선생을 북한의 편으로 선전해 왔다. 대남 적화통일 전략 실현이라는 측면에서 그를 의도적으로 띄웠던 것이다. '김대중 선생'이라는 호칭은 북한에서부터 입에 익은 표현이다. 북한에는 그의 민주화 투쟁을 그린 영화도 꽤 나와 있다.

이때까지 북한은 한국의 민주화 세력을 같은 편이라고 간주하고, 민주화 세력에 의거해 적화통일을 실현한다는 전략을 유지해 왔다. 적화통일전략이라는 측면에서 김대중 후보의 당선은 중대한 성취임이 분명했다. 하지만 그의 당선이 과연 북한에 이로운 것이냐는 누구도 단정할 수 없는 문제였다. 그런 면에서 북한 노동당의 대남 적화통일전략은 수정이 불가피했다.

김대중 대통령은 취임 직후부터 햇볕정책, 즉 포용정책을 표방했다. 당으로부터 스웨덴 주재 대사관을 비롯한 각국 공관에 처음 내려온 지시는 김대중 대통령의 햇볕정책에 대해 적극적으로 비난하라는 것이었다. 북한 외교관들은 누가 누구를 포용한다는 것이냐, 포용정책은 결국 흡수통일정책이 아니냐는 논리로 선전 활동을 펼쳤다.

북한은 햇볕정책에 대한 일종의 무력시위를 보여주기도 했다. 1998년 8월 31일 '광명성1호'가 발사된다. 북한은 인공위성 발사에 성공했다고 선전했지만 한국은 운반 로켓에 초점을 맞춰 미사일을 쏜 것으로 받아들였다. 한국이 '광명성1호'를 백두산1호(대포동1호)로 명명한 것은 이 때문이다.

햇볕정책에 미사일 발사로 대응

세계 여론은 북한이 미사일 발사실험을 했다고 들썩였다. 평양으로부터 '그저 위성발사라고만 선전하라'는 짤막한 지시가 스웨덴 북한대사관에 내려왔다. 발사 당일, 손무신 대사와 나는 덴마크 국왕에게 신임장을 봉정하기 위해 코펜하겐에 있었다.

이튿날인 9월 1일 덴마크 외무상을 방문했는데 외무상은 "북한이 미사일 통제규정을 어겼다. 엄중히 항의한다"고 했다. 손무신 대사가 "미사일이 아니라 평화적인 위성발사"라고 주장하자 외무상의 말이 이어졌다.

"위성이라고 해도 발사 전에 국제공동체에 사전통보절차를 거쳐야 한다. 그렇게 마구 발사하다가 지나가는 여객기라도 맞으면 큰일이 아닌가. 북한은 정말 예측불가능한 나라다."

지고 있을 손무신이 아니었다.

"무엇이 예측불가능하다는 것인가. 우리 주변국인 러시아, 중국, 일본 등이 위성을 발사하는데 언제 한 번 북한에 사전통보를 해준 적이 없었다. 그래서 우리도 사전에 주변 국가들에 통보할 필요를 느끼지 않는다."

우리가 스웨덴으로 돌아온 9월 4일에야 북한은 "8월 31일 다계단(다단계) 운반 로켓으로 첫 인공지구위성을 궤도에 진입시키는데 성공했다"고 발표했다. 한국과 미국, 일본 등은 연이어 대북 제재조치 검토에 들어갔다. KEDO(한반도에너지개발기구)는 대북 경수로 지원 사업비 분담 결의안의 서명을 취소했고, 일본은 대북 식량지원을 중단한다고 발표했다. 미 상원의회에서는 북한이 미사일 수출을 중단한다는 것을 확약해야 대북 중유공급을 위한 예산을 지원하겠다는 결의를 채택했다.

국제사회는 북한의 위성발사 성공여부를 놓고 의견이 분분했다. 미국은 보름 만에 "인공위성은 궤도진입에 실패했다"고 발표하면서도 "북한은 이번 발사를 통해 좀 더 먼 거리의 지상 목표물을 향해 탄두를 운반할 수 있는 능력을 보여주었다"고 평가했다. 물론 북한은 "인공위성이 궤도를 돌고 있다"고 주장했고, 러시아는 "북한이 첫 국산 인공위성의 발사에 성공한 사실을 확인했다"고 발표했다.

사실 북한 외교관들은 당국의 지침에 따라 햇볕정책에 대한 비난을 하면서도 내심 화해의 물꼬가 트이지 않겠느냐고 기대하던 중이었다. 국제사회의 대북 식량원조가 들어오고 있었고, 당선 전부터 북한과의 화해와 협력을 주장하던 김대중 대통령이 본격적으로 햇볕정책을 펼쳐가고 있었다. 이런 상황에서 미사일을 쏘아 올린 김정일의 속셈은 무엇이었을까. 절대로 핵을 포기할 수 없다는 의도만은 명백했지만 뭔가 석연치 않았다. 이미 김정일에게는 다른 계산이 있었다.

이스라엘과 스웨덴서 미사일 극비 협상

1999년 1월 평양으로부터 전보 지시가 하나 떨어졌다. 스웨덴 주재 이스라엘 대사가 현지에 있는지 확인해 보라는 내용이었다. 확인 결과, 대사는 있었다. 평양의 다음 전보는 나로서도 대단히 충격적이었다. 손무신 대사와 내가 이스라엘 대사를 만나 극비리에 미사일 거래협상을 진행하라는 지시였다. 그때서야 나는 평화와 화해 분위기가 조성되는 와중에 미사일을 발사한 김정일의 의도를 간파할 수 있었다.

손무신 대사가 영어를 하지 못해 내가 통역으로 나서 면담장소를 교섭했다. 이스라엘 대사에게 바로 연락했다. 보안을 유지하기 위해 서기나 비서를 거치지 않았다. 나는 이스라엘 대사에게 전화를 걸어 '조선민주주의인민공화국 대사의 서기'라고 신분을 밝힌 후, "손 대사와 조용한 장소에서 만났으면 한다"고 했다. 이스라엘 대사의 응답은 "본국에 문의해 승인을 받은 후에 만나자"는 것이었다.

며칠 후 이스라엘 대사가 스톡홀름의 한 커피점 주소를 알려주며 만나자고 했다. 약속 시간에 커피점에 가보니 이스라엘 대사가 기다리고 있었다. 경호원 4명이 모두 여성인 것이 눈길을 끌었다. 손 대사가 먼저 본론을 꺼냈다.

"몇 달 전 우리 공화국이 발사한 인공위성이 궤도에 진입했다. 이것은 동북아뿐만 아니라 중동 정세에도 큰 영향을 미칠 수 있다."

이스라엘 대사의 얼굴이 심각해졌다.

"왜 그런가. 구체적으로 말해 달라."

손 대사는 둘러말하지 않았다.

"우리 미사일 기술에 관심이 많은 나라가 있다. 이란을 비롯한 중동 국가들이다. 우리에게 미사일 기술을 넘겨달라고 계속 요구한다. 당신도 알다시피 지금 우리의 경제형편은 대단히 어렵다. 미사일 기술을 전파해서라도 우리 체제를 수호해야 할 지경에 있다.

그런데 우리가 미사일 기술을 중동에 수출하게 되면 새로운 미사일 경쟁이 일어날 것이고, 이스라엘의 안전도 위협당할 것이다. 사실 우리는 그런 상황을 바라지 않는다. 어떤 측면에서 보면 우리와 이스라엘은 공통점이 많다. 우리는 미국의 군사적 위협에 직면해 있고, 이스라엘은 적대적인 아랍 국가들 사이에 끼여 있다. 이런 나라일수록 평화를 지키기 위해 모든 수단을 동원해야 한다. 만일 이스라엘이 우리를 도와준다면 미사일 기술을 중동에 수출하는 문제를 재고할 수 있다. 호상(상호) 합의가 이루어져 상생하는 결과가 나오기를 바란다."

이스라엘 대사는 "무엇을 어떻게 도와 달라는 것인가. 구체적인 안을 제시해 달라"고 했다. 손 대사는 "우리는 중동 국가들과 10억 달러 선에서 협상하고 있다. 이스라엘이 10억 달러를 주면 미사일 기술을 수출하지 않을 것"이라고 노골적으로 대답했다. 이스라엘 대사는 "뜻밖의 제안이어서 아무 말도 할 수 없다. 본국에 보고하고 연락을 주겠다"고 했다.

"현금 10억 달러 아니면 안 된다"

이날은 이렇게 의견 교환으로 끝났다. 접촉 결과는 즉시 평양에 보고됐다. 열흘 후 이스라엘 대사로부터 연락이 와 다른 커피점에서 만났다.

"이스라엘 정부는 북한의 제안을 심중히 검토하고 원칙적으로 북한의 제안을 접수하기로 결정했다. 그러나 10억 달러를 현금으로 주는 것은 불가능하다. 대신 10억 달러에 해당하는 식량이나 비료,

의약품 등 북한이 요구하는 물자를 줄 수 있다. 북한이 농업이나 공업 부문의 최첨단 기술 전수를 요구하면 제공해 줄 수도 있다."

손 대사는 "우리가 요구하는 것은 물자가 아니고 현금"이라고 못 박았다. 두 사람의 대화를 이어본다.

"현금은 안 된다. 주려고 해도 미국이 반대한다. 미국은 이스라엘의 동맹국이다. 미국이 반대하면 어쩔 수 없다. 북한이 이 점을 이해해 주기 바란다."

"조선은 기본적으로 외화가 필요하다. 경제회복을 위해 필수적이다. 그래야 물자를 효율적이고 계획적으로 구입할 수 있다. 이스라엘이 현금을 지불할 수 없으면 현금을 주겠다는 나라들과 협상할 수밖에 없다."

"북한이 이 문제를 신중하게 고려해 주기 바란다. 현금만 아니라면 물자제공 액수를 10억 이상으로도 늘릴 수 있다. 북한이 미사일 기술을 중동에 수출한다면 심각한 문제가 될 것이다. 현재 진행 중인 제네바 핵 합의문 이행 과정이 중단될 수 있으며 북한에 심각한 안보위협이 조성될 수도 있다."

"제네바 핵합의는 미국의 요구에 따른 것이다. 사실 우리는 제네바 핵합의 때문에 핵 개발을 중단했다. 잃은 것이 더 많다. 미국이 먼저 합의를 깨버린다면 우리로서도 손해 볼 것이 없다."

이스라엘 대사는 접촉 내용을 본국에 보고하고 추가 지시가 나오면 다시 만나자고 했다. 평양에서는 "앞으로도 현금을 고집해야 하며 현금이 아니면 흥미가 없다는 점을 명백히 하라"는 지침을 내렸다.

또 열흘 후 이스라엘 대사가 연락을 취해 왔다. 이스라엘의 입장은 변화가 없었다. 오히려 더 강경해졌다.

"북한이 물자제공 제의를 거절한 데 대해 유감을 표시한다. 이번 협상이 잘되면 이스라엘이 북한과 미국 관계가 빨리 정상화될 수 있도록 촉매제 역할을 할 수 있다. 중국을 보라. 미중 관계정상화의 막후에서 이스라엘이 상당한 역할을 하지 않았나. 그 결과 중국의 아랍 일변도 지지정책에도 변화가 생겼다. 북한의 친아랍 일변도 정책이 변한다면 북한도 많은 것을 얻을 수 있다. 그러나 북한이 이스라엘과 등지는 방향으로 간다면 북한과 미국의 관계는 불편해질 것이다."

손 대사도 강경한 입장을 표명했다.

"조선의 제의를 이스라엘이 거절한 데 대해 유감을 표한다. 이번에 호상 합의가 이루어졌다면 이스라엘의 안보상황은 훨씬 평화롭게 변할 수 있었다. 조선의 제의가 실현되지 못한 것이 아쉽다."

그 후 스톡홀름에서 북한과 이스라엘의 추가 접촉은 없었다. 이스라엘로부터 10억 달러를 받아내려던 북한의 시도는 실패했다. 북한이 이란이나 이집트 등에 미사일 기술을 팔아 10억 달러를 받아냈는지 나로서는 알 수 없다.

뒤늦게 내가 깨달은 것이 있다. 김정일은 과연 이스라엘로부터 10억 달러를 받아낼 수 있을 것이라고 믿고 그런 협상을 지시했을까. 이제와 생각해 보면 아닌 것 같다. 김정일은 북한이 이스라엘과 협상을 벌인다면 이스라엘이 반드시 미국과 정보교환을 할 것이라고 확신했던 듯하다.

이 무렵 북한은 이미 한국과 남북정상회담 준비를 하고 있었다. 김정일은 미국에 북한의 미사일 기술 이전 가능성을 흘리면 미국이 남북정상회담에 동의할 수밖에 없을 것이라고 본 것 같다. 미국으로서는 한국을 이용해 북한을 남북관계에 얽매여 놓고 북한의 미사일 기술 이전을 차단해야 할 필요가 있었을 것이다. 북한의 경제난 극복을 위해 김정일에게 절실했던 것은 '미사일 팔기'보다는 남북정상회담이었다. 김정일은 미국이 '북남 수뇌상봉'에 동의할 수밖에 없는 상황이 필요했고, 그런 상황을 만들기 위해 이스라엘과 미사일 협상을 벌였을 가능성이 있다. 김정일이 실제로 그런 계산을 했다면 정말 치밀한 전략이 아닐 수 없다.

연평해전 후 남북 외교관 사우나서 조우, '멀뚱'

스웨덴 북한대사관 직원 수는 대사를 포함해 5명뿐이었다. 하지만 담당해야 할 국가는 스웨덴, 노르웨이, 덴마크, 아이슬란드, 핀란드, 라트비아, 리투아니아, 에스토니아, 아일랜드 9개국이었다. 내가 스웨덴에 있을 당시 이 국가들 중 아일랜드와 에스토니아는 북한과 외교관계가 없었다. 내게는 덴마크, 아일랜드, 핀란드, 리투아니아, 라트비아, 에스토니아 6개국이 맡겨졌다. 스웨덴 북한대사관에서 9개국과 관련된 업무를 보다 보니 손무신 대사와 나는 1년에 한 번 정도 나머지 8개국을 방문해 북한 입장을 전달하고 쌍무관계를 발전시킬 대책도 강구했다.

북한대사관의 주업무는 해당 국가들에 대한 정세 분석이었다.

대사관에 인터넷이 설치돼 있지 않아 매일 가까운 도서관에 가서 인터넷으로 정세를 연구하고 들어와 본국에 보고했다. 신문이라도 구독할 수 있으면 좋았겠지만 예산 문제로 스웨덴 신문 1부만 받아볼 수 있었다.

재정 형편이 더 어려워지자 다섯 세대가 모여 살았던 대사관 숙소에 더운 물도 못 틀게 했다. 대사가 울며 겨자 먹기 식으로 낸 아이디어는 목욕은 인근 헬스센터에서 해결하자는 것이었다. 스웨덴은 복지의 나라다웠다. 6개월 동안 500달러만 내면 다섯 세대가 헬스, 수영, 사우나를 마음껏 이용할 수 있었다. 겨울에는 이틀에 한 번 정도 차를 타고 헬스센터에 들렀다.

그곳에서 난생 처음 한국 외교관을 봤다. 최초로 만난 한국인이기도 했다. 우리는 서너 명씩 몰려 다녔는데 그 외교관은 독신인 모양인지 매번 혼자 왔다. 1차 연평해전(1996. 6)으로 남북관계가 더욱 냉랭해진 상황이어서 서로 경계했다. 우연찮게 사우나 안에서 만난 적도 있다. 남북 외교관들이 수영복 차림으로 사우나 안에 멀뚱하게 앉아 있는 모습이 상상이 될는지 모르겠다. 나는 그때 한국에 대해 물어보고 싶은 것이 많았지만 끝내 말을 걸지는 못했다.

스웨덴 측이 주최하는 행사에 남북한 대사가 조우하는 때도 있다. 손무신 대사가 프랑스어만 가능해 내가 통역으로 같이 가곤 했다. 당시 스웨덴 주재 한국대사는 손명현이었다. 다른 나라 대사들이 손무신에게 손명현을 소개하면서 CNN 서울 지국장 손지애의 부친이라며 자주 소통하라고 권유했다. 하지만 그때 인사만 나누고 더는 진전이 없었다.

북한대사관에 걸려오는 한국대사 찾는 전화

손명현 대사는 딸 덕분에 스웨덴 외교가에서 인기가 있었다. 찾는 사람이 많았다는 뜻이다. 스웨덴 주재 남북한 대사가 모두 손 씨이다 보니 북한대사관에 웃지 못할 전화가 더러 걸려 왔다. 다른 나라 대사 비서들은 '손 대사와 골프 약속을 잡으라'는 지시를 받으면 북한대사관에 먼저 전화했다. 외교관 수첩에 남한(south)보다는 북한(north)이 앞에 나오기 때문이다.

그때까지도 골프가 어떤 운동인지 몰랐던 북한대사관은 '엠배서더 손(손 대사)과 골프 일정을 잡고 싶다'는 전화가 오면 여기는 북한대사관이라고 퉁명스럽게 답하곤 했다. 그런 전화가 올 때마다 우리는 '남조선 외교관들은 할 일도 없는가보다. 주말마다 골프만 치러 다니니' 하고 흉을 봤다. 외교의 기본이 사교임을 알면서도 어쩔 수 없이 튀어나오는 넋두리였다.

2000년 3월 김대중 대통령은 독일 베를린에서 햇볕정책의 윤곽을 발표했다. 북한의 비난은 더욱 거세졌다. 그러나 한편으로 북한의 고민도 깊었다. 1999년 5월 미국 주도의 나토군이 옛 유고슬라비아의 수도 베오그라드를 폭격했을 때 중국대사관이 파괴됐다. 그럼에도 중국은 미국에 별다른 항변을 하지 못했다. 세르비아의 동맹국인 러시아도 미국의 공습을 보고만 있었다. 중국과 러시아가 미국 앞에서 찍소리도 못 내는 판국이었다.

미국 대통령 선거 분위기도 북한에 불리했다. 공화당 후보가 이길 가능성이 상당히 높았다. 공화당은 이미 '제네바 합의문을 인정하지 않는다'는 입장을 발표한 바 있었다. 공화당 후보가 당선되면 북미 관계가 더욱 악화될 것이 명백했다. 핵실험까지 아직 상당한 시간이 필요했던 북한으로서는 숨고르기가 필요했다. 김정일은 김대중 대통령의 햇볕정책과 대화 제의를 잘 이용하면 몇 년간은 힘든 고비를 넘길 수 있을 것이라고 판단했다.

남북정상회담, 김정일 덕분이라고 주재국에 선전

2000년 6월 13일 평양 순안공항에 김대중 대통령 일행이 도착했다. 이날 나는 손무신 대사와 함께 신임장을 봉정하기 위해 리투아니아에 가 있었다. 김대중 대통령이 비행기에서 내려와 김정일 위원장과 포옹하고 수십만 군중이 꽃을 흔들면서 환영하는 장면을 나는 리투아니아의 어느 호텔TV에서 CNN 중계로 봤다. 적잖은 충격이었다.

'북남관계가 역전되어도 이렇게 급진적으로 역전될 수 있단 말인가.'

나는 지금까지 우리의 '원쑤'였던 '남조선군 최고사령관'인 김대중 대통령이 북한 인민군 명예위병대를 사열하는 것을 보면서 '어떻게 저렇게까지 환대해 줄 수 있는가'라고 생각했다. 손무신 대사도 "남조선 대통령의 햇볕정책을 흡수통일 정책으로 비난해 왔는데 이제부터는 김정일 위원장의 대용단에 의해 이번 북남정상회담이 성사될 수 있었다고 말해야 한다"고 했다. 손 대사는 이날 리투아니아 대통령에게 같은 내용으로 남북정상회담의 의미를 설명했다.

이틀 후인 6월 15일 김대중 대통령과 김정일은 공동선언을 발표했다. 통일의 자주적 해결을 선언하고 남과 북의 통일 방안에 공통성이 있음을 인정한 것이다. 당시 6·15공동선언의 파장은 대단했다. 만나는 사람마다 통일이 곧 되는 것 아니냐고 물어보았다. 그러나 북한 외교관치고 '북남 수뇌상봉'으로 위기를 돌파해 보려는 김정일의 속심(속셈)을 모르는 사람은 없었다.

김정일은 6·15 공동선언 직후 러시아와도 협력의 제스처를 취했다. 2000년 7월 19일 러시아 푸틴 대통령이 1박 2일 일정으로 평양을 방문했다. 구소련을 포함해 러시아의 지도자로서는 사상 최초의 방북이었다. 김정일은 이듬해 7월 26일부터 8월 18일까지 러시아를 답방했다.

김정일과 푸틴은 평양과 모스크바에서 각각 공동선언을 발표했지만 아무래도 모스크바 선언에 무게가 실릴 수밖에 없었다. 「조러 모스크바 선언」 가운데 가장 중요한 내용은 한반도, 러시아, 유럽을 연결하는 철도를 건설한다는 부분이다. 남북 경제협력에 이어 한반도 종단철도가 연결된다면 북한에 엄청난 경제적 혜택이 들어올 것이 확실했다. 김정일도 이 계획에 상당한 기대를 걸고 있었던 듯하다. 그는 러시아 답방 1년 만인 2002년 8월 러시아 극동 지역을 다시 방문해 조러 모스크바 선언의 이행 문제를 협상하고 돌아왔다.

그런데 '떠먹여 줘도 못 먹는' 북한 체제의 한계 때문에 한반도 종단철도 건설은 불가능하다는 것이 드러나게 된다. 러시아는 건설 의지가 확실했고 한국은 언제라도 지원할 의사가 있었다. 러시아는 시베리아 횡단철도와 한국 철도를 연결하는 수송로를 열고 컨테이

너나 석탄과 같은 중량 화물을 수송한다는 구상을 갖고 있었다. 일제강점기에 건설된 철도를 어느 정도 직선화하고 터널과 교량도 많이 건설할 계획이었다.

문제는 북한의 동해안 방어부대 대부분이 철도를 따라 배치돼 있다는 점이었다. 한반도 종단철도가 건설되어 철도 현대화가 진행되면 대대적인 부대 이전이 불가피했다. 북한 군부는 6·25전쟁에서 전세가 역전된 원인을 인천상륙작전 때문이라고 보고 수십 년 동안에 걸쳐 동해안 철도를 따라 방대한 해안방어선을 구축했다. 철도 현대화 사업이 벌어지면 해안방어선을 다시 구축해야 한다.

북한 군부는 이미 오래 전부터 스스로 생존을 유지해야 하는 실정이었다. 부대 이전을 자체적으로 해결한다는 것은 불가능에 가까운 일이었다. 개성 공단 건설 때도 군부는 새로운 주둔지를 마련하기 위해 엄청난 고생을 했다. 군부는 당연히 한반도 종단철도 건설과 부대 이전을 반대했다.

부대 이전만 해결해 주면 되는 문제였지만 북한은 그렇게 할 만한 경제력이 없었다. 김정일이 군부의 반대를 물리치지 못한 이유다. 동해안 철도 현대화 계획은 자연히 힘을 잃었다. 이후 북한은 러시아의 하산부터 함경북도 나진항까지의 철도만 현대화하기로 했다. 이런 사정을 모르는 한국과 러시아는 아직도 한반도 종단철도 수송로 창설에 대한 기대감이 크다.

구글 어스를 통해 확인해 보면 바로 알 수 있다. 북한의 동해안 철도 주변에는 크고 작은 비행장이 수없이 많다. 지금도 북한은 한반도 종단철도 건설이 가능한 것처럼 한국과 러시아에 제스처를 취하고 있다. 물론 불가능한 일만은 아니다. 한국이나 러시아가 북한 동해안에 무수히 산재한 부대 이전 비용까지 부담하면 된다.

귀국선물로 양초가 인기, 극심한 전력난 때문

덴마크와는 달리 스웨덴에서는 이렇다 할 '식량공작' 성과를 거두지 못했다. 2000년 6월 나는 귀국 소환장을 받았다. 김대중 대통령과 김정일 위원장의 남북정상회담이 열린 그 달이다. 일반적으로 대사의 해외근무 연한은 4~5년이고 대사 이하 외교관들은 3~4년 정도다. 이러한 관례에 맞지 않게 오래 근무하는 외교관들은 정찰총국과 같은 특수기관 일꾼들 아니면 북한노동당 '3층 서기실'이 부여한 특수과업을 수행하는 이들이다. 3층 서기실이란 청와대 비서실 같은 실세 기관이다.

북한 외교관들이 귀국 준비를 하기 시작하는 것은 대체로 해외근무 기간이 만 3년을 지날 무렵이다. 일부 외교관들은 몇 달만이라도 평양 복귀 날짜를 늦춰 보려고 외무성 간부처와 막후에서 사업한다. 때로는 유력 간부들과 '막후 사업'을 펼칠 때도 있다. 간부처나 유력 간부가 나서게 되면 몇 달 정도는 소환이 늦춰지기도 한다.

일반적인 경우라면 나는 1999년 말에 소환됐어야 했다. 1996년 6월 덴마크에 파견돼 해외 근무기간이 만 3년을 훌쩍 넘겼기 때문이다. 하지만 1997년 말 덴마크 북한대사관이 철수하면서 스웨덴 북한대사관으로 옮겼다는 점과, 덴마크 치즈 무상기증을 유치해 김정일 특별표창을 받은 점이 참작됐다. 이 덕분에 1년 3개월 정도 '혜택'을 본 것이다.

북한은 모든 물자가 부족하다. 소환될 때 최대한 많은 물건들을 구입해 귀국하려고 하는 것이 인지상정이다. 어느 대륙, 어느 나라에서 근무하느냐에 따라 조금씩 다르긴 하지만 대체로 품목은 선물, 식료품, 전자제품 등이다.

부부라면 양가 부모, 형제자매, 친척, 친구에게 줄 선물을 각각 준비한다. 선물을 받지 못하면 매우 서운해 한다. 평양 외화상점에서 구하기 힘들거나 국내 가격이 더 비싼 제품도 선호 대상이다. 예를 들면 식용유, 설탕, 맛내기(조미료), 텔레비전, 녹음기, 사진기 등이다.

운송비가 꽤 부담스럽다. 당국은 상주지로부터 평양까지 항공화물 150kg에 해당하는 운송비를 지원한다. 하지만 이 정도로는 어림도 없어 옷과 가정집물(가재도구)을 가져오기도 부족하다. 그래서 모아둔 사비를 들여 컨테이너나 팔레트(화물 운반대)로 짐을 부치는 경우도 많다. 내 경우에는 짐이 그다지 많지 않아 팔레트 서너 개를 남포항까지 부쳤다. 하지만 컨테이너 한 량에 짐을 보내는 외교관도 적지 않다.

귀국을 준비하면서 양초 10여 상자를 산 것이 특히 기억에 남아 있다. 평양에 정전이 자주 일어났기 때문이다. 지금은 평양에 태양등(광) 패널도 있고 중국산 12볼트 충전등도 있어 양초를 켜는 집은 거의 없다. 그러나 2000년대 초까지만 해도 양초는 잘 사는 집의 상징이었다. 보통 가정은 식용유에 면심지를 넣은 등잔불을 많이 사용했다. 큰 변화가 일어난 듯 하지만 지난 17년 동안 북한의 전력 사정은 크게 나아지지 않았다. 양초와 등잔불이 태양등과 충전등으로 바뀌었을 뿐이다. 이것은 북한 주민들이 부족한 전기 사정을 극복하기 위해 그만큼 노력했다는 뜻도 된다.

내 후임은 리비아 주재 북한대사관 서기관을 지내고 외무성 정세국에서 근무하던 최광일이었다. 평양외국어혁명학원과 국제관계대학 2년 선배인데 대학 시절 '김성애 시계 사건'으로 큰 파장을 몰고 왔던 인물이다. 이 사건에 대해서는 뒤에 쓰도록 하겠다.

한 달 동안 최광일에게 사업인계를 했다. 덴마크와 노르웨이 사업은 현지에서 인계했고, 아일랜드, 리투아니아, 라트비아, 에스토니아 사업인계는 문건으로 이뤄졌다. 최광일은 그 후 간암으로 임지에서 사망했고 시신이 되어 평양으로 돌아왔다.

3장

한국이 살린 북한

장성택 도움으로 복귀한 장인

우리 가족은 스웨덴에서 화물을 부친 뒤 베이징까지는 비행기로, 베이징서 평양까지는 기차로 이동했다. 평양역에 도착한 것은 2000년 7월의 어느 날이다. 나는 해외 근무 기간 동안 두 차례 평양에 다녀왔지만 아내와 큰아이는 4년 만의 귀국이었다. 덴마크에서 낳은 둘째는 태어나고 처음으로 조국 땅에 발을 붙였다.

평양 역전에는 어머니, 누이, 동생, 조카들과 장인과 장모, 처남들, 처형 등 온가족이 나와 있었다. 1995년 함경남도 덕성군으로 좌천됐던 장인과는 5년 만의 상봉이었다. 장인은 1999년 말 김정일의 지시로 다시 평양에 올라와 아들 집에서 살고 있었다. 장인의 복권을 김정일에게 건의한 것은 장성택이었다고 한다. 장인은 김일성정치대학 총장 시절부터 장성택과 가깝게 지낸 사이였다.

이때는 한국의 연합뉴스가 장인이 보위사령부의 도청에 걸려 좌천되었다고 보도한 지 석 달 정도 지난 시점이다. 장성택이 연합뉴스의 보도 내용을 보고 받고 김정일에게 장인의 복권을 건의했는지는 알 수 없지만 내가 전해들은 사연은 이러했다.

어느 날 장성택은 기분이 좋아 보이는 김정일을 보고 간곡히 말했다.

"김일성정치대학 총장을 하던 오기수(장인)가 인민무력부 총정치국 조직부국장 리봉원의 모함으로 함경남도 덕성군에 내려가 혁명화를 하고 있습니다. 인민군 보위사령부가 리봉원을 통해 보고한 자료의 근거는 오기수가 러시아 유학생 출신이라는 점뿐입니다. 편협한 판단일 수 있습니다. 오기수는 과오가 애매하고 나이도 벌써 67세가 되었습니다. 많이 반성했을 테니 이제는 평양으로 올려 보냈으면 합니다."

같은 자리에 있었던 국방위원회 상무국장 현철해 대장도 장성택의 말을 거들었다. 현철해의 부친과 장인의 부친은 김일성이 항일유격대를 조직할 때 같이 싸운 전우였다. 그 연줄로 현철해와 장인은 해방 후 만경대혁명학원을 같이 다녔고 6·25전쟁 때 김일성의 '친위중대'에서도 나란히 복무했다.

김정일은 뜻밖에도 "오기수가 거기에 내려가 있는가. 별을 하나 더 달아주어 다시 군복을 입히든가 아니면 본인 희망대로 해주라"고 선심을 썼다. 즉시 인민무력부가 움직였다. 장인을 평양으로 모셔가다시피 했다. 그리고 다음과 같이 제안했다.

"제대할 때 중장(한국의 소장 해당)이었으니 장군님의 명령대로 군복을 다시 입으려면 별을 하나 더 달고 상장(별 셋)이 되어야 하오. 지금 상장 직급에 맞는 보직은 자강도에 있는 국가문헌고 책임자 자리밖에 없소. 마지막까지 군복을 입고 나라를 위해 복무하려면 상장 칭호를 받고 자강도로 내려가든지 아니면 아들과 함께 여생을 편안히 살든지 희망대로 해주겠소."

평생을 군인으로 살았던 장인은 다시 군복을 입고 싶어 했다. 하지만 자식들이 간절히 부탁했다. 겨우 평양에 올라왔는데 다시 군복을 입고 일하다가 과오를 범하면 그때는 회복할 기회가 없다는 이야기였다. 장인은 자식들의 간청을 마다하지 못하고 상장 직위를 포기했다. 나 또한 백번 잘한 결정이었다고 생각한다. 북한에서는 아무리 잘나가는 사람이라도 찰나에 갈 수 있다. 장인의 복권에 힘을 써준 장성택이 이를 증명한다. 천년만년 부귀영화를 누릴 것 같았던 그가 김정은의 한마디에 처형될지 누가 알았겠는가.

둘째를 처음 본 친가와 처가에서는 덴마크에서 아이를 하나 '벌어왔다'고 모두들 야단법석이었다. 아버지는 그 사이 뇌출혈로 인한 반신불수 상태라 겨우 바깥출입을 하고 있었다. 모두들 힘들게 살고 있던 터라 우리 가족의 귀국에 대해 기뻐하고 즐거워했다.

6·15 선언 후 활기 찾은 평양

내가 돌아오기 전까지 어렵게 살던 우리 집안에 활기가 돌았다. 해외에서 저축한 돈이 그렇게 큰 위력을 발휘한다는 것을 새삼 느꼈다. 부러울 것이 없었다. 맥주를 좋아하는 아버지에게 매일 맥주를 사다드렸다. 그때만 해도 맥주는 외화가 있어야 구입이 가능했다. 저녁 식전에 맥주 한 병을 마실 수 있다는 것은 대단한 사치였다. 아내는 과일과 당과류(단 과자) 등을 장마당에서 구입해 아버지와 어머니에게 대접했다. 날마다 군입질거리(주전부리)가 끊이지 않았다. 아내는 몇 년 동안 못한 며느리의 역할을 다하고 싶다고 했다.

하루는 어머니가 아내에게 조용히 당부했다.

"며늘애야, 지금 조국 형편이 대단히 어렵다. 밥도 제대로 못 먹는 사람도 많다. 이렇게 매일 장마당에서 먹을 것을 사오면 이웃사람들이 우리를 증오할 수도 있다. 그러니 앞으로 뭘 사올 때는 검은 비닐봉지에 여러 번 싸가지고 오너라. 그래야 남들이 모른다."

그러고 보니 아내가 아파트 현관에 들어서면 사람들이 또 무엇을 샀나 하고 유심히 본다는 것이었다. 북한 사회에서 처음으로 부익부 빈익빈 현상이 커지고 있던 때였다. 잘사는 사람들에 대한 눈빛이 대단히 쌀쌀했다.

나는 어머니에게 아파트 이웃 36세대에 중국산 우동을 한 묶음씩 골고루 돌리자고 했다. 어머니는 기뻐하며 그러자고 했다. 아내도 동네 할머니들에게 중국산 치맛감을 한 벌씩 사드리자고 제안했다. 그렇게 우동과 치맛감을 돌리고 나니 그때서야 다들 좋아했다. 우리 가족을 보는 표정부터 달라졌다. 집사람이 무거운 것을 들고 아파트에 나타나면 저마다 도와주겠다고 나섰다.

나는 외교관 근무 중이던 1997년과 1998년 두 차례 평양에 들어온 적이 있다. 그때에 비해 분위기가 또 달랐다. 북한 실정이 많이 좋아졌다. 전기와 식량 사정은 여전히 어려운 형편이었으나 우울해 하던 사람들의 표정이 점차 좋아지고 있었다. 다들 새로운 희망을 품은 듯했다.

6·15남북공동선언이 발표된 직후였다. 매일 남북 간에 무슨 회담이 진행된다는 소식들로 들끓었다. 심화조 사건으로 수용소로 끌려갔던 많은 사람들이 다시 평양으로 올라와 복직했다. 1990년대 초부터 위기에 몰렸던 북한은 6·15남북공동선언의 채택으로 채 10년도 안 되는 사이에 다시 활력을 찾았다. 2018년 1월 남북 고위급회담에서 북한 리선권 대표는 "6·15시대의 모든 것이 귀중하고 그립다"고 했다. 이 한마디만으로도 북한 사회에서 6·15시대의 의미를 충분히 짐작할 수 있을 것이다.

석 달간 해외생활 샅샅이 조사받고 북유럽과장 부임

북한 외교관들은 두 단계로 귀국 심사를 받는다. 먼저 현지 대사관의 대사와 당 비서가 해당 외교관에 대한 평정서와 당 생활자료를 작성해 기요문건(비밀문건)으로 중앙당 조직지도부로 발송한다. 문건에 비위 사실 등 부정적인 내용이 있을 경우, 해당 외교관은 귀국 후 총화(자아비판) 시간에 고초를 겪기도 한다. 그래서 외교관들은 해외 근무 기간 동안 대사와 당 비서와는 좋은 관계를 유지하려고 한다. '총화'는 북한 사회를 이해하는 데 핵심적인 용어 가운데 하나로 '진행 중인 사업이나 생활에 대해 그 결과를 분석하고 결속 지으며 앞으로의 사업과 생활에 도움이 될 경험과 교훈을 찾는 것'이라는 뜻이다.

예전에는 대사나 당 비서들이 문건 내용을 당사자에게 보여주지 않았다. 그러나 최근에는 본인에게 보여주고 이의가 없는지 물어본다. 몇 년 동안 같이 일한 동지에 대해 고약하게 쓰는 것도 못할 일이어서 수령과 당에 매우 충실한 인물이라고 써주는 것이 대부분이다. 물론 지침에는 어긋나는 일이다.

다음 단계는 평양에서의 총화다. 외교관이 평양에 도착하면 우선 당중앙위원회 간부부에 들어가 도착 정형(현황)을 보고한다. 그러면 당중앙위원회 간부부가 해당 외교관을 몇 월 며칠 부로 해임한다는 사령을 발표한다. 해임된 날부터 새로운 직무를 받는 과정까지를 미배치 기간이라고 하는데 이 기간 동안 절차에 규정된 생활총화를 하게 된다. 당중앙위원회 조직지도부 재외 당 생활지도과에서 재외 당 생활총화를 한 후, 보위부 해외국에 가서 해외기간 생활총화를 하는 것이 상례다. 이 과정에서 아무런 문제가 발견되지 않으면 다시 해당 직무에 복귀하게 되고, 그렇지 않을 경우에는 혁명화 대상이 되거나 보위부 감옥에 간다.

생활총화와 관련해 내게 큰 문제는 없었다. 김정일로부터 '김일성 시계'까지 받았기 때문에 정치사상생활이나 혁명과업수행 면에서 높은 평가를 받았을 것이다. 다만 보위부총화 담당자가 한국 외교관들이나 민간인과 접촉한 정형이 없느냐고 끈질기게 질문한 것이 약간 거슬리는 대목이었다. 그런 일이 없으니 없다고 했고 나에 대한 당과 보위부 총화는 마무리됐다. 귀국 후 석 달 만인 2000

년 10월, 나는 원래 일하던 외무성 유럽국 영국 및 북유럽과장으로 배치됐다.

북송 장기수들, 한국서 번 돈 당에 바치고 때늦은 후회

내가 외무성 유럽국에 복귀하기 직전인 2000년 9월, 김선명 노인 등 한국의 비전향장기수 63명이 휴전선을 넘어 평양에 도착했다. 온 북한 땅이 환영 분위기였다. 평양 시민 상당수가 거리에 나와 이들을 맞이했다. 북한 언론은 이들의 북송이 6·15공동선언 이후 거둔 '첫 승리'라고 하면서 비전향장기수들의 '굽히지 않는 신념'을 본받을 것을 호소했다. 북한은 이들 전원에게 '조국통일상'과 노동당 당원증을 수여했다.

그런데 북한은 한국의 신속한 북송을 예견하지 못하고 이들이 거주할 아파트를 준비하지 못했다. 김정일의 지시에 따라 노동당 부부장들의 아파트를 내주기로 하고 대대적인 보수공사가 시작되었다. 당 간부들이 자기 집까지 내어주는 것을 보고 이들은 무척 감동했지만 당분간은 고려호텔에서 집단적으로 숙식을 해결해야 했다.

북에 가족이 남아 있는 경우도 있었다. 밖으로 나가지는 못하고 면회 형식을 통해 가족과 상봉했다. 그러다보니 이런저런 이야기가 흘러나왔다. 통전부에서 일하는 한 동료는 이런 말을 했다.

"비전향장기수들의 경제형편이 사람마다 다르다. 일부는 남조선에서 돈을 좀 벌었다. 감옥에서 일찍 나와 여러 가지 일을 했던 듯하다. 일부는 매우 가난하게 살다가 온 것 같다."

북한 당국의 환대에 감동한 일부 비전향장기수는 북으로 올 때 가지고 온 돈을 모두 당에 바쳤다. 그들이 지닌 환상 속의 북한은 의식주 문제가 해결된 곳이었다. '입는 걱정, 먹는 걱정, 집 걱정'이 없는 북한에서 무슨 돈이 필요하겠느냐는 생각이었다.

자식이나 가족들은 차츰 깊은 속내까지 드러냈다. 한국에서 가지고 온 것은 없느냐고 은근히 물었다. 모두 당에 바쳤다고 하자 난리가 났다. 북한에서도 돈이 중요하다는 것을 그들은 이해하지 못했다. 당이 비전향장기수들의 의식주를 해결해 주기는 하지만 돈이 있어야 주말에 가족들과 외식이라도 할 수 있었고 외화상점이나 장마당에서 필요한 물품을 살 수 있었다. 그런 돈은 당이 주지 않는다는 것을 몰랐던 것이다. 그렇다고 한 번 당에 바친 돈을 돌려달라고 할 수도 없었다.

사정을 알게 된 비전향장기수들의 안색이 흐려졌다. 하지만 얼굴색이 밝아지는 사람도 있었다. 당에 돈을 바치지 않고 숨겨둔 이들이었다. 비전향장기수들도 차츰 북한의 실상을 깨닫게 되었다. 그것은 북한 TV나 신문에 나오는 선전과는 확연히 다른 것이었다. 북한에서도 '신념'이 아니라 돈이 있어야 사람대접을 받는다는 사실을 알게 됐지만 이미 때늦은 탄식이 될 수밖에 없었다.

내가 영국 외교관들과 함께 세계적인 최장기수였던 김선명 노인을 찾아간 것은 2002년경이었다. 평양 주재 영국 임시대리대사 짐 호어가 그를 만나고 싶어 했다. 영국의 속셈은 뻔했다. 김선명 노인이 북에 온 지 1년이 훨씬 지났으니 그의 생각을 직접 들어보겠다는 의도였다. 비전향장기수는 당 통일전선부가 관리한다. 통일전선부에 영국대사관의 요청을 전달하니 아무 문제가 없다고 했다. 좋은 집에서 잘 살고 있고 대외 활동도 잘해 걱정할 필요가 없다는 이야기였다.

통일전선부와 약속하고 내가 짐 호어와 3등 서기관 케네디(여성)와 함께 평양시 평천구역 안산동에 있던 김선명의 집을 방문했다. 듣던 대로 좋은 가구들로 집이 꾸며져 있었다. 한국에서 '총각 할아버지로' 불렸던 그는 북한에서 결혼을 했다. 부인도 미인이었다. 짐 호어는 구체적이고 직설적으로 물었다.

"선생에 대한 이야기를 많이 들었다. 한국과 북한에서 다 살아보니 어디가 더 좋던가. 북한에서는 모든 사람들이 통제를 받고 있는데 당신도 당국의 통제를 받는가. 생활에 어려운 점은 있는가. 북한에도 인권이 있다고 생각하는가."

김선명은 "공화국에 올라와 장가도 가고 행복하게 살고 있다"며 구수한 이야기를 풀어냈다. 한국에서 자란 어린 시절, 44년 동안 신념을 지킨 수감 생활, 출옥 후 어머니를 만난 감회 등에 대한 이야기가 진솔하게 이어졌다. 영국 외교관들도 그의 이야기를 매우 감명 깊게 듣고 있는 것 같았다.

44년 장기수 '신념'의 김선명도 북송 후 한국의 배상금 갈망

몇 시간에 걸친 대화가 끝나고 짐 호어가 일어나려고 하자 김선명이 물었다.

"혹시 런던에 있는 국제사면위원회(Amnesty International)에서 나에게 돈을 보내지는 않았습니까."

갑자기 돈 얘기가 나오자 나도 당황했다. 짐 호어는 더 당황해하며 자리에 도로 앉았다. 김선명은 책장에서 커다란 앨범 2개를 꺼내왔다. 하나는 한국에 있을 때 찍은 사진첩이었고, 다른 하나는 그에 대해 보도한 한국 언론의 기사 스크랩이었다. 사진과 기사를 보여주며 그가 설명한 사정은 이러했다.

김선명은 6·25전쟁 때 의용군에 들어가 1951년 10월 포로가 되었다. 서울고등군법회의 재판에서 징역 15년의 확정판결을 받았지만 1953년 간첩죄가 추가되어 사형이 선고되었다. 이후 무기징역으로 감형된 후 1995년까지 44년 동안 감옥에 있었다. 출소한 후 '인권변호사'들이 그를 찾아왔다. 그에게 간첩죄를 적용한 법률이 선고 당시에는 존재하지 않았다며 국가에 손해배상을 청구하라고 권유했다. 여기에 국제사면위원회까지 개입했다. 해당 법률의 존재 여부를 확인하기 위해 한국과 미국의 도서관 등을 뒤졌지만 어떠한 법률적 근거도 찾지 못했다고 한다.

김선명은 북송을 앞두고 다소 고민을 했다. 국가배상 소송이 진행 중이었다. 소송이 끝날 때까지 기다렸다가 배상금을 받고 북으로 갈지, 북에 가서 판결을 기다릴지 판단이 서지 않았다. 그의 변호사들은 재판에서 이기면 반드시 배상금을 송금하겠다고 약속했다. 김선명은 그 약속을 믿고 북으로 올라왔다.

평양 주재 영국대사관 성원들이 찾아온다고 했을 때 김선명은 런던 국제사면위원회가 한국 정부로부터 받은 배상금을 전달하려는 것으로 받아들였다. 하지만 그것과는 아무런 상관이 없자 그는 대단히 실망스러워하는 기색이었다. 짐 호어도 매우 미안해하면서 자신이 한 번 알아보겠다고 했다.

한국과 북한에는 김선명의 삶을 다룬 다큐멘터리와 영화가 있다. 북한 소설 《조국의 아들》도 그의 생을 다룬 작품이다. 나는 지금도 궁금하다. 그가 평생을 바쳐 믿었던 북한과, 실제로 생활해 본 북한은 어떤 차이가 있었을까. 왜 그는 생의 말년에 한국 정부의 배상금을 그토록 기다렸을까. 단순히 한국 정부로부터 사죄의 뜻을 받고 싶었던 것인지, 북한에서 새삼 돈의 귀중함을 느꼈기 때문인지 그는 어떤 말도 남기지 않은 채 2011년 세상을 떠났다.

김대중 정부, 유럽국가들에 북한과 수교 요청

2000년 10월, 서울에서 제3차 아셈정상회의(아시아-유럽 정상회의)가 열렸다. 6·15남북공동선언 이후 남북관계는 하루가 다르게 진전되고 있었지만 북한 외무성이나 해외공관에는 이때까지 큰 사안이 없었다. 그런데 아셈정상회의 참가국인 영국, 독일, 스페인 총리들이 서울 도착을 전후해 북한과의 수교방침을 천명했다. 북한외교가 갑자기 바빠지기 시작했다.

김정일에게도 뜻밖인 상황 전개였다. 그는 직접 강석주에게 사태의 배경과 본질을 파악해 보고하라고 독촉했다. 관련 지시는 즉각 유럽 주재 각 대표부에 전달됐고 여러 곳에서 정보보고가 들어왔다. 보고의 요지는 이러하다.

'남조선 정부는 아셈정상회의를 앞두고 EU 회원국 중 조선과 국교가 없는 나라들을 대상으로 조선과의 수교를 요청했다. 목적은 조선을 개혁개방으로 이끌기 위함이며, 가능하면 10월 아셈정상회의 무렵에 수교방침을 확정해 달라는 것이 남조선 정부의 요구였다.'

이런 보고를 토대로 외무성이 김정일에게 올린 문건의 내용은 이랬다.

"장군님의 결단과 불면불휴의 노력으로 6·15북남선언이 채택된 후 공화국의 위상이 비상히 높아져 지난 수십 년간 미국의 대조선 고립정책에 맹종 맹동하던 유럽 나라들도 이제는 대조선 정책을 독자적으로 정립하기 시작했으며 우리와 외교관계를 설정하기로 결심한 것이 명백한 것 같다."

11월 중에는 영국, 독일, 스페인, 벨기에 등이 외교관계 설정 협상을 시작하자는 서한을 보내왔다. 김정일은 때를 놓치지 말고 관계 설정 협상을 속전속결로 끝내라고 지시했다. 북한은 협상 제안에 응한다는 서한을 보내면서 이른 시일 내에 협상을 열자고 제안했다. 유럽 국가들로부터 12월 중으로 협상을 시작하자는 응답이 왔다.

외무성은 유럽국장 김춘국과 영국담당 과장인 나, 그리고 영국담당자 박강선을 대표단으로 구성하고 이들을 영국, 프랑스, 스페인, 독일, 벨기에, 네덜란드에 파견하겠다고 김정일에게 보고했다. 곧바로 승인이 떨어졌다. 박강선은 후에 오스트리아에서 3층 서기실 일을 전담하다가 2014년 소환돼 처형되었다.

서두르는 영국, 북한대표단에 "대사 복도 이용하라"

북한대표단이 가장 먼저 방문한 나라는 영국이다. 이유가 있다. 당시 북한과 매년 두 차례 정기 회담을 갖고 있던 영국 측에서 협상을 빨리 열자고 재촉했기 때문이다.

대표단은 2000년 12월 6일 저녁 런던에 도착했다. 당시 런던에는 국제해사기구(해운과 조선에 관한 국제적인 문제들을 다루기 위해 설립된 유엔의 전문기구) 주재 북한대표부가 있었으며, 이곳에 북한 해사감독국 대표와 부대표가 1명씩 파견되어 있었다. 부대표 정순원은 외무성 국제기구국에서 근무했던 동료였다.

나는 1995년 3월 북한대표단의 일원으로 제네바 주재 영국대사관에서 열린 영국 측과의 첫 비밀회담에 참석한 적이 있다. 이때 1년에 두 번 이상 공식 대화를 가지자는 양측의 합의가 도출됐고, 나는 그해 가을 베이징에서 열린 2차 회담에도 참여했다. 그 후 영국과의 공식 대화는 대표단이 런던에 오기 전까지 여섯 차례 더 열렸다. 3차는 평양, 4차는 런던, 5차부터는 평양과 런던을 오가면서 열린 바 있다.

대표단은 영국과의 9번째 회담을 앞두고 다들 지쳐 있었다. 앞선 회담에 미뤄볼 때 이번에도 지루한 마라톤회담이 될 것이라고 예상했기 때문이다. 호텔에서 간단한 식사를 끝내고 쉬고 있는데 갑자기 영국 측 안내원이 찾아왔다. 그는 급히 전달해 달라고 했다면서 문건 하나를 내밀었다. 내일 아침식사를 같이 하자는 제안이었는데 아태국 국장과 동북아 한국담당 연구그룹 책임자 짐 호어 등이 참석한다고 적혀 있었다. 문건을 보는 순간, 대표단 모두가 긴장했다. 원래 일정은 2000년 12월 7일 오전 10시에 공식 대화를 갖는 것이었다. 실무를 겸한 아침 식사를 갖자는 것은 일반적인 외교관례에도 없는 일이었다. 무엇인가 긴박하게 흐르고 있다는 것을 의미했다.

침대에 누워 눈을 붙이려고 했으나 잠이 오지 않았다. 모두들 일어나 영국 측의 아침식사 제의가 무엇을 의미하는 것인지 토의를 거듭했다. 최종적인 결론은 '잘하면 이번 협상에서 적어도 수교에 대한 원칙적인 합의를 끌어낼 수 있을지도 모른다'는 것이었다. 내심 나는 첫 비밀회담의 기억을 떠올리며 왠지 좋은 느낌이 들었다. 영국과의 수교 과정에서 첫 스타트와 마지막 결승 테이프를 내가 끊는 것이 아니냐는 예감이 머리에 스쳤다. 빨리 아침이 밝아오기만을 기다렸는데 그날따라 왜 그리 밤이 길었는지 모르겠다.

다음날 아침 8시, 영국 측과의 실무조찬이 시작됐다. 우리는 영국 측의 한마디 한마디에 주의를 기울이며 의미를 파악하는 데 집중했다. 먼저 영국 측은 "오늘 북한대표단이 영국 외무성 청사로 들어갈 때 '대사복도'를 이용하게 될 것"이라고 했다.

외무성의 '대사복도'(Ambassador's corridor)란 상주 대사들이나 외국 고위급 대표단만이 이용할 수 있는 출입구를 말한다. 북한대표단은 이때까지 외무성의 일반 출입구를 이용했지 단 한 번도 이곳을 이용한 적은 없었다.

비수교국의 대표단을 대사복도로 입장시킨다는 것은 해당 국가를 독립국가로 인정하겠다는 정치적인 의사 표현이었다. 북한대표단은 그 의미를 알아들었지만 영국 측은 이야기를 빙빙 돌리며 외교적인 수사를 거듭했다. 다시 말해 '북한을 독립국가로 인정하겠다'고 확언하지는 않았다는 뜻이다.

그 다음은 수교협상과 관련한 실무적인 문제가 나왔다. 영국 측은 '수교협상을 빨리 마무리 지었으면 하는데 북한의 의사는 어떤가', '수교협상을 결정할 전권을 위임받고 왔느냐'고 질문했다. 김춘국 단장으로서도 답하기가 어려운 부분이었다. 북한의 규정상 외무성 국장이 국가를 대표해 문건에 서명할 권한은 없었다. 외무상이 발급하는 위임장이 있어야 했는데 영국 측이 이렇게 속도를 낼 줄은 모르고 위임장을 준비하지 못하고 왔다. 즉석에서 대표단이 내부토의를 했다. 회담 상황은 향후 본국에 보고하기로 하고 일단 영국 측에는 위임을 받고 왔다고 답변했다. 회담에 속도가 붙었다.

영국 기자 평양 상주 문제로 입씨름

영국 측은 반색했다. 실무조찬 직후 열릴 공식 회담에서 수교 문제를 본격적으로 토의하자고 했다. 이날 오전 10시부터 공식 회담이 개시됐다. 의제는 핵과 대량살상무기 전파 문제, 인권 문제, 양국 사이의 차관 문제, 동북아 평화보장 문제 등이었다. 수교와는 전혀 상관없는 문제들을 의제로 삼고 영국 측은 부서별로 출석해 자국의 입장을 통보했다. 우리도 듣고만 있을 수 없어 북한의 공식 입장을 밝히면 그 부서 담당자는 나가고 다음 부서 담당자가 들어오는 식이었다. 영국 측은 '우리의 우려를 북한에 다 전달했다'는 명분을 쌓으려고 하는 것 같았다. 이런 부분에 대해서는 아태국장 등 수교협상 실무진들도 그다지 흥미를 보이지 않았다.

두 번째 날인 12월 8일에는 본론에 들어갔다. 영국 측은 크게 세 가지 문제를 제기했다. 첫째는 평양에 대사관을 개설하려고 하는데 승인은 얼마나 걸리는가, 둘째는 영국 외교관들의 자유 활동을 보장해 줄 수 있는가, 셋째는 영국 기자들이 평양에 상주할 수 있는가였다.

영국 측은 상당히 서두르는 듯했다. 앞의 두 문제는 평양에 보고하고 결론을 받으면 되는데, 기자 상주 문제는 아무래도 승인이 나올 것 같지 않았다. 북한의 견지에서 보면 외국 기자의 상주를 허락하는 것은 간첩 활동을 용인하겠다는 것이나 다름없었다. 북한대표단은 수교를 협의하는 마당에서 기자 상주 문제를 제기하는 것은 외교 관례에 맞지 않는다고 받아쳤다. 우리의 논리는 이러했다.

'외교관계를 설정한다는 것은 호상(상호) 국가로 인정하고 관계를 발전시키자는 양국의 확약을 의미한다. 국가 간의 관계는 언론 교류를 비롯해 정치·경제·문화 등 모든 분야를 다 포괄한다. 영국 측이 기자 상주 문제 같은 비본질적인 문제를 관계 설정의 전제조건으로 삼는 것은 이해할 수 없다.'

그러자 영국 측은 다음과 같이 이해를 구했다.

'당신들의 주장은 납득한다. 그러나 양국 수교 이후에 영국 기자들이 평양에 상주하지 못한다면 영국 언론들이 정부를 비난할 것이다. 이 문제는 상당히 중요한 문제다.'

북한대표단의 반박이 이어졌다.

'조선 외무성은 국가 간의 관계를 다루는 부서이지 기자들의 상주 문제를 취급하는 부서가 아니다. 조선에서는 조선중앙통신사가 언론 부문을 취급한다. 앞으로 외교관계가 설정되면 영국과 조선중앙통신사 사이에 기자 교류 문제도 자연스럽게 토의될 것이다. 기자 상주 문제를 관계 설정의 전제조건으로 삼는 나라는 이 세상에

영국밖에 없을 것이라고 본다.'

영국 측은 한동안 말이 없었다. 그러다가 기자 상주 문제는 양국 간의 관계 설정 이후 계속 논의한다는 문구를 합의문에 넣자고 고집했다. 그 정도면 받아들일 수 있는 것이어서 동의를 해주었다. 이로써 기본적인 문제는 다 합의된 셈이었다. 이제는 각각 본국 정부로부터 승인을 받는 절차만이 남아 있었다. 회담 결과는 국제해사기구 주재 북한대표부를 통해 평양에 보고했지만 때로는 시간이 촉박해 호텔 팩스를 이용하기도 했다.

영국대표, "양국 수교는 한국 햇볕정책 덕분"

회담이 거의 마무리 단계에 접어들자 영국 측은 갑자기 지금 외국 정보기관들이 북한대표단이 투숙한 호텔에 촉각을 세우고 있으니 호텔 팩스를 쓰지 말고 영국 외무성의 특별 국제전화선을 사용하라고 제안했다. 영국 측도 회담 기밀이 유출될까봐 상당히 신경을 쓰는 것 같았다. 그 이후에는 영국이 제공한 방에서 평양과 연락했다. 현재 진행정형(상황)을 주목하고 있으니 시간대를 가리지 말고 보고하라는 것이 평양의 지시였다. 김정일이 매일 보고를 기다리고 있다는 것을 느낄 수 있었다.

영국 측과 최종 합의한 문건을 12월 10일 저녁 평양에 보고하며, 문건에 서명할 위임장도 보내달라고 요청했다. 11일 오후 평양으로부터 합의문에 서명하라는 지시가 내려왔다. 영국 측에 통보하니 12일 오전 외무성 상임대표(부상급) 존 커가 서명하게 되며 이후 공동 기자회견을 가질 것이라고 했다.

드디어 그날이 왔다. 12일 오전 11시 서명식장 왼쪽 출입구로 김춘국 국장과 내가 입장하고 오른쪽 입구로 존 커가 들어왔다. 서명할 대표만 입장하는 것이 관례였지만 김춘국 국장이 이탈리아어밖에 몰라 나도 같이 들어가 서명 테이블에 앉았다. 쌍방이 문건에 서명하고 이를 교환했다. 카메라 플래시가 일제히 터졌다. 북한과 영국 사이에 외교관계가 수립되는 순간이었다.

존 커는 "이 순간 양국 사이의 냉전의 유물이 허물어졌다"며 "두 나라의 외교관계가 설정될 수 있었던 것은 한국 김대중 대통령의 햇볕정책 덕분"이라고 한국을 치켜세웠다. 김춘국은 "오늘은 양국 간 냉전의 유산을 제거한 매우 의의 깊은 날"이라고 평가하고 "조선민주주의인민공화국은 앞으로 두 나라 사이의 관계를 발전시키기 위해 모든 노력을 다할 것"이라고 언급했다.

북한 조선중앙통신과 텔레비전이 북한과 영국의 수교 정형을 보도했다. 아나운서의 격조 높은 목소리가 온 북한 땅으로 울려 퍼졌다. 동구권 붕괴, 소련 해체, 한중 수교 이후 외교적 고립 상태에 빠졌던 북한이 10년도 안 돼 이로부터 벗어났다고 선언하는 상징적인 장면이었다.

"굴욕 감수해도 빨리 수교하라, 미 부시 정부 들어서기 전에"

영국과의 관계 설정을 끝내고 2000년 12월 13일 아침 막 스페인으로 출발하려는 참이었다. 국제해사기구 북한대표로부터 연락이 왔다. 대표는 “평양에서 긴급 무전이 왔는데 대표단의 활동을 위에서 높이 평가하고 있으니 다른 나라와의 협상도 잘 마무리하고 돌아오라는 내용”이라고 전했다. 여기서 ‘위에서’라고 한 것은 김정일을 의미한다.

북한대표단은 기세 좋게 스페인, 벨기에, 네덜란드를 방문했다. 그런데 예견치 않았던 문제가 발생했다. 이 국가들은 ‘북한과 관계는 설정하되 한국 주재 대사가 북한 대사를 겸임하는 것에 동의해 달라’는 조건을 달았다. 당시 북한 법규상 수용하기 불가능한 요구였다.

김일성이 살아 있을 때도 비슷한 일이 있었다. 일부 국가들이 한국 주재 대사를 북한 대사로 겸임시키겠다고 제기해 왔다. 김일성은 “서울에 상주하는 대사를 평양에 보내겠다는 것은 서울을 중앙으로 인정하라는 것이므로 관계를 단절하는 한이 있어도 절대로 받아들이면 안 된다”고 했다. 따라서 서울 상주 대사는 결코 수용할 수 없는 사안이었다.

특히 벨기에 측은 서울 주재 대사를 받아들이라고 요구하면서 관계는 설정하되 서로 대사관은 설치하지 않는다는 조건을 달았다. 사실 외교관계를 설정하는 회담에서 어디에 있는 대사를 받아들여라, 대사관을 설치하지 않는 것을 조건부로 하자는 것은 상대 국가를 멸시하는 태도였다. 너무나 굴욕적인 요구여서 회담장을 박차고 나왔다. 우리는 평양에 회담 정형을 보고하면서 원칙적으로 잘 대처했다고 칭찬 받을 줄 알았다.

그러나 북한대표단의 활동이 김정일에게 보고되자 날벼락이 떨어졌다. 김정일은 강석주에게 전화를 걸었다.

"대표단은 무슨 활동을 그렇게 하는가. 도대체 국제정세가 어떻게 돌아가는지 모르는가. 미국 대선에서 공화당의 부시가 당선돼 앞으로 강경정책이 예견되는데 공화당이 대외정책을 정립하기 전에 유럽과 빨리 외교관계를 설정해야 한다. 공화당 정부가 유럽에 압력을 가하면 유럽이 우리와 외교관계를 맺겠다고 하겠는가. 유럽 나라들이 서울에 있는 대사를 보내 신임장을 봉정하든 베이징에 있는 대사를 보내든 그게 무슨 큰 문제인가. 당장 전보를 내보내 관계 설정을 끝내라."

강석주는 김정일에게 '서울에 상주하는 대사를 받지 말라는 것은 수령님의 유훈교시'라는 말을 차마 할 수 없었다. 그런 말을 해봐야 야단을 맞거나 욕설을 들을 것이 뻔했다. 북한대표단이 베를린을 떠나려고 할 때 평양에서 전보 지시가 내려왔다. 당장 스페인, 벨기에, 네덜란드를 방문해 무조건 관계를 설정하고 돌아오라고 했다. 어쩔 수 없이 다시 접촉해 보니 이미 다들 크리스마스 휴가를 떠난 상태였다. 다음해인 2001년 초에 다시 협의해 보자는 이야기만 듣고 한숨만 내쉴 뿐이었다.

평양에 돌아오니 대표단을 대하는 분위기가 쌀쌀했다. 평소 같았으면 영국과 외교관계를 설정한 것만으로도 존함시계 표창까지는 아니라 해도 국기훈장 1급 정도는 받을 수 있었다. 하지만 김정일의 질책은 그런 공로를 유야무야시켰다. 총체적으로는 대표단이 활동을 잘하지 못했다는 평가였다. 그 후 강석주는 자신이 소속된 외무성 1국 당세포 생활총화에서 자아비판을 했다.

"나는 장군님의 원대한 대외전략을 대표단에게 제대로 숙지시키지 못했다. 대표단이 유럽으로 출발하기 전에 미국의 대선 상황을 설명해 줘야 했는데 그러지 못했다. 미국 강경보수파가 정권을 잡기 전에 유럽과 관계를 빨리 설정해야 한다는 장군님의 전략을 대표단에 온전히 전달하지 못한 과오가 크다."

대표단은 '서울 중앙설'을 인정할 수 없다는 김일성의 유훈교시에 충실했을 뿐이다. 그런 충성심 때문에 유럽과의 수교는 2000년 내에 매듭짓지 못하고 이듬해 봄이 돼서야 대부분 마무리된다.

수교 거부한 프랑스, 북한을 꿰뚫어보고 있었다

2001년 출범한 부시 행정부는 1994년 체결한 「북미 제네바 핵합의」를 무효화했다. 이 해 9월 미국에서는 9·11테러가 일어났고 10월 미국은 아프가니스탄 공습을 개시하며 전쟁을 일으켰다. 2002년 1월 부시는 연두교서에서 북한, 이란, 이라크를 악의 3대 축으로 규정하고 2003년 3월에는 이라크를 공격했다. 김정일의 말대로 2001년 초까지 유럽과의 외교관계를 속전속결로 수립하지 않았다면 북한은 아직도 유럽연합의 대부분 나라들과 미수교 상태였을 것이다.

유럽연합 가운데 프랑스, 아일랜드, 에스토니아는 북한과 수교를 거부했다. 나라마다 입장이 다 달랐다.

프랑스는 2000년 10월 영국, 스페인, 독일 등 서유럽 국가들이 북한과 외교관계를 맺겠다고 발표하자 이를 즉시 비난했다. 유럽 국가는 유럽연합(EU) 규정상 북한과 수교할 때 EU 내의 합의를 이끌어내야 한다. 프랑스는 당시 유럽연합 의장국이었다. 프랑스는 "북한이 핵 개발 계획을 포기했다는 명백한 증거가 없는 상태에서 북한을 인정해 주면 핵 억제가 더 어려워진다"고 주장했다. 다른 유럽 국가들이 북한의 사기극에 놀아나고 있다는 것이었다.

전통적인 중립정책을 표방해 왔던 아일랜드는 북한과의 수교가 자국 정책에 부합되는지를 검토해야 한다면서 수교협상을 미루자고 했다. 아일랜드는 나중에 유럽연합 의장국을 지내면서 2003년 북한과 외교관계를 수립했다.

에스토니아의 경우는 매우 특이하다. 북한과 에스토니아는 이미 1992년 모스크바에서 외교관계 설정에 관한 협정에 서명한 바 있다. 협정에 서명한 에스토니아 측 인사는 러시아 주재 임시대리대사였다. 그런데 그 후 에스토니아는 국내법을 들고 나오며 협정을 무효화했다. 에스토니아 법률상 임시대리대사는 국가를 대표해 협정에 서명할 수 없다는 것이다. 북한은 그 후 모스크바 주재 쌍방 대사 혹은 전권을 위임 받은 인사들이 다시 문건에 서명하면 되는 것 아니냐고 수차례 제안했다. 에스토니아는 끝까지 거절했고 아직도 북한과는 미수교 상태다.

프랑스와의 외교관계 수립은 여전히 진행형이다. 좀 더 정확히 말하면 협상 자체가 중단된 지 오래다. 2002년 10월 2차 북핵 위기가 터졌을 때 프랑스는 '그것 봐라. 내 말이 맞지?'라는 분위기였다. 북한의 핵 개발 포기 의사를 믿을 수 없다는 프랑스의 주장이 옳았다고 하면서 다른 나라들은 북한에 속은 것이라고 했다. 북한과의 미수교 방침을 다시 한 번 정당화한 프랑스는 지금도 그 입장을 고

수하고 있다.

프랑스는 북한과 매우 특수한 관계를 가져온 나라다. 냉전 시기 프랑스는 서유럽 주요국 가운데 유일하게 북한과 총대표부급 관계를 맺었다. 전 프랑스 대통령 미테랑은 사회당 당수 시절 북한을 방문해 김일성과 회담을 가진 적도 있다. 북한과 수교를 한다면 서로 관계가 길고 깊은 프랑스가 유럽 국가 가운데 가장 먼저 나설 만도 했지만 프랑스는 결코 북한을 믿지 않았다.

유럽 국가와의 관계에서 김정일은 특히 스위스와 프랑스를 중시했다. 스위스는 김정철, 김정은 형제가 유학을 한 나라라서 관심을 가졌다. 스위스와 무비자 관계를 맺기 위해 애를 썼지만 끝내 실패했다.

북한의 유별난 '프랑스 사랑'도 소용없어

1970년대 말부터 북한은 프랑스 파리에 대표부를 두고 서방의 호화상품이나 사치품을 사들였다. 프랑스는 북한 고위층의 '의료 센터'이기도 했다. 김정은의 생모 고영희를 비롯한 김씨 가문 사람들, 전 인민무력부장 오진우로 대표되는 고위 간부들이 프랑스에서 치료를 받았다. 북한에서 불치병으로 진단되면 프랑스로 가는 것이 그들의 상식이자 통례였다.

프랑스가 북한 고위층을 받아준 이유는 무엇이었을까. 한국에 망명한 후 나는 서울에서 한 프랑스 외교관을 만난 적이 있다. 그는 나에게 "북한의 핵과 미사일 개발수준이 어느 정도냐"고 물었다. 나는 "프랑스 정보기관이 나보다 더 잘 알 것"이라며 "북한에 대한 고

급정보를 제일 많이 갖고 있는 나라가 프랑스"라고 대답했다. 그는 의아해 했다. 나는 이렇게 설명해 주었다.

"지난 수십 년 동안 북한 고위층들이 프랑스를 드나들며 치료를 받았다. 그들이 프랑스에 몇 달씩 체류하면서 호텔이나 병원에서 무슨 말인들 안 했겠는가. 당신네 정보기관이 그것을 도청하지 않았을 까닭도 없지 않느냐. 도청 자료만 풀어도 엄청난 양의 정보가 나올 것이다."

그는 아무 말도 하지 못했다.

프랑스 주재 북한대표부 청사는 2008년 이전까지만 해도 규모가 너무 작았다. 북한에서 고위급 인사가 오면 어김없이 호텔에서 숙식했다. 대표부 성원들은 고위급 인사에게 잘 보이기 위해 병원과 호텔을 오가며 유난을 떨었다. 거기서 밤새 술도 자주 마셨다. 은밀한 이야기도 많이 나왔을 것이라고 본다. 프랑스가 북한 고위층을 마음대로 드나들게 한 데는 무언가 반대급부가 있었을 것이다. 나는 프랑스에 북한 관련 고급정보가 엄청나게 많을 것이라고 확신한다. 프랑스가 북한의 핵 개발 야욕을 간파하고, 아직까지 외교관계를 수립하지 않은 것도 이 때문이라고 믿는다.

김정일은 프랑스와 수교하기 위해 안간힘을 썼다. 프랑스에 북한 사람을 보내기 위해선 베이징 프랑스대사관에서 비자를 받아야 한다. 여간 불편한 일이 아니었다. 김정일은 프랑스에 머리를 숙여서라도 외교관계를 맺고 싶어 했다. 이를 몰랐던 외무성 최수헌 부상이 김정일로부터 호된 질책을 받은 적이 있다.

최수헌 부상이 외교관계 수립을 협의하기 위해 프랑스에 갔다.

프랑스 쪽에서는 같은 급이 만나주지 않고 부처의 국장이 나오겠다고 했다. 최수헌은 자주권 외교를 펼친다는 마음으로 그냥 돌아 오면서 내심 칭찬을 기대했다.

그가 프랑스 측과 한 번의 협의도 없이 돌아왔다는 보고를 받은 김정일은 강석주 외무상을 다그쳤다. 머리를 숙여서라도 관계를 맺으라고 했지 않았느냐, 일개 국장이라도 만나고 오라는 질책이었다. 최수헌은 자기 비판서를 쓰고 다시 프랑스로 날아갔다. 국장과의 만남을 신청했지만 프랑스 측은 만나지 않겠다는 의사를 통보했다.

김정일이 프랑스 에어버스 비행기 구입을 시도한 적도 있다. 전용기가 필요했던 것이다. 김정일은 러시아 비행기에 대한 불신과 거부감이 상당했다. 처음에는 미국 보잉사의 중고 비행기라도 사려 하다가 프랑스 에어버스로 방향을 틀었지만 실패했다.

런던 대영박물관 한국관서 북한 미술 전시회 열어

미국은 보수강경파인 부시가 집권했지만 영국은 북한과의 관계 진전을 급속도로 추진했다. 2001년 3월 외무차관 존 커가 북한을 방문했고, 같은 해 11월에는 북한과 영국의 공동미술전시회가 런던 대영박물관 한국관에서 열렸다. 나는 북한대표단 단장 자격으로 이 전시회에 참가했다. 단원은 우간다 대사를 하다가 2012년에 퇴직한 박현재와 2016년 말까지 유엔 주재 북한 차석대표를 지낸 리동일이었다.

행사장에 들어가니 영국인들도 많았지만 참가자들 절반 이상이 한인 교포들이었다. 한국대사까지 보였다. 영국 측은 북한과 영국이 공동으로 진행하는 행사라고만 통보했고, 행사장에 들어가기 전까지 그런 줄만 알았다. 당황스러웠다. 나중에 알고 보니 대영박물관의 한국관은 한국 기업들이 후원하고 있었다. 영국 측은 한국관에 북한미술전시회를 열면서 한국 대사와 현지 한인들까지 초청했다. 한국 기업의 후원을 받는 행사이므로 자연스러운 일일 수도 있다.

북한은 외국과 공동으로 진행하는 행사에 한국이 참가하는 것을 '두 개의 조선' 책동이라 규정하고 거부해 왔다. 참석이 불가피한 행사라면 사전에 김정일의 승인을 받아야 한다. 곤란했지만 영국 외무성의 상임비서까지 나와 있어 돌아나갈 수도 없었다. 다소 불편한 모습으로 행사장을 지켰다.

축하 연설이 오가고 관람이 시작됐다. 그런데 행사 후 한국대사가 북한대표단 쪽으로 다가오더니 반갑다고 손을 내밀었다. 조용한 곳에 앉아 이야기를 좀 나누자고 했다. 김대중 정부 전까지만 해도 한국 외교관들이 접근해 오면 단호히 면박을 주어 접근시도 자체를 원천봉쇄했다. 그것이 지침이었다. 6·15남북공동선언이 나온 후에는 정책이 변경됐다. 외국인들이 보는 곳에서는 자연스럽게 말도 받아주고 다정한 모습을 보여주라는 것이었다. 북한도 남북 교류와 협력에 노력을 기울이고 있다는 점을 부각하려는 의도였다. 그러나 이런 경우에도 사전 승인을 받아야 하며, 부득이한 접촉이 갑자기 이뤄졌을 때는 사후 보고를 해야 한다.

우리는 호의를 뿌리칠 수 없어서 복도로 나와 의자에 모여 앉았다. 한국 대사가 내 손을 잡고 말했다.

"이제는 우리 대북정책도 바뀌었다. 우리는 북쪽과의 대결을 원하지 않는다. 진심이다. 상호 협력하면서 잘 살자는 것이다. 대사로 영국에 나와 보니 이 나라에서 배워야 할 것이 정말 많다. 다른 것은 몰라도 북측 학생 서너 명 정도의 장학금은 대사로서 내가 마련해 줄 수 있다. 학생들을 보내라. 북측도 빨리 현대화를 해야 한다. 우리가 평화공존을 원한다는 것을 북측에 가서 잘 설명해 주길 바란다."

키가 작고 점잖은 분이었는데 조용한 어투지만 진심이 느껴졌다. 그분이 바로 라종일 대사다. 해외 공식석상에서 대화를 나눈 첫 한국 대사였다. 훗날 나는 주영 공사로 부임해 북한 현학봉 대사와 한국 임성남 대사 사이의 대화 석상에 배석한 적이 있다. 황준국 대사와도 어느 행사장에서 만나 잠시 담소를 나누기도 했다. 하지만 라종일 대사와의 경우처럼 장시간 진지한 이야기는 나눠보지 못했다.

북한대표단이 귀국해 행사정형을 보고하면서도 현지에서 라종일 대사를 만난 이야기는 뺐다. 여러 사람이 한꺼번에 만난 자리라서 보고를 해도 큰 문제는 없었지만 그러면 일이 복잡해진다. 대사와 우리의 대화를 구체적으로 작성해야 하고, 보위부는 오라 가라 하며 사건 전말을 확인하려고 들 것이다. 사실 한국 외교관과 우연히 접촉해 대화를 나눠도 보위부에 보고하지 않고 깔아뭉개는 사례가 많다. 무슨 일이 있지 않나, 색안경을 끼고 달려드는 보위부는 그만큼 두렵고 성가신 존재다.

라종일 대사가 처음 말을 걸었을 때, 나는 그가 국정원 출신인 줄 알았다. 북한은 외교관이 해외에 나갈 때 이렇게 교육한다.

"남조선 해외공관에는 국정원 소속 외교관이 있다. '화이트 요원'이라고 부른다. 국정원이 파견한 외교관은 특징이 있다. 우리 외교관에게 적극적으로 다가와 '안녕하세요. 누구입니다. 제 명함인데 언제 식사라도 같이 합시다'라는 식의 인사를 한다. 반면 외교부 소속 외교관은 그렇게 다가오지 않는다. 그러니 적극적으로 접근해 오는 남조선 외교관을 경계하라. 대부분 국정원 요원이다."

라종일 대사는 스스럼없이 내게 다가왔다. 그런데 말투가 너무 부드럽고 조용조용해서 진짜 국정원 출신인지 아닌지 아리송해졌다. 궁금증은 2016년 봄 영국 주재 북한대사관 공사로 근무하면서 그의 저서 《장성택의 길》을 접하고 나서야 풀렸다. 저자소개란에 국정원 경력이 들어가 있었다. 역시나 하고 무릎을 쳤다. 한국에 와서 라종일 대사를 다시 만날 기회가 있었는데 그 이야기를 하며 서로 웃었다.

스웨덴 총리, 김정일 면전서 북한 인권 지적

2001년 상반년(상반기) 유럽연합 의장국은 스웨덴이었다. 스웨덴은 한반도에 3개 대표부를 둔 세계에서 유일한 나라이다. 서울과 평양, 판문점에 대표부가 있다. 북한 주재 스웨덴 대사관은 북한과 외교관계가 없는 미국의 이권대표부로도 활동하고 있다. 서울과 평양은 그렇다 치더라도 판문점에 무슨 스웨덴 대표부가 있을까 의아해 할 사람도 있을 것이다. 하지만 판문점 정전협정 중립국 감독위원회에 스웨덴 대표가 엄연히 존재한다.

한반도와 특수한 관계에 있다고 자부하는 스웨덴은 항상 한반도 문제에 관심을 기울이고 중재자 역할을 마다하지 않는다. 2001년 초 스웨덴 총리 요란 페르손은 유럽연합 이사회 의장 자격으로 유럽연합 대표단을 이끌고 남북한을 방문하겠다고 제안해 왔다.

북한 입장에서 당시 정세는 심상치 않았다. 이해 1월 조지 부시가 미국 대통령으로 취임하면서 네오콘이 득세하기 시작한 시점이었다. 김정일은 미국의 대북정책이 강경으로 선회하기 전에 서방 국가와의 관계를 확고히 다져놓아야 한다고 강조하고 있었다. 이런 분위기에서 김정일이 스웨덴 총리의 제안을 즉각 받아들인 것은 당연했다.

김정일은 외무성에 "미국 정부의 정책이 심상치 않다. 공화국 역사상 처음으로 방문하는 서방 총리이니 이 기회를 잘 이용해 미국이 대조선 제재 공조를 펴기 전에 국제공동체로 뚫고 들어가는 계기로 삼으라"면서 "회담 준비를 위한 참고자료는 시간에 관계없이 준비되는 대로 제출하라"는 지시를 내렸다. 즉각 상무조(TF)가 조직됐고 내가 책임자로 임명됐다.

외무성 보관 자료는 필수적으로 검토했고, 스웨덴 주재 대표부에서도 매일 자료를 보내왔다. 정치·경제·문화·군사는 물론 스웨덴의 유명 배우, 가수, 술, 명승지, 풍습 등 각종 자료가 망라됐다. 이를 간추려 김정일에게 보고했다. 김정일은 외무성이 올린 자료를 열성적으로 학습했다.

그러던 와중에 스웨덴 주재 북한대사관이 인터넷 설치를 허용해 달라고 요청해 왔다. 인터넷을 이용할 수 있다면 매일 도서관에 나가 자료를 수집하는 것에 견줄 바가 못 된다. 자료검색도 쉽고 속도도 빠르니 수십 배는 효율적이다. 그때까지만 해도 북한대사관에서 인터넷 이용이 금지돼 있었다. 스웨덴에서 이미 경험해 본 나는 강석주 1부상에게 인터넷의 장점을 설명했다. 강석주는 인터넷 이용에 관한 문건을 작성해 김정일에게 서면보고를 하자고 했다.

김정일에게 보고가 올라갔고 허락이 떨어졌다. 이것이 발단이 돼 2001년 상반기부터 해외공관의 인터넷 사용이 허용됐다. 물론 이때가 아니라 해도 해외공관의 인터넷 사용은 막을 수 없는 흐름이어서 몇 년 뒤에는 허용됐을 듯하다. 하지만 북한처럼 폐쇄된 사회에서 이처럼 특별한 계기가 없었다면 인터넷 이용과 같은 정책변화는 대단히 지연됐으리라 생각한다. 아직도 북한 내부에서는 인터넷 사용이 금지되어 있다.

요란 페르손이 1박2일 일정으로 북한을 방문한 것은 2001년 5월 2일이다. 유럽연합 대외관계 담당위원 크리스 패튼, 유럽연합 상(相)이사회(각료이사회) 총서기 솔라나가 동행했다. 이들의 방북은 북한의 인권정책에 새로운 전환을 일으키는 계기가 됐다.

페르손 총리는 북한 최고지도자의 면전에서 인권 문제를 공식적으로 제기한 처음이자 마지막 외국인이다. 이전까지 외무성은 김일성이나 김정일에게 인권 문제를 제기할 가능성이 있는 외국인은 초청조차 하지 않았다. 설령 방북을 허락받는다고 해도 최고지도자와의 회담이나 면담 같은 것은 꿈도 꿀 수 없는 일이었다.

그러나 김정일을 만난 페르손 총리는 작별 오찬에서 의제에도 없던 인권 문제를 불쑥 꺼냈다. 그것도 상당한 시간 김정일에게 인권 문제 해결의 중요성을 납득시키려고 시도했다. 페르손 총리는 김정일에게 "핵문제가 설사 해결된다고 해도 인권 문제가 남아 있는 한 북한은 국제사회에 편입되기 어려울 것"이라며 "북한이 인권 분야에서 국제공동체와 협력하는 것이 장기적인 견지에서 오히려 득이 될 것"이라고 충고했다. 인권 문제를 해결하지 않으면 서방 국가의 지원을 받지 못할 것이라는 뜻인데 북한을 정치적으로 공격하는 것만큼 뼈아픈 말이었다.

페르손을 '김대중 자리'에 앉힌 김정일의 노림수

나는 그날 백화원초대소에서 개최된 작별 오찬에 통역 자격으로 배석해 있었다. 김정일·페르손 사이의 통역은 김철, 연형묵 총리와 솔라나 총서기 사이의 통역은 최선희가 맡았다. 나는 백남순 외무상과 크리스 패튼 대외관계위원의 통역이었다. 김철은 김정일의 1호 통역이었고 당시 중앙당 국제부에서 일하고 있었다.

그냥 배석 정도가 아니라 나는 김정일과 같은 식탁에 앉아 있었다. 김정일이 페르손에게 하는 말을 처음부터 끝까지 두 시간가량 들으면서 그의 노회한 술수에 놀라움을 금할 수 없었다. 처음에 나는 '김정일이 우리가 작성해 준 문건대로 말하겠지'라고 생각했다. 하지만 첫 마디부터 아니었다. 김정일은 페르손 총리를 1호 연회탁의 한 자리로 안내하며 이렇게 말했다.

"오늘 페르손 총리가 앉을 이 좌석은 역사적인 자리다. 6·15남북공동선언을 채택할 때 이 좌석에 김대중 대통령이 앉았다. 여기 앉으면 역사가 창조되곤 했다. 그래서 일부러 페르손 총리를 이 자리에 모셨다."

페르손은 그 말에 다소 긴장한 표정을 지으면서도 "이 장소와 의자가 김대중 대통령을 모셨던 그곳이냐"며 기뻐했다. 김정일은 회담 시작부터 스웨덴 총리가 흥분할 만한 급소를 치고 들어간 것이다. 매우 노련한 방식이었다.

김정일은 인권 문제와 관련된 페르손의 충고에도 불쾌해 하지 않았다. 오히려 이렇게 말했다.

"우리 체제가 이전 소련의 구조를 많이 닮다 보니 서방에서 받아들이기 힘든 분야가 많다. 하지만 인권 대화를 못 할 것도 없다. 하자. 그런데 우리와 서방은 인권의 사회정치적인 개념부터가 다르기 때문에 합의가 쉽지는 않으리라 본다. 대화와 소통을 통해 차이점을 줄여나가면 인권 문제도 결국 해결할 수 있다. 대화에 쾌히 응하겠다."

페르손 총리는 '김정일과의 공식 대화에서 인권 문제를 제기했다'는 정도만이라도 회담록에 남기면 충분하다고 생각했던 모양이다. 예상과 달리 김정일이 인권 대화 제기에 적극적으로 호응하자 대단히 기뻐했다. 오찬 후 스웨덴 측은 "김정일 위원장이 인권 대화에 응하겠다고 답변했으니 이미 대화가 시작된 것이나 다름없다"며 "인권 대화에 필요한 모든 비용은 우리가 부담하겠다"는 의사를 외무성에 전했다. 김정일의 한마디에 고무돼 몸이 달은 형국이었다.

“인권 대화 시간 끌며 위장대책 강구하라”

그러나 착각이었다. 김정일은 다른 속셈이 있었다. 오찬이 끝난 뒤 김정일이 강석주에게 말했다.

“내가 페르손 총리에게 유럽연합과의 인권 대화를 약속했다. 인권 외교를 어떻게 끌고 나갈 것인지 연구해 보라. 유럽이 인권 대화를 하자는 것은 결국 우리 내부를 파보겠다는 것인데 절대 허용할 수 없다. 인권은 국권이다. 그렇다고 대화도 하지 않으면 유럽이 기승을 부릴 수 있다. 유럽과의 관계를 잘 유지해야 미국 강경보수파를 눌러놓을 수 있다, 그러니 유럽을 얼려(속여) 넘기는 대책을 연구해야 한다. 우리가 미국과의 대화를 통해 제네바 핵 기본합의문을 만들지 않았다면 어떻게 위기를 넘기고 지금까지 버틸 수 있었겠는가. 인권 문제도 국제공동체를 얼려 넘기는 방향으로 접근해 보라.”

김정일은 북한의 인권 외교 방향을 제시했고, 외무성은 그 논리와 구체적인 방법론을 개발했다. 외무성 회의에서 정리된 건의 내용은 다음과 같다.

“장군님이 페르손 총리를 만났을 때 유럽연합과 인권 대화를 하겠다고 말씀하시었으니 무작정 못 하겠다고 걷어찰 수는 없습니다. 우선 유럽연합 측에 ‘당신들과 우리는 인권의 개념부터 다르다. 그러니 서로 인권에 대한 개념부터 정리하면서 한걸음씩 나가자’고 제기하겠습니다. 예비접촉과 인권 전문가 양성을 위한 교류를 주장하면서 인권 대화의 진전을 지연시키겠습니다. 이렇게 몇 년간 시간을 끌어 보겠습니다.

그러나 장기적 견지에서 지연전술만 쓸 수 없으니 외국인들에게 보여줄 수 있는 법원, 감옥, 수인들을 지금부터 준비하겠습니다. 앞으로 조건이 무르익으면 일부 사법시설도 보여주는 등 얼럭덜럭(고르지 않게 촘촘함)하게 대처해 나가는 것이 좋을 것 같습니다. 만일 미국과 유럽이 연합해 인권 공세로 나온다면 핵실험과 같은 초강경 조치를 취할 필요가 있습니다. 그들의 시선을 핵문제로 집중시키는 것입니다. 우리가 핵 위기를 고조시키면 미국은 어쩔 수 없이 '선 핵, 후 인권' 방식으로 돌아설 수밖에 없을 것입니다. 핵으로 인권을 덮어버리는 것입니다."

김정일은 외무성의 건의를 받아들이면서 보위부와 보안성, 중앙검찰소, 중앙재판소 등에 별도 지시를 내렸다. 법원, 감옥 등 외국인들에게 보여줄 수 있는 시설 건설에 착수하라는 것이었다.

북한은 2001년 하반기부터 벨기에 브뤼셀에서 유럽연합과 인권 대화를 위한 예비접촉을 개시한다. 또한 영국, 스웨덴 등에 인권 전문가들을 보내 인권강습에 참가하게 하고 외국인들에게 보여줄 수 있는 법원과 감옥을 만경대구역에 건설하게 된다.

페르손은 김정일에게 북한 경제의 취약성을 지적하기도 했다.

"사회주의 경제 운용 시스템은 현실적으로 여러 제약점이 많다. 북한도 중국이나 베트남처럼 경제를 개혁개방하고 시스템을 바꿔야 잘 살 수 있다. 북한이야 교육받은 노동력이 있고 당과 국가의 주민 통제력도 매우 강하다. 개혁개방하면 금방 잘 살게 될 것이다. 한국을 보라. 단기간에 세계적인 경제강국이 되지 않았나."

김정일은 태연히 맞받았다. 나는 김정일의 이중플레이 수법에 다시 한 번 놀랐다.

"총리의 말이 맞다. 우리는 지금까지 소련의 시스템을 그대로 베껴왔다. 보고 배운 것도 그게 전부다. 그 시스템이 다 무너지지 않았나. 당신 말처럼 조선의 경제시스템이 취약하다고 생각한다. 그런데 우리가 시스템을 바꾸고 개혁개방을 하려고 해도 자본주의 시스템을 아는 인력이 없다. 알아야 뭔가를 바꿀 텐데 바꾸고 싶어도 못 바꾼다. 스웨덴이 우리를 좀 도와달라."

페르손은 깜짝 놀라며, "정말인가. 그러면 경제 전문가를 보내라. 북한의 경제 각료들을 우리 부담으로 초청해 온 유럽의 시장경제 체제를 보여주고 설명하겠다"고 적극적으로 호응했다. 그러자 김정일은 "페르손 총리께서는 조선의 경제개혁과 인권 문제를 제기했다. 여기 같이 앉은 연형묵 총리가 스웨덴에 가봤는데 정말 발전된 나라라고 하더라. 나도 스웨덴에서 가서 그 발전상을 봐야 경제개혁 구상도 잘할 것 아니냐. 나도 한 번 스웨덴에 가보고 싶다. 당신이 나를 스웨덴에 공식 초청하면 될 것이다. 그리고 스웨덴에 간 기회에 다른 세계지도자들도 만날 수 있을 것이라고 본다."

사실 김정일은 이 해 연말에 스웨덴에서 열릴 미국과 EU 사이의 순회회담을 염두에 둔 것이었다. 이 회담에 미국 부시 대통령이 참석할 예정이었다. 김정일은 스웨덴의 공식 초청을 받고 간 자리에서 부시 대통령과 자연스럽게 만나려는 것을 계획하고 있었던 것이다.

페르손은 아주 당황했다. 총리가 좋다고 하면 곧바로 방문 교섭이 이뤄져야 한다. 페르손은 "김정일 위원장의 방문 문제는 나 혼자 결정할 수 없다. 국회와 논의한 뒤 답변을 드리겠다"며 빠져나갔다. 김정일은 "스웨덴은 입헌군주제 국가니까 총리가 결정하면 되는 것 아니냐"며 집요하게 파고들었지만 페르손 입장에서는 인권 유린국의 지도자를 함부로 초청할 수는 없었다. 2007년 남북정상회담에서도 김정일은 노무현 대통령에게 하루 더 북한에 머물러 달라고 요청한 뒤 "대통령이 결정하면 되는 것 아니냐"고 한 적이 있다. 페르손을 난감하게 한 수법을 그대로 쓴 것이다.

"김대중은 내가 서울 갈 거라고 생각하나. 참 어리석다"

페르손은 오찬을 마칠 시간이 되자 김정일에게 "김대중 대통령에게 전달할 메시지가 있느냐"고 물었다. 북한에 이어 페르손은 이날 오후 한국을 방문하기로 예정돼 있었다. 김정일은 그 기회도 놓치지 않았다.

"지난해 김대중 대통령과 6·15북남공동선언을 이뤄냈다. 그런데 지금 남조선은 그때와 달라진 것 같다. 김대중 대통령이 나에게는 '우리 민족끼리'라는 정신에 입각해 통일문제를 같이 해결하자고 했는데 최근 남조선은 우리와의 대화에서 자꾸 상호주의를 들고 나온다. 상호주의란 서독이 동독을 흡수통일할 때 적용한 방식이다. 상호주의를 들고 나오는 것은 남조선이 우리를 흡수하겠다는 뜻이다.

우리에게 쌀과 비료를 주면서 어디로 잘 전달되는지 보자고 한다. 그럴 필요가 뭐 있느냐. 상호주의는 '우리 민족끼리' 정신에 맞지 않는다. 북과 남은 통일로 가는 노상에 있는 특수한 관계다. 북남교류 협력을 국가 간의 관계처럼 적용하면 우리는 통일할 수 없다. 김대중 대통령에게 6·15북남공동선언 정신에 충실해 달라고 전해줬으면 좋겠다."

김정일은 자신은 한반도의 통일을 진심으로 원하는데 남측이 흡수통일 정책을 펴는 것처럼 이야기했다. 페르손도 놀라는 기색이었다. 그는 "나도 한반도에서 흡수통일은 불가능하다고 본다. 김대중 대통령에게 상호주의를 포기하고 6·15정신에 충실했으면 좋겠다는 김정일 위원장의 메시지를 꼭 전달하겠다"고 했다.

실제로 페르손이 그렇게 전달했는지는 알 수 없다. 하지만 이후 한국은 남북대화 과정에서 상호주의 원칙을 많이 거둬들였다. 페르손은 김정일에게 "언제 서울을 답방하겠느냐"고도 물어보았다. 김정일은 "북남관계가 좀 더 진전되면 답방하려고 한다"고 대답했지만 회담 후 강석주에게 이렇게 말했다.

"페르손이 오늘 나에게 서울 답방문제를 꺼낸 것은 김대중 대통령의 부탁을 받았기 때문인 듯하다. 김대중 대통령은 아직도 내가 서울에 나갈 수 있다고 생각하는 것 아닌가. 참 어리석다."

김정일의 이중플레이가 이런 식이다. 한국에 온 후 나는 많은 사람들이 "김정일이 남북회담에서 주한미군이 남한에서 철수하지 않아도 된다고 했다"면서 그의 말을 그대로 믿는 것에 대해 매우 놀랐다.

북한 최초의 인권 '접촉', '대화'나 '회담'은 안 돼

북한과 유럽연합 사이의 인권 예비접촉은 2001년 6월 13일 브뤼셀에서 이뤄졌다. 김정일의 지시에 따라 북한외교 역사상 처음으로 진행된 인권 관련 접촉이었다. 페르손 총리가 방북한 지 불과 40여 일 후였다. 북한이 인권 대화에 적극적으로 임하고 있음을 보여주려는 전술의 소산이다.

나는 대표단 단장으로 참가해 하루 종일 유럽연합 측과 줄당기기 싸움을 했다. 회의 막바지에 유럽연합 측은 '북한과 EU가 첫 인권 대화를 진행했다'는 문구를 넣자고 했고 나는 끝까지 이것은 대화가 아니고 '접촉'(contact)이라고 주장했다. 사실 '대화'라는 문구도 유럽 측이 한 발 물러선 표현이었다. 유럽 측은 실질적으로는 회담(official talk)에 가까운 협의를 하루 종일 한 셈이지만 북한의 사정을 감안해 회담이라는 단어 대신 '대화'라는 표현을 쓰자고 제안하면서 북한 측도 조금 양보하라고 요구했다. 그럼에도 나는 '접촉'이라는 단어를 고집했다. 이 한 단어 때문에 회의는 밤 11시경에야 종료됐다. 유럽 측이 백기를 들고 동의했다.

브뤼셀 예비접촉 이후 북한은 외국인의 인터뷰에 응할 수 있는 수감자들을 선별해 사전 연습까지 시켰다. 2001년부터 2002년까지 2년 동안 프랑스와 독일 국회의원 대표단이 북한에 들어와 법원을 돌아보고 수인들과 인터뷰도 진행했다. 2001년 11월에는 스웨덴 인권법률가가 방북해 북한 인권전문가들과 대화를 나누는 등 북한과 유럽 사이의 인권 분야 교류가 서서히 진행되기 시작했다.

그러나 국제공동체의 인권 공세를 몇 년간 지연시키려던 북한의 계획은 뜻밖의 사건에 부딪혀 실패하고 만다. 2001년 9·11테러 이후 미국의 아프가니스탄 침공(2001.10)과 이라크 공격(2003.3)은 북한에 유화적이던 유럽연합의 태도를 일시에 뒤바꿔버렸다. 2003

년 3월 유엔 인권위원회에서는 유럽연합과 일본의 공동 제의로 북한에 대한 인권 촉구 결의가 사상 처음으로 채택됐다.

김정일은 외무성을 닦달했다.

"대량살상무기에 대한 의혹만으로 미국이 이라크를 공격한 것은 앞으로 인권 문제를 가지고 조선을 공격할 수 있다는 것을 보여준다. 유엔 인권위원회가 이라크전쟁과 때를 맞추어 조선 인권 결의를 채택한 것은 미국이 조선을 군사적으로 공격하기 위한 명분을 제공하는 조치다. 외무성이 하고 있는 일이 도대체 뭔가."

몇 년간 시간을 벌어 고비를 넘겨보려던 외무성의 계획은 실패로 돌아갔다. 김정일의 질타에 변명조차 할 수 없었다. 결국 북한은 유럽연합에 공식적으로 통보한다.

"유럽연합 측은 조선과 인권 대화를 진행하는 도중에 사전통보도 없이 국제무대에서 인권 문제를 기습 상정했다. 이것은 신의를 저버리는 행동이며 이미 신뢰는 허물어졌다. 조선은 유럽연합과의 모든 인권 교류와 대화를 중단한다."

유엔 대북 인권 결의안 채택, 실패한 위장 전략

그때부터 북한은 인권 문제에 문을 닫아걸고 철저한 '무시전략'으로 나갔다. 외무성은 "유럽연합과 일본 등이 제네바 인권위원회에서 인권 결의를 계속해도 10년 정도 문을 닫아걸고 '무시전략'으로 나가면 반북 인권단체들과 서방 국가의 대북 압박공세가 제풀에 주저앉을 것"이라는 내용의 제의서를 작성했다. 제의서는 김정일에게 제출돼 비준을 받았다. 그러나 북한의 인권전략은 또 빗나갔고, 2014년 3월 유엔 인권위원회는 북한의 인권유린상황을 전면적으로 조사한 북한 인권 조사보고서를 발표했다. 북한의 '인권 접촉'을 통해서도 알 수 있지만 김정일의 이중플레이와 시간 끌기는 외무성 관료의 관점에서 봐도 대단한 측면이 있다.

2002년 10월 3일부터 5일까지 미 국무부 차관보 제임스 켈리가 이끈 협상단이 평양을 방문했다. 이때 북한이 켈리에게 고농축우라늄(HEU) 개발을 시인했다고 알려져 있는데 그 진상은 아직도 논쟁 대상이다. 물론 그때 북한이 HEU 개발을 추진했던 것은 맞다. 이것은 2010년 11월 북한이 미국 지그프리드 해커 박사 일행에게 원심분리기에 의한 고농축우라늄 시설을 보여주면서 확인된 사실이다. 하지만 실제 개발한 것과, 개발을 시인했다는 것은 별개의 사안이다. 내가 아는 당시 상황은 이러하다.

제임스 켈리는 김계관 부상과 강석주 1부상에게 "미국은 북한의 고농축우라늄 계획과 관련된 구체적인 정보자료를 가지고 있다"면서 북한이 인정할 것을 요구했다. 켈리는 북한이 외국에서 특수강 파이프를 수입한 증빙문건까지 제시했다. 고농축우라늄 개발에 필요한 설비였다. 상당한 압박을 가하는 분위기였다. 강석주 1부상은 "미국 대표단은 여기에 협상을 하려고 온 것이 아닌가. 그런데 당신은 협상이 아니라 압박하려고 온 것 같다. 미국이 조선을 이런 식으로 압박하면 조선은 핵무기보다 더한 것도 가질 수 있다"고 반발했다. 켈리는 자신의 주장을 강석주가 부인하지 않는 것으로 판단했다.

미국으로 돌아간 켈리 일행은 10월 16일 북한이 고농축우라늄 개발을 시인했다고 발표했다. 2차 북핵 위기의 시작이었다. 이듬해인 2003년 2월 국제원자력기구(IAEA)는 북한을 유엔안보리에 회부했고, 북한이 영변원자로를 재가동함으로써 북핵 문제는 10여 년 만에 다시 원점으로 되돌아온다. 그리고 바로 다음 달, 이라크전쟁이 발발했다는 사실에 유의할 필요가 있다.

이라크전쟁에 떠는 김정일, "런던에 대사관 열어라"

2차 북핵 위기를 해결하기 위해 이 해 4월 미국·북한·중국 3자회담이 열렸다. 북한은 회담 과정에서 시종일관 강경한 입장을 미국에 표명했다. 김정일에게 믿는 구석이 있었기 때문이다. 그것은 영국의 태도와 관련 있다.

2차 북핵 위기가 일어났을 때 미국은 이라크전쟁을 준비하고 있었다. 이런 흐름에서 앞장서서 미국을 지지한 것이 영국이었다. 영국의 참전이 없었다면 미국이 이라크 공격을 밀어붙이기 힘들었을 것이다. 북한은 미국과 영국의 행보를 정밀 분석했다. 미국이 이라크전쟁을 끝내고 모든 전쟁 물자를 한반도로 몰고 온다면 북한은 끝장이었다. 미국은 이미 이란, 이라크, 북한을 '악의 축'으로 규정한 상태였다. 이라크 다음 상대는 당연히 북한이었다.

관건은 미국의 한반도 전쟁계획에 대한 영국의 지지 여부에 달려 있었다. 영국이 반대하면 북한은 미국과의 대결에서 강경한 압박전술을 쓸 수 있었고, 영국이 지지하면 유연한 대화 쪽으로 돌아서야 했다. 2003년 초 김정일은 영국을 떠보기 위해 런던에 북한대사관 개설이라는 미끼를 던졌다. 영국이 북한대사관 개설에 협조적으로 나온다면 이것은 미국의 한반도 전쟁 계획에 반대한다는 것을 의미한다. 그러면 북한도 미국에 배짱을 부릴 수 있었다.

영국은 북한대사관 설치에 적극적으로 협조했다. 김정일은 미국이 강경하게 나오지만 이라크처럼 북한을 공격하지는 않을 것이라고 파악했다. 북한이 3자회담에서 '배짱놀음'을 할 수 있었던 것은 이 때문이다.

3자회담의 성과가 미흡하자 중국이 전면에 나섰다. 이 해 8월에는 중국 주도로 한국·북한·미국·중국·러시아·일본 6자회담이 개최됐다. 이후 6자 회담은 2005년 11월 5차 1단계 회의까지는 단계적인 진전을 보이는 듯했다. 이때마다 북한은 만용을 부렸지만 4차 6자회담 2단계 회의(2005.9)에서 9·19 공동성명이 채택되는 성과를 얻었다. 성명의 주요 내용은 국제사회가 북한의 체제 안전을 보장하고 경제적 지원을 하는 대신 북한은 핵 개발을 포기한다는 것이었다. 9·19 공동성명 후 2차 북핵 위기는 가라앉는 듯했다. 이 성명 역시 김정일의 이중플레이와 시간 끌기의 성과물이라고 볼 수밖에 없다.

아직도 한국 일각에서는 9·19 공동성명의 파탄 책임이 미국에 있다고 주장한다. 미국이 합의를 지키지 않고 압박해 북한이 핵 개발로 나아갈 수밖에 없었다는 것이다. 하지만 지금까지 단 한 번도 중단된 적이 없는 것이 북한의 핵 개발이다. 성명이나 합의로 중단될 수 있는 것이 결코 아니라는 의미다.

짐 호어 첫 평양 대리대사와의 운명적 인연

북한과 외교관계를 설정한 영국은 2001년 12월 평양에 대사관을 개설하고 짐 호어를 초대 임시대리대사로 파견했다. 이듬해 10월에는 데이비드 슬린이 정식 대사로 파견돼 왔다.

짐 호어 대리대사를 보며 나는 인연과 운명의 불가사의함을 느낀다. 나는 1, 2차, 그리고 9차 북영회담에 참가했다. 앞에서도 언급했지만 북영 수교의 시작과 마무리에 참여한 셈이다. 짐 호어 대사는 1차부터 마지막 9차 북영회담까지 전부 관여했다. 그리고 북한 주재 초대 영국 외교대표인 임시대리대사로 왔다. 나는 2003년 영국에 북한대사관 개설을 주도했고, 이후 영국에서 참사와 공사로 재직하게 된다.

짐 호어는 평양에 영국대사관을, 나는 런던에 북한대사관을 개설했다. 세계 외교사에 짐 호어와 나처럼 양국의 관계 설정을 위해 회담하고 대사관 개설까지 마무리 지은 외교관은 없을 것이다. 거의 10년에 가까운 세월 동안 어떻게 그와 내가 두 나라 관계 진전을 주도하게 됐는지 알 길은 없다. 내가 인연과 운명의 힘을 느끼는 것은 이 대목이다. 마라톤같이 길었던 북영회담의 참여자로서 아직 생존해 있는 사람은 짐 호어와 나, 둘뿐이다.

현재 짐 호어는 영국에서 가장 큰 싱크탱크인 채텀하우스(전 왕립국제문제연구소)에서 대북전문가로 일하고 있다. 우리는 지금도 서로 안부를 묻곤 하며 가족들과도 친분을 나누고 있다. 우리 둘은 꿈이 있다. 북한과 영국의 수교사를 공동으로 집필하는 것이다. 그 꿈이 언제 실현될지는 아직 모른다.

영국은 대사관 부지를 따로 마련하지 않고 평양 주재 독일대사관이 소유한 건물 몇 채를 빌렸다. 독일대사관이 소유한 건물들은 옛 동독으로부터 넘겨받은 것이었다. 통일 이후 독일 정부는 북한에 많은 외교관을 파견할 필요가 없어 대사관의 빈 건물들을 영국, 스웨덴에 임대해 주었다. 북한도 동독 시절부터 보유한 베를린 대사관 규모를 독일 통일 이후에는 축소할 필요가 있었다. 북한은 베를린 대사관 사무청사에 현지 호텔업체와 헬스업체를 유치했다.

북한에서 영국은 손쉽게 대사관 건물을 구했지만 북한이 영국에서 그러기는 어려웠다. 2003년 초 북한은 영국에 대사관을 열기로 결정하고 개설대를 파견했다. 외무성 외화처 재정담당 경리원 김창식과 내가 개설대로 선발됐다. 런던으로 향하기 직전, 출발보고를 위해 강석주 1부상을 찾아갔다. 그는 이런 말을 했다.

"긴 말할 시간이 없다. 미국이 이라크를 칠 것 같다. 블레어 영국 총리의 지원이 없었으면 안 되는 일이다. 런던에 도착하면 빨리 대사관을 개설하고 공화국기를 띄워야 한다. 영국이 적극적으로 대사관 개설에 협력한다면 미국이 조선반도에서 전쟁을 일으키지 않는다는 것을 의미한다. 영국의 동향을 수시로 보고하라. 대사관 개설 문제를 통해 향후 대미 관계에서 우리가 주도권을 쥐고 나갈 수 있겠는지 판단해 볼 수 있다."

그의 말은 충분히 이해할 수 있었다. 하지만 내 개인적인 견해로는 영국이 북한대사관 개설을 반대할 이유는 없어 보였다. 평양을 떠나기 전에 북한 주재 영국대사 데이비드 슬린도 만나보았다. 영국 측의 동향을 타진해 보니 적극적으로 협력할 자세였다.

영국 정부 호의로 런던 외곽 주택가에 대사관 마련

김정일이 영국에 대사관 개설을 위해 할당한 비용은 300만 달러였다. 막상 런던에서 부동산 가격을 알아보니 300만 달러로는 도심에 대사관 건물을 구하기가 어려웠다. 건물 소유권을 완전히 넘기겠다는 데도 없었다. 최장 99년 간 장기임대 방식이 고작이었다. 북한이 원하는 것은 소유권 이전이었다.

특히 런던에서 대사관 청사 겸 생활주택으로 이용할 수 있는 건물은 거의 없었다. 다른 나라와 달리 북한은 사무청사와 생활공간을 한 곳에 확보해야 대사관을 개설한다. 예외가 없다. 물론 호상 간의 감시를 위해서다. 그런 건물을 구하려다 보니 런던 서부 일링 구역까지 나가게 됐다. 사실 대사관 청사로 잡은 일링의 건물은 주택구역 내에 있어서 대사관이 들어갈 수 없었다. 국내법에 어긋났지만 영국 측이 어떤 조치를 취한 모양인지 승인을 받았다.

이 모든 일들이 시간과 절차가 필요한 것이었지만 대사관을 빨리 개설하라는 평양의 독촉은 불처럼 뜨거웠다. 겨우 대사관 건물을 구해 그 내부를 3가구가 생활하고 사무도 볼 수 있게 개조하는 와중에 이라크전쟁이 터졌다. 평양에서는 이라크전쟁에 동참한 영국이 북한대사관 개설을 중지하지 않을까 염려했으나 괜한 걱정이었다. 영국은 적극적인 협조를 아끼지 않았고 2003년 4월 북한대사관이 개설됐다. 임시대리대사로는 후에 독일 대사가 된 리시용, 서기관으로 하신국이 파견돼 왔다. 8월에는 리용호가 초대 영국대사로 부임했다.

조그마한 개별 정원주택을 구입하다 보니 모자랄 줄 알았던 돈이 남았다. 외무성에서 보낸 300만 달러 가운데 남은 100만 달러는 평양으로 재송금했다. 대사관 개설을 끝내고 북한으로 돌아왔다. 나중에 들려오는 이야기가 있었다. 대사관 개설 이후 영국 외무성 관계자들이 찾아와 이렇게 물었다고 한다.

"북한이 미국의 경제제제를 오랫동안 받아오고 경제형편도 어려운데 어떻게 영국에 대사관을 개설했는가. 수고 많았다. 공관 운영 예산도 부족할 텐데 어떻게 꾸려나갈 것인가. 우리도 지원할 수 있는 부분은 연구해 보겠다."

은근슬쩍 북한이 대외 활동자금을 어떻게 마련하는지 캐보려는 속내였다.

북한이 1990년대 말 재정사정 때문에 덴마크, 노르웨이, 핀란드, 헝가리, 구 유고슬라비아 등에서 대사관을 철수한 것은 사실이다. 그러나 불과 몇 년도 안 된 2000년대 초에 영국은 물론 브라질, 멕시코, 페루, 민주콩고, 앙골라 등에 다시 대사관을 개설했다.

원조단체 기부금을 대사관 운영비로 사용

일각에서는 북한 외무성이 마약장사와 같은 불법 활동을 통해 대사관 유지비를 벌어들인다고 보도했다. 외국인의 관점에서는 그런 부분이 궁금했을지도 모른다. 대사관을 찾아온 영국 외무성 관계자들도 그랬지 않을까 싶다.

물론 지금도 북한 외교관 가운데 일부가 마약이나 상아, 코뿔소, 담배, 술 등의 매매를 통해 외화벌이를 하고 있다. 하지만 1970년대, 1980년대처럼 정책적으로 마약이나 금지품 장사를 시키는 것은 아니다. 1990년대 중·후반기 고난의 행군이 시작되자 김정일은 외교적 비중이 작은 대사관들을 철수시키라고 하면서 당에서 외무성 예산을 보장해 줄 수 없으니 자체적으로 생존할 방도를 강구하라고 지시했다. 외무성은 부서별로 외화벌이 방안에 대해 토론도 벌였으나 뾰족한 방안은 나오지 않았다.

그런데 1990년대 후반 국제사회의 식량 지원이 시작되면서 북한 외무성은 쏠쏠한 돈벌이 방안을 찾아냈다. 일반적으로 국제공동체는 기아선상에 시달리는 주민에게 현지까지 직접 식량을 전달해 준다. 자연재해나 내전 등으로 인해 해당 지역에 정부의 행정력이 미치지 못할 경우에는 특히 그렇다. 그러나 북한처럼 행정력이 확고히 동작하는 나라는 그럴 필요가 없다. 남포항이나 원산항까지만 식량을 전달하고 나머지 국내 수송은 북한 정부가 담당하는 것이 옳다.

그런데도 북한은 국제공동체에 국내 수송비까지 부담하라고 억지를 부렸고 그 억지가 받아들여졌다. 국제원조단체들은 피해지역까지의 식량 수송비를 미국 달러화로 북한 외무성에 지불했다. 외무성은 국내 수송비를 해당 지역 당국에 떠넘기는 '묘안'을 짜냈다. 물론 원조단체로부터 국내 수송비까지 받았다는 사실은 알리지 않는다. 지역 당국 입장에서는 어쨌거나 공짜로 받게 된 식량이므로 기꺼이 국내 수송을 부담한다. 때로는 외국 기증자들이 보는 앞에서 분배행사를 열기도 한다. 이런 식으로 미국 달러로 받은 국내 수송비는 고스란히 외무성 계좌에 들어가게 된다.

외무성은 또 다른 방안도 모색했다. 폴란드, 독일, 불가리아, 루마니아, 러시아 대사관 사무청사와 내부 숙소를 현지 회사들에 임대했다. 무상으로 외국 여행자들에게 발급하던 여권도 철저히 돈을 받고 파는 관행을 세웠다. 이밖에 10유로인 관광비자 발급비도 큰 수입원천이다. 매년 서방 관광객이 5,000여 명 되고, 중국 관광객은 거의 30만 명에 이른다. 비자 수입만 수백만 유로가 되는데 북한에서 한 기관이 매년 수백만 유로를 안전하게 벌어들인다는 것은 엄청난 일이다.

임신한 평양 주재 영국외교관 부인에게 '기적'을 선물

영국이 평양에 대사관을 열자마자 제일 먼저 요구한 것이 있다. 본국과 위성통신을 하기 위해 대사관 구내에 위성통신용 안테나를 설치하겠다는 것이었다. 이때까지 북한 주재 각국 대사관은 북한 체신성에서 주파수를 할당받아 단파무전기로 본국과 교신하고 있었다. 북한 보위부가 이를 감청하고 있었던 것은 물론이다. 북한이 위성통신을 허용하지 않았던 이유는 보위부 전파감독국(감청국)에 위성통신을 감시할 설비가 없었기 때문이다.

보위부와 체신성은 영국대사관에 위성통신을 허용해서는 절대 안 된다고 반대했다. 하지만 영국도 물러서지 않았다. 영국 외무성 통신규정을 내세우며 유독 북한에만 단파무전기를 설치할 수 없다고 했다. 대사관과 본국의 교신은 반드시 위성통신으로 이뤄져야 한다는 것이 규정이라는 얘기였다.

위성통신용 안테나 설치 문제는 북한 외무성으로서도 단독으로 결정할 사안이 아니었다. 김정일에게 영국대사관의 요청을 그대로 보고했더니 뜻밖의 지시가 내려왔다. 일단 허용해 주고 차후에 감청할 방도를 찾으라는 것이었다. 보위부가 후에 위성통신을 감청할 수 있는 수단을 마련했는지 알려진 바는 없다. 영국대사관이 물꼬를 트자 여태까지 가만있던 러시아, 폴란드, 독일 등 각국 대사관도 위성통신을 허용해 달라고 요청했다. 북한으로서도 어쩔 수 없이 허용해 줄 수밖에 없었다.

영국대사관이 다음으로 요청한 문제는 육로로 중국 단동 출입을 허용해 달라는 것이었다. 이것은 다른 대사관도 제기해 왔던 문제였지만 북한 주재 중국 대사관에게만 허용됐던 '특혜'이기도 했다. 북한이 육로 출입을 금지한 이유는 외교관들이 평양과 신의주를 오가며 북한의 낙후된 실상을 파악할 수 있기 때문이었다.

영국은 이번에도 강경하게 나왔다. 영국은 북한이 이 문제를 해결해 주지 않으면 유럽 주재 북한 외교관들의 활동범위를 제한할 수 있다고 경고했다. 미국 뉴욕 주재 북한대표부 성원들은 시내 중심으로부터 25마일 이상 나갈 수 없다. 영국은 EU와 협의해 미국과 비슷한 제한조치를 취하겠다고 했다.

외무성은 김정일에게 "영국의 요구를 들어주지 않으면 유럽 주재 조선 외교관의 손발이 묶이게 되므로 단동 출장 계획을 조선 외무성에 일주일 전에 통보해 주는 조건으로 허용해 주는 것이 좋겠다"고 보고했다. 영국과의 외교에 관심이 컸던 김정일은 약간 딜레마에 빠졌을 듯하다. 그는 "향후 우리가 서방으로 진출하려면 낡은 러시아식 외교에서 벗어나 영국 신사들의 외교술을 배워야 한다. 영국대사관을 통해 조선의 입장이 미국에 정확히 전달되도록 해야 한다"고 했다. 그러면서도 영국이 북한의 실상을 알지 못하게 관리를 잘해야 한다고 강조했다.

북한의 실상을 감추려면 육로를 통한 출입국은 막아야 한다. 하지만 유럽 주재 북한 외교관의 활동이 제한되는 것까지 받아들일 수는 없었다. 유럽에 나가 있는 김정일의 자녀들이 자유롭게 통행할 수 없다는 뜻이기 때문이다. '국익'과 김정일의 '이해관계'가 충돌하는 사안이었지만 후자가 쉽게 이겼다. 김정일의 승인은 곧 떨어졌다. 평양 주재 외교가에는 "영국대사관이 생기면서 수십 년 동안 풀리지 않았던 난제가 하나둘 해결되었다"는 이야기가 나돌았다.

단동 육로 출입 허용과 관련해 북한에서는 기적이라고도 할 수 있는 일이 일어나기도 했다. 2002년경 평양 주재 영국대사관에 존 단이라는 1등 서기관이 있었다. 그의 아내가 임신 중이었는데 중국에서 출산하겠다는 계획을 갖고 있었다. 열악한 북한 병원에서 아기를 낳기 싫다는 이유였다.

그런데 해산 예정일을 한 달 앞두고 갑자기 진통이 오기 시작했다. 공교롭게도 일요일이었다. 나는 집에서 쉬고 있다가 영국대사관 통역으로부터 걸려온 전화를 받았다. 존 단이 북한 병원에 가자고 했지만 아내는 단동에서 비행기를 타고 영국으로 가겠다며 막무가내로 거절했다고 한다. 존 단은 통역에게 "태영호 영국담당 과장에게 부탁하면 해결될 것"이라며 승용차에 아내를 태우고 무작정 신의주로 출발했다.

압록강 도하는 일주일 전에 통보해야만 허용이 가능한 사안이었다. 더구나 일요일은 국경경비대가 절대로 다리를 열어주지 않는 날이었다. 국경경비대가 존 단 부부의 출국을 허락하지 않고 그의 아내가 아이를 낳다가 사고라도 난다면 어떻게 될까. 이런저런 부정적인 생각까지 들면서 나는 마음이 급해졌다. 당장 외무성에 들어가 압록강 다리 통제권을 갖고 있는 인민무력부 총참모부 국경통제과에 전화를 걸었다. 상황을 구체적으로 알려주면서 존 단 부부가 신의주에 도착하면 즉시 다리를 열어 달라고 요청했다.

한 시간쯤 후에 총참모부로부터 전화가 왔다. '출국을 허용하기로 결정하고 신의주 압록강 다리 초소에 통보했다'는 답변이었다. 하지만 사정을 모르는 존 단은 잔뜩 걱정을 하면서 압록강 초소로 차를 몰았다. 존 단 부부가 탄 차가 초소에 다가서는 순간, 북한에서는 일어나기 어려운 기적이 일어났다. 북한군 장교와 병사들이 다가와 "빨리 건너가시라. 순산을 바란다"고 했다. 불가능할 것 같은 일이 일어났다고 생각한 존 단은 눈물을 흘리며 다리를 건넜다.

단동에는 이미 영국 구조비행기가 도착해 있었다. 존 단의 아내는 베이징에서 응급치료를 받았고 부부는 영국으로 날아갔다. 몇 달 후 존 단의 아내가 아기와 함께 평양으로 돌아왔다. 영국대사관에서 성대한 연회가 열렸고 내가 초청되었다. 짐 호어 등 영국대사관 성원들과 존 단의 아내가 차례대로 나에게 다가와 볼에 키스를 했다. 그들은 몇 번이고 고맙다는 인사를 했다. 특히 존 단은 "미스터 태, 당신의 도움이 없었다면 내 아내의 생명은 물론 이 아기도 세상에 없었을 것"이라며 감사를 표시했다.

이 사실은 영국 언론에도 보도되었고 BBC는 특집 다큐멘터리를 만들겠다고 제안해 왔다. 하지만 북한 외무성은 북한의 인도주의적인 미담을 알리는 것은 좋은 일이지만 북한 사회의 폐쇄성이 주목받을 수 있다며 거절했다. 그 후 존 단은 뉴욕 발령을 받아 평양을 떠났다.

영국월드컵 8강 〈천리마 축구단〉 영화 제작 비화

영국과의 관계 설정 직후의 일이니 2001년 초였던 것 같다. 북한 문화성 산하 영화수출입상사 관계자가 외무성 영국 담당자를 찾아왔다. 북유럽 및 영국 담당 과장을 맡고 있던 내가 관계자를 만나 방문 목적을 들었다. 관계자의 설명은 흥미로웠다.

"영국의 다큐멘터리 감독 다니엘 고든과 베이징 고려투어스(Koryo Tours) 대표 니콜라스 보너가 조선에서 영화를 제작하고 싶다고 제의해 왔다. 1966년 영국 월드컵에서 8강 신화를 이룬 조선 축구대표단을 다루겠다는 얘기였다. 영화수출입상사도 조영 관계를 발전시킬 수 있는 좋은 기회라 생각하고 영화 제작을 문화성에 건의했지만 승인을 받지 못했다. 외무성 차원에서 장군님께 승인을 받아줬으면 좋겠다."

따지고 보면 그렇게 어려운 문제는 아니었다. 다니엘 고든과 니콜라스(닉) 보너는 이미 수년 전부터 영화수출입상사 측에 영화 제작을 타진해 오고 있었고, 그러는 동안 외무성 주도로 북영 수교가 이뤄진 상황이었다. 북한은 되는 것도 없고 안 되는 것도 없는 사회였다. 모든 것이 김정일의 마음에 달려 있었다. 김정일이 북영 관계 진전에 적극적으로 나오는 이상, 문화가 아니라 정치적인 사안으로 접근하면 쉽게 풀 수 있는 문제로 보였다.

나는 북영 관계 발전에 초점을 맞춰 건의안을 작성했다. 건의안은 외무성의 최종 결재를 받아 김정일에게 보고되었고 얼마 후 승인이 떨어졌다. 다니엘 고든과 니콜라스 보너는 서방 국가 영화인으로는 최초로 2001년 4월 북한에 들어와 영화를 제작했다. 그 결과가 2002년 10월 공개된 〈천리마축구단(The Game of Their Lives)〉이다. 이 영화는 2004년 부산국제영화제에도 초청되고 한국 극장에도 정식으로 내걸렸다고 한다.

북한의 천리마축구단이 영국 월드컵에 출전해 8강에 오른 것은 내 나이 만4세 때의 일이다. 직접 본 기억은 아득하지만 그들의 영웅담은 내가 자라면서 수없이 들었다. 영화 〈천리마축구단〉에는 북한 대표팀의 평균 신장이 162㎝로 나온다. 북한 대표팀은 신장과 체격이 월등한 소련 축구팀의 거칠고 비신사적인 반칙에 고전하며 0대3으로 패했지만 전 대회 3위 팀인 칠레와는 1대1로 비겼다. 칠레와의 경기는 페널티킥으로 한 골을 먼저 실점했지만 경기 막판에 동점 골을 넣는 명승부가 펼쳐졌다.

그리고 북한은 예선 마지막 경기인 이탈리아 전에서 1대0으로 승리했다. 영국 월드컵은 현재까지 영국이 우승한 유일한 월드컵대회다. 베일에 싸인 극동의 변방국가인 북한이 강력한 우승 후보 중의 하나였던 이탈리아를 이겨줬으니 북한 축구대표팀에 대한 영국인의 열광은 상상을 초월했다.

천리마축구단은 귀국 후에 열렬한 환영을 받았지만 총화(자아비판)사업을 피해갈 수는 없었다. 8강전에서 포르투갈에 3대0으로 이기고 있다가 3대5로 역전패한 것이 특히 문제시되었다. 포르투갈과의 경기를 앞두고 일부 선수들이 술을 마시고 숙소에 현지 여인을 끌어들였다는 의혹도 제기되었다.

축구 대표 선수 중에는 이른바 '지주집 아들'이 많았다. 아무래도 재력이 뒷받침되는 집안에서 자식을 운동선수로 키울 수 있었기 때문이다. 이른바 출신성분이 좋다고 할 수 없었고 털면 털리는 집안의 자제들이었다. 실제 일부 선수들이 술과 여자를 동반한 '문란한 파티'를 벌였는지는 확인되지 않았지만 총화사업을 받는 과정에서 "사상적 무장이 부족했다"는 의견이 제기되어 몇 명은 지방으로 쫓겨났다.

월드컵 말고도 축구 국제경기는 해마다 치러지기 마련인데 '8강 신화'의 주역이었던 일부 선수들이 갑자기 보이지 않으니 이런저런 소문이 국제사회에 횡행했다. 감독과 선수들이 '아오지 탄광에 끌려갔다'는 소문이 대표적이다. 영화 〈천리마축구단〉은 박두익, 박승진, 리창명, 림중선 등 북한의 축구 영웅 8명의 회고를 중심으로 1966년 영국 월드컵의 기적을 담담하게 조명했다. 북한 입장에서는 그들이 소문처럼 숙청된 것이 아니라 '지금도 잘 살고 있다'는 사실을 입증해 준 영화였다. 당연히 북한의 호응이 클 수밖에 없었다.

다니엘 고든 감독은 영화 제작 후 북한을 방문해 열렬한 환영을 받았다. 이때 영화수출입상사 관계자가 다니엘 고든과 니콜라스 보너를 내게 소개시켜 주었다. 이들과는 지금도 간간이 연락을 주고받는다. 다니엘 고든은 이후에 북한과 관련된 다큐멘터리 영화 두 편을 더 제작해 이른바 '북한 다큐 3부작'을 완성한다. 매스게임에 참여한 두 중학생 소녀의 일상을 그린 〈어떤 나라(A State of Mind)〉(2004년)와 월북한 미군 병사들의 북한 생활을 다룬 〈푸른 눈의 평양 시민(Crossing the Line)〉(2006년)이 그것이다.

영국 대사, "평양 재임 중 최대 업적은 외무성과의 축구경기"

평양 주재 영국대사관도 축구를 매개로 북한에 이색적이고 획기적인 제안을 한 적이 있다. 데이비드 슬린 영국 대사는 북한 외무성이 평양 주재 외교단의 활동을 너무 통제한다며 축구 등 스포츠를 통해 북한 외무성과 외교단 사이의 친목을 강화하자고 제기해왔다. 북한 외무성은 영국 측의 숨은 의도가 있다고 판단했다. 북한 관리들과의 접촉 기회를 늘려 북한의 내부 실정을 파악하기 위한 접근이라고 봤다.

하지만 그 무렵 김정일은 영국이 요청하는 문제는 될 수 있으면 다 들어준다는 생각이었다. 이라크전쟁에서 사담 후세인이 맥없이 허물어진 것을 본 김정일은 미국이 북한에 달려들 수도 있다고 보고 대단한 우려를 가지고 있었다. 미국의 공격을 막는 방법 중의 하나는 유럽과의 관계를 발전시켜 미국을 견제한다는 것이었다. 김정일의 우려를 익히 알고 있었던 북한 외무성은 영국대사관이 제안한 축구 경기에 응하기로 했다.

2003년 8월 평양 능라도에서 북한 외무성과 평양 주재 유럽국가 대사관 사이의 축구 경기가 열렸다. 유럽 국가 가운데 러시아만이 불참했다. 정확한 이유는 알 수 없다. 친선 도모가 목적이었지만 자존심이 걸려 있는 승부였다. 외무성 내에서 축구깨나 한다는 성원을 선발해 며칠 동안 훈련까지 했지만 막상 붙어 보니 역부족이었다. 유럽 외교관 팀에는 평양에서 인도주의 지원 활동을 하고 있던 유럽인들도 참가했는데 축구를 얼마나 잘하는지 도저히 당해낼 수 없었다.

외무성팀은 전반전에만 두 골을 허용해 0대2로 끌려갔다. 경기 결과를 김정일에게 보고해야 하니 절대로 져서는 안 되는 경기였다. 여기서 기만전술이 나온다. 북한 국가대표팀 선수 3명을 외무성 선수로 가장해 후반전에 투입하고서야 겨우 2대2로 비겼다. 경기 후 유럽 외교관들은 외무성팀에 부정선수가 있었다고 심판에게 항의했다. 심판은 한때 세계적인 축구 영웅이지만 판정은 다소 편파적일 수밖에 없었다. 외무성 내에서 뽑은 선수들이 맞다며 끝까지 우겼다. 그는 1966년 영국 월드컵 이탈리아전에서 한 골을 넣은 박두익이었다.

훗날 영국대사였던 데이비드 슬린은 기자인터뷰에서 "평양에서 지낸 동안 가장 큰 외교 업적은 북한 외무성과의 축구경기였다"고 회고했다.

서방 언론사 첫 평양지국 개설 추진

2002년 6월경 북한 주재 영국 임시대리대사 짐 호어가 처음 보는 외국인 기자와 함께 나를 찾아왔다. 짐 호어는 현재 평양에서 '아리랑'

공연을 세계에 전송하고 있는 APTN이 평양에 지부를 개설할 수 있게 도와달라고 요청했다. 짐 호어는 APTN의 영국인 기자 라파엘 웹을 소개시켜 주었다. 그는 APTN의 홍콩지부장이었다. 내가 영어를 전공한 탓이겠지만 이래저래 영국과의 '사업'이 잦아졌다. 라파엘의 설명이다.

"나는 지난 몇 달 동안 APTN 취재단의 평양 체류를 주관하고 있는 조선중앙방송위원회와 APTN의 평양 지부 개설 문제를 협의했지만 전혀 진전이 없었다. 짐 호어에게 하소연했더니 외무성 영국 담당 과장을 같이 만나보자고 했다. 그래서 함께 왔다."

나는 짐 호어에게 물었다.

"APTN은 미국 AP통신의 자회사 아닌가. 조선과 미국은 미수교 상태다. 미국 언론사의 평양지국 개설이 가능하다고 보는가. 그리고 미국이 나서야 할 문제인데 왜 영국대사관이 도와주려고 하는 것인가."

짐 호어의 답변은 이러했다.

"APTN이 미국 AP통신의 동영상 서비스 회사인 것은 맞지만 정확히는 AP통신이 영국 WTN을 합병하고 만든 회사다. APTN은 AP통신과 경영이 분리돼 있고 법인 주소도 영국으로 등기된 영국 회사다. 사실 APTN 대표단이 북한에 들어올 때 미국 회사가 아니라는 점을 분명히 해야 했지만 그러지 못했다. 평양에 들어가 '아리랑' 공연을 취재하라는 AP 본사의 지시가 있어 일단 들어오고 본 것이다. AP통신의 자회사이므로 지시를 받긴 하지만 경영상으로는 미국과 아무런 관련이 없다."

뭔가 사정이 복잡해 보였다. 접근 방식, 그러니까 첫 단추부터 잘못 꿰어 있지 않나 하는 느낌도 받았다. 하지만 그들의 절실함이 느껴져 나는 두 사람에게 "내가 좀 더 알아볼 테니 나중에 다시 만나자"고 했다.

이때까지 북한에 지부가 있는 외국 언론사는 중국의 신화통신사와 CCTV, 러시아의 인테르팍스 정도였다. 이들은 북한과 중국, 러시아 사이의 관계가 좋을 때 호상성의 원칙에 의해 북한 상주가 가능했다.

북한에서 서방기자는 제국주의 사상과 문화를 침투시키는 척후대나 돌격대, 혹은 간첩이라 여긴다. 북한 주민은 어릴 때부터 그렇게 교육을 받는다. 하지만 북한도 국제사회와 완전히 단절한 채 생존할 수 없기 때문에 더러는 서방기자가 필요하다. 평소에는 엄격히 차단하지만 김일성 생일이나 노동당대회 같은 큰 행사에는 외국 언론의 방북을 한꺼번에 허용하기도 한다. 이런 경우에도 외국 기자들 옆에 안내통역이 붙어 사사건건 통제한다.

2002년 4월 북한은 김일성 탄생 90주년을 맞아 '아리랑'이라는 대규모 집단체조와 예술 공연을 시작했다. '아리랑'은 1970년대 북한 문화예술계의 혁명으로 불리는 혁명가극 '피바다'에 비견되는 작품이다. 내용은 이렇다.

"우리 민족은 아리랑민족이다. 나라를 빼앗기고 고난을 겪었지만 '조선의 별'(김일성)을 만나 조국을 되찾았다. 김정일 시대를 맞아 '선군 아리랑'이 펼쳐졌다. 나라가 흥하고 통일의 길이 열려 강성부흥을 이루어 간다."

집단체조 '아리랑' 선전 위해 AP에 독점 중계권 줘

북한은 '아리랑'의 홍보를 위해 AP통신에 독점 중계권을 주었다. 세계 각처의 관광객을 끌어들이기 위함이었다. AP통신은 공연 중계와 취재라는 특성을 감안해 TV뉴스 전송사인 APTN에 방북을 지시했다. APTN 취재단은 한 달 넘게 북한에 체류하면서 '아리랑' 공연과 관련 뉴스를 세계에 전송했다. 이 과정에서 평양에 지국을 개설하겠다는 계획을 세운 모양이었다.

북한 언론은 AP통신이라는 세계적인 통신사가, 그것도 북한의 적대국인 미국 회사가 김씨 부자의 치세와 업적을 다룬 '아리랑'을 전 세계에 전송하고 있다고 보도했다. 팩트상으로는 영국 APTN이라고 해야 했지만 미국 AP통신이라고 한 것도 크게 틀린 보도는 아니었다. 주민들에 대한 선전 효과는 기대 이상이었다. 나 또한 북한 언론의 보도를 접하면서 '이것이 실제 상황인가'하고 의아하게 생각했다.

북한에서 외국 언론사의 지국 개설이나, 외국 기자의 상주 문제는 조선중앙통신사나 조선중앙방송위원회가 관할한다. 두 기관은 당중앙위원회 선전선동부의 승인을 받아 상주 허용 신청서를 외무성에 보내야 한다.

외무성 보도국은 김정일에 대한 보고 여부를 결정한다. 보고가 올라가 김정일의 결재가 떨어지면 허가가 나오는 방식이다. APTN의 경우는 당 선전선동부와 외무성 보도국에서 아예 논의조차 하지 않았다고 한다. 미국 언론사라는 이유였다.

나는 짐 호어와 라파엘 웹의 부탁을 들어주기로 했다. 영국은 북한과 외교관계 설정 협상을 할 때부터 상주 기자 문제를 집요하게 제기했다. 외무성은 그 문제는 외교관계 설정 이후에 논의하자고 미뤄놓은 바 있어 영국에 빚을 진 것 같은 느낌이 있었다. 실무를 맡았던 나도 그랬다.

APTN은 법인 주소가 영국에 있는, 법적으로는 영국 회사였다. 사실 영국 언론사라고 우기면 우길 수 있는 사안으로 보였다. 국장, 부상과 토의해 보니 문건을 잘 만들어보라고 했다. 나는 짐 호어를 만나 영국대사관의 명의로 APTN은 미국이 아니라 영국의 언론사임을 증명하는 문서를 만들어 달라고 요구했다.

나는 APTN의 지부를 평양에 개설하면 어떤 실익이 있는지 알아보기 위해 라파엘 웹을 직접 만나기로 했다. 라파엘은 평양 빙상관(아이스링크) 지하에 있는 은반식당에 조선중앙방송위원회 관계자와 외무성 영국담당 성원들을 초대하면서 나에게 '고일' 영국산 고급 위스키까지 준비했다. 북한에서는 상대방의 마음을 얻기 위해 선물이나 뇌물을 주는 행위를 '고인다'고 표현한다.

라파엘의 말을 들어보니 APTN 평양지국을 개설하면 북한에도 득이 있을 것 같았다.

"조선중앙TV 등이 생산하는 콘텐츠 독점 사용권을 APTN에 주면 APTN과 북한 양쪽에 이득이 생긴다. 외국 언론사가 조선중앙TV 콘텐츠를 인용했을 경우, 북한이 콘텐츠 사용을 감시하고 사용료를 받아내는 것은 불가능하다. APTN이 그 사용료를 받아주면 북한도 외화를 벌 수 있다. APTN이 세계에 전송하는 TV뉴스도 무료로 조선중앙방송위원회에 보내주겠다."

상주기자 없는 APTN 평양지국, 김정일 재가 받아

김정일은 자신의 집무실에서 CNN, BBC, KBS 등을 다 보고 있었지만 저작권법상 북한 TV가 그 콘텐츠를 그대로 이용할 수는 없었다. 하지만 APTN과 계약을 맺으면 APTN이 전송하는 자료는 모두 사용할 수 있을 것 같았다. 그 외 사무실 임대료, 조선 직원 2명 월급, 취재용 승용차 1대 등이 외화로 입금되므로 조선중앙방송위원회에도 실익이 있었다.

난제는 기자 상주 문제였다. 북한에서 절대로 허용할 수 없는 부분이었다. 나는 라파엘에게 역제안을 했다.

"기자 상주를 조건으로 내세우면 지국 개설이 어려워진다. 시작은 조선 직원이 영상을 찍어 전송하는 방식으로 하자. 이렇게 몇 년 운영해 본 후, 서로 신뢰가 쌓이면 그때 다시 기자 상주 문제를 상정해 보자."

나는 "일단 지부가 생기면 APTN 기자나 간부가 조선을 방문할 경우, 취재 방문이 아니라 지부 방문 목적으로 입국신청서를 낼 수 있어 쉽게 허락을 받을 수 있다. 입국이 자유로우면 상주나 별반 다를 게 없다"고 알려주었다. 라파엘은 '자유로운 방북'이라는 대목에 반색했다. 본사에 문의하고 답변을 주겠다고 했다. 며칠 후 그로부터 모든 사안에 동의한다는 연락이 왔다.

나는 국장, 부상과 구두로 협의한 뒤, 이 협의를 기초로 김정일에게 보고할 문건을 작성했다. 핵심 내용만 간략히 추려본다.

"서방기자 상주 문제는 장군님께서 절대로 안 된다고 결론을 주신 문제여서 불허한다. 대신 APTN 평양지국에 조선중앙방송위원회 기자 2명을 두고 우리 선전에 필요한 자료들만 찍어 보내주면 될 것 같다. 당 선전선동부의 사전 검열을 거치기 때문에 크게 우려할 바는 없다. 무엇보다 영국 언론사의 평양 상주 문제는 외교관계를 설정할 때부터 제기된 현안 사안인데 아직도 진전이 없어 영국의 불만이 크다. APTN의 지부를 개설해 주면 영국의 불만을 누그러뜨릴 수 있다."

김정일에게 보내는 문건은 '누가 어떤 요청을 해왔고 이런저런 장단점이 있는데 장점이 더 크니 허가해 달라'는 식으로 작성하면 안 된다. 그러면 부결되기 쉽다. 북한 체제 유지 관점에서 '어느 것은 불허하고 어느 것은 허용하겠다'는 식으로 면밀히 따져본 흔적이 들어가야 한다. 외무성 간부들은 문건에 대해 별다른 이의를 제기하지 않았고 김정일의 승인도 무난하게 떨어졌다. APTN 평양지국은 이렇게 개설되었다. 북한에서 처음으로 서방 언론의 평양지부 개설을 성사시켰다는 점에 나는 지금도 자부심을 느끼고 있다.

APTN 첫 인터뷰 나서는 사람 없어 내가 '결자해지'

한국 언론에는 APTN 평양지국이 2006년 6월에 개설된 것으로 보도됐지만 이것은 정식 사무실을 개소한 날을 기준으로 삼은 것으로 보인다. APTN 평양지국의 실질적인 활동은 2002년 하반기에 이미 시작되었다. 2002년 10월 2차 북핵 위기가 터지고 세계의 이목이 북한으로 쏠리면서 APTN 평양지국도 바빠졌다. 평양지국은 2차 북핵 위기와 관련해 북한 외무성 대변인과의 인터뷰를 요청해 왔다. 본사에서 지시가 내려온 듯했다.

외무성에서 대변인 역할을 담당하는 부서는 보도국이었다. 하지만 보도국 성원 중에는 외국 기자와 인터뷰를 하겠다고 나서는 사람이 없었다. 인터뷰 요청은 계속 들어왔지만 외무성 전체에서도 응하려는 성원을 찾기 어려웠다.

외국 기자와 인터뷰를 하면 보위부의 도청을 각오해야 한다. 보위부는 사안의 경중을 판단해 때로는 인터뷰 전문을 김정일에게 보고한다. 잘하면 김정일의 칭찬이, 못하면 질책이나 비판을 받을 수 있다. 현재 북한 대외문화연락위원회 부위원장 겸 최고인민회의 부의장 홍선옥은 전자인 경우다. 외무성 국장 시절 러시아 대사에게 한 방을 먹여 김정일의 눈에 들었고 이후 고속승진을 했다.

1990년 한국과 수교한 러시아는 서울에도 자국 대사관이 있음에도 남북관계 상황을 북한 관료에게 묻곤 했다. 한 번은 평양 주재 러시아 대사가 외무성 조국통일국 국장이었던 홍선옥을 만나 "김영삼 정부의 대북정책을 어떻게 평가하느냐"고 물었다. 홍선옥은 "남조선 정부의 대북정책은 서울에 있는 러시아 대사가 잘 알 텐데 왜 나보고 묻느냐"며 핀잔을 주었다. 한국과 외교관계를 맺은 러시아에 대한 북한의 불만을 그런 식으로 내비쳤던 것이다.

러시아 대사는 말문이 막혀 얼굴이 상기된 채 돌아갔다고 한다. 이를 보고받은 김정일은 홍선옥이 똑똑하다고 여러 번 칭찬했다. 외국 기자와 인터뷰를 잘해 김정일의 칭찬을 받고 벼락출세를 한다는 꿈은 누구나 가질 수 있는 것이었지만 나서는 사람은 아무도 없었다. 그러기에는 위험 부담이 너무 컸다.

어쩔 수 없이 결자해지 차원으로 내가 자원했다. APTN 평양지국의 첫 평양 인터뷰, 더구나 북한 외무성 관리와 진행한 첫 인터뷰는 그렇게 전 세계에 전송되었다.

내가 탈북한 직후, 한국 TV는 APTN과 나의 인터뷰 동영상을 여러 번 보여주었다. 당시는 어떻게 한국 언론이 그 파일을 입수했는지 꽤 놀랐다. 이 인터뷰가 계기가 되어 나와 라파엘, 그리고 APTN 간부들과의 인연이 깊어졌다.

김정일, 고이즈미 강공에 일본인 납치 직접 사과

2002년 9월 17일은 김정일과 일본 총리 고이즈미 준이치로가 「북일 평양선언」을 발표한 날이다. 〈노동신문〉에 보도된 「평양선언」의 주요 내용은 "쌍방은 국교정상화를 위해 모든 노력을 기울이고, 일본은 조선 인민에게 끼친 손해와 고통에 대해 반성과 사죄의 뜻을 표명하며, 쌍방은 핵문제의 해결을 위하여 노력한다"는 것이었다.

그런데 외교관으로서 내가 가장 주목한 부분은 "조선은 일본 국민의 생명 및 안전과 관련된 현안 문제에 대하여 비정상적인 관계 속에서 유감스러운 문제가 발생하지 않도록 적절한 조치를 취할 것임을 확인한다"는 대목이었다. 북한의 일본인 납치 문제를 김정일이 공식적으로 인정한다는 의미였다. 일본의 사죄와 보상 없이는 절대 일본과 상대하지 않는다며 한국을 비난해 왔던 김정일이 그런 성명을 발표했다는 것은 나에게도 충격적인 일로 다가왔다.

세계 언론은 김정일이 일본인 납치 문제에 대해 사죄하고 재발 방지를 약속했다고 보도했다. 북한 외무성 내에서도 이 선언에 대한 해석 문제와 향후 대처 방안에 대해 의견이 분분했다. 이런 분위기 속에서 강석주 1부상이 직접 외무성 강당에서 전체 성원을 대상으로 강연을 실시했다. 그의 해설은 이러했다.

"고이즈미의 평양 방문을 앞두고 회담 내용의 선후 문제를 놓고 여러 번 협상이 있었으나 이견을 좁힐 수 없었다. 우리는 일본과의 관계 개선을 통해 일본으로부터 경제적 지원을 얻어내는 것이 목적이다. 이를 통해 경제적 난관을 해결하고 미국의 대조선 압박공세를 완화시키려고 했다. 하지만 일본은 납치 문제의 해결 없이는 한 걸음도 더 나아갈 수 없다는 입장을 고집했다. 이번 회담에서도 고이즈미의 고집은 예상보다 강했다. 그러면서도 납치 문제와 관련한 일본의 요구가 받아들여지면 일본도 다른 문제를 양보할 수 있다는 뜻을 명백히 했다."

강석주의 설명으로는 김정일도 고이즈미가 그렇게 나올 줄은 알고 있었지만 자신이 직접 납치 문제를 언급하는 것은 피하겠다는 생각으로 회담에 나왔다고 한다. 대신 납치 문제를 공동성명에 한 문장 정도 삽입하는 수준의 타협안을 가지고 있었다는 것이다. 하지만 고이즈미는 강경한 입장을 고수했다. 김정일은 다른 대목에서 양보를 받고 경제적 지원을 얻기 위해 차마 입에서 떨어지지 않는 말을 할 수밖에 없었다.

"나도 최근에야 알았다. 앞으로는 그런 일이 없을 것이다."

사실상의 사죄였고 재발 방지를 약속하는 말과 다름없었다. 북한의 최고 영도자가 '일본 쪽발이' 앞에서 사과한다는 것은 북한 주민에게는 있을 수도 없고, 상상할 수도 없는 일이었다. 고이즈미와의 오전 회담이 끝난 뒤, 강석주는 김정일에게 다가가 두 손을 모으고 머리를 조아리며 사죄했다.

"장군님, 외교전사로서 정말 죄송합니다. 장군님에게까지 납치문제가 거론되지 않게 저희가 처리했어야 했는데 그렇게 하지 못했습니다. 저의 죄가 큽니다."

메구미 가짜유골로 100억 달러 사라지자 "쪽발이는 못 믿어"

뜻밖에도 김정일은 강석주를 격려했다.

"혁명열사릉에는 일본 제국주의에 맞서 싸우다 전사한 항일투사들이 일제로부터 사죄도 받아내지 못하고 묻혀 있다. 수령님께서도 생전에 일본으로부터 사죄를 받아내지 못하셨다. 오늘 내가 일본 총리에게 공식 사죄를 받아내어 항일투사 동지들의 원한을 풀어줄 수 있다면 나도 일본 총리에게 그만한 사과쯤은 할 수 있다. 괜찮다."

그 순간 강석주은 "장군님!"하고 눈물을 흘렸다고 했다. 강석주는 이어 평양선언의 의의에 대해 강변했다.

"일본 정부의 수반인 총리로부터 반성과 사죄를 받아냈다는 것은 장군님의 크나큰 업적이다. 박정희도 일본 총리로부터 사죄를 받아내지 못했다. 일본으로부터 피해를 입은 아시아 국가 지도자 가운데 장군님만이 유일하게 일본 총리로부터 사죄와 반성을 서면으로 받아냈다. 일본은 식민지 통치의 피해에 대해 경제협력 방식으로 보상하겠다고 약속했다. 최소 100억 달러는 들어올 것이다.

100억 달러면 조선의 도로와 철도 등 기본 하부구조는 다 현대화할 수 있다."

'100억 달러'라는 대목에는 나조차도 가슴이 뛰었다. 외무성 동료들도 대단히 흥분한 기색이었다. 그 정도로 소중하고 막대한 금액이었다. 하지만 그 후 상황은 완전히 다른 방향으로 흐르기 시작했다.

세계 여론은 북한이 납치 문제를 공식 인정했다고 반북 공세를 더욱 강화했다. 일본은 북한이 보내준 납치 생존자 5명을 북한으로 돌려보내지 않았다. 북한이 일본에 넘겨준 요코다 메구미의 유골이 가짜라는 판정이 나오면서 세계 여론은 다시 한 번 요동쳤다. 북한은 일본이 '메구미 유골 가짜설'을 조작, 유포했다고 비난했지만 외무성 내에서는 "어떻게 진짜인지, 가짜인지도 구분하지 못하고 유골을 송환해 망신을 당하는가. 진위에 대한 확신이 없으면 차라리 보내주지 말았어야 했다"는 비판이 쏟아졌다. 그러자 외무성 일본담당과 성원들은 이렇게 설명했다.

"요코다 메구미는 정신질환으로 49호병원에서 사망했다. 납치 문제가 조일 회담의 이슈로 제기되자 당은 메구미의 유골을 찾으라는 지시를 내려 보냈다. 하지만 49호병원에는 메구미와 관련된 정확한 기록이 없었다. 사망자가 발생하면 병원 뒷산에 장례도 없이 매장해 버리던 시절이었다. 병원 측으로서도 난처한 상황이었다. 관계자의 기억에만 의지해 메구미의 사체를 매장한 것으로 추정되는 장소를 뒤져 유골 한 구를 발굴했다. 메구미의 유골이라고 확신하고 일본에 보냈지만 DNA 검사 결과 가짜라는 판정이 나왔다."

일본을 속이기 위해 가짜라는 것을 알면서도 보낸 것은 아니었다는 설명이었다. 그 후 일본으로부터 온다던 100억 달러는 온데간데없이 사라지고 납치 문제만이 부각되었다. 김정일은 "쪽발이들은 역시 믿을 수 없어. 그래도 미국 놈이 낫지"하며 일본과의 관계정상화를 포기했다.

영국 비행사 유족에게는 짐승 뼈 보내 망신

영국과도 '유골'과 관련된 잘 알려지지 않은 이야기가 있다. 2011년 5월 4일 북한은 6·25전쟁 때 사망한 영국군 비행사 데스몬트 프레드릭 윌리엄 힌톤의 유해를 판문점을 통해 영국 측에 송환했다. 이날 북한 언론은 관련 내용을 크게 보도했다. 북한과 영국은 외교관계를 설정할 때 영국군 유해 송환문제도 적절하게 해결하자고 합의한 바 있지만 눈에 띄는 진전은 없었다.

영국은 그 후 영국군 비행사가 평양 교외에서 격추되었다는 자료를 북한 외무성에 보내왔다. 외무성은 관련 업무를 담당하고 있는 인민무력부 판문점대표부에 상기 자료를 통보했다. 그러던 어느 날 판문점대표부가 마치 큰 공이라도 세운 것처럼 외무성에 문건을 보냈다. 평양시 룡성구역에서 영국군 비행사의 유해를 발견했다는 것이었다. 해당 사실은 외무성을 통해 평양 주재 영국대사관에 즉시 알려졌다.

2004년 초 비행사의 동생인 데이비드 힌톤이 북한을 방문해

형의 유해가 매장된 장소를 찾았다. 그 후 동생은 영국 정부에 형의 유해를 고국으로 가져가 안장하고 싶다고 요청했고, 인민군 판문점 대표부는 평양 주재 영국대사관과 협의를 거쳐 비행사의 유해와 유품을 유족에게 넘겨주었다.

그런데 8월 북한 주재 영국대사가 갑자기 외무성에 면담을 요청했다. DNA 검사 결과, 비행사의 유해가 아닌 짐승 뼈였다는 것이었다. '메구미 가짜 유골' 때문에 이미 망신을 톡톡히 당했던 터라 나는 어이가 없었다. 영국에까지 사기를 친 것 같지는 않았지만 나도 속으론 화를 품은 채 영국 측의 항의를 판문점대표부에 전달했다. 반응은 어처구니가 없을 정도로 차분하고 당당했다.

"DNA 검사 장비가 없는데 어쩌란 말이냐. 비행기가 격추된 장소 주변을 파서 유골을 넘겨주었으니 우리는 최선을 다한 것이다. 본인이 아니면 어쩔 수 없다. 유골 발굴을 하다 보면 짐승 뼈도 더러 나온다."

이 사실이 알려지면 북한은 다시 한 번 망신살이 뻗칠 것이 분명했다. 외무성 간부들은 영국이 사실을 공개하지 않게 모든 조치를 취하라고 안절부절못했다. 나는 영국대사를 다시 만나 "해당 기관에 DNA 검사 장비가 없어 생긴 일 같은데 이번 사건으로 양국 관계가 훼손되지 않기를 바란다"고 했다. 영국대사는 의외로 담담하게 "북한이 고의적으로 짐승 뼈를 보낸 것이라고는 보지 않는다. 영국은 이번 사건을 크게 떠들 생각이 없으니 너무 걱정하지 말라"고 했다. '짐승 뼈 사건'은 이렇게 무마됐지만 속으로 한숨이 나오는 것은 어쩔 수 없었다.

유럽에 내다판 북한 돈의 역류, 재정상 처형

2003년 말 박봉주가 내각총리가 된 후, 내각을 중심으로 대대적인 경제개혁이 시작되었다. 내각이 제시한 개혁 방안 중의 하나는 북한의 공채와 화폐를 해외 금융시장에 판매해 외화를 벌자는 것이었다. 재정상 문일봉이 적극적으로 나섰다. 그는 북한 화폐를 대량 발행해 자신이 직접 체코와 오스트리아에 들고 나가 달러와 유로로 환전해 오겠다는 계획을 추진하고 있었다.

문일봉은 그 계획을 실현하기 위해 '장군님께 올리는 문건 초안'을 외무상 백남순에게 보냈다. 재정상이 김정일에게 보고하기 전에 외무상에게 문건을 보낸 이유는 상(장관)이 해외에 나가려면 외무성과 사전 협의를 거쳐야 하는 규정 때문이다. 2003년 말 유럽국 김춘국 국장이 협의회를 소집해 문일봉이 보낸 문건을 검토했다.

당시 장마당 암시장의 환율은 1달러당 1,500~1,700원 정도였다. 굳이 유럽에 나가지 않아도 달러를 살 수 있을 때였다. 문건의 주요 내용은 암시장 환율보다 더 불리한 조건으로 달러와 유로를 대량 매입해 북한의 외환 사정을 해결하겠다는 것이었다. 그런 조건을 제시해야 유럽의 금융시장이 솔깃해 하겠지만 설령 그렇게 외화를 들여온다고 하면 북한의 화폐 가치가 더욱 떨어지리라는 것은 뻔히 알 수 있었다. 안 그래도 북한 화폐는 휴지가 되어가는 중이었다. 재정상이 할 일은 아니었다. 스스로 인플레이션을 악화시키겠다는 것이나 다름없었다.

문일봉은 원래 재정 일꾼이 아니었다. 모스크바 주재 북한대사관 무역참사를 지낸 무역 일꾼으로 외화벌이를 잘해 재정상까지 벼락출세했다. 문일봉은 2003년부터 공채를 발행하고 당 조직을 통해 주민들에게 강매했다. 당은 회의 때마다 공채 구입은 '애국주의, 충성심의 표현'이라고 선전했고, 구입한 공채를 당에 바치면 충성심이 높은 사람으로 평가해 주었다. 이때는 문일봉이 북한 화폐 가치를 상승시켰다는 평가를 받았다.

하지만 문일봉은 김정일에 대한 충성심을 드러내기 위해 무리수를 두었다. 김정일이 군부대를 현지지도하고 나면 해당 부대에 내려가 현안 문제를 해결해 주곤 했다. 그리고는 김정일에게 "장군님께서 걱정하시던 문제를 해결했다"는 보고를 잊지 않았다. 여기까지는 그럴 수도 있다고 볼 수 있는데 문제는 그 해결 방식이었다. 문일봉이 이끄는 재정성은 화폐를 찍어내 장마당에 팔아 외화를 거둬들였다. 그 외화로 중국에서 식량이나 옷감을 사서 군대에 주면서 문제를 해결했다고 하는 식이었다.

전당적으로 '재정성 따라 배우기 운동'까지 벌어지던 때였다. 문일봉이 황당한 계획을 들고 나왔지만 외무성으로서는 대놓고 반대할 수는 없었다. 어쨌거나 문일봉의 주장은 외화를 벌어 당에 바치겠다는 것이었고, 그에 대한 김정일의 신임도 두터웠다. 백남순 외무상이나 강석주 1부상 등은 노련한 외교관이어서 이런 상황이 벌어지면 정면에 나서 반대 의사를 드러내지 않는다. 내부 회의를 열어본 결과, 반대 의견이 많아 어쩔 수 없다는 식으로 처리한다. 결국 김춘국 국장이 총대를 메고 문일봉의 문건에 동의할 수 없다는 의견을 재정성에 보냈다.

문일봉은 백남순과 강석주에게 "외무성이 어려운 나라 사정은 감안하지 않고 교과서대로만 사업하려는 경직된 태도를 가지고 있다"고 한 뒤, 독자적으로 김정일의 승인을 받았다. 정확한 액수는 알 수 없으나 그는 북한 화폐를 몇 자루에 담아 체코와 오스트리아로 나가 일정량을 팔고 돌아왔다. 결과는 불문가지였다. 북한 화폐의 가치가 폭락했다. 유럽 금융시장에서 북한 화폐를 사겠다는 사람이 사라졌다. 거래는 2007년을 끝으로 중단되었다.

나라꼴은 더 우스워졌다. 유럽에 내다판 북한 화폐는 북중 국경 지역으로 넘어와 재판매되었고 북한 내부에까지 유입되었다. 인플레이션은 더욱 악화되었다. 문일봉 일행이 팔다 남은 북한 화폐를 두고서도 웃지 못할 일이 벌어졌다. 오스트리아 주재 북한대사관이 그 돈을 보관하고 있었는데 눈독을 들이는 사람이 많았다. 액수는 극비에 붙여졌지만 엄청난 금액임은 분명했다. 일부 외교관은 월급으로 받은 외화를 대사관이 보관 중인 북한 화폐와 바꿔 달라고 했다. 물론 북한 장마당보다 좋은 조건으로 환전해 달라는 얘기였다.

유럽의 재보험회사로부터 모욕을 당한 일도 있다. 이 무렵 런던에서는 북한 국영보험회사가 제기한 소송이 진행되고 있었다. 2005년 7월 북한 고려항공 헬기가 추락하는 사고가 발생했다. 북한 국영보험회사는 보험금으로 소정의 유로를 지불해 달라고 유럽 재보험회사에 요구했다. 내 기억으로는 4,000만 유로였다. 헬기가 인도주의 지원물자가 보관된 창고 위로 추락했다고 속이고 지원물자에 대한 보상까지 받아내려고 했던 것이다. 이를 위해 북한은 창고의 물자명세표까지 조작했다. 재보험회사들은 사고를 믿을 수 없다고 지급을 거부했고 사건은 법정 다툼으로 이어졌다.

재판이 북한 쪽에 유리해지자 재보험회사들은 보험금을 유로가 아니라 북한 화폐로 지급하겠다고 나왔다. 시장에서 헐값으로 북한 화폐를 구입하겠다는 뜻이었으니 이만저만한 모욕이 아닐 수 없었다. 더욱 뼈아픈 것은 북한 국영보험회사가 그 제안을 결코 받아들일 수 없었다는 점이다. 휴지 같은 돈을 받아봐야 무엇에 쓰겠는가. 장기화된 재판은 북한의 승소로 귀결되어 보험금을 받아낼 수는 있었지만 북한 외교관들은 물론 보험총국 일꾼들도 '이게 나라냐'는 한탄을 쏟아낼 수밖에 없었다.

이때는 내가 런던 주재 북한대사관 참사로 있을 때였는데 여러 명의 영국인으로부터 황당한 제안을 받기도 했다. 이들은 "북한 화폐를 많이 가지고 있다. 북한 장마당에서 달러나 유로로 바꾸고 싶으니 도와달라. 같이 비즈니스를 해보자"고 했다. 어떻게 대응해야 할지 매우 곤혹스러워했던 기억이 남아 있다.

2007년경 북한 암시장의 환율은 1달러당 3,000원까지 치솟았다. 인플레이션에 대한 북한 주민의 불만은 하늘을 찔렀다. 2007년 박봉주는 내각총리에서 해임되었고 문일봉이 모든 책임을 지고 처형되었다. 김정일의 외화금고만 채워주다가 하루아침에 목이 날아간 것이다.

오스트리아 북한대사관 금고에 보관돼 있던 북한 화폐는 2009년 11월 진짜 휴지조각이 되었다. 그 달 북한에서 화폐개혁이 있었다. 금고에서 얼마를 꺼내가도 누가 알겠느냐는 생각에, 한때 이 대사관에서 근무했던 모든 성원들의 관심이 쏠려 있던 돈이었다. 아마 그 돈을 파쇄하는 작업만 해도 며칠은 걸렸을 것이다.

룡천역 폭발사건 후 금지된 휴대폰, 리수용 건의로 재개

참사 직책으로 영국 주재 북한대사관에 파견되기 두 달 전인 2004년 4월 22일 오후 1시경, 평안북도 룡천군역 화차 대피선에서 거대한 폭발이 일어났다. 이른바 '룡천역 폭발사건'이다. 전기 작업 부주의로 불꽃이 튀어 중국에서 수입한 질안비료 한 방통(100톤)이 폭발했고, 룡천군 읍소재지의 거의 모든 공공건물과 사택이 폭풍으로 무너지거나 벽에 금이 갔다. 수십 명이 즉사했고 사상자도 수천 명에 이르렀다.

북한은 평소 자연재해나 비상상황이 발생해도 해외에 구호를 요청하지 않았다. 그러나 이때는 이례적으로 사고 발생 현황을 신속히 발표했다. 북한 혼자만의 능력으로는 사고 수습과 복구가 어렵다는 점도 인정했다. 중국은 물론 한국 등 국제사회에 구호를 요청하며 평양 주재 외국 인도주의원조단체 성원들의 현장 참관을 유도했다. 전국적으로 돌격대가 꾸려졌다. 세계 각국이 지원해 준 자재가 룡천에 모였다. 돌격대는 기존 건물을 모두 허물고 새로운 마을을 건설하기 시작했다.

당시 세계 언론은 중국을 방문하고 돌아오던 김정일을 태운 열차가 폭발 몇 시간 전에 통과한 사실을 보도하면서 '김정일 암살 음모설'을 제기했다. 북한이 외국인에게까지 현장을 공개한 것은 이런 음모설을 차단하기 위한 목적도 있었다. 하지만 세계 언론은 연이어 후속 보도를 터뜨렸다. 폭발이 일어난 오후 1시경에 김정일을 실은 열차가 룡천역을 통과할 예정이었다는 보도도 있었다. 영국 언론은 사건 현장에 접착테이프가 붙어 있는 휴대폰이 발견되었다고 보도하면서 휴대폰을 이용한 폭발설을 제기했다.

수년 후 영국의 작가 겸 PD 고든 토마스는 이스라엘 정보기관 '모사드'를 다룬 《기드온의 스파이》라는 저서를 통해 색다른 설을 제기했다. 그에 따르면 당시 룡천역에는 시리아 과학자들을 실은 열차가 통과하고 있었고, 이 사실을 파악한 모사드가 폭발사건을 일으켰다는 추정이었다.

그러나 나는 당시 이러한 음모론을 믿지 않았다. 북한 사회 내부 분위기도 그랬다. 다만 룡천역 사건이 있은 후 갑자기 휴대폰 사용을 중지시키는 조치가 취해진 것은 의아한 대목이었다. 주민들 사이에 폭발사건과 관련이 있다는 소문이 돌았다.

룡천역 암살 시도의 진위에 관계없이 김정일이 향후 테러 방지를 위해 휴대폰 사용 중지 조치를 내린 것은 사실이다. 이 조치로 주민들이 불편을 겪은 것은 당연했고 그 경제적 피해도 상당했다. 북한에서 휴대폰 보급이 허락된 것은 룡천역 폭발사건 한 해 전인 2003년이다. 이때는 태국 록슬리 회사를 통해 휴대폰이 보급됐다. 가격이 1,270달러였으니 북한에서는 어마어마한 돈이었다. 현재 한국의 환율로는 140여만 원에 달하는 수준이다. 큰마음을 먹고 휴대폰을 구입한 주민들은 돈만 떼였다고 불만이 많았다.

휴대폰 사용은 몇 년 뒤, 리수용의 건의로 재개된다. 그는 제네바 국제전기통신연맹 사무총장으로부터 이동통신망을 잘 구축하면 테러를 사전에 방지할 수 있을 뿐만 아니라 사회 통제에 오히려 효과적일 수 있다는 조언을 들었다. 리수용은 이와 함께 다른 활용 방안에도 주목했다. 활력을 잃고 경직돼 가는 북한 사회에 이동통신사업이 새로운 희망을 줄 수 있다고 본 것이다. 국제전기통신연맹 사무총장의 주선으로 이집트 오라스콤 나기브 회장을 소개받은 뒤, 그런 확신은 더욱 굳어졌다.

리수용은 김정일에게 이동통신사업을 제안해 승인을 이끌어 냈다. 말 한 번 잘못했다가 목이 날아가는 북한 사회에서 이동통신사업 같은 민감한 문제를 김정일에게 제기할 수 있는 사람은 리수용밖에 없을 것이다. 북한에서 이동전화 사용이 재개된 것은 2008년 말경이었다고 기억한다. 이때는 이집트 오라스콤 회사에 의해 휴대폰이 보급되었다. 북한의 휴대폰 보급은 전적으로 리수용의 공이라고 생각한다.

4장

영국 통해 미국 견제

해외 발령 때마다 아이 데려가기 전쟁

2004년 6월 나는 참사 직책으로 영국 주재 북한대사관에 파견됐다. 대사관 개설 문제로 런던 출장을 다녀온 지 1년 2개월 만이었다. 이때는 맏이가 만14세, 둘째가 만7세였다. 맏이는 괜찮았지만 둘째는 소학교 재학 연령에 해당되어 원칙적으로는 동반 출국이 불가능했다.

외교관이 자녀와 함께 해외로 나가려면 복잡하고 치밀한 간부사업(인사검증)을 거쳐야 한다. 우선 자녀를 데리고 나가야 할 이유서를 작성해 외무성 1국 재외대표부 지도과에 제출한다. 함께 제출해야 하는 문건도 있다. 자녀의 학업성적을 보증하는 문건, 소년단 혹은 청년동맹과 같은 정치조직에서 그의 사상 상태를 보증하는 추천서, 신체검사표 등이다. 원칙적으로 동반 출국이 안 되는 자녀를 데리고 나가기 위해 멀쩡한 아이를 환자로 만들기도 한다. 의학대학

병원처럼 권위 있는 병원에서 허위병력서를 만들면 된다.

재외대표부 지도과에서 검토가 끝난 문건은 노동당 중앙위원회 간부부로 보내진다. 여기서도 통과하면 '여권발급통지서'가 외무성에 내려온다. 이렇게 자녀의 여권을 만들면 동반 출국이 가능하다. 어렵게 자녀와 함께 나갔다고 해도 문제가 끝난 것은 아니다. 해외에서 자녀가 소학교나 고등중학교 취학 연령을 맞을 경우 부모의 근무 기한이 남아 있어도 아이는 무조건 귀국해야 한다.

매년 12월 초가 되면 모든 공관의 대사와 당 비서에게 전보지시가 내려온다. 관할 구역의 소학교·고등중학교 취학 대상을 명단으로 작성해 보고하고 언제까지 들여보내라는 내용이다. 외무성과 중앙당이 자체적으로 갖고 있는 명단이 있으므로 허위보고를 할 수는 없다. 취학 대상 자녀를 가진 부모들은 아이를 보내지 않기 위해 각종 '운동'을 벌인다. 가장 흔한 방법이 정상적인 아이를 환자로 만드는 것이다. 아이가 치료 중이어서 들여보낼 수 없다고 사정사정하면 통할 때도 있고 통하지 않을 때도 있다.

외교관 자녀의 동반 출국 문제가 불만 요소로 제기되기 시작한 것은 1990년대 초였다. 김일성 시대인 1980년대에도 자녀를 한 명만 동반할 수 있었지만 그리 큰 불평은 없었다. 해외 근무 중인 외교관 자녀를 돌보고 교육하는 남포혁명학원이 건재했기 때문이다. 이때는 자녀를 기꺼이 북한에 남기고 외국으로 떠나는 외교관이 많았다.

하지만 남포혁명학원의 사정이 어려워지면서 자녀를 맡기는 외교관은 점차 사라졌다. 반면 외교관으로 나간 자식을 대신해 조부모나 외조부모가 손자, 손녀를 돌보는 경우는 크게 증가했다. 이렇다 보니 자녀와 같이 외국에 나가려는 외교관이 늘어났다. 해외에서 외국어를 배운 학생이 평양외국어학원에 쉽게 편입할 수 있는 체계가 수립되면서 자녀를 데리고 가려는 열의는 더욱 높아졌다.

북한에서 외국어 전문교육은 중학교 과정인 외국어학원에서부터 시작된다. 평양외국어학원의 경우 소학교 때 아무리 공부를 잘해도 시험을 통해 입학이나 편입하는 것은 하늘의 별 따기처럼 힘들다. 하지만 외국에서 공부하고 돌아와 편입하는 것은 상대적으로 쉬웠다. 돈만 좀 쓰면 가능하다는 뜻이다. 그러니 다들 죽기내기(죽기살기)로 아이를 한 명이라도 더 데리고 나가려고 했다.

나 또한 둘째만 평양에 남겨 두고 갈 수는 없었다. 자세히 밝힐 수는 없지만 어쨌든 나는 매우 운 좋게도 두 아들과 함께 영국에 올 수 있었다.

평양서 런던까지 아이들과 한 달간 기차여행

아이 둘을 데리고 영국으로 갈 수 있게 되자 나는 욕심이 났다. 외교관 자녀의 동반 기준이 계속 달라지고 있는 북한 실정에서 아이들과 함께 여행을 할 수 있는 마지막 기회라 여겼다. 아내도 아이들에게 세계의 실상을 보여주자고 했다. 나는 평양에서 런던까지 열차로 가기로 결정했다.

외무성 규정에 따르자면 평양에서 베이징까지는 열차를, 베이징에서 런던까지는 비행기를 이용해야 한다. 여비도 딱 그만큼만 할당된다. 또 다른 규정도 있다. 외교관이 해외에 파견될 때는 일주일 내에 파견지에 도착해야 한다. 상주국에서 본국으로 소환될 때에는 2주일을 준다. 본국에 가져올 물품을 구입할 시간을 더 주는 것이다. 경유국을 거쳐야 할 상황이 생기면 해당국 북한대사관에 도착하자마자 그 사실을 평양에 보고해야 한다. 이 모든 것이 탈북을 억제하기 위해서다.

나는 열차여행 계획을 외무성 간부들에게 보고하면서 "경유국에 도착할 때마다 보고할 테니 우리 가족이 일주일이 지나 런던에 도착해도 걱정하지 말아 달라"고 부탁했다. 나에 대한 외무성 간부들의 신임이 컸던지라 다들 알았다고 하면서 묵인해 주었다.

북한대사관이 있는 국가만 경유지로 선택하고 열차여행을 계획했다. 평양, 베이징, 모스크바, 바르샤바, 베를린, 파리를 거쳐 런던까지 약 한 달이 걸렸다. 베이징에서 모스크바까지는 닷새 가까이 열차 안에만 있어야 했다. 우리 가족은 유라시아 대륙횡단 열차를 타고 유럽의 주요 도시에서 2박 3일씩 체류하면서 한 달 만에 런던에 도착했다. 리용호 대사에게 너무 오래 걸려 미안하다고 했더니 "자식 사랑이 너무 크다"고 웃어넘겼다.

아이들은 지금도 그 여행을 그리워한다. 나는 한국에 와서 이 이야기를 주변에 하곤 했는데 사람들의 반응은 거의 비슷하다.

"빨리 통일이 되어 서울부터 런던까지 기차로 여행했으면 좋겠다."

이후 북한은 외교관 가족의 여행 경로에 대한 통제와 감시를 강화했다. 나의 사례를 접한 다른 동료들은 아예 엄두를 내지 못했다. 평양에서 런던까지 기차로 여행한 경우는 우리 가족이 처음이자 마지막이 아닐까 한다.

런던에 도착한 후 나는 맏이와 둘째를 런던 북한대사관 주변의 중학교과 초등학교에 보냈다. 내심 두 아이가 영어는 물론 영국의 정치, 경제, 문화 등을 파악했으면 하는 바람도 있었지만 그러기에는 아직 어린 나이였다.

실세 리용호가 영국대사로 간 까닭은

런던으로 나온 그해 12월 1일(한국 시간) 노무현 대통령이 영국을 국빈 방문했다. 방문을 보름 앞둔 11월 중순 영국 외무성은 리용호 북한대사에게 극적인 제안을 한다.

"노무현 대통령의 국빈 방문 환영 연회 때 리용호 대사가 참석해 줬으면 한다. 한국대사와 연회장으로 같이 입장해 노 대통령의 영국 방문을 환영하며 박수를 치는 모습을 세계에 보여주면 어떻겠는가. 리용호 대사가 한국대사 옆에 나란히 앉아 있는 모습만으로도 한반도 정세를 안정시키고 남북한이 남북관계의 주인이라는 이미지를 주는 데도 좋을 것이다."

그 무렵 미국은 북한에 '선핵폐기 후상응조치'라는 리비아식 핵 해결 방식을 밀어붙이면서 북한인권법 상정, 대량살상무기 확산방지구상(PSI·Proliferation Security Initiative) 등 군사적인 압박 수위를 높이고 있었다. 북한은 핵동결, 불가침조약, 경제지원의 '동시행동'을 주장하며 맞대응할 때였다. 리용호 대사는 평양에 이렇게 보고했다.

“남조선 대통령을 환영하는 행사에 우리가 참가하면 한반도의 중심이 남조선인 것 같은 인상을 줄 수는 있다. 그러나 북과 남이 6·15선언의 ‘우리 민족끼리 정신’에 입각해 같이 손잡고 나가는 모습을 세계에 보여준다면 미국 네오콘에게 타격이 될 것 같다. 영국의 제안을 받아들이면 어떻겠는가.”

일주일이 지나 답변이 왔다. 평양에서도 고민이 많았던 것 같다.

“아무리 ‘우리 민족끼리’ 정신을 보여줄 수 있는 자리라고 해도 남조선 대통령 환영행사에 북한대사가 참가하는 것은 결국 세계에 남조선 괴뢰들에게 이끌려 다닌다는 인상을 줄 수 있다. 영국 측의 제안을 완곡하게 거절하라.”

영국 측에 북한의 입장을 전달했다. 매우 실망하며 아쉬워했다. 북한이 아직 미국의 강경입장을 이해하지 못하는 것 아니냐는 반응도 보였다.

이런 사례를 통해 짐작할 수 있듯이 리용호 대사는 합리적인 외교관이다. 그는 2017년 9월 북한 외무상 자격으로 유엔총회 참석을 위해 뉴욕에 체류하면서 세계 언론의 주목을 받았다. 북한이 주장하는 초강경 조치에 대한 질문을 받고 “태평양에서 수소폭탄 실험을 할 수도 있다”고 발언해 파문을 일으켰다. 한국 언론은 물론 로이터 등 세계 주요 언론사들이 리용호에 대해 대서특필했다.

리용호는 실제로 그렇게 호전적인 사람이 아니다. 사무실에서 하루 종일 책만 읽었다. 실력과 인품을 겸비해 모든 외교관들의 선망의 대상이었다. 나는 그와 함께 근무하면서 한 번도 그가 부하들에게 성내는 것을 보지 못했다. 간혹 부하들을 추궁할 일이 생겨도 직선적으로 말하지 않고 빙빙 둘러서 스스로 알아듣게 이야기 하는 스타일이다.

사실 그를 영국대사로 파견한 것부터가 시사하는 바가 크다. 그가 부임한 2003년 8월은 북한이 1차 6자회담을 눈앞에 두고 있는 상황이었다. 북한의 6자회담 수석대표로는 핵문제 전문가인 리용호만 한 인물이 없었다. 그럼에도 강석주는 리용호를 영국대사로 보내고 프랑스어 전문가인 김영일 부상을 6자회담 수석대표로 앉혔다. 외무성 성원에게도 갑작스럽고 놀랄 만한 조치였다.

이것은 북한이 정세 파악을 끝냈다는 것을 의미한다. 영국에서는 이라크전쟁에 대한 회의론과, 미국을 지지한 토니 블레어 총리에 대한 비난 여론이 제기되고 있었다. 영국의 지원 없이는 미국이 북한에 물리적인 힘을 사용하지 않을 것이라고 북한은 확신했다. 북한이 리용호를 영국대사로 보낸 이유는 명확했다. 영국을 통해 미국의 속셈을 읽는 것과, 영국을 이용해 미국의 전쟁 도발을 막는 것이었다. 이것은 리용호뿐만 아니라 영국 주재 북한대사관의 가장 큰 사명이기도 했다.

강석주는 영국으로 떠나는 리용호에게 이렇게 말했다고 한다.

"영국을 잘 이용해 몇 년만 시간을 벌어주게. 2~3년이면 충분하네. 그렇게 해주면 큰일이 또 있을 것이고 그때 다시 불러들이겠네."

강석주가 말하는 '큰일'은 북한의 1차 핵실험이었다. 또한 그의 말대로 리용호는 핵실험 이후 북한으로 돌아가게 된다.

"남조선 괴뢰에게 골프를 배운다고?" 김정일의 격노

런던에 부임해 오니 APTN 본사에서 도와줄 것이 없느냐는 연락이 왔다. 대사관 운영비가 넉넉지 않은 북한 외교관으로서 그런 호의를 마다할 수는 없었다. 대사관에서 쓸 노트북이 몇 대 필요하다고 했더니 흔쾌히 지원해 주었다. APTN 측과의 인연은 내가 탈북하기 전까지 이어졌다.

런던의 라파엘 집에도 자주 놀러갔다. 라파엘은 홍콩과 평양에서 주로 활동하며 런던에 없을 때가 많았지만 그의 부친이 나를 반겨주었다. 여기에도 사연이 있다. 2003년 3월 런던에서 북한대사관 개설 작업을 하고 있을 때였다. 한창 대사관 내부 작업을 하고 있는데 하루는 웬 나이든 분이 영국산 고급 위스키를 들고 대사관에 찾아왔다.

내부 공사 중이라 온통 먼지투성이여서 어디 앉을 데도 없었다. 누구냐고 물어보니 라파엘의 부친이었다. 평양에 있던 라파엘이 런던의 부친에게 소식을 전하며 위스키 한 병을 들고 가라고 조언했던 모양이다. 몹시 반가웠다. 나는 영국인 부자에게 각각 위스키 한 병씩을 선물 받은 최초의 북한 사람일지도 모른다.

나는 참사 부임 1년 후인 2005년 여름부터 이듬해 10월까지 영국에서 골프를 쳤다. 이렇게 1년 조금 넘게 친 것이 전부다. 내가 망명한 뒤 일부 한국 언론은 '태영호 공사가 한국에 올 때 골프채를 가지고 왔다'며 '영국에서 근무하면서 늘 골프장에 다녔던 골프 마니아'라고 보도했다. 사실에 어긋난다. 골프채는 가져오지 않았고 늘 골프장에 다녔던 것도 아니다. 골프 마니아라고 하기에도 민망하다.

아마 2005년 7월 21일자 연합뉴스를 보고 그런 기사를 썼던 것 같다. 연합뉴스 기사를 발췌해 옮겨본다. 제목은 '리용호 대사 일행 단체로 골프 입문, 전원 왕초보로 기초 레슨에 구슬땀'이다.

"리용호 대사를 비롯한 주영 북한대사관 관계자들이 단체로 골프에 입문해 눈길을 끌고 있다. (7월) 21일 런던 교민들에 따르면 리 대사는 2개월 전부터 동료 외교관 4명과 함께 한국 교민이 운영하는 골프 학교에 입학해 구슬땀을 흘리며 골프를 배우고 있다. 런던 외곽 주택가인 일링에 있는 북한대사관저 및 대사관 청사에 근무하는 북한 외교관은 모두 7명에 불과해 사실상 대사관 전체가 골프에 뛰어든 셈이다.

리 대사 일행이 골프에 입문한 것은 골프 종주국인 영국에서 골프를 모르면 외교활동에 제약이 따른다는 현지 사정을 감안했기 때문인 것으로 전해졌다. 리 대사 일행은 모두 골프가 처음이며 현지 교민 프로골퍼의 지도로 기초 교육 및 필드 레슨을 받고 있다."

연합뉴스 보도대로 나는 이때 처음 골프를 배웠다. 같이 배우자고 제안한 사람이 리용호 대사다. 하루는 그가 "골프가 재미도 있고 외교관이라면 꼭 해야 할 운동 같은데 골프를 배울 방도를 찾아보라"고 했다. 우선 돈이 문제였다. 골프채만 2,000달러 정도가 필요했고 레슨비와 골프 회원권 구입비를 더하면 제일 눅은(싼) 가격으로도 총 5,000달러 이상은 있어야 골프를 시작할 수 있었다. 북한 외교관의 재력으로는 어림도 없는 액수였다.

한참 고민하다가 아미넥스(Aminex)라는 영국 석유개발 회사를 찾아갔다. 당시 이 회사는 북한과 원유시추협상을 하고 있었다. 사장인 홀에게 대사를 팔았다.

"우리 대사가 골프를 배우려고 한다. 일단 골프채가 필요하고 레슨비도 필요하다. 그리고 골프 회원권도 어떻게 좀 해줬으면 좋겠다."

말도 안 되는 요구였지만 사장의 대답은 '무조건 오케이'였다. 다 주문하고 영수증만 보내라는 얘기였다. 대사관 외교관 5명이 한 세트씩 골프채를 구입했다. 홀 사장은 대사관에서 제일 가까운 에어링크(Airlinks) 골프클럽까지 주선해 주었다.

돈 문제는 해결됐으니 이제는 레슨 받을 곳을 찾아야 했다. 여기저기 알아보다가 대사관과 연계가 있는 영국 민주평통 자문위원에게 물어봤다. 그분이 런던 뉴몰든에서 골프 레슨을 하고 있는 한국인 프로골퍼 권 씨를 연결시켜줬다. 리용호 대사와 대사관 직원들은 그에게 한 달 정도 레슨을 받았다. 박세리 선수를 알게 된 것도 이때였다. 그렇게 골프의 재미를 어느 정도 느껴가던 무렵, 외무성으로부터 긴급확인지시문이 내려왔다. 내용은 이러했다.

"당신들 골프 치러 다닌다던데 사실인가. 그것도 '남조선 괴뢰'에게 배운다던데 정말인가. 사실이면 즉시 보고하라."

우리가 골프를 치는 것은 외무성이 알아서는 안 될 비밀이었다. 큰일이 났다고 생각하면서도 극도의 보안을 유지한 채 골프를 배웠는데 외무성은 어떻게 알았을까 의아해졌다. 인터넷에 무슨 기사가 떴나 해서 찾아보니 앞서 언급했던 연합뉴스 기사가 이미 며칠 전에 올라와 있었다. 어쩔 수 없이 이실직고하는 수밖에 없었다.

외무성에 이런 내용의 비판서를 보냈다.

"영국에서 외교관 생활을 하다 보니 골프를 모르고서는 사교 관계를 도모할 수 없었다. 그런 애로사항이 있어 골프를 배우려고 했지만 레슨 받을 곳도 찾기 어려워 영국 국적의 남조선인에게 배우게 된 것이다. '남조선 괴뢰'는 아니고 영국인이었다. 정말 죽을죄를 지었다. 다시는 안 하겠다. 용서해 달라."

김정일도 한때 골프 "이게 뭐가 재미있냐"

다행히 잘 무마되긴 했지만 우리로서는 가슴을 쓸어내릴 만한 사건이었다. 골프 레슨은 곧바로 중단했다. 나중에 알고 보니 연합뉴스 기사 가운데 특히 이 대목이 김정일의 분노를 자아냈다고 한다.

"리(용호) 대사는 부임 이래 유창한 영어 실력을 바탕으로 북한 공무원, 교사, 의사 등의 영국 연수를 주선하는 등 활발한 외교활동을 펼치고 있다. 자타가 공인하는 대미 전문가로 알려진 리 대사의 아버지는 김 국방위원장의 최측근으로 알려진 리명제 전 노동당 조직지도부 부부장이다."

리명제는 김정일을 코밑에서 보좌하는 3층 서기실의 서기실장이었다. 북한을 움직이는 실세 중의 실세였다. 그런 인물의 이름과 인적 사항까지 한국 언론에 보도됐으니 김정일이 노발대발한 것은 당연한 일이었다. 기사 내용을 보고받은 김정일은 당장 강석주에게 전화를 걸어 호통을 쳤다.

"리용호가 일은 하지 않고 매일 골프치러 다닌다는 보도가 나왔다. 어떻게 된 일인가. 강석주, 당신은 알고 있었는가. 골프를 영국

인도 아니고 남조선 괴뢰한테 배운다고 한다. 정신들 있는가. 그리고 남조선 언론이 리용호가 리명제 아들이라는 것까지 어떻게 알고 있는가. 당장 알아보라."

이상이 평양으로부터 우리에게 긴급확인지시문이 내려오게 된 소동의 전말이다.

나는 한국으로 망명한 후에야 다시 골프채를 잡았고 골프의 재미도 다시 느꼈다. 영국에서 골프 레슨을 받은 지 11년 만이었다.

그런데도 일부 한국 언론은 내가 망명하면서 골프채를 들고 왔다고 오보를 냈다. 나는 얼마 전 나에게 골프를 가르쳐준 한국인 권정현 프로와 오랜만에 전화로 대화를 나눌 수 있었다. 그는 11년이 지난 오늘까지도 대사관 성원들과 애들의 이름까지도 다 기억하고 있었다. 그는 우리의 골프레슨이 끝난 후 지인들과의 술자리들에서 자기가 북한 외무상 이용호와 태 공사, 대사관 자녀들에게 골프를 가르쳐준 사람이라고 자랑했는데 누구도 그 사실을 믿으려 하지 않았다고 한다. 그는 나에게 자기 일생에서 북한외교관들에게 골프를 가르쳐주던 때가 제일 행복한 순간이었다고 회고했다.

한국에는 김정일의 골프 실력이 56타라는 이야기도 있었던 모양이다. 한때 김정일도 골프를 치긴 했지만 그의 실력이 56타라는 것은 낭설이다. 김정일이 골프를 치기 시작한 것은 측근의 권유 때문이다.

"장군님도 운동을 하셔야 합니다. 운동을 좋아하지 않으시지만 그런 사람도 재미나게 할 수 있는 운동이 골프라고 합니다."

김정일도 그럴 듯하게 여기고 골프장을 만들라고 지시했다. 골프채를 구입해 김용순 등에게도 나눠주면서 주말마다 골프를 치기로 했다. 그런데 골프는 어느 정도 레슨을 받고 연습을 해야 즐길 수 있는 스포츠다. 그런 것도 없이 무작정 필드에 나가니 스트레스만 더 쌓였다. 측근들도 다를 바 없었다. 얼마 후 김정일은 "이게 뭐가 재미있냐"며 골프채를 내팽개쳐 버렸다.

'모르는 게 없는 지도자' 만들어내는 '3층 서기실'

'노동당 39호실'은 한국에도 비교적 잘 알려져 있는 것 같다. 노동당의 재정경리부인데 외화 획득을 위해 설립된 기관이다.

반면 리명제가 한때 실장으로 있었던 3층 서기실은 북한 주민들도 잘 모르는 조직이다. 서기실이 어느 건물 3층에 있어서 붙여진 별칭이 아니라 서기실이 3층 규모의 건물 전체를 쓰고 있어 유래된 이름이다. 더 정확히 말하면 김정일의 집무실이 있는 건물이 3층 규모인데, 북한 중앙TV 등은 이를 '김정일 장군님께서 계시는 당중앙 청사'라고 소개하곤 했다. 이 청사에서 김정일의 사업을 가장 근접해서 보좌하는 부서를 '3층 서기실'이라고 한다. 굳이 한국으로 치면 당중앙 청사는 청와대이고, 3층 서기실은 대통령 비서실에 가깝다고 볼 수 있다.

당중앙 청사는 중앙당 일꾼들도 마음대로 접근할 수 없는 완전한 금지구역이다. 그런데 김정은은 2018년 3월 5일 한국 대통령 특별사절단을 여기서 맞이했다. 이때 북한 언론들은 처음으로 이 청사를 '조선노동당 본관'이라고 소개한 바 있다.

2015년 김정철이 에릭 클랩튼 공연을 보기 위해 런던에 왔을 때 3층 서기실 사람들이 수행했다. 그때 만난 장룡식은 러시아 차이코프스키음악대학을 졸업하고 만수대예술단 지휘자로 활동한 음악가다. 이런 인물이 왜 3층 서기실 소속일까.

예를 들어 이런 상황을 가정해 보자. 김정일이 어느 음악단에 가서 '이 가곡은 화성은 이렇고 악기 구성은 저러니 이러저러한 식으로 고쳐보라'고 현지지도를 했다. 김정일이 3층 서기실로부터 사전에 예습을 받았다는 사실을 모르는 단원들은 '어떻게 저런 것까지 아실까' 하고 깜짝 놀랄 수밖에 없다.

북한은 김씨 가문이라는 '신'과 여러 하부 조직 사이의 종적 체계만 존재하는 사회다. 횡적 체계가 거의 없다. 부처 간 협의가 북한에는 없다. 하부 조직에서 올라오면서 단계는 거치겠지만 오로지 김정일에게 직보하는 구조다. 예를 들어 외무성과 당국제부 연구부서 사이의 토의가 필요한 사안이라 해도 회의는 이뤄지지 않는다. 외무성은 외무성대로, 당국제부는 국제부대로 김정일에게 따로 보고한다. 특히 미국, 중국, 러시아와의 문제는 철저히 보안이 유지돼야 하며 현안이 외무성 밖으로 유출돼서는 안 된다. 김정일과 외무성만이 알아야 한다. 당중앙조직부가 아무리 막강한 권력을 갖고 있어도 이것만큼은 건드릴 수 없다. 중앙조직부의 힘이 얼마나 대단한지를 보여주는 실례가 있다. 중앙조직부 소속 해외 당 생활지도과 과장 정도가 외무성 인사의 숙청을 결정하기도 한다. 중앙조직부는 이런 권한을 행사하면서도 대외정책에는 간섭 못 한다. 당국제부도 마찬가지다.

이러한 구조가 김정일을 '신과 같은 존재'로 만든다. 부서 실무자들도 잘 모르는 사안에 대해 김정일이 구체적으로 꼭꼭 집어서 지시를 내리면 '장군님이 어떻게 이런 부분까지……'라는 생각이 들지 않을 수 없다. 실은 김정일이 이미 다른 부서로부터 해당 사안에 대해 보고를 받은 사실을 모르기 때문이다. 이러한 시스템은 김정은에게까지 그대로 이어지게 된다.

3층 서기실이 실세 중의 실세인 것은 이런 시스템을 지탱하는 연결 고리 역할을 하기 때문이다. 예를 들면 김정은이 '2015년까지 통일할 수 있는 방안을 만들라'고 지시했다고 치자. 그러면 3층 서기실은 김정은의 지시라며 각 부서에 개별적인 하달문을 내려보낸다. 인민무력부는 남조선 공격계획을 작성해 보고하고, 외무성은 대북 유엔제재 극복 안을 강구해 제출하라는 식이다.

어떤 부서든 이 사안에 대해 총체적으로 접근할 수 없다. 그러나 이것이 가능한 3층 서기실이나 김정은에게는 모든 정보와 권력이 모이게 된다. 구체적인 정책이나 방안을 수립하는 기능이 없는 3층 서기실이 막후에서 강력한 권한을 행사하는 이유다. 이런 조직의 수장이었던 리명제의 인적 사항이 '골프 소동'을 통해 온 세상에 까발려졌으니 김정일의 심사가 뒤틀린 것도 이해할 만한 일이다.

현재 3층 서기실장은 평창올림픽 때 김여정과 함께 방남했던 김창선이다. 김창선의 전 부인 류춘옥은 북한에서 유명한 항일혁명투사 부부인 류경수와 황순희의 딸이다. 류춘옥은 김경희와 절친한 사이였다. 김창선은 정의용 청와대 국가안보실장과 서훈 국정원장 등 특별사절단이 방북했을 때도 비중 있는 역할을 했다. 특별사절단과 김정은이 만났을 때 안내를 맡았고, 김영철 노동당 부위원장의 회담에 배석해 회담 내용을 김정은에게 보고하는 역할을 수행했다.

나도 감탄한 김정일의 핵전략 "배짱 튕기면서 다 챙겨"

1차 북핵 위기가 봉합되는 데는 1년 7개월이 걸렸다. 1993년 3월 북한의 핵확산금지조약 탈퇴에서부터 이듬해 10월 제네바 합의까지의 기간이다. 2002년 10월 켈리 특사의 방북으로 촉발된 2차 북핵 위기는 2005년 9월 4차 6자회담 2단계 회의에서 9·19공동성명이 나오면서 약 3년 만에 해결되는 것으로 보였다. 물론 2005년 2월 10일 북한의 핵무기 보유 선언, 같은 해 9월 16일 미국의 BDA(Banco Delta Asia. 방코델타아시아. 마카오에 본사를 둔 은행) 우려대상 지정 등 우여곡절이 있었다. 실제로 BDA 문제는 얼마 후 북한의 미사일 발사와 1차 핵실험의 빌미가 된다.

나는 2004년 6월 영국에 온 이후부터 6자회담 등 2차 북핵 위기와 관련된 흐름을 평양에 있을 때보다 좀 더 국제적인 시각으로 바라볼 수 있었다. 나는 진심으로 김정일이 대단하다고 생각했다. 한국과 미국을 어떻게 저리 잘 다룰 수 있을까, 탄복까지 했다. 북한은 한반도 비핵화 로드맵이라는 9·19공동성명이 나오는 과정까지 배짱은 배짱대로 튕기면서 챙길 것은 다 챙겼다. 결코 쉬운 일이 아니었다. 2004년 11월 부시가 재선되면서 미국의 대북정책이 더욱 강경해질 것으로 예상되던 상황이었기 때문이다.

이것은 리용호 대사를 위시한 영국 주재 북한대사관이 영국을 통해 미국의 입장을 투시하고 있었기에 가능한 일이었다. 영국은 2004년 하반기부터 정국이 시끄러워졌다. 블레어가 이라크의 대량살상무기 보유 가능성과 위협을 과장해 국회와 국민을 속이고 참전을 결정했다는 여론이 커지면서다. 영국은 미국의 대북 강경책을 무조건 지지할 수 없는 상황에 처하게 된다. 김대중 정부의 '햇볕정책'을 계승한 노무현 정부의 대북정책을 지지하는 쪽으로 기울어질 필요가 있었다.

미국의 압박은 9·19공동성명이 나온 이후에도 계속됐지만 영국을 통해 미국의 행보를 예측한 북한은 있는 대로 배짱을 부렸다. 2006년에 들어서면서 북한은 BDA 문제에 대한 공세를 더욱 확대했다. 이 은행에 예치된 북한 자금 2,500만 달러가 미국의 압박으로 동결된 상황이었다. 북한은 6자회담도 불참하겠다고 선언했다. 급기야 이해 7월 5일 대포동2호 미사일을 시험 발사했고, 같은 해 10월 9일 1차 핵실험을 실시했다. 김정일의 시간 끌기 기만극이 또 다시 성공해 북한이 핵무기 개발에 성큼 다가서는 순간이었다.

영국 주재 북한대사관이 이 사실을 미리 알고 있었던 것은 물론이다. 직전에 대책회의까지 했다.

"핵실험해도 미국이 때리지 않는다"는 결론

'조선이 핵실험을 강행하면 미국이 우리를 공격할 것인가.'

얼핏 매우 어려워 보이는 회의 주제였지만 결과는 쉽게 도출되었다. 영국의 정세, 이라크전쟁 후의 악화된 여론, 이라크 내 대량살상무기 미발견, 영국과 미국의 관계 등을 감안해 볼 때 미국은 절대로 북한을 공격하지 못할 것이라는 결론이었다. 대책회의의 결론은 곧바로 평양에 전달되었다.

이처럼 신속한 결론이 가능했던 것은 북한대사관이 영국 정부, 외무성 관리들은 물론 채텀하우스와 영국 국제전략문제연구소 등과 계속 교류해 왔기 때문이다. 국제전략문제연구소에는 북미 경수로 협상 때 미국대표단을 이끌었던 게리 새모어가 부소장으로 와 있었다. 게리 새모어는 후에 미 국무성 비확산 담당 차관보 마크 피츠패트릭과 교체되어 2009년 미국 백악관 특별보좌관으로 들어가게 된다.

리용호 대사는 영국인은 물론 미국인 고위 인사와도 미팅을 가지면서 미국의 대북정책을 읽으려고 했다. 그러나 대사는 너무 공식적이고 노출되기 쉬운 직책이어서 깊은 대화를 나누는 데 한계가 있었다. 대사를 통해 북한의 입장을 타진하려고만 했지 자신의 마음을 열지 않았다. 대사는 누구를 만나도 공식면담 비슷하게 되어버린다. 영국 외무성 부상이나 국장급과 만나면 실제 공식면담이다. 45분을 넘기는 경우가 드물었고 서로 입장을 교환하고 나면 시간이 다 갔다.

새로운 대화통로가 필요하다고 느낀 리용호 대사는 공식적인 면담과 활동은 자신이 할 테니, 나에게 비공식 대화통로를 열어보라고 했다. 마침 북한 주재 임시대리대사를 지냈던 짐 호어가 영국으로 돌아와 있었다. 그는 영국 학계에서 명망이 높았다. 나는 리용호 대사에게 짐 호어를 비공식 대화통로로 삼겠다고 보고하고 승인을 받았다.

짐 호어는 2002년 영국으로 돌아온 후 퇴직한 상태였다. 내 질문에 진지하고 성실하게 답변했지만 영국 외무성의 실제 분위기는 알지 못했다. 그래서 '통로'를 더 뚫었다. 영국 외무성 대북정책의 주요 의견은 아태국이 아니라 동북아시아연구그룹의 대북 전문가로부터 나오고 있었다. 짐 호어도 원래 외무성 동북아시아연구그룹을 이끌었는데 내가 런던에 간 2004년에는 유안 그래햄과 마이크 코엔이 이 그룹에서 영국의 대북정책을 주도하고 있었다.

나는 처음에는 유안 그래햄을 사무실로 찾아다니다가 좀 편안하게 비공식적으로 만나자고 제의했다. 그는 흔쾌히 동의했고 그때부터 우리의 대화장소는 외무성 인근 세인트제임스 공원으로 바뀌었다. 이야기가 훨씬 편했다. 공원을 몇 시간씩 거닐며 6자회담 진행 상황, 미국과 영국의 입장 등을 놓고 의견을 교환했다. 우리는 서로 속을 터놓는 것처럼 하면서도 상대방의 진속(속내)만 빼내려고 했다. 어쩔 수 없는 일이었다.

후에 그래햄은 한국의 북한문제 전문가 송지영과 결혼했다. 현재 그래햄은 오스트레일리아 로위연구소에서, 송지영은 멜버른대학에서 북한학을 연구하고 있다. 내가 탈북한 직후 그래햄은 나에 대한 장편의 기사를 외국 언론에 발표하기도 했다. 그 후 그와 나는 부부 동반 모임을 서울에서 가졌다. 우리는 서로의 속마음을 캐기 위해 신경전을 벌였던 10년도 넘은 그 시절을 회상했다. 이제는 그도 나도 외교관이 아니어서 좀 더 깊은 진심을 나눌 수 있을 것 같다.

1차 핵실험 후 리조성-강석주 담판, 중국 뒷걸음

북한의 핵실험에 가장 분노한 나라는 미국이 아니라 중국이었다. 6자회담을 주도한 중국은 북핵 문제의 주도권을 쥐고 있다고 믿었다. 북한의 핵실험은 그런 중국의 뺨을 사정없이 후려친 것과 같았다.

핵실험 사흘 후인 2006년 10월 12일, 중국 선양에서 외무성 1부상 강석주와 중국 외교부장 리조성(李肇星·리자오싱)이 비밀리에 만났다. 중국이 북한에 비밀회담을 요구한 것은 중국의 강력한 유감을 전하기 위해서였다. 강석주와 리조성은 베이징대학 외국어학부 영어과 동창이었다. 두 사람은 기숙사의 같은 방을 쓴 동숙생이기도 했다.

강석주의 회고에 의하면 리조성은 '매우 게으른 친구'였다. 당시 기숙사의 전등은 줄을 당겨 불을 켜고 끄는 방식이었는데 리조성은 취침 몇 시간 전에 자신의 발을 줄로 묶어 전등 줄과 연결시켰다. 침대에 누워 책을 보다가 불을 끄기 위해 일어나는 것이 귀찮았던 것이다. 잠든 리조성이 몸을 뒤척일 때마다 전등이 켜지고 꺼지는 것이 반복되었다. 그 통에 강석주는 잠을 설치는 날이 많았다고 했다. 훗날 강석주는 어느 기자회견에서 이렇게 말하며 좌중을 웃겼다.

"나는 리조성의 소등 방식 때문에 잠을 제대로 못 자 공부를 별로 못했다. 보시라. 지금 내 친구 리조성은 외교부장이고 나는 아직도 부상이다."

이런 사이였지만 두 사람이 마주한 비밀회담의 분위기는 무거울 수밖에 없었다. 북한 외무성 내에서 회람된 회담기록문에 따르면 리조성은 강석주에게 다음과 같이 말했다.

"중국 인민은 조선 인민의 위대한 수령 김일성 동지를 대단히 존경하고 있다. 김일성 동지는 조선반도 비핵화라는 매우 전략적인 유산을 남겼다. 그러나 지금 조선 동지들은 그의 사상과 유산을 어기고 있다. 김일성 동지께서 조선반도 비핵화 사상을 제시하신 것은 조선과 같이 작은 나라가 핵 경쟁에 말려들 경우 과중한 경제적 부담을 이겨내지 못하고 붕괴될 수 있음을 예측했기 때문이다. 소련과 같은 큰 나라도 미국과의 과도한 군비경쟁에 말려들었다가 결국 붕괴되었다. 조선은 이번에 핵실험이라는 넘지 말아야 할 산을 넘었다. 이제라도 핵 개발을 중지하고 경제건설에 전념하기 바란다. 핵 개발을 중지한다면 중국은 조선에 대한 경제군사적 지원을 늘릴 것이다. 핵으로는 조선의 체제를 지킬 수 없다. 경제부터 조속히 회생시켜야 한다."

강석주는 이렇게 되받아쳤다.

"내가 지금 중국 외교부장 리조성과 담화하는 것인지, 아니면 청나라 사절 이홍장과 회담하는 것인지 모르겠다. 소련의 사례를 들었지만 중국 외교부장이 소련의 붕괴 원인조차 모르고 있다는 사실이 놀라울 지경이다. 소련이 붕괴된 것은 미국과의 군비경쟁 때문이 아니다. 당이 인민에 대한 사상교양사업을 게을리 했고 당 자체가 부패하고 변질되었기 때문이다. 소련이 우리처럼 당을 강화하고 사상사업을 중시했다면 아무리 많은 군비를 쏟아 부었다고 하더라도 붕괴되지 않았을 것이다.

당신은 또한 김일성 수령님의 탁월하고 위대한 조선반도 비핵화 사상을 언급했다. 조선반도 비핵화란 우리만의 비핵화가 아니라 남조선까지 포함한 전 조선반도의 비핵화를 뜻한다. 미국은 조선반도에서 핵전쟁 훈련을 계속하고 있고, 언제라도 핵무기를 끌어들일 수 있다. 이런 상황에서 조선반도는 결코 비핵화되지 않는다. 오직 우리의 핵으로 미국의 핵을 몰아내고 미국으로부터 핵 불사용 담보를 받아낼 때만이 가능하다. 수령님의 조선반도 비핵화 사상이 실현될 수 있도록 중국이 조선과 미국의 관계를 중재해 주기 바란다."

강석주가 사용한 논리는 이후 중국과의 핵 관련 논쟁에서 항상 이용하게 되는 북한의 논리이기도 했다. 리조성은 결국 강석주의 요구를 받아들였다. 중국은 2005년 11월 5차 6자회담 1단계 회의 이후 불참을 선언했던 북한을 다시 끌어들여 핵실험 두 달 후인 2006년 12월 5차 6자회담 2단계 회의를 여는 데 성공한다. 1단계 회의가 열린 뒤 1년 1개월 만에 개최된 2단계 회의였다.

이듬해(2007) 2월 5차 6자회담 3단계 회의에서는 '2·13 합의'가 도출되었다. 같은 해 9월 말부터 10월 초까지 열린 6차 6자회담 2단계 회의에서는 '10·3합의'가 나왔다. 두 합의는 '9·19 공동성명'(2005)의 구체적 이행을 위한 것이었다. 이 합의에 따라 북한은 핵시설의 폐쇄와 불능화를, 나머지 5개국은 중유를 비롯한 에너지와 경제적 지원을 재차 약속했다. 또 한 번의 성과가 나온 것처럼 보였지만 기실은 중국과 리조성이 북한의 1차 핵실험에 뒷걸음을 친 것이나 다름없었다.

두 합의에는 북한 핵시설 신고 대상에 핵무기와 고농축우라늄 포함 여부가 불분명했다. 또한 북한의 신고 이행과 5개국의 경제지원의 선후 관계도 명확하지 않았다. 그러니 결과는 뻔했다. 북한과 미국은 서로 합의를 이행하지 않았다면서 책임을 떠넘겼다. 6자회담은 6차 2단계 회의를 끝으로 더 이상 열리지 않았다. 말 그대로 이름만 남았지 실익은 없었던 유명무실한 회담이었다.

영국학교의 아들 담임, "너희 나라가 잘못한 거야"

유엔 안보리는 북한의 1차 핵실험을 규탄하면서 추가 핵실험과 탄도미사일 발사 중지를 요구했다. 북한에 포괄적 제재를 가하는 내용의 결의안도 채택했다. 영국 외무성 부상은 리용호 대사를 불러 강력히 항의했다. 영국 사회가 들끓었다. 가는 곳마다 북한의 핵 보유를 용납할 수 없다고 했다. 학교에서 돌아온 둘째는 담임 교사로부터 격분에 찬 소리를 들었다고 했다.

"너희 나라가 잘못한 거야(Your country has done something wrong)."

그 말을 듣고 나도 격분했다. 아무리 외교관의 자식이라고 해도 아홉 살밖에 안 된 아이에게 화를 내며 할 말은 아니었다. 접수할 수 없었다. 리용호 대사에게 학교에 가서 항의하겠다고 했다. 그도 동의했다.

이튿날 담임 교사를 만나 "조선이 핵실험을 한 것은 정치적인 문제다. 조선 외교관의 자식이라고 해도 어린아이에게 선생이 그런 식으로 말하면 안 된다"고 했다. 담임은 바로 사죄했다. 학교에서 돌아온 둘째에게는 "선생이 잘못했다고 사과했지만 앞으로는 그런 말을 들어도 화내지 마라"고 다독여주었다. 그런데 둘째가 이렇게 물었다.

"아버지, BBC TV도 북한이 핵실험을 했다면서 우리나라를 나쁜 나라라고 해요. 우리나라는 핵실험을 하면 안 되나요?"

나는 알아듣게 설명해 주기가 어려워 "BBC 보지 마. 다 거짓말

이야"라고 얼버무렸다. 둘째는 다시 "아버지, BBC도 거짓말을 하나요?"하고 물었고 또 대답이 궁색해진 나는 "그럼"하고 말을 막아버렸다. 어릴 때부터 BBC를 본 둘째는 BBC에서 나오는 말은 절대적인 진리라고 믿었던 것이다.

리용호를 영국대사로 보내면서 '큰일이 있으면 부르겠다'던 강석주의 말이 그대로 실현되었다. 1차 핵실험 직후 강석주는 리용호를 평양으로 불러들였다. 이것은 2007년부터 북한과 미국이 본격적인 핵 대결에 들어간다는 것을 의미하며, 그 주도적 역할을 리용호가 한다는 뜻이었다.

리용호 대사는 2006년 10월 귀국하고 이듬해 1월 후임으로 자성남 대사가 왔다. 자성남은 현재 뉴욕 유엔 주재 북한대사로 있다. 영국대사관에서 함께 근무한 동료로는 후일 독일대사가 된 리시홍이 당시에는 공사였고, 리시홍의 후임으로 정인성이 참사로 왔다. 서기관으로는 하신국, 리웅철이 같이 일했다. 하신국은 그 후 외무성에서 퇴직하고 김일성김정일화연맹 대외사업국장이 됐고, 리웅철은 평양 주재 세계농업기구대표부에서 일하다가 보위부에 걸려 내가 탈북할 때까지도 감옥에 있었다.

영국에서 근무하면서 가장 보람 있었던 일은 김정일의 생일(2.16)마다 진행되던 평양시 청소년 학생들의 집단체조를 중지시킨 것이다. 발단은 이렇게 시작됐다.

2005년 12월 초 영국 외무성의 북한담당 과장이 교체됐다. 2~3년을 주기로 있는 일이었다. 담당자를 4년 이상 한 자리에 두지 않는 것이 영국 외무성의 규정이었다. 그래야 외무성의 모든 부서들을 돌면서 외교사업 전반을 요해(파악)한다는 것이다. 일의 효율보다는 개인의 발전을 중시하는 철학에서 비롯된 규정으로 보였다.

어쨌든 나는 신임 과장을 부지런히 만나며 북한 정책을 설명했다. 그는 얼마 후 평양 주재 영국대사관으로 파견돼 북한 현실을 보고 온다고 했다. 신임 과장에 임명되면 얼마 동안 현지에서 연수를 받는 것이 영국 외무성의 관례였다. 그는 평양 체류기간 북한 외무성 유럽국 일꾼들을 만나 정세도 토론하고 쌍무관계를 발전시킬 문제들도 토의하고 돌아왔다.

영국 외무성 북한과장의 분노, "당신은 아버지 자격 없다"

그가 영국으로 귀국하기 직전, 평양에서 지시가 내려왔다. 영국의 대북정책에 영향을 미칠 인물이니 그의 방문 소감을 잘 요해해서 보고하라고 했다. 돌아온 그에게 만나자고 했다. 평소와는 다르게 그는 영국 외무성 근처의 맥주집에서 보자고 했다.

맥주집에서 그의 평양 방문기를 들으며 이러저런 이야기를 나눴다. 그런데 그가 갑자기 "한 가지 물어보고 싶은 게 있는데 진실하게 답해 줄 수 있느냐"며 심각한 표정을 지었다. 나는 "무슨 질문이기에 그렇게 심각하게 물어보느냐. 성심성의껏 답해 주겠다"고 했다. 그의 이야기다.

"영국과 북한은 제도가 다르고 사상도 다르다. 당연히 생각도 다를 것이다. 그러나 북한에 체류하는 동안 한 가지만은 이해할 수 없었다. 그 추운 겨울에 소학교, 중학교 학생들이 평양체육관 앞 광장에서 집단체조 훈련을 하고 있었다. 특히 여덟 살 어린아이들이 손에 장갑을 끼고 콘크리트 바닥에서 앞뒤전(텀블링)을 하는 모습을 보니 눈물이 나왔다. 그런데 그들을 동정하는 평양 시민은 한 명도 없었다. 도대체 왜 북한 사람들은 아이들이 추위에 떨며 지도자의 생일 준비를 하는 것에 대해 동정하지 않는가. 아이들이 불쌍하지 않는가."

나는 이렇게 대답했다.

"당신 말처럼 조선과 영국은 사상과 제도가 다르다. 조선은 집단주의를 중시한다. 하나는 전체를 위하여 복무한다. 그런데 집단주의는 저절로 만들어지는 것이 아니다. 어릴 때부터 집단체조와 같은 집체적인 행동을 하나의 율동에 맞춰 부단히 연습하는 과정을 통해 생겨난다. 우리는 집단체조도 결국 집단주의사상을 심어주기 위한 하나의 교육과정으로 간주한다."

그는 반문했다.

"지금 런던 소학교에서 공부하고 있는 당신의 둘째 아들이 여덟 살인 것으로 안다. 그 아이가 추위에 떨며 콘크리트 바닥 위에서 텀블링을 한다고 상상해 보라. 그것도 고작 지도자의 생일을 축하하기 위해 그래야 한다면 당신은 동의할 수 있겠는가."

나는 당연히 동의한다고 말했다. 그랬더니 그는 "당신은 아버지 자격이 없다. 당신 같은 사람과는 말할 맛이 없다(이야기하기 싫다)"고 하면서 자리에서 일어나 나가버렸다.

씁쓸했다. 나는 깊은 생각에 잠겼다. 평양에서 아이들의 집단체조 훈련을 자주 봤지만 이것이 잘못됐다는 생각은 한 번도 해본 적이 없었다. 대사관에 돌아와 대사에게 신임 과장의 이야기를 전했다. 대사는 그 내용을 그대로 평양에 보고하자고 했다. 나는 대사의 지시대로 전보문을 작성하면서 "신임 과장이 그런 생각을 하게 된 것은 평양 주재 영국대사 데이비드 슬린이 나쁜 영향을 준 것으로 평가된다"는 구절을 붙였다. 슬며시 영국대사를 빗대 보고한 이유는 현지에서 우리가 북한의 정책을 잘못 선전했다는 비판을 면하기 위해서였다.

전보문은 그대로 김정일에게 전달됐고, 김정일은 강석주에게 전화를 걸어 질책했다. 아마 자신의 생일을 축하하기 위해 수천 명의 아이들이 추운 겨울날 평양 거리에서 떨고 있다는 점이 마음에 걸렸던 모양이다. 김정일은 또한 강석주에서 "평양 주재 영국대사가 나쁜 놈"이라며 "당장 그놈을 추방하기 위한 작전을 세우라"고 지시했다. 의도한 바는 아니었지만 내가 작성한 전보문 때문에 데이비드 슬린이 유탄을 맞은 격이었다.

그런데 그 이후부터 아이들의 집단체조 훈련이 중지됐다. 미리 예견하지도, 기대하지도 못했던 일이다. 김정일이 직접 지시를 내렸을지도 모른다. 체제의 비합리성을 잘 알고 있는 북한 외교관들은 북한을 조금이라도 변화시키기 위해 이런저런 방법으로 은밀하게 노력한다. 내가 작성한 전보문도 그런 노력의 하나라고 볼 수 있지만 그때 나는 별 감흥이 없었다. 그러나 지금 돌이켜 보면 정말 어마어마한 일이었다. 북한 어린이들이 더 이상 겨울에 집단체조 훈련을 하지 않는 것은 감히 나의 공로라고 자부하고 있다.

한편 강석주는 김정일로부터 데이비드 슬린 대사를 내쫓으라는 지시를 받고 고심했다. 그를 강제추방하면 영국 주재 리용호 대사도 추방될 수 있었다. 강석주는 고심 끝에 데이비드 슬린 대사가 제기하는 면담, 참관 등을 일절 들어주지 않는 작전을 펴라고 했다. 짜증나게 해 제발로 북한을 떠나게 하려는 계산이었다. 몇 달 동안 그와의 모든 면담을 거절하고 누구도 만날 수 없게 제재를 가했다. 끝내 그는 본국에 요청해 스스로 북한을 떠났다.

개인적으로 나는 데이비드 슬린 대사와 매우 가까웠다. 외무성 영국담당 과장을 맡으면서 그와 북한의 여러 지역을 함께 다녔고 술도 자주 마셨다. 북한을 떠난 그는 여러 나라에서 근무하다가 캐나다 외교관 여성을 만나 캐나다 오타와대학 국제정치연구센터 선임연구원으로 정착했다. 그는 내가 영국 주재 북한공사로 재직하던 2015년 11월 캐나다에서 런던까지 날아와 나를 만난 적이 있다. 그때도 나는 데이비드 슬린에게 그가 평양에서 쫓겨나게 된 사연을 말해 주지 않았다.

데이비드 슬린은 그날 '김정은을 어떻게 생각하느냐'고 내게 물었다. 북한 외교관이 흔히 말하듯 '위대한 영도자'라고 부르기 싫어 아직은 잘 모르겠다고 대답했다. 내가 탈북한 이후 그는 2016년 8월 동아일보와의 인터뷰에서 이렇게 말했다.

"2015년 11월 런던에서 태영호를 만났는데 10여 년 전 평양에서 만났을 때와 전혀 다른 사람이 되어 있었다. 그의 망명 동기를 단정할 수는 없지만 북한 체제가 나아가는 방향에 대한 의심이 분명히 있었을 것이다."

그날 나의 태도에서 무언가를 읽었던 모양이다. 데이비드 슬린과는 지금도 이메일로 안부를 묻곤 한다.

백승주 의원이 준 한국 손톱깎이와 10년

2007년 3월 26일 이탈리아 코모에서 '6자회담 결과와 동북아의 협력적 안정'이라는 주제로 국제회의가 열렸다. 북한식으로는 '코모회의'라고 부른다. 영국에 있던 나에게 이탈리아로 날아가 북한대표단에 합류하라는 지시가 내려왔다. 한국에서는 외교부 소속 외교관과 한국국방연구원 연구원 등이 참석했다. 6자회담 당사자인 미국, 중국, 일본, 러시아의 외교관과 대북정책 전문가도 대거 참가했다.

북핵 문제에 있어 매우 중요한 시점이었다. 회의 한 달 전인 2월 13일 6자회담 참가국들은 2·13합의를 채택했다. 2005년 9·19공동성명이 나온 지 1년 5개월 만에 이를 실천에 옮길 첫 단계에 진입한 것이다. 2·13합의의 주요 내용은 마카오 BDA에 동결돼 있는 북한 자금 2,500만 달러를 돌려받는 것이었다. 하지만 미국은 60일 내에 돌려주겠다고 약속하고 그 이행을 지연시키고 있었다.

코모 회의에 참가한 북한대표단의 목적은 미국이 BDA 자금을 풀도록 압력을 가하는 것이었다. 북한대표단은 BDA 자금이 입금되지 않으면 IAEA 사찰단을 받아들이지 않겠다고 위협했다. 반면 한국과 미국 대표단은 미국이 중유 100만 톤을 제공하고 BDA 자금을 돌려주면 북한이 핵시설을 정확하게 신고하고 핵 불능화를 선언할 수 있느냐는 점을 재확인하려고 했다.

회의에 참가한 일부 전문가들은 미국이 BDA 자금 동결을 풀어주겠다고 약속했고 이제 실무적인 문제만 남아 있는데 북한이 왜 그렇게 이 사안에 집착하는지 모르겠다고 했다. 그들이 모르는 이유가 있다. 당시 김정일은 강석주에게 이 자금이 언제 입금되는지 매일같이 독촉하고 있었다. 외무성 내에서는 동결 자금 가운데 1,000만 달러 이상이 김경희가 이끄는 중앙당 경공업부의 소유여서 김경희가 김정일을 졸라 댄다는 소문이 나돌았다. 2·13합의만 채택되면 60일 내로 돈이 입금될 것이라고 확언했던 외무성은 매우 난처한 처지에 빠져 있었다. 북한대표단이 BDA 동결 해제에 매달릴 수밖에 없었던 까닭이다.

미국은 BDA 북한 자금을 중국 은행을 통해 풀어주려고 했다. 하지만 중국은 미국의 일방적인 BDA 제재 때문에 마카오 금융계의 위신이 하락되었다고 하면서 미국의 사과를 요구하고 나섰다. 미국과 중국 사이에 새로운 기 싸움이 시작된 것도 주목을 요하는 대목이다. 코모 회의는 서로의 입장만 되풀이하며 마무리되었다.

회의가 끝난 후 북한대표단 일행은 바깥에서 저녁식사를 하고 호텔로 돌아왔다. 로비에 앉아 잠시 쉬고 있는데 한국대표단 중의 한 명이 우리 쪽으로 다가왔다. 이날 회의에서 한국국방연구원 연구위원이라고 소개했던 사람이었다. 그는 “술이나 함께 마시자”고 했다. 우리는 세 명이었고 그는 혼자여서 피할 이유는 없었다. 그는 방으로 올라가 위스키 한 병을 들고 내려왔다. 그 사이 우리는 “먼저 접근하는 것을 보니 국정원 요원일지도 모른다. 술은 같이 마시더라도 경계를 늦춰서는 안 된다”고 다짐했다.

비 내리는 밤이었다. 호텔 로비에서 위스키를 주거니 받거니 하면서 이런저런 이야기를 나누었다. 한국에 대한 질문도 있었다.

헤어질 때가 되자 그는 조그마한 기념품을 하나씩 나눠주었다. 손톱깎개(손톱깎이) 세트였다. 손톱·발톱용이 따로 있었고 손톱줄, 귀파개(귀이개) 등도 갖춰져 있었다.

나는 발톱무좀이 있어 발톱이 꽤 두껍다. 방에 올라가 발톱을 깎아봤는데 너무 좋았다. '남조선 괴뢰'로부터 받은 선물인지라 보위부에 바치든가 그 자리에서 버려야 했으나 그러기에는 너무 아까웠다. 동료들도 같은 마음이었다. 플라스틱 통에 씌어진 '한국국방연구원'이라는 문구만 지우고 가지기로 했다.

써보면 써볼수록 좋았다. 손톱깎이는 그 나라 철강산업의 발전수준을 보여주는 징표라고 한다. 당시 북한에서 쓰는 손톱깎이는 중국산이 대부분이었는데 날이 금방 무뎌지는 조악한 제품이었다. 그때 받은 손톱깍이를 한국에 망명할 때까지 썼다. 10년 가까이 쓴 것이다.

그런데 2017년 봄에 자유한국당 의원들과 식사를 할 기회가 있었다. 식당에 들어가니 어느 의원이 반갑게 내 손을 잡으며 "정말 오래간만이다. 나를 알아보겠느냐"고 물었다. 얼굴은 너무나 낯이 익었는데 어디서 만났는지 도무지 기억나지 않았다. 그가 웃으며 말했다.

"이탈리아 호텔 로비에서 술 마시던 기억이 나지 않는가. 나는 당신의 망명 보도가 나오는 순간 그날 같이 술 마신 사람이라는 걸 바로 알았다. 당신이 공개 활동을 할 때까지 많이 기다렸다."

그가 현 자유한국당 백승주 의원이다. 이날 백승주 의원과 10년 만에 다시 술을 마셨다. 그에게 "사실 그때는 국정원 요원인 줄 알았다"고 농담을 하자 그는 이렇게 말했다.

"실은 당시 회의 참가자 중에 나 혼자만 국방부 소속이고 나머지는 다 외교부 소속이었다. 저녁 시간이 되니까 나만 빼놓고 대사관 직원들과 밥 먹으러 나가더라. 너무 울적해서 호텔 로비를 왔다 갔다 하는데 북한대표단이 들어왔다. 에라, 모르겠다, 북한 사람들과 먹는다, 그렇게 된 거다."

북한 핵외교의 한 축 "영국 통해 미국을 견제하라"

영국의 대북정책은 '비판적 관여'로 표현된다. 대화와 인적 교류를 통해 북한의 변화를 이끌어 낸다는, 요컨대 '영국식 햇볕정책'이다. 2005년 영국이 이 정책을 채택하기까지 북한대표부의 끈질긴 노력이 있었다. 2차 북핵 위기로 미국이 군사적인 압박과 대화를 병행하고 있을 때 영국 주재 북한대표부는 끊임없이 영국 정부를 설득해 '비판적 관여' 정책을 이끌어냈다.

영국은 북한의 핵을 비롯한 대량살상무기와 인권 문제를 해결하기 위해 대화를 우선시한다. 인적 교류 및 북한 인력에 대한 교육훈련도 중시하고 있다. 북한을 점진적으로 국제사회에 합류시키는 효과적 방안이라는 것이다. 이에 따라 영국은 평양에 영어 교사 3명을 자국 부담으로 파견하고 매해 북한 관료들을 영국에 초청해 영어연수를 시켜주고 있다. 각종 대북 사업에도 적극적으로 동참한다. 영국은 유럽연합(EU)의 인도적 대북 지원 사업의 18~20%를 부담하고 있다. 연간 약 200만 파운드 규모의 대북 원조가 진행된다.

영국의 대북정책에서 가장 핵심 사항은 영어연수다. 북한 관료들이 영어연수를 오면 2명 단위로 영국 가정에 한 달 동안 숙식하게 한다. 영국인들과 함께 숙식하면서 자유민주주의에 대해 학습하라는 의도에서다. 연수기간 동안 영국의 시장경제체계는 물론 양당정치 구조, 사법체계, 사회발전에서 언론의 역할 등을 가르친다.

북한의 견지에서 보면 관료들이 영국의 자유민주주의 체제를 배우고 오는 셈이어서 위험 요소가 있다. 그럼에도 북한이 영국에 어학연수를 계속 보내는 목적은 분명하다. 영국의 대북정책은 무력이 아니라 관여를 통해 북한을 변화시키려는 정책이므로 미국의 군사정책을 어느 정도 억제하는 기능을 수행하고 있다고 본다.

영국으로서도 북한이 이 정책에 응하는 모습을 보여야 미국에 대한 발언권이 생기고 미국의 대북 군사간섭 정책에도 반대할 수 있다. 북한은 미국의 가장 가까운 동맹국인 영국이 미국의 무력행사 정책을 반대하는 것이 이롭다고 판단하는 것이다. 영국의 대북 비판적 관여 정책이 유지되고 있는 것은 이렇듯 양국의 이해관계가 맞아떨어지기 때문이다.

에릭 클랩튼, "북한 인권 때문에 평양 공연 어렵다"

영국의 '비판적 관여' 정책은 북한외교의 '승리'라고 할 수 있다. 이 정책을 잘 이용해 북한은 미국의 군사적 압박정책을 이완시킬 수 있었다. 북한이 1차 핵실험을 단행한 후 영국이 북한에 외교적인 제재를 가하지 않을까 걱정했지만 영국은 말로만 규탄하고 아무런 조치를 취하지 않았다. 지금까지 북한은 6차 핵실험까지 진행했지만 영국의 대북정책은 여전히 '비판적 관여'다.

영국 주재 생활이 끝나갈 무렵, 김정일로부터 영국 기타리스트 겸 보컬인 에릭 클랩튼의 평양 공연을 추진하라는 지시가 내려왔다. 꽤 알려진 사실이지만 김정철은 에릭 클랩튼의 열광적인 팬이다. 아버지 김정일을 졸랐을 것이 뻔하다. 그래서인지 에릭 클랩튼에 대한 김정일의 집착은 매우 집요했다.

나중에 평양에 들어가 들은 이야기가 있다. 김정철은 공연을 성사시키기 위해 외무성을 자주 들락거렸다. 에릭 클랩튼 측과의 접촉 실무는 당연히 영국 주재 북한대사관의 몫이었고 영국 대사관을 움직이는 것이 외무성이었기 때문이다.

그때는 외무성 내에 김정철을 아는 사람이 많지 않았다. 외무성은 간부와 일반 공무원이 다른 출입구를 쓴다. 평범한 트레이닝복을 입은 김정철이 간부 출입구로 들어와 강석주 1부상 집무실로 직행했다. 그가 다녀가고 나면 외무성 간부들은 '걔 누구지?' 하고 술렁거렸다. 김정철이 이럴 정도였으니 김정은의 존재는 더 말할 것도 없다. 두 형제는 그만큼 '은둔의 황태자'였다.

영국에서는 내가 에릭 클랩튼 대리인과 접촉했다. 대리인은 100만 유로를 선불할 것을 요구하면서 담보를 달라고 했다. 당시 한국 화폐로 14억~15억 원에 해당하는 금액이었다. 평양에 보고했더니 당장 승인이 떨어져 대리인에게 담보를 주었다. 대리인은 공연계획을 짠 뒤 답변을 주겠다고 했다.

한참 만에 돌아온 답변은 '북한의 인권상황 때문에 당장은 평양에 갈 수 없으나 앞으로 사태를 좀 관망해 보면서 결심하겠다'는 것이었다. 내가 평양으로 소환된 후에도 에릭 클랩튼을 초청하기 위한 사업은 계속 진행되었다. 그러나 에릭 클랩튼은 평양에 오겠다는 확답을 끝내 주지 않았다.

5장

김정일에서 김정은으로

1차 핵실험 후 "외교관 자녀 한 명 빼고 모두 귀국시켜라"

영국 주재 북한대사관 근무를 끝내고 2008년 1월 가족과 함께 평양에 들어왔다. 크나큰 '선물'을 안고 귀국했다. 2007년 큰아이가 기적적으로 완쾌했다. 의료진의 진정어린 치료와 현대의학의 발전 덕분이었다. 큰아이는 2004년부터 3년 동안 런던 도심의 '그레이트 오먼드 스트리트' 병원에서 정기 외래치료를 받았다.

담당 의사로부터 "아들의 병이 완치되었으니 이제는 병원에 올 필요가 없다"는 말을 들었을 때 하늘을 나는 것 같은 기분이었다. 그와 헤어지면서 우리 부부는 저도 모르게 꼭 다시 만나자고 인사했다. 그는 "의사로서 제일 듣기 싫은 인사가 다시 만나자는 것"이라며 "나를 다시 찾아온다는 것은 아들의 병이 재발한다는 뜻인데 그런 일은 없을 것"이라고 웃었다. 아내와 나는 몇 번이고 머리를 숙이면서 감사의 마음을 전했다.

귀국 전 해인 2007년 초, 두 명 이상의 자녀와 함께 해외공관에서 생활하고 있는 외교관에게 날벼락 같은 지시가 떨어졌다. 자녀 한 명만 남기고 나머지는 모두 귀국시키라는 내용이었다. 내게는 병이 있는 맏이는 남겨두고 둘째를 들여보내라는 독촉이 왔다.

1차 핵실험(2006.10)을 실시한 후 국제환경이 어려워지자 내려진 조치였다. 이 조치는 외신에 포착되어 전 세계에 알려져 평양 주재 외국대사관들이 북한 외무성에 공식 확인을 요청하기도 했다. 2007년 2월 영국 주재 북한대사 자성남이 영국 여왕에게 신임장을 봉정했는데 이 자리에 참석한 북한 주재 영국대사 존 에버라드가 나에게 "두 아이 중 어느 아이를 보낼 거냐"고 물었다. 내가 "어차피 올해 외무성으로 복귀할 예정인데 그때 데리고 가려 한다"고 하자 그는 "태 참사, 그래도 괜찮겠어?"하고 걱정했다.

해외공관의 거의 모든 외교관들이 평양으로부터 날아온 명령을 눈물을 머금고 이행했지만 나는 끝까지 뻔쳤다(버텼다). 영국 주재 북한대사관 내에서 이 지시를 따르지 않은 것은 나뿐이었다. 대사관 1등 서기관 이광남은 소학교 학생이던 작은아이를 북한에 들여보내고 중학생이던 맏이는 런던에 남겼다.

해외근무 기간이 끝나가던 때였다. 나는 "어차피 온가족이 함께 곧 귀국할 텐데 몇 달만 더 데리고 있게 해달라"고 하소연하면서 속으로는 당국의 처사가 너무나 야속했다. 아이에 대한 나의 사랑이 자식을 키우는 모든 아버지의 마음과 크게 다르지는 않을 것이라고 생각한다. 나는 귀국 후 생활총화에서 욕먹을 각오를 하고 아이를 끝내 평양에 보내지 않았다.

나는 귀국 즉시 총화사업(자기비판)에 불려나갔다. 그런데 막상 생활총화에 불려가 보니 나에 대한 비판은커녕 이런 위로를 들었다.

"그 마음은 이해가 된다. 어떻게 하겠나. 혁명이란 그렇게 어려운 것이고 때로는 마음 아픈 희생을 각오해야 한다. 그래서 조선 혁명이 언어도 다르고 인종도 다른 십수 억 명이 사는 인도의 혁명보다 더 어렵다고 하지 않나."

내가 "아이가 안쓰러워 데리고 있고 싶은 마음뿐이었다. 당의 방침을 집행하지 못한 몹쓸 죄를 지었다. 깊이 반성한다. 용서해 달라"고 자기비판을 한 뒤에 나온 반응이었다. 오히려 내가 무안할 정도였다. 중앙당 일꾼들도 가정으로 돌아가면 다 같은 부모의 입장이어서 이해해 주는 것 같았다. 고마웠다.

당회의록에 '소설'을 쓰기 시작

얼마 후 나는 외무성 유럽국 부국장 겸 부문당 비서로 발령을 받았다. 외무성에서 국장은 행정 책임자, 부국장은 당조직 책임자를 맡는 것이 일반적이다. 만일 국의 당원수가 30명 미만이면 부국장은 세포비서가 되고, 30명 이상이면 부문당이 되어 부국장이 부문당 비서를 겸직한다. 내가 속한 유럽국은 당원수가 30명이 넘어 3개 세포를 조직했다. 각 세포당 세포비서가 있었고, 부문당 비서가 3명의 세포비서를 통제하는 구조였다.

유럽국에서 부국장과 부문당 비서를 겸임하는 것은 사실 힘에 부치는 일이었다. 부문당 비서의 하루 일과는 김일성과 김정일의 초상화에 묻은 먼지를 닦는 것으로 시작된다. 복도에 걸려 있는 김씨 부자의 미술작품도 청소해야 한다. 내가 직접 청소를 하지는 않지만 국 성원을 지도감독하는 것이 부문당 비서로서의 나의 임무다. 북한에서는 이런 청소를 '정성작업'이라고 부르며 모든 기관의 하루 일과는 이 사업과 함께 개시된다.

가장 하기 싫은 일은 동료들의 사상 상태를 요해하여 외무성 당위원회에 보고하는 것이다. 매일 오후 2시면 4층에 있는 당위원회에 올라가 그날 하루 동안 국에서 일어난 일과 국 성원들의 생활에서 일어난 비정상적인 일을 보고해야 한다. 부부싸움이나 과음처럼 사소한 일도 모두 보고 대상이다. 이렇게 보고하기 위해선 매일 오전 11시경부터 각 사무실을 돌아다니며 전날부터 무슨 일이 있었는지 개인별로 다 물어봐야 한다. 이런 감시를 당, 보위부, 보안부 등으로 3중, 4중으로 하고 있다.

부문당 비서로서 제일 하기 힘들고 하기 싫었던 것은 토요일마다 생활총화기록부와 당회의 정형을 정리하는 일이었다.

생활총화는 토요일 오전 9시부터 9시 30분 사이에 당세포별로 열렸다. 자기비판과 호상비판으로 진행된다. 그 내용을 당회의록에 기록해 당위원회에 제출하는 것이 나의 임무였다. 기록이 힘들기보다는 머리를 짜내기가 어려웠다.

언제부터인지 당원들은 자기비판만 하고 호상비판을 하지 않았다. 회의 때마다 시작 전에 호상비판을 좀 하라고 주의를 준 다음 회의를 시작하지만 호상비판에 참가하는 당원이 거의 없었다. 겉으로 표현은 하지 않았지만 호상비판으로 얼굴을 붉히고 목소리를 높이는 것을 누가 좋아했겠는가. 그러나 당위원회는 당원들이 호상비판에 참가하지 않는 것을 매우 엄중하게 인식했다. 당의 기능을 약화시키는 현상이라고 진단한 것이다.

당위원회는 세포비서와 부문당 비서의 분발을 촉구하면서 당회의기록부를 수시로 검열하곤 했다. 동지들이 계속 호상비판에 참가하지 않으니 결국 내 머리로 수많은 호상비판을 꾸며내 당회의록에 정리할 수밖에 없었다. 한마디로 소설을 쓴 셈이다. 이렇듯 북한 노동당의 활력은 식어가고 있었다.

월급보다 요긴한 '공동자금', 장례와 체육으로 '단결'

부문당 비서로서 나는 유럽국의 '공동자금'을 관리했다. 북한의 사회주의 복지체계와 재정 건전성이 무너지면서 활성화된 것이 역설적이게도 공동자금이다. 구성원들이 조성해 공동으로 사용하는 자금인데 외화로만 모은다. 공동자금의 최종 관리자는 국장이다. 한 푼을 쓰더라도 국장의 결재가 있어야 가능하다.

해외에서 복귀한 사람은 국에 100달러를 공동자금으로 내놓는다. 유럽국의 경우 한 해 평균 7~10명이 해외에서 들어오며 비슷한 인원이 외국 공관으로 파견된다. 해외출장을 다녀와도 20달러를 내야 한다. 다만 북한대사관이 없는 곳은 예외다. 이런 식으로 조성하면 매년 몇 천 달러 이상 모인다.

북한 화폐로 받는 월급으로는 쌀 1kg도 살 수 없기 때문에 공동자금은 매우 유용하게 쓰인다. 용도도 다양하다. 병원에 누가 입원하면 술을 몇 상자씩 의사에게 갖다 주는 것이 북한의 관례다. 중앙당에서 간부들이 나오면 담배를 바쳐야 한다. 외무성 하급 관리보다 못사는 경우가 태반이어서 중앙당 간부들이 외무성에 오면 담배부터 찾기 때문이다.

술과 담배는 통상 외화상점에서 구입한다. 월급으로는 감당이 안 되니 공동자금을 써야 한다. 이밖에 각종 경조사에 필요한 술, 고기, 채소 등의 구입에도 외화가 필요하다. 이래저래 돈 쓸 일은 많다.

유럽국처럼 대외 교류가 많은 부서는 공동자금이 많아 부서 성원의 부담이 덜하다. 하지만 같은 외무성 소속이라 해도 대외 교류가 없는 부서는 돈이 없어 쩔쩔매는 경우도 많다. 유럽국은 과별로도 공동자금이 있다. 외무성 내에서도 빈부의 격차가 극심하다고 할 수 있다.

부문당 비서로서 힘들었던 일은 술을 계속 마셔야 하는 것이었다. 북한에서 당 일꾼을 하려면 자기가 속한 부서나 기관의 경조사를 거의 챙겨야 한다. 노동당은 당 일꾼들이 민중 속으로 들어가려면 소속 부서에서 일어나는 모든 관혼상제에 참가해야 한다고 요구하고 있다.

내가 책임진 외무성 유럽국(12국)은 50명 정도였다. 거의 매달 결혼식이나 장례식이 있었다. 결혼식은 상대적으로 편했다. 술이나 마시면서 축하해 주면 그만이었다. 장례식은 사정이 다르다. 만일 유럽국 성원이 맏상제이면 장례는 국에서 맡아 치른다. 국에서 우선 장의위원회를 조직하고 성원 몇 명을 보내 관을 제작하고 오봉산화장터를 예약한다. 이것은 시작에 불과하다. 장의위원회는 장례가 끝날 때까지 모든 장의 행사를 주관해야 한다.

한국은 집에서 장례를 치르는 일이 거의 없지만 북한에서는 맏아들 집이나 혹은 고인의 집에서 삼일제를 지낸 다음 시신을 내간다. 부문당 비서인 나는 장례가 있을 때마다 첫날부터 찾아가 조문을 받으며 당일 자정 입관까지 자리를 지켜야 했다. 그리고 술을 마시고 주패(카드)를 치면서 밤을 새우곤 했다.

나로서는 괴로운 일이었지만 별다른 도리가 없었다. 거의 한 달에 2번 정도는 장례를 주관해야 했다. 다만 외무성 내에서 유럽국은 재정 사정이 그나마 좋은 편이었기 때문에 성원들의 관혼상제를 치를 때마다 유럽국의 일체감과 집단력(단결력)이 향상된 것은 긍정적인 대목이었다. 외무성 내 체육행사에서 유럽국이 배구와 탁구 종목에서 2년 연속 1위를 차지한 이유 중의 하나도 성원들의 '집단력' 덕분이었다. 나는 여기에 자부심을 느끼며 외무성 유럽국 부국장 겸 부문당 비서로서 이룬 업적이라고 생각한다.

외무성은 매년 세 차례 체육행사를 개최했다. 김정일의 생일인 2월 16일 '광명성절', 김일성의 생일인 4월 15일 '태양절', 김정일의 생모 김정숙의 생일인 12월 24일이다. 체육행사가 열리면 국장이나 부국장은 배구와 탁구 경기에 무조건 참가해야 한다. 두 종목을 체육행사의 기본으로 보기 때문이다. 따라서 간부가 배구와 탁구를 못하면 '한 점을 잃은 채' 참가하는 격이다. 나는 유럽국 부국장이 된 이후부터 배구와 탁구를 열성껏 했다.

유럽국은 2011년과 2012년, 배구와 탁구 경기에서 1위를 했다. 그러나 내가 영국으로 나온 후인 2013년부터는 1등을 하지 못했다고 한다. 나는 한국에 온 지금도 국가안보전략연구원 동료들과 탁구를 치고 있다. 일주일에 한 차례 시간을 정해 정기적으로 친다. 한번씩 덧없는 상상을 할 때가 있다. 내가 망명에 성공하지 못해 다시 북한으로 돌아갔다면 유럽국이 1등을 탈환했을지도 모른다.

실권 쥔 제1부상, 하루 종일 김정일 전화 대기해야

북한의 모든 기관이 겪는 고충이 있다. 당위원회와 행정조직 사이의 갈등이다. 힘겨루기, 권력투쟁이라고도 할 수 있다. 당위원회의 역할을 이해하지 못하면 북한 사회를 이해하는 것도 불가능하다. 한국에 온 후 자주 들었던 질문이 있다.

"북한과 같은 비인간적인 체제가 어떻게 70년이나 유지될 수 있는가. 비결이 있는 것인가."

"나이 어린 김정은이 수십 년 동안 권력의 핵심이었던 고모부 장성택을 그렇게 간단하게 숙청할 수 있었던 원동력은 무엇인가. 도대체 북한 권력의 중심은 어디에 있는가."

북한이라는 체제에서는 언제나 당이 권력의 중심에 있다. 심화조 사건처럼 중앙당 조직지도부 내의 주요 인물이 처형될 수는 있지만 북한의 권력이 좌나 우로 이동한다는 것은 있을 수 없는 일이다.

한국의 많은 북한 전문가들은 북한이 고난의 행군을 했던 1990년대 후반기 김정일이 선군정치를 내세우자 권력의 중심이 당에서 군부로 넘어왔다고 평가했다. 김정은 집권 후에는 군부에서 다시 당으로 권력이 옮겨졌다고 분석했다. 일부는 권력서열만으로 누가 2인자이고 누가 3인자라고 평가한다. 이것은 중앙당의 역할을 모르기 때문에 나오는 공허한 말잔치일 뿐이다.

조선노동당 조직지도부는 수령의 유일적 영도 체계를, 선전선동부는 수령의 유일사상 체계를 수립하는 것을 기본사명으로 하고 있다. 조직지도부는 전 사회에 대한 장악과 통제, 고위층 간부들에 대한 인사, 검열, 처벌 권한을 가진 최고의 권력기관이다. 조직지도부와 선전선동부의 당조직 생활기능은 각각 북한 체제가 형성된 첫날부터 오늘까지 북한 사회를 움직이는 2대 축이다.

북한에서 권력서열은 의미가 없다. 박봉주 총리의 권력서열이 서너 번째라고 해도 그는 내각 성원을 임명 또는 해임할 수 없다. 북한의 권력은 해당 기관 또한 산하 기관의 인사권, 표창권, 처벌권을 누가 가지고 있느냐에 따라 결정된다. 내각 성원에 대해 이러한 권한을 지니고 있는 것이 중앙당 조직부 중앙기관담당 부부장이다. 결국 북한을 움직이는 것은 중앙당 조직지도부이고 조직지도부는 각 기관의 당위원회를 통해 전체 기관을 통제한다. 예컨대 국방위원회는 조직지도부를 지도할 수 없지만 조직지도부는 인민군 총정치국을 통해 국방위원회의 사업을 감시 통제할 수 있다.

북한 사회에 대한 이해를 돕기 위해 외무성 내 당 비서와 행정일꾼 사이의 권력투쟁 사례를 소개해 본다. 외무성 내에서도 권력의 중심은 당위원회에 있었다. 당위원회의 당 비서가 모든 권한을 행사한다.

그런데 1970년대 중반 김정일이 자신이 직접 관할할 필요가 있는 기관에 '1부상, 1부부장' 직제를 가져오면서 외무성 내 권력구도의 변화가 이뤄지는 계기가 마련된다. 행정 일꾼인 1부상에 김정일의 힘이 실리게 된 것이다. 김정일은 외무성, 국가보위부 등에 1부상 직제를 도입했고, 인민무력부에 총참모장이 있음에도 불구하고 작전국장이 1부상 기능을 수행하게 했다.

상(相) 아래에 1부상이 있고 부장 밑에 1부부장이 있다. 상이나 부장보다 권력서열은 낮지만 1부상과 1부부장은 김정일의 방침을 직접 집행하는 직책이다. 김정일과 얼마나 자주 대화하고, 김정일이 얼마만큼의 힘을 주었느냐에 따라 결정되는 것이 북한의 권력이다. 국가 행사나 외교활동, 각종 회의에 참가하느라 집무실을 비울 때가 많은 외무상과는 달리, 외무성 1부상은 아침 출근부터 밤 11시 퇴근까지 사무실을 지킨다.

김정일은 성격이 급해 보고 문건에 대해 물어볼 것이 있거나 지시할 사항이 있으면 즉시 전화로 1부상을 찾는다. 1부상은 보고 사안에 대해 꿰뚫고 있어야 한다. 항상 대기상태에 있어야 하므로 휴일조차 없다. 화장실에 갈 때도 비서가 대신 김정일과 연결된 전화를 지켜야 한다. 그러다 보니 1부상을 10년 정도 하면 폐인이 되다시피 한다.

강석주, 당 비서 제치려다 목 날아갈 뻔

1970년대 후반 외무성 1부상은 이종목이었다. 이종목이 사망한 후에는 김충일이 1980년대 초반까지 맡았고, 김충일이 3층 서기실로 올라간 뒤 중앙당 국제부 유럽담당과장이던 강석주가 1부상으로 내려왔다. 1990년대 초 북미 대화가 이뤄지면서 외무성 내 권력구조는 강석주를 중심으로 재편되기 시작했다.

강석주가 가장 먼저 손을 댄 것이 간부사업권이다. 원래 규정에 의하면 간부사업권은 당 비서의 고유 권한이어서 행정 일꾼이 간섭해서는 안 된다. 당 비서와 행정 일꾼의 권력투쟁이 시작된 것이다. 김정일의 비밀파티에 참석한 강석주는 "당의 대외정책이 잘 집행되려면 능력 있는 일꾼을 해외에 보내야 하는데 지금은 대사들의 역량이 부족해 사업에 어려움이 많다"고 보고했다. 눈치가 빤한 김정일은 외무성의 간부사업권을 강석주에게 주었다.

이때부터 외무성에서는 당 비서가 아닌 강석주에게 권한이 집중되기 시작했다. 자연히 행정 간부의 발언권도 커졌다. 다른 기관에서는 어림도 없는 일이었지만 외무성에서는 당위원회가 오히려 강석주의 눈치를 살폈다. 김정일을 대면했을 때 강석주가 당 비서에 대해 불평이라도 하게 되면 당장 날아갈 판국이었다.

강석주는 자신의 권한을 과시하기 위해 토요일 정규생활 진행 과정에도 간섭했다. 북한에서 토요일은 완전히 당 비서를 위한 날이다. 당 비서가 토요일 아침부터 생활총화, 방침전달, 학습지도 등 외무성의 일과를 지도한다. 오전 10시부터 진행되는 김정일의 방침 전달 시간은 특히 중요한 활동이다. 이 시간에는 모든 성원이 강당에 모여 당 비서의 말을 들어야 한다.

그런데 어느 순간부터 당 비서가 김정일의 방침을 전달하는 도중에 강석주의 쪽지가 날아들기 시작했다. 어느 국장, 어느 과장과의 협의가 필요하니 자기 방으로 당장 보내달라는 내용이었다. 북한에서 김일성과 김정일의 '말씀'은 성경과 같다. 성경을 봉독하는 행사에 누군가가 끼어들어 신자 하나 둘을 불쑥불쑥 빼가는 형국이었다. 외무성 성원들은 '저러다가 강석주가 크게 다칠 것'이라고 우려했다.

아닌 게 아니라 문제가 터졌다. 중앙당 조직지도부에서 이 문제를 제기하고 강석주를 검열했다. 잘못 대응하면 강석주의 목이 날아갈 판이었다. 비상한 두뇌의 소유자였던 강석주는 다음과 같이 대응했다.

"우리의 모든 사업은 위대한 김정일 장군님의 대외 활동을 보좌하는 데 목적이 있다. 김정일 동지께서 전화로 나에게 어떤 문제에 대하여 물어보시는데 내가 잘 모른다면 어떻게 해야 하는가. 그 문제에 대해 잘 아는 실무자를 불러 물어보고 김정일 동지에게 보고를 드려야 한다. 장군님에 대한 보고는 분초를 아껴야 한다. 당 비서의 방침전달 사업이 끝날 때까지 장군님을 기다리게 해야 한단 말인가."

강석주의 목을 치러 나왔던 검열대는 거꾸로 궁지에 몰려 조용히 철수했다. 이후 2008년까지 외무성은 강석주의 세상이었다. 권한을 빼앗긴 중앙당이 가만있을 까닭이 없다. 중앙당 조직지도부 본부당 책임비서 이제강이 강석주를 특히 아니꼽게 봤다. 이제강은 2008년 말 자신의 심복인 평양시 모란봉구역 당책임비서 안태광을 외무성에 파견하면서 당위원회의 권위를 찾으라고 지시했다. 사실 이제강의 말이 옳았다. 북한 체제에서 행정이 당보다 우위일 수는 없었다. 이때부터 강석주와 당 비서 안태광 사이의 보이지 않는 싸움이 시작되었다.

안태광은 역시 김정일의 신임을 받고 있던 이제강을 등에 업고 강석주를 누르려고 했다. 안태광은 모든 사안을 당의 정책적 시각으로 판단하는, 북한에서도 보기 드문 전형적인 당 일꾼이었다. 예리한 면도 있었다.

강석주는 김정일이 뇌졸중으로 쓰러졌다가 회복된 후 예전처럼 김정일을 자주 대면하지 못했다. 김정일의 건강 문제로 비밀파티가 현격하게 줄어들었기 때문이다. 이때부터 안태광의 반격이 개시되면서 강석주의 독주가 무너졌다.

안태광은 각 국의 부문당 비서, 세포비서들을 불러들여 부상, 국장 등 간부들의 비위 사실을 캐물었다. 20여 년 동안 강석주의 전횡이 있다 보니 당연히 비리는 있었다. 안태광은 각종 비판모임을 조직해 행정 일꾼들을 압박했고 김창규 부상과 몇몇 국장을 비리에 걸어 외무성에서 내쫓았다. 외무성 내에서 안태광의 비위를 맞추려는 움직임이 일었고 나 역시 부문당 비서로서 그의 심기를 거스를 수는 없었다.

안태광은 내가 속해 있는 유럽국 김춘국 국장과 담당 부상의 비행 자료를 보고하라고 들볶았다. 한 가족처럼 생활했던 직속 상급자에 대해 미주알고주알 보고하는 것처럼 힘든 일도 없는 법이다. 안태광은 각 국의 '방침집행등록대장'에 대한 검열을 진행하면서 "오직 김정일 장군 한 분만을 믿고 살아야 한다"며 은근히 강석주를 깎아내렸다. 권위를 보여주기 위해 부상들을 호출해 놓고 1시간씩이나 기다리게 하는 일도 있었다. 화가 난 어느 부상이 그냥 돌아가 버리자 안태광은 "당에 대한 태도가 틀려먹었다"고 비난했다.

결국 강석주는 2010년 9월 당대표자회의에서 내각 부총리로 임명되며 외무성에서 물러났다. 겉으로 보기에는 승진이었지만 사실상 외교 일선에서 추방된 것이었다. 강석주를 밀어낸 안태광의 전횡은 점점 심해졌다. 온 외무성이 안태광 앞에서 벌벌 기었다. 강석주를 대신해 1부상이 된 김계관은 강석주처럼 배짱이 있는 인물은 아니었다. 외무성 행정 간부들은 당위원회에 굴복할 수밖에 없었다. 나이 든 부상, 국장들이 30대 안팎의 젊은 당위원회 부원들에게 머리를 숙이고 인사하는 상황이 벌어졌다.

그러나 이러한 상황도 오래가지 못했다. 외무성에는 중앙당 간부의 자녀들이 많다. 그들을 통해 안태광의 전횡이 보고되었고 조직지도부는 안태광을 심양주재 북한대표부 당 비서로 전출시켰다. 후임 당 비서로는 허담의 아들 허철이 왔다. 김일성 일가이기도 한 허철은 아버지를 닮아 상당히 노련했다. 나이 든 행정 일꾼들에게 깍듯이 예의를 지키고, 겉으로는 김계관 1부상을 앞세우면서 보이지 않게 권력을 행사했다.

북한의 현 외무상은 2016년 노동당 7차 대회에서 선출된 리용호다. 김계관 1부상은 건강이 좋지 않다. 지금은 리용호와 허철이 서로 충돌하지 않고 균형을 유지하면서 외무성을 이끌고 있을 것이다.

갑자기 내려오지 않는 김정일 결재, 알고 보니 뇌졸중

2008년 8월 하순으로 기억하고 있다. 갑자기 김정일의 결재가 내려오지 않았다. 처음에는 다들 김정일이 중국을 비공식 방문하는 것으로 생각했다. 그런 전례가 있었기 때문이다. 외무성이 김정일에게 문건으로 보고하는 방식은 두 가지다.

하나는 매주 수요일에 올리는 주보로, 주간보고의 줄임말이다. 당장 결재를 받지 않아도 되는 전략적이고 깊이 있는 문건이다. 일일보고, 즉 일보는 매일 제기되는 문제에 관한 것이거나 김정일의 긴급 승인이 필요한 문건이다.

주보와 일보는 컴퓨터를 통해 김정일의 3층 서기실로 제출된다. 김정일이 문건을 읽고 사인을 하거나 날짜를 쓰면 '친필비준문건'이 된다. 그저 봤다는 표시만 하고 다시 내려온 문건은 '보아주신 문건' 혹은 '당중앙위원회 지시'라고 표현한다. 가장 급이 높은 문건은 '친필비준문건'과 김정일이 문건 첫 장에 구체적인 지시사항을 써넣은 문건이다.

김정일이 문건을 직접 읽는지, 제목만 보는지, 제목도 안 보는지 누구도 확인할 수 없다. 매일 외무성에서 보고하는 문건만 수천 페이지이다. 다른 관서에서도 그 정도가 올라간다. 김정일이 신이 아닌 이상 이를 다 본다는 것은 물리적으로 불가능하다. 대다수 문건은 3층 서기실 내의 담당자들이 먼저 읽어 보고 중요한 문건만 김정일에게 보고하는 것으로 보인다.

때로는 김정일이 강석주에게 전화를 걸어 문건 관련 내용을 묻거나 지시를 내릴 때가 있다. 중요한 사항은 김정일에게 반드시 보고된다는 것을 짐작케 한다. 그러나 실제 김정일의 의사가 반영됐는지 아닌지 모호한 경우도 있다. 김정일에게 갑자기 변고가 생겨도 3층 서기실에서 알려주지 않으면 별일 없이 돌아가는 것이 북한의 구조다.

2008년 8월 김정일이 뇌졸중으로 쓰러졌지만 이를 아는 사람은 3층 서기실 내의 극소수였다. 김정일의 결재 문건이 내려오지 않게 되자 외무성뿐만 아니라 중앙기관 다른 부서들도 혼란에 빠졌다. 외무성이 올린 문건은 제대로 결재가 되는지 문의 전화도 많이 왔다. 결재를 받지 못하면 일을 할 수 없었지만 그렇다고 아예 일손을 놓을 수는 없었다. 외무성은 '~하였으면 합니다'라는 문구를 '~하는 것으로 조직사업을 하고 있습니다'로 수정해 다시 문건을 올리고 관련 사업을 진행했다.

김정일은 9월 9일 공화국 수립 행사에도 참석하지 않았다. 북한 사회는 술렁이기 시작했다. 별의별 이야기가 나돌았다. 김정일이 다시 등장한 것은 10월경이다. 김일성종합대학과 평양철도대학 간의 축구 경기장에 색안경(선글라스)을 쓰고 나타났다. 흐려진 눈을 가리기 위해 색안경을 썼던 것 같다. 당시 화면을 보면 김정일의 거동이 매우 불편해 보인다.

김정일 복귀와 함께 다시 부상한 룡천 폭발사건

김정일은 자신의 건강이 여의치 않으며 남은 날이 얼마 남지 않았다고 직감했던 것 같다. 이 무렵 김정일의 건강만큼 심상치 않은 일이 연이어 일어난다.

하나는 김정일 열차 담당인 8, 9호 담당 총참모장 서남식 등 철도성 간부들이 일거에 체포되어 일부가 처형된 사건이다. 북한에서는 공식 발표가 매우 드물다. 사건의 전모가 명백히 밝혀지지 않았지만 서남식 등이 룡천역 폭발사건을 통해 김정일 암살을 시도했으며 또한 6·25전쟁 때 한국이 파견한 간첩조직이라는 것이 드러났다는 소문이 돌았다. 룡천역 폭발사건이 있은 지 4년 후였고, 6·25전쟁이 발발한 지 60여 년이 다 돼가는 시점이었다. 뭔가 석연치 않은 것은 분명했다.

외무성 유럽국에도 사건의 여파가 미쳤다. 같은 해 10월 어느 날 오후 갑자기 당위원회가 유럽국에서 일하던 서철을 소환했다. 그는 베이징대학 영어과에서 유학한 후 1979년부터 국제관계대학 영어교원으로 일했다. 이듬해 내가 이 대학에 입학했을 때 우리 학급의 영어정독 담당교원이었다. 그에게 영어를 배웠으니 내게는 은사가 되는 셈이다.

그 후 리수용에게 영어 실력을 인정받아 1992년 제네바 유엔기구 담당 참사로 일하게 됐다. 귀국 후에는 외무성 유럽국 영국담당 과장, 평양 상주 스위스 개발협조성 북한 대표로 재직했다.

당위원회에 불려간 서철은 다시 내려오지 않고 검은 승용차에 실려 어디론가 사라졌다. 몇 시간이 지나 당위원회가 나를 불렀다. 서철의 가족이 지방으로 추방되니 10명 정도를 데리고 그의 집으로 가서 짐을 싸라는 것이었다. 국에서 제일 힘꼴이나(힘깨나) 쓰는 성원들을 뽑았다.

서철의 집은 평양의학대학병원 옆에 있었다. 이미 보위원들이 복도에 서서 출입을 통제하고 있었다. 온 가족이 자리에 앉아 울고 있었다. 서철의 노모가 생존해 계셨는데 "너무 오래 살아 보지 말아야 할 것을 보았다"고 했다. 우리는 이삿짐을 싸면서 그가 얼마 전에 총살된 철도성 총참모장 서남식의 조카라는 것을 알게 되었다.

서철의 부친은 6·25전쟁 때 안전원, 동생은 모란봉구역 안전부 수사과장이었다. 북한에서도 보기 드문 '알짜 빨갱이 집안'이라고 할 수 있다. 그런 집안이 김정일 암살에 개입했다고 하니 믿을 수 없었다.

서철의 가족은 밤 12시 이전에 평안남도 상원군으로 추방될 처지였다. 그 전까지 우리는 닥치는 대로 짐을 싸야 했다. 그러던 중에 서철의 부인이 조용히 다가와 "집에 외화가 꽤 있는데 어떻게 하면 좋겠느냐"고 물었다. 서철이 스위스에서 거의 6년 동안 외교관 생활을 하면서 틈틈이 모은 돈인 듯했다.

서철은 이날 오전까지 함께 일하던 동료였다. 나는 그 돈을 암시장에서 북한 돈으로 바꿨다. 서철이 추방되는 지역은 미국 달러가 필요 없는 외진 곳이었다. 거기서 철도역으로 나오려면 200리는 걸어야 했다.

달러당 북한 화폐로 거의 4,000원이 넘던 때다. 수천 달러를 바꿔 돈을 보자기에 싸니 한 묶음이 되었다. 보위원이 한눈을 파는 사이 짐 속에 감췄다. 보위원들이 보면 경을 치를 일이었으나 모두 한마음이 되어 감쪽같이 해치웠다. 유럽국 성원 5명이 서철의 가족과 동행해 이날 밤 상원군으로 떠났다.

울며 평양을 떠나는 서철의 가족을 보면서 우리는 그래도 돈을 많이 가지고 내려가니 몇 년은 버틸 수 있을 것이라고 생각했다. 그런데 그로부터 1년도 안 된 2009년 11월 북한에서 화폐개혁이 실시됐다. 어제까지 통용되던 돈이 한순간에 종잇조각이 되는 것을 보면서 나는 상원군 오지에서 고통스러운 시간을 보내고 있을 서철의 가족을 떠올렸다.

아직도 나는 의문이다. 룡천역 폭발사건은 정말 김정일이 생각했던 것처럼 암살사건이었을까. 아니면 항상 암살공포증에 사로잡혀 있던 김정일을 달래기 위한 국가보위부의 거짓 작전이었을까.

말년의 김정일, 박수도 겨우 쳐

김정일이 뇌졸중에서 회복된 후 갑작스럽게 리수용을 평양으로 소환한 것도 심상치 않은 일이었다. 그가 언제 스위스에서 돌아왔는지 정확히 알 수는 없다. 2008년 말이나 2009년 초인 듯하다.

리수용은 경제특구를 늘려 북한 경제를 회생시켜야 한다고 주장해 왔다. 그랬던 그를 평양으로 급히 소환해 합영투자위원회를 조직하게 하고 그 위원장에 임명했다. 김정일의 의도는 무엇이었을까. 살 날이 얼마 남지 않았다는 것을 예감하며 경제 회복을 위해 뭐라도 해보겠다는 김정일의 마지막 몸부림일 수도 있다.

리수용은 장성택과 상당히 가깝다는 이야기가 돌았다. 북한 경제를 쥐고 있는 장성택의 당 행정부가 합영투자위원회를 담당하고 있었기 때문이다. 리수용이 합영투자위원회 위원장이 된 후, 북한은 경제특구 확대라는 새로운 경제정책안 마련에 착수했다. 특히 김정일 사망 직후인 2012년에 들어서면서 리수용을 중심으로 구체적인 방안까지 검토하기 시작했다. 경제특구 13개를 신설한다는 내용이었다.

경제특구는 개성공업지구처럼 자본주의 경제방식을 북한 내부에 들여오는 것이 핵심이다. 김정은의 적극적인 지지를 받지 못하면 금방 목이 날아날 수 있는 사안이다. 2013년 말 북한은 경제특구 13개를 지방에 신설한다고 공식 발표했지만, 이듬해 4월 리수용이 외무상으로 임명되면서 흐지부지되고 만다. 이때 합영투자위원회는 힘을 잃고 해체과정을 밟게 된다.

이런 일련의 과정을 정리해 보면 경제 회복을 위한 김정일의 마지막 시도를 김정은이 이어가는 듯하다가 결국엔 허물었다고 말할 수 있다. 김정은이 집권 초기에 개혁개방에 대한 의지를 보인 적은 분명 있었다. 김정은도 딴에는 개혁개방을 해보려고 했지만 여러 사정을 감안해 포기한 듯하다.

2009년 10월, 나는 김정일을 근거리에서 본 적이 있다. 중국 총리 온가보(溫家寶·원자바오)가 북한을 방문했을 때다. 김정일은 온가보와 중국 고전소설 《홍루몽》을 각색한 북한 가극을 함께 관람했다. 김정일은 상당히 힘들어 하며 겨우 걷고 있었다. 왼편에 마비가 온 모양인지 박수도 겨우 치는 정도였다. 그러나 그때까지만 해도 김정일이 그렇게 빨리 죽을 줄은 몰랐다.

뇌졸중 겪고 정철·정은 두 아들 측근들에 첫 소개

상당 기간 동안 북한에서도 김정일에게 김정남 외의 다른 아들은 없다고 알려져 있었다. 심지어 김일성 가문 내에서도 김정은의 존재는 모르고 있었다고 한다.

그런데 2009년 새해 첫날 신년사부터 이상한 기운이 감돌기 시작했다. 김일성 생전에는 그가 직접 신년사를 육성으로 발표했다. 그의 사후인 1995년부터는 〈노동신문〉, 〈조선인민군〉, 〈청년전위〉

3개 신문이 신년 공동사설을 게재하는데 이것이 김정일의 실질적인 신년사였다. '공동사설'에는 지난해에 대한 평가와 함께 정치·경제·남북관계·대외관계 부문 등 새해의 정책 방향을 담는다. 2009년 신년 공동사설에는 '오늘 우리는 당의 혁명위업 수행에서 중대한 역사적 경계선에 서있다'는 새로운 표현이 사용되었다. 이 표현이 무엇을 의미하는지 당시에는 아는 사람이 별로 없었다.

북한 관료들은 보통 1월 중순까지 공동사설을 학습한다. 1월 중순부터는 김정일의 생일인 '광명성절' 준비에 들어간다. 외무성의 광명성절 준비는 국별 배구·탁구 경기와 예술공연이다. 그런데 여느 해와는 다르게 각 조직별로 〈발걸음〉이라는 노래 보급사업이 진행되었다. 북한 중앙TV에서 이 노래가 방영된 직후였다. 외무성은 목청 좋은 성원들로 이 노래를 부를 합창단을 조직했다. 합창단은 오후 4시면 강당에 모여 〈발걸음〉을 불렀다. 가사 중의 일부다.

척척척 척척 발걸음
우리 김대장 발걸음
2월의 기상 떨치며
앞으로 척척척
발걸음 발걸음 힘차게 한 번 구르면
온 나라 인민이 따라서 척척척

'2월의 기상'은 2월 16일에 태어난 김정일의 기상을 말하는 것이 분명했다. 그 기상을 떨치는 '김대장'이 후계자가 된다는 것도 명백했다. 하지만 노래를 부르는 우리조차도 김대장 또는 대장동지가 누구인지 전혀 알 수 없었다.

〈발걸음〉은 CNC 기술로 제작돼 파일 형태로 보급됐다. CNC는 김정은 후계구도와 맞물려 등장한 차라리 구호에 가까운, 선진국에서는 전혀 새로울 게 없는 기술이다. 북한에서는 '공업의 CNC화'라고 선전한다. CNC란 컴퓨터 마이크로프로세서를 내장한 수치제어 공작기계를 말하는데 김정은의 등장과 함께 온갖 문구에 'CNC화'라는 말을 갖다 붙였다. 조그마한 식료 공장을 건설하고도 생산 공정을 CNC화해 생산력을 극대화했다고 말하는 식이다.

후계자 김정은 '대장동지' 이름으로 부상

2009년 4월 15일 김일성 생일에 대동강에서 '축포야회'(불꽃놀이)가 열렸다. 그 규모가 전례 없이 컸다. 양식도 대단히 다채롭고 새로웠다. 모든 사람들이 감탄해 마지않았다. 몇 백만 달러는 족히 썼을 것으로 보였다. 당 내부에서는 "대장동지께서 직접 지도하신 축포야회"라고 선전했다. '대장동지'의 등장을 위한 예포로 여겨졌다.

나도 '김대장'이 누구일까 궁금했다. 김정일의 아들 가운데 하나인 것은 확실했지만 이 문제에 대해 내놓고 이야기하는 사람은 없었다. 유럽국에서 오랫동안 일해 온 나는 스위스에서 김정일의 자녀들이 공부하고 있다는 것은 알고 있었다. 하지만 자녀가 몇 명인지도 몰랐고 이름은 한 번도 들어본 적이 없었다.

그때까지 내가 본 김정일의 아들은 김정남뿐이었다. 스위스 유학을 끝내고 1990년대 초 북한으로 돌아온 김정남은 저녁이면 고급 벤츠 승용차를 타고 고려호텔에 오곤 했다. '216-8888'이라는 차량번호까지 기억난다. 김정남은 주차가 금지된 정문에 차를 세우고 호텔로 들어갔다. 호텔 간부들이 내려와 인사하며 영접한 것은 물론이다.

나도 고려호텔에 자주 간 편이다. 안내를 맡은 유럽 대표단 대부분이 이 호텔에 유숙했기 때문이다. 호텔 여기저기를 다니는 김정남의 모습을 먼발치에서 수차례 목격했다. 나도 처음에는 그가 김정남인지 몰랐다. 3층 서기실의 일꾼이겠거니 생각했지만 조금 이상하게 보이긴 했다. 한 번은 그를 옆에서 찬찬히 보고 있는데 같은 국에서 일하는 선배가 나를 툭 치더니 그냥 가자고 했다. 그러면서 귀띔하는 말이 '장군님의 자제분'이라는 것이었다.

김정남이 결정적으로 김정일의 눈 밖에 난 것은 위조여권 사건 때문이다. 김정남은 페르손 스웨덴 총리가 평양에 도착하기 하루 전날(2001.5.1), 위조여권을 들고 일본에 입국하려다가 발각됐다. 당연히 서방 언론에 크게 보도됐다. 외무성은 스웨덴 총리의 평양 방문에 대한 세계 언론의 보도 내용을 김정일에게 거의 실시간으로 보고하고 있었다. 서방 국가의 수장 가운데 북한을 방문한 인물은 페르손이 최초였다. 김정남의 밀입국으로 잔치 분위기에 찬물이 끼얹어졌다. 외무성 내에서는 김정남의 일본 밀입국 소식을 절대로 발설하지 말라는 엄명이 내려졌다.

이 사건으로 김정남이 후계 구도에서 밀려난 것은 분명해 보인다. 더구나 김정남의 생모가 성혜림이라는 사실 정도는 북한에서도 벌써 많은 사람들이 알고 있었다. 성혜림은 북한에서 아주 유명한 배우였다. 월북 작가 이기영 선생의 맏며느리이기도 하다. 내가 평양외국어학원에 재학 중이던 1974년과 1975년, 같은 학급이었던 이차돌이라는 친구가 있었다. 이기영 선생의 손자였다.

이차돌의 부친 이종혁은 당시 프랑스 유네스코 주재 북한 대표였다. 현재는 조선아태평화위원회 부위원장 겸 남조선문제연구소 소장이다. 이차돌은 이기영 선생 댁에서 학교에 다녔는데 그 집에 김정남의 이부동복 누나인 이옥돌이 있었다. 한 번씩 놀러가거나 공부하러 가면 이옥돌은 과일을 깎아주면서 살갑게 대해주었다. 그런데 어느 날부터 안 보이기에 이차돌에게 물었더니 남조선혁명가양성소에 들어갔다고 했다. 이옥돌의 미모가 출중해 나도 그 말을 곧이 곧대로 믿었다.

덴마크에 근무하던 1997년, 이한영이 암살당했다는 소식이 보도됐을 때 나는 그때서야 성혜림이 김정일의 여자라는 사실을 알게 되었다. 그때의 충격은 이루 말할 수 없다. 이옥돌의 근황도 얼마 지나지 않아 알게 되었다. 그녀는 북한으로 돌아가지 못하고 남편인 외교관을 따라 핀란드, 이탈리아, 오스트리아, 스위스로 옮겨 다니며 살고 있었다.

이런 사정을 종합해 볼 때 나도 김정남은 후계자가 아닐 것이라고 생각했다. 남은 것은 김정철과 김정은 중의 하나인데 어느 쪽인지 가늠하기 어려웠다. 김정일로부터 두 형제를 소개받은 최측근들은 김정철이 김정은보다 형이라는 것은 알았다. 그래서인지 많은 사람들은 김정철이 후계자로 지목될 줄 알았다.

김정일의 후계자 세습 작업은 이처럼 은밀하게 진행됐다. 하지만 '김대장' 찬양가 〈발걸음〉이 나온 이후부터는 일사천리였다. 2009년 하반기에 들어설 무렵, 당회의 등에서 '대장동지', '우리 당은 역사적 전환기에 처하여 있다' 등의 표현이 나오기 시작했다. '김대장' 또는 '대장동지'의 정체에 대한 궁금증은 점점 증폭됐다. 그러더니 김정은의 이름이 슬며시 등장했다. 북한 각처에 "장군복, 대장복 누리는 우리 민족의 영광, 만경대 혈통, 백두의 혈통을 이은 청년대장 김정은 동지"라는 문구와 함께 김정은 찬양가인 〈발걸음〉의 가사가 적힌 포스터가 나붙었다.

김정은 등장 직후 화폐개혁으로 후계 공고화 시도

2009년 11월 북한에서 전혀 예견치 않았던 사건이 하나 터졌다. 화폐개혁이었다. 김정은의 이름이 북한 주민에게 공개된 지 서너 달 후의 일이다. 북한은 김일성 탄생 100돌인 2012년까지 강성대국 건설을 위한 세 가지 과업을 추진했다. 헌법개정, 핵무장, 경제건설이 그것이다.

이 가운데 헌법개정은 2009년 4월 완료했고, 핵무장은 2009년 5월 제2차 핵실험을 실시함으로써 진일보했다. 하지만 경제건설에서의 획기적인 성과 달성은 기대에 못미쳤다. 그래서 단행한 것이 화폐개혁이다.

북한 주민들은 돈이 생겨도 은행에 입금하지 않는다. 인출이 자유롭지 않기 때문이다. 주민들은 장마당에서 번 돈을 집안에 쌓아두었다. 당국은 수백만 명에 달하는 군인과 공무원, 국영기업소 노동자의 월급을 지급하기 위해 끊임없이 돈을 찍어내야 했다. 인플레이션이 무섭게 악화되는 구조였다.

실례로 외무성 부국장인 내 월급이 2,900원이었는데 장마당에서 거래되는 쌀 1kg 가격은 3,000원이 넘었다. 월급으로는 장마당에서 쌀 1kg도 살 수 없었다. 그럼에도 생활이 가능한 것은 국가 배급이 있기 때문이다. 외무성 등 중앙기관은 소속 성원에게 기존 국가 가격인 1kg당 40원에 쌀을 배급해 준다. 그래서 공무원 치고 월급을 그대로 가져가는 바보는 없다. 또한 쌀 배급일이 실질적인 월급날이 된다. 외무성의 경우에는 국별로 여직원이 국의 모든 성원의 월급을 가지고 있다가 쌀 배급일에 배급 값을 제하고 나머지는 또 건사해 둔다.

김정일이 화폐개혁을 통해 노린 것은 과도한 인플레이션을 막고, 주민들이 집안에 쌓아둔 돈을 끌어내는 것이었다. 장마당을 통한 자본주의 경제 확대 또한 막으려고 했다. 화폐개혁의 구체적인 조치는 구권 100원을 신권 1원으로 교환하는 것이었다. 그런데 교환 액수에 제한이 있었다는 점이 문제였다. 제한에 걸려 신권으로 교환하지 못하는 구권은 휴지가 되고 말았다.

내 기억으로는 화폐개혁 선포 당일, 한 가구당 10만 원만 새 화폐로 교환해 준다고 했다. 그러더니 며칠 후에는 10만 원과는 별개로 가족 1명당 5만 원까지 추가 조정됐다. 그럼에도 턱없이 부족했다. 특히 장마당 주민들의 손해가 막심했다. 특권층이나 돈주(큰 상인)들은 이미 달러, 유로, 위안화 등으로 거래를 하거나 재산을 모으고 있었기 때문에 피해가 덜했다.

주민저항으로 화폐개혁 실패, 당 경제비서 처형

대대적인 저항이 일어났다. 상점들이 문을 닫고 시장에서 상품이 없어졌다. 평양시당 책임비서 김만길이 주민들 앞에서 사과하고 모든 상업 활동을 재개해 달라고 호소했지만 아무 소용이 없었다. 주민들의 반발에 김정일은 크게 놀랐다. 북한 지도자의 한마디에 벌벌 기던 주민들이 집단적으로 저항할 줄은 내다보지 못했던 것이다.

사람이 일단 돈 버는 재미를 들이면 되돌릴 수 없다. 그 재미를 빼앗으려 하면 결사적으로 반항한다. 더구나 단순한 재미가 아니라 생존권이 달려 있는 문제였다. 정치적 통제는 그럭저럭 참아오던 북한 주민들이 생존권을 빼앗기자 목숨을 걸고 반발했다. 김정일은 그런 이치를 몰랐다.

화폐개혁 당시 외무성에서도 소극적인 반발이 있었다. 종전에 1달러 대 3,000원 정도였던 화폐 가치가 화폐개혁이 실시되면서 처음 얼마 동안은 1달러 대 100원이 되었다. 장마당에서 거래되던 쌀 1kg의 시세도 종전 3,000원 선에서 50원 언저리로 하락했다. 문제는 중앙기관이 공무원에게 배급하는 쌀값은 아무 변화 없이 40원이었다는 점이다.

이전까지는 직장에서 40원을 주고 쌀을 사서 장마당에 3,000원에 팔 수 있었다. 실제로 일반인보다 생활형편이 나은 외무성 성원들은 배급 쌀을 시장에 내다팔거나, 품질 좋은 일반 쌀과 일정한 비율로 교환하곤 했다. 하지만 화폐개혁 이후에는 배급 쌀이 40원, 장마당 쌀이 50원이어서 누구도 배급 쌀을 사려 하지 않았다. 중앙기관에서 배급하는 쌀은 대부분 군량미 창고에서 수년 동안 보관된 것이었다. 곰팡이가 슬고 질이 좋지 않아 '썩은 쌀'로 불렸다. 외무성 성원들이 '썩은 쌀'을 배급받지 않으려 한 것은 당연했다.

쌀을 배급해 주던 재정경리국이 곤란해졌다. 당위원회는 부문당 비서인 나를 불러 "유럽국 성원들이 배급을 받지 않으면 김정일 장군님의 화폐개혁 정책에 대한 정면도전으로 간주하고 종파적 행위로 단죄할 수 있다"고 경고했다. 북한에서는 이런 과도기에 처신을 잘못하면 목이 날아갈 수 있다. 유럽국 전체 성원들이 토의하고 결국 썩은 쌀을 받기로 했다.

하지만 주민들의 강력한 저항으로 화폐개혁은 시행 한 달 만에 참담한 실패로 돌아갔다. 완벽한 통제 사회인 북한에서 당의 정책이 이렇게 막을 내린 것은 유례가 없는 일이었다. 김정일은 주민들의 불만을 가라앉히기 위해 당 경제정책비서 박남기에게 모든 책임을 뒤집어씌우고 그를 처형했다.

나는 화폐개혁의 막후에 김정은이 있다고 생각한다. 화폐개혁은 그의 후계구도를 공고히 하려다 실패한 사업일 뿐이다. 이 소동 이후 북한은 경제 문제에 관한 한 더 이상 주민들을 강제하지 못하고 있다. 김정은으로서는 아무리 순종적인 북한 주민이라고 하더라도 그들의 생존권을 건드리면 정권마저 흔들릴 수 있다는 교훈을 얻은 셈이다.

연평도 포격으로 날아간 벨기에 주재 북한대사관 개설

김정은은 2010년 9월 27일 조선인민군 대장 칭호를 받았고, 다음날 노동당대표회의에서 당중앙군사위 부위원장 및 당중앙위원으로 선출됐다. 김정일의 후계자로 공식 확정된 것이다.

북한 주민들이 김정은의 얼굴을 처음 본 것이 9월 28일이다. 대다수의 반응은 "김일성 수령님의 모습을 보는 것 같다"는 것이었다. 김정은의 활기 있는 모습과는 대조적으로 주석단에 앉아 있던 김정일의 모습은 생기가 없었으며 박수도 겨우 치는 정도였다.

김정은의 후계 확정 전후에 천안함 폭침(2010.3)과 연평도 포격(2010.11) 사건이 일어났다. 최근 10년간 남북관계에서 가장 충격적인 사건이었다. 한국에 온 후 나는 많은 사람들로부터 북한이 천안함을 폭침시킨 것이 맞느냐는 질문을 받았다. 북한 외무성에만 근무한 나로서는 그 진상은 알 수 없지만 북한 내부에서 이런 이야기가 나돌았던 것은 기억난다.

'조선의 해군력이 남조선에 비교가 안 될 정도로 취약한데 천안함이 깨지는 것을 보니 해군도 붙어봐야 알겠다.'

이런 식으로 자신감을 얻게 됐다는 것이다.

2010년 11월 23일 연평도 포격 당일은 내 기억에 생생히 남아 있다. 이날 유럽연합 의장국 벨기에 외무성 아태국장이 이끄는 대표단이 평양에 도착했다. 북한과 유럽연합은 매년 외무성 국장급 간의 정치대화를 진행하고 있었다. 저녁에는 외무성 소속인 평양 고방산초대소에서 궁석웅 부상 주최로 환영 만찬이 열렸다. 이때쯤 이미 연평도 포격 사건으로 전 세계가 들끓고 있었지만 북한 외무성 내에서는 CNN을 주시하는 5국(미국국)만이 그 사실을 알고 있었다. 이날 만찬은 매우 화기애애한 분위기 속에서 진행됐다.

이튿날 오전 10시 인민문화궁전에서 공식 회담이 개최됐다. 북한 측 단장 김춘국이 먼저 환영 인사말을 건네자 유럽연합 측 대표가 긴장한 표정으로 일어섰다. 그는 이렇게 말하고 대표단과 함께 퇴장했다.

"어제 북한이 한국의 영토인 연평도를 포격했다. 북한의 공격 사건에 대한 항의 표시로 유럽연합은 북한과의 정치회담을 중지하기로 결정했다. 따라서 본 대표단은 가장 빠른 항로를 이용해 평양을 떠날 것이다. 본부로부터의 지시다. 유감스럽다."

북한은 이 회담에 상당한 기대를 걸고 있었다. 이유는 대표단 단장이 벨기에 외무성 아태국장이었고, 벨기에 주재 북한대사관 개설 문제가 당면 현안이었기 때문이다. 전날 만찬 때만 해도 벨기에 측은 "공식 회담 결과에 따라 브뤼셀 주재 북한대사관 개설 문제에 진전이 있을 것"이라고 암시한 바 있었다. 나도 상당한 기대를 가지고 회담장에 나갔으나 회담이 결렬되어 아쉬웠다.

며칠 후 연평도 포격과 관련해 들려오는 소문이 있었다. 황해남도 강령군 개머리의 북한군 장사포부대가 연평도를 포격한 후 한국군의 반격을 예견하고 자리를 피해 큰 피해는 없었다는 이야기였다.

평양 주재 독일대사관 북한 비난 성명 게시

전 세계가 북한의 연평도 포격을 규탄했다. 유럽연합도 항의성명을 발표했다. 평양 주재 독일대사관은 그 성명문을 우리말로 번역해 대사관 앞 전시판에 내걸었다. 독일대사관은 평양시 대동강구역 외교단촌에 있다. 보위부가 단속초소를 세우고 통제하고 있어 일반 주민은 외교단촌에 들어가지 못한다.

외무성은 대사관 관련 업무를 맡은 외교단사업총국으로부터 항의성명문 게시에 대한 연락을 받고 대책을 강구했다. 상주 대사관이 북한을 직접 비난하는 선전물을 공개적으로 붙인 것은 북한 역사상 처음 있는 일이었다. 이것을 용인하면 다른 대사관도 하나둘 북한을 비난하는 선전물을 대사관 전시판에 내걸 수도 있었다. 외무성에 비상이 걸렸다. 김정일에게 당장 관련 조치를 취하겠다고 보고하고 담당자를 정했다.

외무성을 대표해 그 임무를 맡게 된 나는 즉시 독일대사를 호출했다. 독일대사는 해외 출장 중이었고 임시대리대사가 들어왔다. 나는 유럽연합 항의문을 당장 내리라고 요구했다. 그는 이렇게 항변했다.

"독일대사관이 유럽연합의 항의성명을 대사관 전시판에 게재한 것은 본국 정부의 정책적 입장을 북한 주민에게 알리는 정상적인 활동이다. 북한 외무성이 외국대사관의 전시물까지 통제하려고 한다면 이것은 명백한 내정간섭이다, 베를린 주재 북한대사관이 독일의 동맹국인 미국을 비난하는 게시물을 걸고 있지만 독일 정부는 한 번도 간섭해 본 적이 없다. 우리는 성명문을 내리지 않겠다."

외무성 면담실에서 이뤄지는 모든 대화는 도청된다. 면담에 잘 대처하지 못했을 경우 보위부가 면담 내용을 그대로 김정일에게 보고하기도 한다. 면담을 잘못해 비판 받은 사람이 한둘이 아니다. 북한 외교관이라면 절대로 상대방에게 밀려서는 안 된다. 나는 곧바로 반격을 가했다.

"대사관이 상주하는 목적은 상주국과의 친선관계를 발전시키자는 것이다. 대사관이 게시물을 통해 상주국을 직접 비난하는 것은 양국의 관계를 깨자는 의도로밖에 보이지 않는다. 베를린 주재 조선 대사관이 미국을 비난하는 내용은 게재한 적이 있어도 상주국인 독일을 비난한 적은 단 한 번도 없다. 이번 연평도 포격의 도발자는 남조선이다. 남조선군이 먼저 우리 지역을 향해 포사격 훈련을 했으므로 우리는 대응사격을 했을 뿐이다. 우리가 피해자다. 그런데도 독일이 피해자인 우리를 도발자로 모는 것은 무슨 이유인가. 사건의 진실을 몰라서 그러는 것인가. 아니면 알면서도 남조선과 미국 편을 들기 위해 그러는 것인가. 정말 의심스럽다.

지금 조선반도 정세는 연평도 포격전으로 인해 일촉즉발의 위험한 상황으로 치닫고 있다. 이러한 시국에 조선반도의 평화와 안전을 위해 노력해야 할 독일이 한쪽 말만 듣고 우리를 비난하다 못해 대사관 전시판에까지 우리를 비난하는 선전물을 붙인 것은 용납할 수 없다. 당신들이 조치를 취하지 않는다면 격분한 우리 인민들이 전시판에 무슨 일을 할지 모른다. 우리의 경고에도 불구하고 당신들이 아무런 조치를 취하지 않는다면 앞으로 무슨 일이 생길지 모른다. 독일 측이 그 책임을 져야 한다."

나의 으름장에 임시대리대사의 얼굴이 벌게졌다. 본국에 보고하고 조치를 취하겠다고 했다. 속으로 은근히 걱정했다. 만일 독일

대사관이 끝까지 버틴다면 북한도 물리적인 행사를 해야 했다. 그렇게 되면 베를린 주재 북한대사관에도 문제가 생길 것이다. 다행히 이튿날 독일대사관은 항의성명을 내렸고 나는 외무성 상급자들로부터 치하를 받았다. '독일을 꺾어 놓았다'는 이유였다.

영국과 관계 개선 위해 런던 장애인올림픽 참가

2011년 초부터 평양 주재 영국대사가 이듬해 런던 하계 올림픽 직후에 열릴 패럴림픽(장애인 올림픽)에 북한을 참가시키기 위해 집요하게 접근해 왔다. 그는 "북한이 런던 패럴림픽에 참가한다면 북한의 인권이미지를 개선하는 데 큰 도움이 될 것이고 북영 관계도 더욱 발전할 것"이라고 했다. 이어 "북한이 참가를 결정하면 바로 올해부터 대북 지원도 늘릴 수 있다"며 듣기 좋은 소리는 다 했다.

북한의 장애인이 외국에 대표단으로 가는 것은 물론 패럴림픽에 출전한다는 것은 꿈도 꾸지 못할 때였다. 이때까지 북한 노동당은 '장애인들의 경기는 부자들의 변태적인 취미를 충족시키기 위한 놀음'이라는 김일성의 교시에 기초해 장애인 체육을 부정적으로 선전해 왔다.

1970년대까지 북한은 선천성 장애인이 있는 가정을 평양 시내 중심도로 옆 아파트에 살지 못하게 했다. 장애인 가족을 지방으로 소개하는 경우도 있었다.

부모가 항일혁명투사거나 고위급 간부가 아니면 장애인은 대학에도 갈 수 없었다. 김일성의 빨치산 동료인 류경수·황순희 부부의 아들과, 독립군 투사 량세봉 선생의 손자 정도가 김일성종합대학에 간 것으로 알고 있다. 어릴 때 평양대극장 공연에서 장기를 매우 잘 두는 미술대학 장애인 학생을 본 적이 있는데 알고 보니 그도 간부집 아들이었다.

나는 1980년대 초 평양시 모란봉구역 성북동 아파트에서 몇 년 살았는데 이웃에 장애인 아이가 두 명 있었다. 한 명은 왼쪽 다리를 조금 절었다. 아버지가 보위원이었음에도 지방으로 소개될까봐 그 아이는 어릴 때 함흥에 있는 고모집으로 보내졌다. 호적까지 함흥으로 옮겨 살다가 성인이 된 뒤에야 평양으로 올라왔다. 다른 아이는 선천성 소아마비 환자였다. 바깥출입이 거의 불가능했지만 1선 도로 옆에 산다는 이유로 가족과 함께 다른 곳으로 이사해야 했다. 1선 도로는 김일성이나 김정일이 자주 다니는 도로를 의미한다. 1선 도로 옆에는 장애인이나 성분이 나쁜 사람은 살 수 없었다.

지금은 이런 정책도 많이 완화되었고 장애인 가족을 지방으로 내보내지도 않는다. 하지만 나는 북한의 장애인 체육이나 활동에 관한 정책도 이제는 달라져야 한다는 생각과, 어릴 때의 개인적인 경험도 작용해 북한 장애인 선수단을 참가시켜 달라는 영국대사의 제의를 솔깃하게 받아들였다. 북한식으로 나는 한번 해보자고 달라붙었다.

북한 장애인연맹에 영국 측의 참가요청서를 보내주면서 신속히 관련 문건을 만들라고 요청했다. 대표단을 파견하려면 장애인연맹이 제의서를 작성해 체육성 올림픽위원회, 외무성 국제기구국, 당 중앙위원회 과학교육부의 동의를 거쳐 최종적으로 김정일의 승인을 받아야 한다. 그런데 장애인연맹이 제의서 작성을 주저했다. 장애인 정책의 근본적인 변화를 요청하는 제의서가 될 수밖에 없어 위험부담이 크다는 이유였다.

외무성 국제기구국은 이런 의견이었다.

"서방 국가들은 조선의 장애인문제를 대북 인권공세의 일환으로 제기해 왔다. 조선이 런던 패럴림픽에 참가한다면 지금까지 올림픽에 나가지 않았던 문제가 더 조명을 받을 수 있다. 또한 대외 사업 경험이 없는 장애인들이 처음 해외에 나가 실수를 저지를 수도 있다. 자칫 조선의 내부 실상이 알려질 위험이 크다. 차라리 보내지 않는 것이 좋겠다."

당중앙위원회 과학교육부도 패럴림픽에 장애인 선수단을 참가시키는 것은 당정책에 어긋난다는 결론을 지었다. 체육성 올림픽위원회만이 당 과학교육부 간부들에게 "장애인의 체육경기는 부자들의 취미 놀음이 아니며 패럴림픽에 가지 않는 것이 오히려 공화국의 영상(이미지)을 흐리게 한다"고 설득했지만 씨도 먹히지 않았다.

정상적인 방법으로는 해결될 문제가 아니었다. 영국대사관에서는 계속 독촉이 들어오고 있었다. 고심 끝에 나는 문제의 시작점을 완전히 바꾸기로 했다. 패럴림픽 참가 문제가 아니라 북영 간의 정치적 관계 발전 문제로 관점을 바꾼 안을 작성했다. 문건 제목도 「우리 대표단의 런던 장애인올림픽 참가문제와 관련한 대책적 의견 보고」라고 하지 않고 「주조(북한 주재) 영국대사관이 제기해 온 문제와 관련한 대책적 의견보고」라고 수정했다. 문건의 논리와 내용은 이렇게 구성했다.

'영국 정부는 2012년 런던올림픽을 성공시키기 위해 모든 노력을 다 하고 있다. 조선의 패럴림픽 참가에 높은 의의를 부여하고 공화국 대표단의 참가를 지속적으로 요청하고 있다. 영국은 비판적 관여 정책을 견지하면서 조선 핵문제의 군사적 해결을 반대하고 있다. 이번에 영국의 요청을 들어주어 빚을 지어 놓으면 향후 영국과의 관계 발전에 보탬이 된다. 영국의 제안을 받아들였으면 좋겠다.'

문건을 이렇게 작성하니 영국과의 쌍무관계 문제로 사안이 바뀌어 국제기구국이나 당중앙위원회 과학교육부의 동의를 구할 필요가 없었다. 외무성 간부들은 문건 초안을 보면서 패럴림픽 선수단 파견을 위해 내가 '술수'를 썼다는 것을 알고 있었다. 하지만 간부들도 북한대표단의 참가 필요성을 인정하고 있어 반대하고 나서는 사람은 없었다.

김정일에게 보고하니 그날로 수표(사인)가 떨어졌다. 반대할 이유가 없었다. 이렇게 쉽게 해결할 수 있는 문제를 혹시 잘못 보고했다가 목이 날아갈지도 모른다는 우려에서 수십 년 동안 상정조차 하지 않았던 것이다.

급조된 수영선수 단 한 명 참가, 꼴찌에도 열띤 응원 받아

런던 장애인올림픽 참가 문제가 확정되니 다음 난관은 참가할 선수가 없다는 점이었다. 외무성과 장애인연맹, 당 고위간부를 제외하면 북한 선수단의 참가를 아는 기관이 없었다. 일단 외무성 성원의 자녀 중에서 찾아보았다. 베이징 주재 참사로 근무하던 림영철의 둘째아들 림주성에게 수영을 연습시키면 될 것 같았다. 림영철은 나의 송아지동무(죽마고우)다. 소년유학, 국제관계대학, 베이징외국어대학 생활을 같이했다.

아버지와 함께 베이징에 있던 림주성은 인근 수영장에서 매일 훈련을 했다. 북한의 첫 패럴림픽 선수인 림주성은 왼쪽 팔과 다리가 없는 장애인이다. 여기에도 눈물겨운 사연이 있다. 림주성이 여섯 살 때 림영철은 중국 심양 주재 영사로 파견되었다. 자녀 두 명과는 동반 출국이 안 된다는 규정에 따라 큰아이만 데리고 나갔다. 림주성은 장모에게 맡겼다. 집 주변 아파트 공사장에서 놀던 림주성이 기중기(크레인)에 치어 팔과 다리가 잘렸다.

림영철의 장모는 어찌할 바를 모르고 나에게 사고 소식을 먼저 알렸다. 우리 부부는 황급히 림주성이 입원해 있던 김형직 군의대학 병원을 찾았다. 팔과 다리가 잘려 마취상태로 침대에 누워 있던 어린 림주성의 모습이 지금도 눈에 선하다. 우리 부부도 침대 옆에서 같이 울었다. 부모와 함께 외국에 나갔다면 그런 참변은 당하지 않았을 것이라고 생각하니 더 슬퍼졌다. 림영철 부부는 다음날 열차로 평양에 들어왔다. 림영철 부부와 장모의 고통과 상처가 얼마나 깊을지 감히 헤아릴 수 없다.

2012년 8월 말부터 9월 초까지 런던 패럴림픽이 열렸다. 북한의 참가 선수는 림주성 한 명뿐이었다. 동행 인원은 12명이었다. 장애인연맹을 재정적으로 후원해 주던 회사 간부들이 대부분이었다.

영국 정부는 북한 선수단을 대대적으로 환영했다. 영국 외무성 부상이 북한 선수단만을 위해 개최한 연회가 청사에서 열렸다. 북영 간의 수교 역사에서 처음 있는 일이었다. 그동안 영국은 북한 외무성 부상이 방문할 경우에도 같은 급이 나와 연회를 열어준 적이 없었다. 영국이 북한의 참가를 얼마나 갈망했는지 여실히 보여주는 대목이다.

수영경기 당일, 림주성은 출전 선수 가운데 가장 마지막으로 힘겹게 들어오고 있었다. 급히 준비한 그가 갑자기 수영을 잘할 수는 없었다. 이때 장내 아나운서의 목소리가 경기장에 울려 퍼졌다.

"여러분, 북한은 이번에 처음으로 패럴림픽에 참가했습니다. 지금 결승선으로 들어오고 있는 선수가 북한의 유일한 패럴림픽 참가자입니다. 그는 북한의 모든 장애인을 대표하고 있습니다. 우리 모두 일어나 그가 결승선까지 들어올 수 있도록 응원합시다."

모든 사람들이 일어나 박수를 치고 격려하며 응원했다. 한국 교민들도 많이 있었는데 모두 자리에서 일어나 끝까지 응원했다. 북한의 패럴림픽 참가는 대성공이었다. 그런데 북한대표단이 영국을 떠나는 날, 불미스러운 일이 있었다.

북한대표단을 환송하기 위해 한국 교민과 기자들이 공항에 나왔다. 북한대표단과 동행한 회사 간부들이 런던에서 상품을 대량으로 구입해 항공편으로 부치는 모습이 이들의 눈에 띄었다. 다음날 현지 교민신문은 이 사실을 크게 보도했다. 북한 외무성 간부들은 힘들게 대표단을 보냈는데 회사 간부들이 따라가 제 장만 보고 왔다며 매우 분노했다.

그래도 이때의 패럴림픽 참가가 계기가 되어 북한의 장애인 정책에 큰 변화가 일어났다. 북한 장애인의 국제 교류가 이뤄지기 시작한 것이다. 그 후에 나는 북한 장애인의 해외 진출에 남다른 애착과 긍지를 가지며 장애인을 위해 내가 할 수 있는 일이라면 무슨 일이든 발 벗고 나서게 되었다.

김정일 사망, 김정은 지시로 이틀 후 발표

김정은이 2010년 9월 후계자로 공식 확정된 후, 북한의 모든 권력을 손에 쥐기까지 그리 오랜 시간이 걸리지 않았다. 실질적인 권력을 잡고 있었지만 아버지 김일성 밑에서 명목상 '2인자' 노릇을 해야 했던 김정일과는 다른 대목이었다. 김정일의 사망은 그만큼 느닷없이 다가왔다.

2011년 12월 19일 월요일 오전 11시였다. 정오 12시에 중대방송이 있으니 모든 성원은 강당에 모이라는 당위원회의 지시가 내려왔다. 이날 나는 오전 9시에 유럽국 조회에 참석한 뒤, 동료 선수들과 함께 북한장애인연맹 체육관에서 탁구연습을 하고 있었다. 김정숙의 생일(12.24)을 기념하는 외무성 체육행사를 앞두고 탁구 예선경기가 잡혀 있었기 때문이다.

중대방송 소식을 듣고 황급히 외무성으로 들어왔다. 북한에서 중대발표, 중대방송은 여러 가지 의미가 있지만 전원이 강당에 모여 시청하라고 한 것은 김일성 사망 이후 처음이었다. 모두들 긴장하며 강당에 모이긴 했지만 속으로는 설마 하는 마음을 가지고 있었다. 정각 12시 조선중앙 TV에 이춘희 아나운서가 등장했다. 검은 한복 차림이었다. 순간 '아'하는 탄식이 강당에 울려 퍼졌다. 이전까지 이춘희 아나운서가 상복을 입은 경우는 김일성 사망 때가 유일했다.

김정일이 사망한 것은 12월 17일 오전 8시였다. 발표는 51시간, 이틀이 지난 후에야 이뤄졌다. 북한 언론의 설명에 따르면 원래는 17일 당일에 발표하려 했다고 한다. 하지만 이날이 토요일이어서 북한 주민들이 주말에 휴식할 수 있게 김정은이 발표를 지연시켰다는 것이다. 국가 지도자의 사망 소식을 이틀 동안 극비에 부칠 수 있는 나라는 아마 전 세계에 북한밖에 없으리라고 본다. 나라의 모든 행정업무가 컴퓨터를 통해 이뤄지다 보니 3층 서기실의 몇 명이 비밀에 부치면 북한은 한동안 그대로 굴러가는 시스템이다. 김정은이 변고를 당해도 비슷한 일이 벌어질 수도 있다.

중대방송이 끝나자 당 비서가 연단에 올라섰다. 그는 "다들 돌아가시면 되겠습니다"라는 한마디를 던지고 연단 뒤로 사라졌다. 모두들 자리에서 일어나 각자의 사무실로 흩어졌다. 누구 하나 흐느끼거나 통곡하는 사람이 없었다. 김일성이 사망했을 때와는 달랐다. 그때는 중대발표를 듣고 눈물을 훔치는 사람이 많았다.

사무실에 돌아왔지만 점심 도시락을 꺼내는 사람이 없었다. 김일성 사망 때 처신을 잘못해 곤욕을 치른 사례가 많았다. 조의행사가 끝난 후 사우나에 가거나, 이사를 하거나, 주패(카드)를 친 사람들이 색출돼 지방으로 쫓겨났다. 그런 일을 겪었던지라 이제는 어떻게 행동해야 하는지 다들 알고 있었다. 하지만 조의를 표할 곳이 없었다. 지금은 김정일 동상도 세워졌지만 당시 만수대 언덕에는 김일성 동상뿐이었다.

성원들은 부문당 비서인 내게 어디에 가서 조문을 해야 하는지 물어보았다. 당위원회에 문의하니 지시가 있을 때까지 기다리라고 했다. 오후 3시경 당위원회의 지시가 내려왔다. 저녁까지 외무성 외국인 면담실에 조의장(분향소)을 꾸린다는 것이다.

북한에서는 이럴 때 잘해야 한다. 다들 걸려들지 않으려고 과잉충성을 드러냈다. 김정일 사망 보도를 보고 눈물 한 방울 흘리지 않던 성원들은 무언가에 홀린 듯 하얀 종이꽃을 만들기 시작했다. 모두가 달라붙어 화환을 만들었다. 퇴근은 결코 해서는 안 될 행동이었다. 화환은 밤 11시경에야 완성됐다. 그때서야 성원들은 화환을 들고 조의식장을 찾았다. 그리고 저마다 상제가 되어 조의식장을 지키겠다고 나섰다.

국별로 시간대를 정했다. 윤번제로 돌아가며 조의식장에 내려가 1시간씩 김정일의 초상화 옆을 지켰다. 다른 곳도 비슷했다. 김일성광장을 비롯한 평양시 곳곳에서 김정일의 초상화가 내걸리고 조의행사가 진행됐다. 어른, 아이 할 것 없이 조의식장에 가서 몇 시간을 지키다 돌아가곤 했다. 다음날 각자의 당조직에 몇 시간 동안 보위했는지를 보고하는 것은 필수였다. 이렇게 하지 않으면 어떤 불이익을 받게 될지 알 수 없었다.

김정일의 시신이 금수산태양궁전에 안치되고 국장이 진행됐다. 이때 처음 김정은의 여동생 김여정이 북한 언론에 공개됐다. 반면 김정철은 장의명단은 물론 언론에도 이름이 공개되지 않았다. 조의행사는 미리 각본을 짠 것처럼 대단히 조직적으로 빈틈없이 진행됐다. 나는 장성택이 조의행사를 진두지휘했을 것으로 판단한다. 김정은은 아버지의 갑작스러운 죽음 앞에 정신이 없었을 테고, 당시 상황에서 북한 체제를 차질 없이 차분히 이끌고 나갈 인물은 장성택밖에 없었을 것이다.

김정은 집권 초 "개성공단 14곳 만들라", 개혁조짐 보여

김정일 사망 후 북한은 김정은 체제로 빠르게 진입했다. 우선 1호 행사 경호규정부터 달라졌다. 1호 행사란 최고지도자가 참가하는 행사를 일컫는다. 이전에는 당위원회가 참가자 명단을 행사 며칠 전에 호위사령부에 제출하고, 행사 당일에는 사복을 입은 보위원과 경호원이 참가자의 신분을 확인하는 것이 전부였다. 하지만 김정은이 집권하면서 군복 차림의 경호원이 신분증을 확인했다. 김일성광장 입구 양쪽에는 기관총이 설치되었고, 그 옆으로 완전무장한 군인이 도열했다.

참가 군중은 기관총 사이로 행사장인 김일성광장으로 들어갈 수밖에 없다. 나도 여러 번 경험했지만 기관총 앞을 지나갈 때마다 등골이 오싹해진다. 오발 사고라도 나면 꼼짝없이 죽을 수밖에 없다. '김정은 만세'를 외치기 위해 행사장으로 들어가는 참가자들에게 기관총을 겨눈다는 것은 계엄을 선포한 상황이나 다를 게 없었다. 공포심을 조성해 주민들을 억누르려는 의도로밖에 보이지 않는다.

실제로도 계엄령을 방불케 하는 일이 벌어졌다. 1호 행사 하루 전부터 김일성광장 주변의 관공서는 공무원을 내보내야 한다. 내각, 외무성, 무역성, 농업성, 교육위원회 등의 빈 청사는 완전무장한 군인들에 의해 채워진다. 폭동을 진압할 군인들을 사전에 배치하는 것이다. 당연히 뒷말이 나왔지만 이때까지만 해도 김정은식 공포정치를 예측하는 사람은 많지 않았다.

2012년 4월 11일 김정은은 노동당 1비서로 추대된다. 4월 13일에는 국방위원회 1위원장에 오르면서 김정일의 직책을 모두 세습했다. 세계 역사상 최초로 공화정 지도자의 3대 권력세습이 공식화됐다. 이날 북한은 광명성 3호를 발사했으나 기술적 문제로 실패한다. 7월 18일 최고인민회의는 조선인민군 최고사령관인 김정은에게 기존 대장 계급에서 2단계 높은 원수 칭호를 부여할 것을 결정했다.

사실 북한의 상류계급은 김정은의 등장에 상당한 기대를 품었다. 김정은은 스위스에서 중학교 과정을 밟았다. 감수성이 예민한 시기에 어쨌거나 서구의 문물을 접한 것이다. 김정은은 김정일이 체제 유지를 위해 차마 단행하지 못한 개혁개방을 전향적으로 받아들일 수도 있을 것이란 기대가 있었다. 모택동 사후 개혁개방을 통해 급속한 발전을 이룬 중국처럼 북한도 같은 길을 가야 한다는 것이 북한 상류계급의 공감대였다.

김정은이 유학파다운 열린 마음으로 북한을 현대화시킬 수 있지 않을까. 이런 기대가 처음에는 들어맞는 듯했다. 북한에는 매주 토요일 오전에 열리는 '방침전달시간'이 있다. 일주일간 김정은이 한 말들을 전달받는 시간이다. 그 무렵 김정은이 한 말을 보면 북한이 당장 개혁개방으로 나가지 않을까 하는 생각까지 들 정도였다.

"조선의 현 경제 시스템으로는 힘들다. 다른 나라들의 경제 시스템을 모두 연구해 보자. 좋다는 경제이론도 다 가져다가 공부해 보자. 우리도 한 번 해보자."

김정은은 김정일과는 완전히 상반된 생각도 서슴없이 피력했다.

"조선이 경제발전을 하려면 외국 투자를 받아야 하는데 지금 미국이 제재를 가하는 상황에서 방법이 많지 않다. 현재 외화를 벌 수 있는 쉬운 방법은 관광이다. 관광객을 대폭적으로 늘려 관광을 발전시켜야 한다."

김정은은 개성공단의 사례를 언급하며 개혁개방의 필요성을 강조하기도 했다.

"개성공단이 조선 체제에 장기적으로 위협이 되지 않겠느냐고 많은 사람들이 걱정했다. 하지만 얻은 게 더 많다. 우선 우리에게 절대적으로 필요한 돈을 벌었다. 둘째, 개성 시민에 대한 자연스러운 통제와 관리가 용이해졌다. 다른 지역은 장마당 때문에 주민 통제가 얼마나 힘들어졌나. 개성 시민 5만 명이 매일 한 곳에 모여 일하고 퇴근하는데 따로 무슨 관리가 필요한가. 총체적으로 우리가 훨씬 이익이다. 이런 경제특구를 내륙으로 확대해야 한다. 개성공단 같은 곳을 14개 더 만들라."

김정은은 또한 "교육이 중요하다. 구역, 군 별로 1고등중학교를 건설하고 수재양성을 강화하라"는 지시도 내렸다.

'아리랑'도 중단시켜, 부드러운 이미지 부각 노력

외무성에서 직접 체험한 사례도 있다. 김정은은 2012년 신년회를 맞아 입식 연회를 열 것을 지시했다. 이것은 김일성의 방식과 배치되는 대목이다. 통상적인 북한의 연회는 각자 좌석에 앉아 음식을 먹는 방식이었다. 1960년대 김일성이 유럽에 다녀온 당 국제비서 박용국의 건의로 입식 연회를 열었지만 단발성으로 끝난 적이 있다. 당시 간부들의 항의는 이러했다고 한다.

"지금까지 앉아서 하던 연회를 왜 굳이 서서 해야 하나. 말이나 서서 먹는다. 우리가 말인가. 다리 아파서 못 서 있겠다. 박용국이 저 놈이 유럽 한번 다녀오더니 이상한 걸 보고 왔다."

그 후 김일성은 다시는 입식 연회를 열지 않았다. 사실 간부들이 입식 연회를 기피한 것은 불편하다는 이유보다는 북한 체제와 맞지 않기 때문이다. 입식 연회에서는 자유롭게 다가가 대화 상대를 고르고 상황에 맞게 화제를 선택해야 한다. 대외활동을 할 경우 누구를 만나 무슨 대화를 할지 사전 승인을 받아야 하는 북한 간부들에게 입식 연회는 결코 '입을 수 없는 옷'이었다.

하지만 김정은의 지시대로 2012년 신년회는 입식 연회 방식으로 진행됐다. 영국 등 몇 개국 대사가 김정은에게 와서 새해 인사를 했지만 분위기는 매우 어수선했다. 간부들과 외국 대사관 직원들이 여기저기 끼리끼리만 모여 있다가 끝이 났다고 할 수 있다. 연회가 끝나고 간부들만 남은 자리에서 김정은은 "대외 활동을 이렇게 하는 법이 어디 있냐"며 신경질을 냈다. 나는 그 모습을 보면서 그래도 김정은이 새롭게 뭔가를 해보려고 한다는 긍정적인 느낌을 받았다.

권력을 막 잡은 2012년경 김정은은 지금보다 훨씬 부드러웠다. 간부들이 지금처럼 김정은에게 벌벌 떨지 않았다. 당시 영상과 지금 영상을 비교해 보면 확연한 차이가 난다. 간부들은 김정은에게 어렵지 않게 다가갈 수 있었고, 김정은도 친근한 태도로 받아주었다.

2012년 6월 평양 창전거리가 완공됐을 때도 김정은은 파격적인 행보를 보여주었다. 최신 아파트 단지인 창전거리는 '북한판 뉴타운', '평양의 강남'이라고 할 수 있다. 김정은은 부인 리설주와 함께 아파트에 새로 입주한 가정들을 방문했다. 나이 든 분들에게 직접 소주까지 따라주며 인민의 지도자라는 이미지를 가꿔 나갔다.

북한 주민에게 제일 큰 반향을 불러일으킨 것은 '아리랑' 집단체조를 중지시킨 일이다. '아리랑' 집단체조에 대해서는 북한의 많은 사람들이 불만을 갖고 있었다. 매년 학생들을 동원해 6개월 동안 연습을 시키는데 불만이 없을 리 없다. 하지만 차마 누구도 내놓고 말하지 못했던 문제였다. 누가 김정은에게 건의했는지는 몰라도 학생들의 동원을 중지시킨 일만큼은 북한 주민들의 박수를 받기에 충분했다.

같은 해 8월 김정은이 어선 형태의 비무장 목선을 타고 연평도 건너편 북한 측 섬인 무도와 장재도를 시찰한 것도 북한 주민에게는 '감동적인' 연출이었다. 김일성과 김정일 생전에는 상상조차 할 수 없던 일이었다. 호위 인원도 없이 대담하게 최전선을 시찰한 것 자체에 북한 주민이 흥분했다. 27마력의 작은 목선을 타고 풍랑을 헤치며 오지를 찾아가는, 젊고 패기에 찬 김정은의 모습을 보면서 눈물을 흘린 노인도 꽤 있었다.

"유럽의 BBC, 미국의 ABC를 장악하라"

김정은 집권 이후 북한의 대외 부문에서도 일정한 변화가 일어나기 시작했다. 어릴 때부터 외국에서 교육을 받은 김정은은 언론을 통한 선전 효과를 잘 알고 있었고, 외국 언론과의 사업을 중시했다.

김일성과 김정일도 외국 언론과의 사업에 상당한 신경을 썼다. 김일성은 〈뉴욕타임스〉 같은 세계 유수 언론과 직접 인터뷰를 하는 등 외국 언론을 이용할 줄 알았다. 김정일은 외국 언론사와 인터뷰는 한 번도 가지지 않았지만 북한이 유럽에서는 영국 BBC를, 미국에서는 ABC를 장악해야 한다는 지침까지 내렸다.

BBC를 장악하라는 김정일의 지침은 이해가 간다. 유럽에서 BBC는 어느 매체도 따라올 수 없는 영향력을 지녔기 때문이다. 하지만 미국 매체 가운데 북한 문제에 대해 누구보다 많은 관심을 보인 것은 CNN이었다. CNN는 가장 많이 북한을 방문한 매체이기도 했다. 그런데도 김정일은 미국 여론을 북한에 유리하게 변경시키려면 CNN이 아니라 ABC를 장악해야 한다고 했다. 그 이유는 알 수 없다.

북한의 지도자들이 외국 언론과의 사업을 아무리 중시해 봐야 한계가 있다. 언론의 자유가 없는 상황에서 언론의 효율성을 기대하기 어렵다. 북한의 모순이자 비극이다. 외무성은 북한에 대한 외국 언론의 비판을 차단하고, 이들을 홍보수단으로 이용하는 문제를 항상 고심한다. 외국 언론의 입을 빌어 북한의 입장을 세계에 신속히 전달하는 것도 외무성의 당면과제다.

그러나 외국 언론은 북한 언론보다 한국 언론을 중시한다. 연평도 포격이나, 천안함 폭침 같은 사건이 일어나면 한국 언론은 북한 언론보다 한 발 앞서 보도한다. 게다가 조선중앙통신이나 노동신문에 나오는 보도는 단편적이고 천편일률적이며 특별한 내용도 없다. 외국 언론은 당연히 한국 언론의 보도내용을 인용하거나 받아쓸 수밖에 없다.

북한 언론의 보도와 논평이 느린 이유는 누구나 쉽게 짐작할 수 있다. 엄격한 보도 통제가 있기 때문이다. 가령 세월호 침몰이나 박근혜 대통령 탄핵 같은 사건을 북한 언론이 보도한다면 이런 절차를 거쳐야 한다. 통일전선부 보도과가 중앙당 선전선동부 남조선 정세 보도과와의 협의를 거쳐 김정은에게 '남조선 정세 보도계획'을 보고하여 결재를 받는 식이다.

9·11테러, 이라크전쟁 등 국제 뉴스도 크게 다르지 않다. 외무성 보도국이 중앙당 선전선동부 대외선전과와 협의를 거쳐 매주 수요일 김정은에게 '다음주 보도계획'을 보고하고 결재를 받아야 한다. 통상 북한 언론의 국제 뉴스는 일주일 정도 늦게 나간다.

북한의 언론 환경은 말은 하라고 하면서 입은 마음대로 놀리지 못하게 하는 모순적인 상황에 처해 있다. 이렇다 보니 김정일이나 김정은은 대외 보도사업 문제에 이중적인 태도를 보인다. 어느 날은 외교관들에게 주동적으로 외국 언론과 인터뷰나 브리핑을 하면서 북한의 입장을 홍보하라고 한다. 또 어느 날은 외교관들이 임의대로 외국 언론과 접촉해서는 안 되며 사소한 실수도 용납할 수 없다고 말을 바꾼다.

외무성 대변인 맡겠다는 사람 없어, 문서로만 언론 발표

외국 언론과 접촉한 외교관이 실수를 하면 주별, 월별 당생활총화에서 비판을 받게 된다. 여기까지는 동료의 비판이라 그리 창피하지 않다. 그러나 3개월마다 열리는 분기 당생활총화에는 외무성 내의 당원 1,000명이 강당에 모이고 회의 주재도 당 조직지도부 외무성 담당 부부장이 한다. 몇 명만 토론연단에 세워놓고 하는 비판이라 본인으로서도 창피하고 처벌수위도 높아질 수 있다. 당 부부장은 "생활총화는 사상투쟁의 분위기 속에서 진행해야 한다"는 김정일의 지침에 충실했다. 분기 당생활총화 분위기는 항상 살벌했다.

내가 유럽국 부국장으로 있을 때는 평창동계올림픽 때 방남했던 최휘가 외무성 담당 조직부 부부장이었다. 박의춘 외무상도 최휘 앞에서는 고양이 앞의 쥐였다. 분기 당생활총화에서 자기비판을 하지 않으려면 외국 언론과 함부로 접촉하지 않고 시키는 일만 하는 것이 최고였다. 이런 보신주의가 횡행하는 환경에서 누가 외국 언론과 인터뷰를 하겠는가.

2012년 4월 김일성 생일 100주년 행사를 앞둔 시점이었다. 김정은은 위성발사장까지 외국 언론에 공개하면서 파격적인 효과를 거두려고 시도했다. 재외 대사들에게 외국 언론과 인터뷰도 하면서 북한의 정책을 선전하라는 지시를 내렸다. 하지만 대사 대부분은 외국 언론과의 인터뷰를 여전히 기피했다.

이 해 나는 외무성에서 열린 협의회에 참석한 적이 있다. 외국 언론과의 사업에 관한 회의였다. 나는 이렇게 제안했다.

"현재 외무성은 대변인의 담화 또는 성명 등을 통해서만 공화국의 대외 입장을 발표한다. 오로지 문서 형태다. 설령 이를 방송 아나운서가 발표한다고 해도 달라지는 것은 없다. 세계 어느 나라도 방송 아나운서가 외무성의 성명이나 담화를 그대로 읽지 않는다. 이제는 우리 외무성도 대변인이 나서서 직접 언론에 브리핑도 하고 질문도 받아야 한다. 이것이 세계적인 추세다. 평양에서는 문서 발표만 나오는데 현지 대사들에게는 언론과 인터뷰를 하라는 것은 무리가 있다. 신속성도 보장 못 하고 시각효과도 없다."

사실 나는 APTN 측으로부터 외무성 대변인과의 인터뷰나 기자회견을 가질 수 있게 해달라는 요청을 오래 전부터 받고 있었다. 당연한 요청이었다. 회의석상에서의 내 발언도 실은 외무성 보도국이 대변인 역할을 하라고 에둘러 말한 것이다. 하지만 내 말을 반박하거나 지지하는 의견도 없이 다들 묵묵히 앉아 있었다. 불편해 하는 기색이 역력했다. 회의는 아무런 결론도 없이 종료되었다. 회의 후 일본과의 협상을 책임진 송일호 대사가 나에게 넌지시 말했다.

"외무성 대변인이 국내외 기자들에게 브리핑을 하라는 것은 김정일 장군님이 이미 결론을 주신 사항이다. 당신도 알겠지만 문제는 외무성 내에서 대변인을 자청하는 사람이 없다는 점이다. 잘못하면 시끄러운 일밖에 없는데 누가 하겠는가."

내가 그렇게 말해봐야 달라질 것은 없다는 뜻이었다. 이후에도 나는 기회가 있을 때마다 APTN 평양지국과 인터뷰를 해서 북한의 입장을 전 세계에 전송하는 사업체계를 세우자고 건의했지만 끝내 관철시키지 못했다.

나 역시도 김정은이 김정일의 핵 개발 노선을 포기하고 북한을 개혁개방으로 이끄는 것이 아닌가 하는 착각을 한 적이 있다. 2012년 7월 6일 저녁 평양에서 매우 특별한 음악공연이 펼쳐졌다. 김정은의 지시로 설립된 모란봉악단의 첫 공연이다.

나를 놀라게 한 것은 두 가지였다. 하나는 김정은 옆에 리설주가 나란히 앉아 공연을 관람했다는 점이다. 이때 리설주의 이름과 신분이 공개된 것은 아니다. 다른 하나는 모란봉악단이 연주한 외국곡 가운데 미국 대중음악이 많이 있었다는 점이다. 물론 미국 음악이라고 밝히지는 않았다. 이를테면 영화 〈록키〉의 주제곡 중의 하나인 〈gonna fly now〉를 연주하면서 무대 상단 화면에 〈경음악, 이제 곧 날아오르리(외국곡)〉라고 소개하는 식이었다. 이 노래는 주인공 록키가 홀로 러닝을 하며 섀도복싱을 할 때 나오는데, 모란봉악단 무대 뒤쪽 화면에는 영화 록키의 실제 장면이 배경으로 깔리기도 했다. 또한 프랭크 시나트라의 〈my way〉가 〈경음악 나의 길(외국곡)〉로 소개되며 연주되었다.

압권은 〈세계동화명곡묶음〉으로 소개된 만화영화 주제곡 메들리였다. 미키마우스, 곰 아저씨 뿌(곰돌이 푸), 백설공주와 일곱 난쟁이, 신데렐라, 미인과 야수(미녀와 야수) 등 디즈니사의 만화영화 주제곡이 망라되었다. 캐릭터 분장을 한 미키마우스, 미니마우스, 곰돌이 푸가 등장했고 무대 화면에는 해당 영화가 파노라마처럼 지나갔다. '미국동화명곡묶음'이라고 썼어도 무색하지 않을 정도였다.

TV를 본 일반 주민은 미국 노래, 미국 만화인지 몰랐겠지만 해외에서 미국 영화를 많이 본 나는 대번에 알아차릴 수 있었다. 너무 파격적이었다. 이날 공연은 한국에서도 꽤 화제를 모았다고 들었다. 지금은 유튜브에서 공연 동영상을 찾아볼 수 있다.

수년 전부터 북한은 국립교향악단의 미국 공연을 교섭하고 있었다. 모란봉악단이 미국 대중음악을 연주하고 이를 TV에 공개한 김정은의 의도는 분명해 보인다. 모란봉악단을 미국에 보낼 준비를 끝냈으니 미국이 북한에 문호를 개방하라는 신호였을 것이다.

7월 25일에는 리설주가 북한 매체에 공식 등장했다. 이날 중앙TV는 "김정은이 부인 리설주 동지와 함께 능라인민유원지 준공식에 참가했다"고 보도했다. 모란봉악단 첫 공연 때 김정은 옆자리에 앉은 여자가 그의 부인일 것이라는 예상은 했지만 '리설주 동지'라고 공식 호칭까지 나올 줄은 정말 뜻밖이었다.

북한 주민들을 더욱 놀라게 만든 것은 리설주가 김정은의 팔짱을 끼고 다정히 걷는 모습이었다. 북한에서는 부부 사이라도 거리에서 팔짱을 끼고 다닌다는 것은 상당히 쑥스러운 일이다. 그것도 나이 든 간부들이 다 보고 있는 국가행사장에서였다. 상당히 경망스러운 행동으로 보일 수도 있었다.

금세 돌아온 공포정치, 인민군 총참모장 처형

외무성 내에서도 그 모습이 하루 종일 화제였다. 세계 언론들도 대서특필했다. 일부 언론은 김정은이 자신의 개방적이고 개명한 성격을 보여주기 위해 일부러 연출한 것이라고 보도했다.

이날 리설주는 더 극적인 장면의 주인공이 됐다. 김정은이 '회전마'라는 놀이기구를 같이 타자고 류홍재 중국 대사 등 외교사절에게 제안했다. 김정은이 먼저 올라타자 외교사절들도 어쩔 수 없이 자리에 앉았는데 잘 돌아가던 회전마가 갑자기 작동이 멈췄다. 옆에 있던 간부들은 어쩔 줄 몰라 했고 관리 일꾼들은 이리 뛰고 저리 뛰었다. 잠시 후 회전마는 다시 돌아갔다.

흔히 있을 수 있는 사고였지만 김정은은 회전마에서 내려오자마자 관리 일꾼에게 버럭 고함을 질렀다. 관리 일꾼은 죄송하다며 부들부들 떨었다. 류홍재 등 외국 대사들도 당황했다. 이때 리설주가 김정은에게 다가가 조용히 다독였다. 김정은이 흥분을 가라앉히고 다른 유희 시설을 돌아보기 시작하면서 행사장에는 비로소 안도의 분위기가 흘렀다. 리설주는 그 후에도 김정은의 현지지도에 동행하면서 다정한 부부의 이미지를 훌륭히 연출했다.

그러나 김정은에 대한 북한 상류계급의 기대는 점점 허물어지기 시작했다. 2012년 하반기에 들어서면서 김정은은 당의 내부 규율과 간부들에 대한 통제를 강화했다. 모든 간부와 당원의 일거일동을 당 조직에 사전에 철저히 보고할 것을 요구했다. '삼수갑산에서 바늘 떨어지는 소리도 당중앙이 다 들을 수 있는 보고체계를 세우라'는 것이 그의 지시였다. 이에 따라 외무성 국장급부터는 하루 전날 당위원회에 다음날 자기 일정을 사전에 알려야 했고, 외무성 당위원회는 부상급 이상 고위 간부의 구체적인 행적을 매일 중앙당 조직지도부에 보고해야 했다.

공포정치의 일단을 보여준 것도 이 무렵이었다. 김정은 체제의 실세로 평가받던 리영호 인민군 총참모장은 사석에서 김정은을 험담한 것이 도청에 걸려 숙청됐다고 전해진다. 집권 초기 김정은의 개혁개방 행보에 대해 리영호는 "장군님(김정일)은 개혁개방을 하면 잘 살 수 있다는 것을 몰라서 안 했겠느냐"고 말했다는 것이다. 숙청 후 리영호는 혁명화 사업을 받다가 처형됐다고 한다.

지금 북한에서는 김정은이 쏴, 하고 명령하면 바로 총살이 이루어진다. 김정은은 대규모 건설사업이나 국가적인 기념사업을 벌이면서 꼭 한두 명씩 처형한다. 그것도 사업 개시 단계에서 죽이는데 그러면 다들 기가 질린다. 그 시작이 2012년 말, 금수산기념궁전에 대한 대대적인 재건설(리모델링)부터였다. 궁전 앞 광장을 화단식으로 바꾸기로 했는데 각 기관마다 작업 구역이 할당됐다. 3m 깊이로 흙을 파내고 그 흙을 구워 다시 까는 작업이었다. 흙을 구운 것은 벌레를 박멸하기 위해서다. 국가산업미술지도부는 작업 기한을 지키기 어려워지자 1.5m만 파고 흙을 덮었다가 발각됐다. 국장 한 명이 김정은의 명령에 따라 총살됐다.

'내부의 적' 경고로 장성택 처형 암시

2012년 4월 14일 김정은은 최고인민회의를 열고 북한이 핵보유국임을 헌법에 명시했다. 핵보유국 지위를 제도적으로 명문화하는 사업은 김정일 시대에 제기된 계획이었다. 김정일은 김일성 탄생 100주년이 되는 2012년을 강성대국으로 진입하는 원년으로 선포하고 그때까지 핵보유국 지위를 획득한다는 계획을 세웠다. 김정일은 2012년을 살아보지 못하고 세상을 떠났지만 핵에 대한 집착만큼은 그의 사후에도 살아남은 듯하다. 헌법에 핵보유국임을 명시한 것은 그 첫 번째 실례라고 할 수 있다.

2012년 12월 12일 북한은 은하3호를 발사해 적재 위성을 위성궤도에 올리는 데 성공했다. 위성발사는 미사일 계획에 따라 진행된 것이지만 이것은 김정은이 김정일의 노선으로 돌아서는 신호탄이라고 볼 수 있다. 이듬해 2월 12일 김정은이 3차 핵실험을 단행하고 소형화, 경량화, 다종화된 정밀 핵타격 능력을 확보했다고 주장한 것도 이를 뒷받침한다.

마침내 3월 31일에 열린 당중앙위원회 전원회의에서 핵·경제병진노선이 당의 정책으로 공식 결정된다. 핵·경제병진노선이란 경제 개발과 함께 북한의 군사무력이 향후 비대칭 전력인 핵과 대륙간 탄도미사일 중심으로 강화된다는 것을 의미한다. 이 결정에 따라 북한의 모든 재원은 핵과 미사일 개발에 집중된다.

북한은 이런 식으로 계기별 목표를 자꾸 세운다. 사회를 작동시킬 동력이 새로운 목표 말고는 거의 없기 때문이다. 가령 2012년이 김일성 탄생 100주년이면 그때까지 무조건 무엇을 하자, 이렇게 북한 주민을 선동하고 동원해야 한다. 그러지 않으면 사회의 안정이 유지되지 않는다.

그런데 김정은이 핵·경제병진노선을 선언할 때 밑에서 써준 보고서에 없는 말을 했다.

“핵무기를 완성하는 길은 쉽지 않을 것이다. 미국, 중국 등 강국들이 별짓을 다해 막으려고 할 것이다. 미국과 다툼이 벌어질 수도 있다. 하지만 미국과의 전쟁에 앞서 우리 내부에서 전쟁이 일어날지도 모른다. 내부의 사상과 의지의 대결부터 이겨야 핵무기를 만들 수 있다.”

그때 우리는 ‘내부의 누구하고 대결한다는 건가’ 의아해 했다. 나중에 벌어진 상황과 맞추어보면 김정은의 말은 결국 숙청을 암시하는 것이었지만 그때는 그 의미를 알 수 없었다.

김정은이 개혁개방을 하려는 듯한 태도를 버리고 강경하게 돌아선 것이 이 무렵이다. 왜 하필 이때 돌아섰을까. 개인적으로 나는 이렇게 분석한다. 김일성이 북한에 돌아온 것이 1945년이다. 서른세 살에 북한의 지도자가 됐다. 전쟁을 일으킨 것도 30대였다. 김정은도 자신이 젊을 때 뭔가를 이루고 싶어 했다.

김정은은 2012년 집권하면서 2015년을 ‘조국통일의 대사변의 해’로 만들자고 했고 이 말은 〈노동신문〉에도 많이 나왔다. 당 내부 회의와 군대 회의에서도 2015년까지 전쟁준비를 끝내기로 한다. 김정은은 군부대를 시찰하며 전쟁준비를 점검했다. 그러나 현실은 암담했다.

장비는 낡고 노후했고, 기름은 다 빼돌려 먹어 장부와 어긋났고, 병사들은 굶주리고 있었다. 결정적인 것은 경제가 돌아가지 않아 120만 명의 병력을 유지할 돈과 장비가 없었다. 김정은은 재래식 무기에 의한 전쟁은 불가능하다는 결론에 이르렀다. 그렇다면 아버지 김정일이 할아버지 김일성 때부터 해오던 핵에 올인하는 것뿐이었다. 핵을 포기하는 순간 자신의 권력도 유지하기 어렵다고 생각했던 것이다.

올인의 핵심은 돈이었다. 모든 재력을 핵과 미사일 개발에 쏟아야 하는데 북한의 경제적 이권 대부분은 장성택이 쥐고 있었다. 장성택은 이권을 넘기느냐, 계속 쥐고 있느냐 선택해야 했다. 김정은이 가차 없이 처형한 이유 중의 하나를 장성택이 경제적 이권을 포기하지 못했기 때문이라고 본다. 물론 장성택에 대한 김정은의 뿌리 깊은 증오심 또한 결정적인 역할을 했을 것이다.

중국이 북한에 핵 포기를 설득하지 못하는 이유

김정은이 강경하게 돌아서는 데는 3층 서기실도 일정 부분 영향을 미친 듯하다. 3층 서기실은 기본적으로 김정일·김정은 부자를 신격화하고 세습 통치를 유지하기 위한 조직이다. 북한이 개혁개방으로 나가 주민들이 김씨 부자의 실체를 알게 되면 3층 서기실은 와해된다. 김정일로부터 3층 서기실 조직을 그대로 물려받은 김정은이 그들의 반대를 물리치지 못했던 것 같다.

김정은은 핵보유국 헌법 명시, 핵·경제병진노선 채택을 통해 북한의 핵 보유를 헌법과 당정책에 명문화해 국내법으로 제도화하는 작업을 마무리했다. 시기상으로는 2013년 상반기다. 이때부터 북한과 중국 사이에 핵 논쟁의 양상이 달라지기 시작했다. 북한의 대응논리가 진화했기 때문이며 이는 '핵 보유의 명문화'와 연관된다.

북중 간에 고위급 대화나 교류가 진행될 때마다 북핵 문제가 심각한 논쟁 대상으로 부각되곤 한다. 중국은 이렇게 주장한다.

"핵무기를 당장 철폐하라는 것은 아니다. 일정한 기간 핵을 가지고 있어도 좋다. 하지만 조선의 장기적 목표가 비핵화에 있다는 것을 정책적으로 선언하고 비핵화를 위한 대화마당으로 돌아와야 한다. 비핵화를 위한 대화에 복귀하기만 해도 조선에 대한 원조를 늘릴 수 있다. 일정한 기간 동안 핵을 보유하면서 미국 등 주변 국가들과 신뢰가 구축되면 점차 핵 폐기로 나갈 수 있다고 본다."

북중 교류는 당적 교류와 정부적 교류로 구분된다. 당적 교류는 북한 노동당 국제부와 중국 공산당 대외연락부, 정부적 교류는 북한 외무성과 중국 외교부가 진행한다. 당 대표단 사이의 회담일 경우 북한은 이렇게 반격한다.

"제국주의와 싸우는 것은 공산주의자의 신성한 의무다. 미제와 싸우려면 우리도 핵무기를 가져야 한다. 중국 공산당도 핵무기를 개발할 때 미국과는 핵으로밖에 맞설 방법이 없다고 했다. 그리고 핵무기로 사회주의를 지켰다. 전 세계 공산당이 중국의 핵무기 개발에 반대할 때 조선노동당만이 유일하게 중국 공산당을 지지했다. 큰 당과 작은 당, 역사가 오랜 당과 짧은 당은 있을 수 있지만 높은 당과 낮은 당, 지시를 하는 당과 지시를 받는 당은 있을 수 없다. 모든 당은 평등하다. 미국의 핵무기에 핵무기로 대응하려는 것은 조선노동당의 정책이다. 이 정책에 시비를 거는 것은 내정간섭이며 국제 공산주의 운동원칙에도 위반된다."

정부 간 교류의 대화라면 북한의 공박이 달라진다.

"조선은 핵 보유를 헌법에 명시했다. 우리에게 핵무기를 포기하라는 것은 헌법을 수정하라고 요구하는 것과 같은 행위다. 세계에 큰 나라와 작은 나라는 있을 수 있어도 다른 나라의 헌법까지 뜯어 고치라고 내정간섭하는 나라는 중국밖에 없다. 지금은 청나라 때가 아니다."

북한과 중국은 이론과 논리를 중시하는 공산국가다. 논리 싸움으로 회담의 승부가 갈릴 때가 많다. 마르크스-레닌주의를 지도사상으로 삼고 있는 중국 공산당도 기존 이념과 이론으로 북한 노동당의 핵 개발 정책을 반대할 수 없어 쩔쩔 매는 형편이다. 중국이 현재 북한의 비핵화를 강하게 밀어붙이지 못하고 있는 이유가 여기에 있다.

6장

망명 전야

다시 영국으로, 맏이와 생이별에 눈물바다

나는 2013년 3월 영국 주재 북한대사관 공사로 발령을 받았다. 북한의 핵·경제병진노선이 채택된 그 달이다. 이 해 4월 26일 아내와 둘째아이와 함께 런던에 도착했다. 대학 4학년이었던 맏이는 데리고 나올 수 없었다. 북한이 대학생의 해외 체류를 금지했기 때문이다. 사실 맏이는 병도 완쾌되었고 대학에 다니고 있어 처음부터 데리고 나갈 생각을 하지 않았다.

둘째를 데리고 나오는 데는 갖은 우여곡절이 있었다. 둘째는 당시 만16세로 고등중학교에 재학 중이었다. 이때도 '원칙적으로는' 안 되는 일이었지만 어렵게 해결했다.

너무나 같이 가고 싶어 했던 맏이를 두고 평양역을 떠나던 날, 몹시 눈물을 흘렸다. 아내와 둘째아이는 더 말할 것도 없다. 열차가 출발하고 맏이의 모습이 멀어져 가는데도 눈물 때문에 맏이의 얼굴을 제대로 볼 수 없었다.

북한에서 외교관들이 해외 발령으로 평양을 떠나는 날, 자식을 하나라도 남겨둬야 할 경우 온통 눈물바다다. 부모는 두고 가는 자식이 불쌍해서 울고 남는 자식은 부모와 헤어지기 싫어 운다. 전쟁판(전쟁터)으로 떠나는 것이나 다를 게 없다. 한국 외교관은 해외근무 중에도 본국으로 휴가를 올 수 있다. 혹은 자식들이 부모를 만나러 근무지로 오기도 한다. 북한에서는 꿈도 꾸지 못하는 일이다. 아이를 북한에 두고 온 외교관 부인은 자식 생각에 밥술을 제대로 뜨지 못하는 때도 많다.

북한에서 들려오는 것은 흉흉한 소식뿐이었다. 이 해 8월 은하수관현악단이 숙청됐다. 단장을 비롯한 8명이 처형되고 악단은 해산됐다. 은하수악단은 북한 TV에 거의 매일 나오는 유명 악단이었다. 악단의 규모도 북한에서 제일 컸다. 또 김정은의 부인 리설주가 이 악단의 가수였다. 단원들이 음란동영상을 제작했다는 것이 숙청의 명분이었지만 리설주가 관련돼 있다는 것은 누구라도 알 수 있었다.

리설주는 은하수악단에서 그야말로 평범한 가수였다. 그러다가 쥐도 새도 모르게 김정은의 부인이 돼 팔자가 바뀌었으니 뒷말이 안 나올 수 없었다. 단원들이 리설주에 대해 수군거리는 이야기가 보위부에 흘러들어갔다. 보위부는 리설주에 대한 좋지 않은 소문이 확산되면 김정은의 위상이 흔들릴 수 있다고 보고했다. 김정은은 가차 없이 처단을 지시했다.

김정은 공포정치엔 '어머니 콤플렉스'도 한몫

김정은이 이렇듯 공포정치에 매달리기 시작한 이유는 그가 지닌 콤플렉스 때문이라고 본다. 지금까지 그 상황이 이어지고 있지만 김정은은 후계자 확정 이후에도 자신의 생년과 학력, 생모 등을 공식적으로 발표하지 못하고 있다. 이런 사항은 오히려 한국에서 더 잘 알려져 있다. 유학 시절 여권 등을 근거로 1984년생이라는 결론이 내려졌고, 스위스 베른의 공립중학교 등에서 공부했으며 생모는 고영희 또는 고용희로 밝혀졌다.

생모의 이름은 어느 것이 맞는지 나도 잘 모르겠다. 일본 산케이신문은 "북한이 본명인 고영희 대신 고용희라고 표기한 것은 일본에서 태어난 고영희와 다른 사람이라는 인상을 줘 재일교포 출신이라는 사실을 은폐하려는 의도로 여겨진다"고 분석한 적이 있다. 일단 본명이라는 '고영희'로 쓰고자 한다. 그런데 무소불위의 힘을 지닌 김정은조차도 고영희라는 이름을 북한 주민에게 공개하지 못하는 이유는 무엇일까. 여기에 북한의 불안 요소가 깔려 있다.

고영희는 김정일과의 사이에서 김정철(1981년생), 김정은, 김여정(1987년생)을 낳았다. 김정일의 아들이 정철·정은 형제와, 성혜림 소생의 김정남(1971년생) 셋뿐임을 놓고 보면 아들을 둘씩이나 낳은 고영희는 어깨를 펴고 살 만도 했다. 하지만 고영희는 재일교포 출신이다. 1962년 재일교포 북송사업 때 가족과 함께 북한으로 이주했다. 북한에서 좋은 대우를 못 받았던 이른바 '재포'다. 만수대예술단 무용수로 활동한 경력 또한 김정일의 여자로서 그리 내세울 만한 것은 아니다. 더구나 그의 부친이 일본군의 협력자로 활동했다는 한국 언론의 보도가 있는 것을 보면 북한 내에서도 이 사실을 알고 있는 사람이 있을 수 있다. 설령 그런 사람이 없다고 해도 이 사실이 알려져서는 안 된다.

또 다른 이유는 고영희가 김일성의 며느리, 김정일의 부인으로서 인정을 받지 못했다는 점이다. 김일성의 인정을 받은, 김정일의 공식 부인은 김영숙이었다. 북한에서 내가 들은 바에 의하면 1980년대 말까지 김영숙이 딸들(설송·춘송)을 데리고 명절이면 만경대 김일성 가문 어른에게 인사를 다녔다고 한다. 말하자면 고영희는 김일성의 며느리로 대우받지 못하는 설움을 겪었다. 김정일도 고영희를 떳떳하게 드러내지 못했다.

고영희는 2004년 5월 지병으로 사망했다. 김정은은 김정일 사망(2011.12) 이후인 2012년 6월 평양 대성산 혁명열사릉에 고영희의 묘를 성역화하고 중앙기관의 간부들을 참배시켰다. 그런데 이상하게도 묘비에는 이름도 없이 '선군조선의 어머님'이라고만 적혀 있었다. 적어도 2012년 가을까지는 이름이 없었다는 것이 내 기억인데 앞서 언급한 산케이신문의 2012년 8월 2일자 기사는 '고용희'라는 이름이 기록돼 있다고 보도했다. 내 기억이 틀린 것인지 아니면 이 신문이 오보를 낸 것인지 잘 모르겠다.

유의해야 할 것은 그냥 '조선의 어머님'라고 하지 않고 '선군'이라는 단어를 붙인 점이다. '선군조선'은 1994년 김일성 사후에 노동당이 표방한 강령으로 '군대가 이끄는 조선', '군대 우선의 조선'이라는 뜻이다. 따라서 '선군조선의 어머님'이란 '김일성 사후의 조선'이라는 특정한 시공간에서만 '어머님'으로 인정한다는 것을 자인하는 표현이기도 하다.

김정은은 고영희 묘의 성역화 사업과 함께 〈위대한 선군조선의 어머님〉이라는 선전용 기록영화까지 제작해 2012년 3월 극소수의 간부들에게 보여주었다. 간부들은 영화가 공개되면 북한 사회에 커다란 동요가 일어날 수 있다는 의견을 제기했다. 결국 영화는 공개되지 못했지만 USB에 담겨져 은밀히 시중에 유통됐다. 노동당 내부 회의에서 '영화를 본 사람들은 자수하라'는 성토가 나왔고, 중앙방송위원회의 여러 명이 처형되기도 했다. 이 영화는 해외로 유출되어 지금은 유튜브에서도 찾아 볼 수 있다.

내가 탈북하기 전인 2016년 3월 북한은 당대회를 앞두고 김정은의 혁명역사를 전당적으로 학습시켰다. 그런데 해외공관 등에 보낸 김정은의 '혁명활동 강연제강(지도안)'에도 고영희라는 이름은 없었다. 지금까지도 고영희의 존재를 마음 놓고 공개하지 못하는 것이다. 이것은 김정은이 자기모순에 빠져 있기 때문이다. '백두혈통'임을 자처하며 후계자로서의 명분과 정통성을 선전하고는 있지만 자신의 생모가 김정일의 유일한 여자가 아니라 여러 여자들 중의 한 명이라는 사실까지 밝힐 수는 없는 일이다.

장성택 처형을 런던서 인터넷판 〈노동신문〉 보고 알아

북한 주민들이 김정은에게 김정남이라는 이복형이 있고, 김정일에게 김영숙, 성혜림, 고영희 등 여러 여성과 낳은 자식들이 있다는 것을 알게 되면 무슨 일이 일어날까. 김정은은 자신의 가족내력이 북한 체제의 불안 요소라는 점을 너무나 잘 알고 있다. 그런 이유로 나는 김정은이 김정남을 가만 두지 않을 것이라고 생각했고 2017년 1월 대한민국 국회에서 열린 한 강연에서 그 예측을 피력한 적이 있다. 이 강연이 있은 지 한 달도 안 돼 김정남은 말레이시아의 쿠알라룸푸르공항에서 암살당했다.

자신의 생모가 김정일의 공식 부인이 아니라는 사실에 김정은은 심리적 불안감까지 느끼는 듯하다. 이 사실을 너무나 잘 알고 있는 간부들이 자신을 어떻게 볼까 하는 자격지심이 있는 것이다. 이것은 김정은에게 큰 문제가 아닐 수 없다. 김정일의 본처인 김영숙과, 첩이나 다름없는 고영희를 동시에 기억하는 간부들이 많기 때문이다.

김정일은 1970년대 말 만수대예술단을 대상으로 '현지지도'를 많이 했다. 그러다가 무용수 고영희가 갑자기 예술단에서 사라졌는데 이때는 간부들도 고영희가 어디로 갔는지 알지 못했다. 하지만 김정은이 자신의 생모를 부각시키는 과정에서 고영희의 존재가 알려지면 어떻게 될까.

'아, 그래서 고영희가 없어졌구나.'

김정일은 1994년 김일성이 사망한 이후에야 고영희와 함께 현지지도를 다녔다. 하지만 고영희의 모습은 북한 언론에 일절 보도되지 않았다. 그러므로 김정은 집권 후 갑작스런 고영희의 등장은 김영숙의 초라한 처지와 대비되며 더한 충격으로 다가올 것이 분명했다. 또한 고영희는 리설주를 연상케 한다. 둘 다 예술단 출신이며 하루아침에 최고 권력자의 여자가 됐다. 은하수악단 단원들이 리설주에 대해 이런저런 뒷얘기를 한 것은 김정은의 '역린'을 건드린 것이나 마찬가지였다.

김정은은 간부에 대한 통제를 강화할 때부터 이들에게 한 번 본때를 보여줘야겠다고 생각했던 것 같다. 김정일에게는 긴장도 하고 수첩에 메모도 하던 간부들에게 김정은에게는 전혀 다른 태도를 보였기 때문이다. 처음엔 간부들을 친근하게 대했던 김정은이 갑자기 돌변한 것도 은하수악단에 대한 무자비한 처형을 통해 간부들의 기를 꺾겠다는 계산이었던 듯하다.

은하수악단 숙청의 충격이 가라앉기도 전인 이 해 12월 초 한국 언론은 노동당 행정부 1부부장 리룡하와 부부장 장수길이 처형됐다고 보도했다. 이들은 장성택의 최측근이었다. 이때만 해도 나는 '모략 보도'라고 생각했다.

12월 9일 저녁 갑자기 현학봉 대사가 나를 사무실로 불렀다. 인터넷에 난 〈노동신문〉을 보라고 했다. 모니터에는 '12월 8일 진행된 조선노동당 중앙위원회에서 장성택 등 반당분자들을 숙청했다'는 기사와 함께 장성택이 체포되는 장면을 찍은 사진이 떠 있었다. 고위 간부가 노동당회의 도중 끌려 나가는 사진이 북한 신문에 공개된 것은 전례가 없는 일이었다.

〈노동신문〉은 "최근 당 안에 배겨 있던 우연분자(능력도 자질도 없으면서 현재의 지위에 이른 일당), 이색분자들이 주체혁명위업 계승의 중대한 력사적 시기에 당의 유일적 령도를 거세하려 들면서 분파책동으로 자기 세력을 확장하고 감히 당에 도전해 나서는 위험

천만한 반당반혁명적 종파사건이 발생하였다"고 숙청의 이유를 설명하고 있었다.

장성택은 모든 직무에서 해임되고 모든 칭호를 박탈당한 것은 물론 노동당에서도 출당 조치됐다. 12월 12일 장성택에 대한 국가안전보위부 특별군사재판이 열렸고, 이 재판 후 그의 사형이 집행됐다. 북한 중앙통신은 '정권야욕에 미쳐 분별을 잃고 날뛰던 나머지 군대를 동원하면 정변을 성사시킬 수 있을 것이라고 어리석게 타산하였다'고 장성택의 죄를 밝혔지만 누가 봐도 날조임이 분명했다. 김정은이 의도한 피비린내 나는 숙청이었다.

숙청을 부른 또 다른 사연들

'장성택 일당 숙청 사건'의 전후 사정을 짚어볼 필요가 있다. 장성택은 김정은의 권력 승계 과정을 도와주면서도 김정남과의 인연을 끊지 못했다. 김정남이 해외에서 돈을 보내달라고 하면 심복을 시켜 은밀히 보내주었다. 보위부는 이를 포착하고 김정은에게 보고했다. 장성택이 자신과 김정남 사이에서 '양다리 걸치기'를 하고 있다고 판단한 김정은은 화가 머리끝까지 솟았지만 일단 참을 수밖에 없었다. 그런 문제로 장성택을 날릴 수는 없었던 것이다.

2013년 가을 김정은은 평안남도 온천군에 있는 온천비행장을 '현지지도'했다. 전쟁준비는커녕 부식 공급까지 형편없다는 것을 알게 된 김정은은 공군사령부 지휘관들에게 이를 개선할 방도가 있는

지 물었다. 지휘관들은 온천비행장 근처의 54부 산하 남포수산기지를 넘겨달라고 요청했다. 수산기지가 벌어들이는 달러로 공군의 부식비용을 개선하겠다는 뜻이었다.

54부가 소유한 남포수산기지에 대해서도 사전 설명이 필요하다. 2000년대 말 김정일은 2012년까지 평양에 주택 10만 세대를 건설한다는 계획을 세웠다. 류경호텔에서 평양비행장으로 나가는 도로변의 수만 세대를 철거하고 현대식 아파트 단지를 건설한다는 계획이었다. 10만 세대 건설과업은 장성택이 담당한 당행정부에 부여했다. 장성택은 이 과업을 수행하기 위해 54부를 앞세웠다.

1980년 출범한 54부는 인민무력부의 대표적인 외화벌이 기구인 매봉무역총회사의 산하기관이다. 매봉무역총회사에 무역 기관이 존재했지만 54부가 중추적인 역할을 했다. 2008년 54부는 승리회사라는 명칭을 쓰기 시작했고 2009년부터는 석탄 등 주요 수출품을 거의 독점하게 된다. 외화벌이가 잘 되자 54부장 장수길은 인민무력부보다는 장성택의 당행정부와 유착하게 된다. 장수길은 장성택을 등에 업고 석탄, 해산물 수출 등 외화벌이가 되는 부문을 독점으로 만들어 나갔다.

아파트 10만 세대 건설을 위해 54부는 중국으로부터 투자금을 끌어와 타일공장을 건립했다. 투자금은 석탄과 해산물 등의 수출을 통해 상환하기로 했다. 남포와 온천군 앞바다에 대형 수산기지를 설치한 것은 그 일환이었다. 조개 같은 해산물을 중국에 팔아 매년 100만 달러 이상을 벌었다. 한국에서 100만 달러는 사업체의 매출 규모로는 보잘 것 없는 수준이지만 북한의 1개 수산사업소가 그만한 달러를 번다는 것은 대단한 일이었다.

54부는 수산기지를 독점했다. 수산기지 주변 군부대와 일반 수산사업소들이 이를 못마땅하게 여긴 것은 당연했다. 온천비행장 지휘관들이 김정은에게 비행장에서 가까운 54부 수산기지를 넘겨달라고 요청한 것은 이런 배경이 있었다. 하지만 아무 것도 몰랐던 김정은은 자신의 직위인 최고사령관 명령으로 수산기지를 공군사령부에 넘겨주라고 지시한다.

평양에서 이 사실을 보고받은 54부장 장수길은 난감했다. 수산기지를 공군에 넘겨주게 되면 54부는 해산물을 보내줄 수 없어 중국 측과의 계약이 파기된다. 아파트 10만 세대 건설에도 차질이 생긴다. 장수길은 현지에 내려가 지배인으로부터 상황을 상세히 보고받은 후 "조금만 기다려라. 내가 평양에 올라가 뒤집겠다"하고는 현지를 떠났다. 장수길은 '뒤집겠다'는 단어 하나가 자신을 죽음으로 몰고 간다는 사실을 꿈에도 몰랐을 것이다.

당시 김정일이나 김정은의 지시는 '방침'이나 '명령'으로 내려왔다. 그런데 그 방침과 명령의 근거는 각 부서가 전달하는 '제의서'였다. 부처 간 이기주의는 어디에나 있는 법이어서 제의서 하나로 유불리가 갈리는 때가 많다. 피해를 본 기관은 김정일이나 김정은에게 사실을 이실직고하여 상황을 뒤집는 경우가 비일비재했다. 간부들은 이를 '바로잡는다', '뒤집는다', '재방침을 받겠다'는 식으로 표현했다. 김정은이 이를 알 리 없었다.

장수길이 '뒤집겠다'고 한 것은 김정은의 명령을 거역하겠다는 말이 아니었다. 장성택을 통해 김정은에게 다시 제의서를 제출해 54

부가 종전대로 남포수산기지를 운영하게 하겠다는 뜻이었다. 그런데 현지에서 장수길의 말을 들은 군 보위사령부 파견원인 '보위지도원'이 이 사실을 보위사령부에 보고했다. 보위사령관은 김정은에게 잘 보일 수 있는 사건 하나가 걸려들었다고 생각했던 모양이다. 마치 대단한 사건이라도 일어난 것처럼 '54부장 장수길이 최고사령관 동지의 명령을 뒤집겠다고 부하들에게 말했다'고 김정은에게 보고했다. 이 무렵 김정은은 주변 간부들이 자신을 업신여기지 않는가 하여 가뜩이나 촉각을 세우고 있었다. 김정은은 장수길을 당장 체포하고 진상을 파악하라고 지시했다.

평양에 올라온 장수길은 아무 것도 모른 채 당행정부 리룡하 1부부장과 함께 장성택을 찾아갔다. 두 사람이 들고 온 제의서를 본 장성택은 이럴 수도 저럴 수도 없었다. 논리대로 따지면 두 사람의 말이 맞으나 최고사령관인 조카가 내린 명령을 부하 앞에서 '뒤집겠다'고 나설 수도 없었다. 장성택은 김정은과 대면 기회가 생길 때 설명해 주기로 결정하고 '제의서'를 일단 두고 가라고 하고 두 사람을 돌려보냈다.

얼마 후 장수길은 보위사령부에 의해 전격 체포되었다. 보위사령부는 장수길에게 최고사령관의 명령을 '뒤집기 위해' 누구와 무엇을 어떻게 작당했는지를 따졌다. 장수길은 있는 그대로 털어놓았다. 사실 숨길 것도 없었다. 평시에 늘 하던 '재방침을 받는 과정'이었다.

외무성에서도 비슷한 사례가 많았다. 한 번은 김정일이 남포항을 '현지지도'했다. 항만 운영 관계자가 화물 보관 연체료를 북한 화폐 대신 외화로 받게 해달라고 제기했다. 김정일은 그렇게 하라고 지시했고 모든 기관에 이 방침이 전달되었다. 외무성으로서는 받아들이기 어려웠다. 외국의 원조물자가 다 남포항으로 들어오는데 화물 보관료까지 달라고 원조단체에 손을 내미는 것은 국제관례상 맞지 않는다고 김정일에게 건의했다. 김정일은 연체료 부과 대상에서 인도주의 원조물자는 제외하라고 지시했다.

외무성이 빠져 나오니 군대도 그냥 있지 않았다. 군대가 들여오는 물자는 전쟁준비용이어서 연체료까지 외화로 물게 되면 전쟁준비에 지장에 있다고 보고했다. 이렇게 군대가 빠져 나갔고 다른 부서들도 재방침을 받아 남포항 운영 당국에 전달했다. 연체료를 외화로 무조건 받으라고 했던 김정일의 방침은 한 달 후 자연스럽게 흐지부지되었다.

장수길을 족친 보위사령부는 장수길과 리룡하, 장성택이 무슨 정변 음모라도 꾸민 것처럼 확대해석해 김정은에게 보고했다. 장성택에게 쌓였던 김정은의 분노가 결국 폭발했다. 장성택이 보위사령부보다 먼저 김정은을 찾아가 차근차근 설명했다면 '장성택 일당 숙청 사건'이 일어나지 않았을 수도 있었다. 부하들의 과잉충성과, 간부 조직의 보고 체계를 몰랐던 김정은의 흥분이 숙청의 시발점이 된 것이다.

어릴 때부터 고모부에 원한 쌓여

장성택은 김정일의 동복 여동생인 김경희의 남편이다. 김정은에게는 고모부가 된다. 김정은은 아이 때부터 고모부에게 뿌리 깊은 원한을 품고 있었던 것 같다. 고영희는 정철·정은 형제 중의 하나가 후계자가 되지 않으면 결국 온 가족이 숙청당한다는 사실을 누구보다 잘 알고 있었다. 김일성 생전에 자신의 아이들을 인사시키고 인정을 받고 싶어 했다. 이것을 누가 막았겠는가. 김경희와 장성택이었을 것이다.

김정일 생전에 김경희와 장성택이 고영희의 존재를 상당히 부담스러워했다는 말이 나돌았다. 고영희와 그 자녀들이 김일성 앞에 한 번도 가보지 못한 것은 김정일이 그들을 숨겨온 것도 이유가 되지만 김경희가 완강히 반대했다는 이야기도 있다. 고영희와 김경희는 사이가 좋지 않았던 것 같다.

본처 김영숙을 두고 성혜림과의 사이에서 김정남을 낳은 김정일에게 김일성은 집안 망신이라고 화를 낸 적이 있다. 성혜림에게는 전 남편 이평과의 사이에서 낳은 이옥돌이라는 딸도 있었다. 장성택은 이 사실을 김정일에게 상기시키며 “수령님에게 고영희 모자를 절대로 데려가서는 안 된다”며 만류했다고 한다. 고영희는 장성택 부부에게 원한을 품게 됐고 그 감정은 고스란히 김정은에게 전해졌다.

김정은 또한 할아버지 김일성과 찍은 사진 한 장 없는 손자 신세가 된 것에 분통이 터졌다. 김일성과 찍은 사진 한 장만 있었다면 스스로 ‘백두혈통’이라고 백 번 외치는 것보다 훨씬 효과적이었을 것이다. 이것은 고영희도 마찬가지다. ‘…선군조선의 어머님’에도 그와 김일성이 같이 찍은 사진은 없다. 나는 김정은이 아이 때부터 장성택을 미워한 것으로 본다.

김정은이 북한의 절대 권력자가 되자 장성택은 불안에 떨었다. 평소 김정은보다 김정남을 더 가까이 했던 장성택은 자신에 대한 김정은의 원한을 알았고 신변의 위협도 느꼈다. 장성택에게는 당과 군대, 무역 부문에서 요직을 차지하고 있는 친척이 많았다. 그는 2012년경에 이미 친척들을 모아 놓고 “이제 장사 다 정리하고 나와라. 우리에게 검열이 붙을 수 있다”고 했다. 그가 말하는 ‘장사’란 이권 사업을 뜻하는 북한 표현이다.

나의 베이징외국어대학 동창 가운데 조성규라는 친구가 있다. 부인 이름이 전은영이다. 그 부친은 장성택의 매형이며 쿠바 대사 출신인 전영진이다. 전은영은 평양의 신도심인 창전거리에서 찻집을 운영하고 있었다. 찻집을 꾸리는 데 8만 달러를 투자했다고 한다. 어느 날 전은영이 내게 “장성택이 찻집을 접으라고 한다”며 걱정하던 기억이 난다.

장성택으로서는 금석지감을 느낄 만한 일이었다. 김정일 시대까지는 죽을 사람까지 살리는 끗발이 있던 그였다. 실제로 전영진은 김정일의 지시로 처형당할 뻔하다가 “장성택 부부장의 매형”이라는 강석주의 한마디에 살아났다.

1992년 초 김정일은 북한외교가 고립되는 상황에 처하자 해외의 모든 공관에 이를 극복하기 위한 ‘창조적인 방안’을 보고하라고 지시했다. 김정일은 ‘어떤 방안이든 마음 놓고 제시하라’고 강조했지만 그 말을 그대로 믿어서는 안 된다. 부하들의 속셈을 떠보는 김정일 특유의 능란한 기술이었기 때문이다.

대부분은 김정일의 의도를 알고 “우리는 붉은 기를 끝까지 지켜야 한다. 한국과 중소의 수교는 우리의 자주외교를 부각시킬 수 있는 기회”라고 하면서 극좌적으로 행동했지만 스웨덴 주재 북한대사 전영진만은 매우 대담한 안을 평양에 보냈다.

"소련이 무너진 후 유럽에서 반공 분위기가 상당히 강해졌다. 공산주의란 표현만 써도 반감을 드러낸다. 조선도 중국처럼 개혁개방하지 않으면 소련처럼 붕괴될 것이라고 한다. 내부로는 붉은 기를 지키되 외부로는 부드럽고 열려 있는 태도로 가장할 필요가 있다. 대외적으로 공산주의라는 표현을 쓰지 말기를 제안한다.

또한 평양 시민들의 모습에서 활기가 없다고 한다. 방북하고 온 외국인들의 한결 같은 이야기다. 평양 시민의 자전거 이용을 허용하자. 분주한 거리, 활기찬 시민의 모습을 보여주는 데 도움이 될 것이다. 유럽 사람들은 우리 체제가 경직되어 있어 얼마 못 갈 것이라고 믿고 있지만 우리도 개혁개방으로 간다고 선전한다면 우리 제도의 영구불멸성을 인식시킬 수 있을 것이다."

매우 현실적인 대안이었지만 김정일은 대로했다. 김정일은 강석주에게 "정세가 어려우면 이렇게 붉은 기를 내리자는 놈들이 나온다. 개혁개방이란 말은 입에 올려서도 안 되는 말이다. 스웨덴 대사 전영진은 정신적으로 썩었고 제국주의자들의 공세에 겁을 먹은 놈이다"고 험한 욕을 했다. 김정일이 일단 처형하라는 말을 꺼내면 그 결정은 되돌릴 수 없는 것이었다. 강석주가 용기를 내어 '전영진은 장성택의 매형'이라고 알려주었다.

그 말에 김정일의 화가 조금 가라앉았다. 하지만 전영진은 곧바로 소환되어 농장 혁명화 조치를 받았다. 전영진은 장성택의 매형이라는 이유로 수용소행을 면하고 몇 년 동안 지방에서 고생했다. 이후 대외문화연락위원회 부위원장으로 복귀하고 쿠바 주재 대사로 나갔지만 장성택 처형을 계기로 그와 함께 숙청되는 운명을 맞게 된다. 그런데 전영진의 제안은 1990년대 후반에 들어서면서 차츰 실현되었다. 당은 공산주의라는 표현을 쓰지 않기로 했고, 평양시 중심부를 제외한 구역에서는 자전거 이용이 허용되었다.

김정은이 장성택에 대해 수십 년 동안 쌓아온 증오는 결국 잔인한 처형으로 귀결됐다. 〈노동신문〉을 통해 그의 숙청 사실이 공개된 후, 북한 주민들은 장성택에 대한 이야기로 일손을 놓았다. 사흘 동안 장마당이 돌아가지 않을 정도였다. 그만큼 북한 사회에 충격적인 사건이었다. 이것은 김정은의 무자비한 숙청 때문만은 아니다. 장성택 사건의 판결문을 통해 북한 주민들이 그동안 베일에 싸여 있던 김씨 가문의 추악한 모습을 확인했기 때문이다.

북한 주민들이 가장 분노한 것은 장성택의 여성 편력이었다. 김일성의 딸을 데리고 살면서 무엇이 부족해 부화방탕한 생활을 했느냐는 격분이었다. 판결문은 장성택이 여러 여성들과 불륜관계를 가졌고 해외에서 수백만 달러를 도박으로 탕진했으며 마약도 복용했다고 적시했다.

장성택의 자녀들이 '한 버스'가 된다는 말도 나돌았다. 영화 〈줄기는 뿌리에서 내린다〉에 출연한 여배우를 비롯해 '장성택의 여자'로 지목된 여러 연예인들이 체포되어 사라졌다. 노력영웅 칭호를 받았던 오봉산관리소 소장도 구금됐다. 장성택이 데리고 놀다 죽여버린 여성들을 화장했다는 혐의였다. 만경대구역의 금성고등중학교 교장도 '중앙당 5과'로 선발된 어린 여학생들을 장성택의 성노리개로 바쳤다는 이유로 잡혀갔다.

'부화방탕' 알려지면서 기쁨조 기피 풍조 생겨

이 사건으로 북한에는 딸 가진 부모들이 '중앙당 5과 대상'을 기피하는 새로운 풍조까지 생겼다. '5과 대상'은 북한에서 널리 알려진 용어다. '5과'는 조선시대로 치면 대궐에서 일하는 궁녀 조직이라고 보면 된다. '궁녀'를 뽑는 기능도 있으며 중앙당 조직지도부로부터 도당, 시당까지 전국적인 체계를 갖추고 있다.

각 5과가 뽑는 대상은 14~16세 사이의 여학생이다. 질병검사, 서류심사, 면접 등을 통해 까다롭게 선발한다. 선발 여학생은 직종별로 전문교육을 받는다. 악기, 성악, 무용 등 음악예술 분야와 간호, 경호, 가택 관리, 전화 및 통신 등의 부문이 포함된다. 이들은 전문교육을 거쳐 입대 방식으로 호위사령부나 봉화병원 등에 파견된다. 이 가운데 미모가 출중한 학생은 김씨 가문의 전화수, 타자수, 경호원, 기쁨조, 간호원 등으로 일하게 된다.

5과에서 근무하는 동안에는 집에 갈 수 없으며 가족도 볼 수 없다. 언뜻 '어떤 부모가 딸을 보내려고 할까'라는 의구심이 들 수 있지만 장성택 사건이 터지기 전까지 일반 주민에게는 인기가 많은 편이었다. 5과에 딸을 보낸 가정에 각종 특혜가 주어지기 때문이다. 신년이나 김일성 생일 등 북한의 '명절'이면 선물도 하사된다. 하지만 당 일꾼이나 엘리트 계층은 딸이 5과 대상으로 뽑힐까봐 걱정한다. '더 키 크지 마라', '더 예뻐지지 마라'고 비는 부모도 봤다.

퇴직 연령은 26~27세 정도다. 퇴직 후에는 김정일이나 김정은을 얼마나 가까이서 보좌했느냐에 따라 배우자가 결정된다. 가장 지근거리에서 보좌했을 경우, 사회로 나가지 못하고 김씨 가문의 호위군관과 결혼한다. 그 다음 부류는 외교관, 당 일꾼, 무역기관 성원 등 북한에서 인기 있는 직종의 종사자를 결혼상대로 골라준다. 5과에서 퇴직한 여성은 기밀 유지를 위해 당 학교에 보내지며 졸업 후에 당 기관에서 일하는 경우가 대부분이다.

한국의 '미스코리아 감'에 해당하는 말이 북한에서는 '5과 대상'이었다. "너 5과 뽑히겠다", "너 5과 대상이겠다" 같은 말도 좋은 뜻으로 자주 사용됐다. 그러나 장성택 사건을 통해 북한 주민들은 '5과 대상'의 여학생들이 비밀리에 최고위층의 노리개 역할을 하는 내막을 알게 되었다. 주민 사이에 '5과 대상'에 대한 부정적인 인식이 확산되면서 최근에는 예쁘게 키워놓은 딸자식을 빼앗겨서는 안 된다는 의식이 급속히 퍼지고 있다.

북한 주민들은 장성택의 비리와 추문을 통해 썩고 문드러진 백두혈통의 실상을 목격했다. 김씨 가문은 공산주의와 프롤레타리아 독재라는 외피를 쓰고 결코 있어서는 안 될 노예사회를 건설했다. 나는 장성택 숙청이 향후 김정은 정권의 아킬레스건이 되리라고 본다.

장성택 측근 1만여 명 쑥대밭 숙청

장성택 일가에만 숙청이 한정된 것은 아니었다. 〈노동신문〉이 '장성택 일당'이라는 표현을 쓴 것은 이를 시사한다. 당 행정부 등 그가 직책을 맡고 있던 모든 부서가 쑥대밭이 됐다. 당 행정부, 군부 54

부, 보안성 9국, 보안성 산하 공병총국 등이다. 그의 측근들도 모조리 날아갔다.

당 행정부는 부부장과 과장급 이상 15명이 총살됐고 400여 명이 숙청됐다. 과장 이하 성원들은 가족과 함께 정치범수용소로 끌려갔다. 당중앙위원회 한 개 부서를 한 명도 안 남기고 모두 숙청한 것은 당 역사상 처음 있는 일이었다. 심지어 문서를 수발하는 어린 성원에게도 관용을 베풀지 않았다.

군부의 54부에서도 300명 정도가 쫓겨났다. 장성택 숙청 판결문에서 "장성택이 나라의 자원을 헐값으로 외국에 팔아넘겼다"고 한 것은 바로 54부의 석탄 수출 독점을 가리킨 것이다. 54부 부장 겸 당 행정부 부부장이었던 장수길은 석탄, 수산, 건설, 건설자재 생산 등 수많은 이권을 휘두르다가 장성택보다 먼저 비참한 최후를 맞았다.

장수길과 리룡하를 총살하던 날, 북한 고위급은 아연실색했다. 이날 당과 군부의 중간 간부들은 평양 교외 강건군관학교 사격훈련장에 모였다. 고위급을 총살하는 처형장이었다. 간부들은 대단히 놀랐다. 사격장에는 평소 총살할 때 사용하던 자동보총(소총) AK-47 대신 처음 보는 4신 고사기관총 8정이 설치되어 있었다. 정면에는 흰 천이 둘러져 있었고 그 뒤에 누군가가 있는 듯 보였다.

잠시 후 버스가 도착해 중앙당 비서, 부장, 부부장들이 내렸다. 뒤이어 당 행정부 직원들을 태운 버스가 도착했다. 뜻밖에도 장성택이 거기서 내렸다. 중앙당 비서 등 고위 간부를 태운 버스에 타야 할 장성택이 일반 직원 버스에서 내리는 모습을 보고 다들 의아해 했다. 이미 이때 장성택의 운명이 결정되어 있었을지도 모른다.

이윽고 연단에서 '반당반혁명분자' 장수길과 리룡하의 죄행이 낭독되었고 총살이 선고되었다. 흰 천이 벗겨졌다. 장수길과 리룡하가 말뚝에 묶여 있었다. 8정의 4신 고사기관총이 두 명을 향해 불을 뿜었고 고위 간부들은 얼이 나갔다. 며칠 동안 밥도 제대로 못 먹을 정도였다고 한다.

역시 외화벌이 사업을 주관하는 부서인 보안성 9국도 장성택 사건으로 200여 명이 쫓겨났다. 장성택은 북한이 중국에서 직영하는 해당화식당이 수익을 많이 내자 이 식당을 인민보안성 9국으로 배속시키고 평양 동부에 대규모 해당화관을 건설했다. 이밖에 공병총국 등을 비롯한 많은 기관 간부들이 숙청됐다. 장성택이 이처럼 북한의 경제적 이권을 차지한 것은 그에게 수많은 건설 과업이 부여됐기 때문이다. 평양시 아파트 10만 세대 건설, 남포부터 평양까지 해수로 공사, 만경대거리 건설 등을 장성택이 담당했고, 김정은 시대에 들어와서도 창전거리와 만수대거리 건설도 도맡은 바 있다.

해외공관에 나가 있는 외교관들도 숙청의 칼바람을 비껴가지 못했다. 앞서 언급했던 쿠바 대사 전영진, 장성택의 조카이자 말레이시아 대사인 장용철, 스웨덴 대사 박광철, 유네스코 주재 북한 부대표 홍영 등이 북한으로 끌려갔다. 박광철은 당 행정부 부부장 박춘홍의 사돈이었고, 홍영은 행정부 부부장 량청송의 처남이었다.

외무성 성원의 가족 중에도 수용소로 끌려간 사람이 10명이 넘는다. 전영진 가족, 장용철 가족, 박광철의 딸, 윤영일의 딸, 김강림의 장인, 한성렬 부상의 딸, 리희철 정세자료국 국장의 아들, 고방산

초대소 소장 김정애의 딸과 사위 등이다. 전체적으로 장성택 숙청과 관련해 못해도 1만 명은 수용소나 탄광, 지방으로 추방된 것으로 추산된다. 1990년대 말에 있었던 '심화조 사건' 때보다 피해자가 훨씬 많았다.

현학봉 영국대사, 유네스코 북한대사 소환작전에 동원

2013년 12월 8일 조선중앙통신은 당중앙위원회 확대회의 결과를 보도했다. 이후 해외공관에 반당반혁명분자 16명의 명단이 내려왔다. 이들의 사진과 '작품'을 빠른 시일 내에 없애버리라는 지시와 함께였다. 명단은 다음과 같다.

'장성택, 리룡하, 장수길, 박춘홍, 최금철, 김동이, 량청송, 한룡걸, 길경남, 정성일, 최병히, 안종환, 조원범, 리철호, 김경수, 전응렬.'

이들 중 리룡하, 장수길, 량청송 등은 장성택보다 먼저 처형됐고, 나머지는 장성택과 함께 처단됐다. 그런데 북한이 한 가지 실수를 했다. 이 명단에 유네스코 주재 북한대표로 나가 있던 윤영일의 사돈이 들어 있었다. 말하자면 윤영일을 먼저 소환하고 명단을 내려보내야 했다. 이미 한바탕 고위 외교관들을 소환한 후라 잘못하면 윤영일이 탈북할 수도 있었다.

2014년 1월 5일 북한은 김정은 신년사 관철을 위한 회의가 있으니 영국, 프랑스(유네스코), 독일 대사만 평양에 들어오라는 지시를 내렸다. 윤영일을 제 발로 끌어들이기 위한 연막작전이었다. 윤영일은 영국 대사 현학봉, 독일 대사 리시홍과 함께 평양에 들어갔다가 혼자만 억류되었다. 현학봉 대사가 영국으로 돌아오는 모습이 한국 언론에 포착돼 그가 숙청을 면하고 복귀한다는 보도가 있었다.

이때의 기억이 생생하다. 평양으로 들어가기 전, 현학봉 대사는 꽤 흥분한 상태였다. 신년사 관철을 위한 대책을 토의하자고 대사들을 불러들인 것은 전례가 없던 일이었다. 정세가 워낙 긴박하니 외무성 간부와 주요국에 나가 있는 대사를 불러 회의를 가지나 보다 짐작했다. 현학봉 대사는 김정은을 접견할 수도 있다고 하면서 양복과 와이셔츠를 새로 샀다. 그는 외무성 간부들에게 나눠줄 구강청결 스프레이까지 수십 개 구입했다. 당시 북한 간부들은 김정은에게 입을 가리고 말하곤 했다. 아마 김정은이 입 냄새를 싫어했던 모양이다. 이렇게 잔뜩 준비를 한 채 막상 평양에 가보니 윤영일 소환을 위한 연막작전이었다. 현학봉 대사로서는 꽤 허탈했을 것이다.

현학봉 대사가 런던으로 돌아오자 임성남 한국대사가 제일 반겼다. 현학봉, 임성남 대사는 오랜 파트너였다. 임성남 대사는 남북 경수로 협상 때 남측 단장을 맡은 바 있다. 런던에서 다른 나라의 대사관 행사가 열렸을 때 두 사람은 재회했다. 임성남 대사가 현학봉 대사에게 인사를 건넸다.

"북으로 돌아가 잘못 되는 줄 알고 걱정을 많이 했다. 이렇게 무사히 돌아와서 반갑다."

현학봉 대사는 "무슨 소리냐. 내가 왜 숙청된단 말인가. 조선은 사람을 그렇게 막 죽이는 나라가 아니다. 당신 말을 들으니 기분이 좋지 않다"고 속에도 없는 말을 할 수밖에 없었다.

현학봉 대사는 행사에서 돌아와 임성남 대사와 오고간 대화를 그대로 평양에 보고했다. 그 후 임성남 대사가 한국으로 복귀할 때 현학봉 대사는 "지금까지 런던에 온 남측 대사들이 다 승진했는데 당신도 들어가서 승진하는 것인가"라고 물었다. 임 대사는 "가봐야 안다"고 했지만 몇 달 안 돼 외교부 차관으로 승진했다.

현학봉 대사는 북한이 사람을 막 죽이는 나라가 아니라고 했지만 장성택 숙청 과정에서 처형된 인사 중에는 내가 알고 있던 사람도 많았다. 나로서도 너무 가슴 아픈 일이어서 한 분, 한 분 간략하게 소개해 본다.

장성택이 구해 준 황장엽 맏며느리 결국 수용소로

리룡하 노동당 행정부 부부장의 동생 리룡남은 나와 국제관계대학 동창이다. 자강도 도당위원회 선전비서였던 리룡남은 가족과 함께 정치범수용소에 수용됐다. 리룡하와 사돈이며 외무성 정세자료국장이었던 리희철은 인민대학습당으로 추방되었다. 리희철은 스웨덴 대사를 지내기도 했는데 그의 아들이 리룡하의 사위였다. 리희철의 아들과 며느리, 손자는 수용소로 끌려갔다.

행정부 부부장 박춘홍은 스웨덴 대사 박광철과 사돈 관계다. 박광철은 외무성에서 추방되어 평양시 서성구역 인민위원회에서 일하고 있다. 그의 딸은 북한 영화 〈한 녀학생의 수기〉의 주연 배우 박미향이다. 이 영화는 국제영화제에서도 상영된 적이 있다. 박미향은 시아버지 박춘홍이 처형된 후 남편과 어린 아들과 함께 수용소로 갔다.

행정부 부부장 량청송의 처남은 유네스코 주재 북한 부대표 홍영이다. 홍영은 북한으로 소환되는 모습이 한국 언론에 크게 보도됐다. 량청송의 가족은 모두 수용소로 이송됐고, 홍영은 외무성에서 쫓겨나 평양시 주변 구역인민위원회에서 일하고 있다.

다행히 처형은 면한 사람 중에서도 아픈 사연은 많다.

노동당 국제부 유럽담당 과장 리응길은 수십 년 동안 김일성과 김정일의 이탈리아어 통역으로 일했다. 장성택과도 가까운 사이였다. 그의 사진은 인터넷에서도 쉽게 찾을 수 있다. 리응길 본인을 포함해 부인, 아들, 며느리, 손자가 수용소로 끌려갔다가 나중에 며느리만 풀려났다. 며느리의 모친이 김일성의 빨치산 동료인 림춘추 부주석의 딸이었기 때문이다.

며느리는 현재 외무성 미국담당 부상인 한성렬의 딸이다. 리응길의 사위인 김강림은 외무성 영국담당 과장으로 있다가 해임됐지만 외무성에서 쫓겨나지는 않고 정세자료국 연구원으로 일하고 있다.

이미 언급했던 조성규, 전은영 부부와 그 가족들은 수용소행을 면치 못했다. 조성규의 마지막 직책은 관광총국 부총국장이었다. 전은영의 언니인 전혜영의 사연은 더 기구하다. 장성택의 조카이기도 한 전혜영은 황장엽 선생의 맏며느리였다. 황장엽 선생의 가족들이 수용소로 끌려갈 때 전혜영만 장성택이 구원해 주었다. 그 후 재가했는데 이번에는 장성택의 조카라는 이유로 수용소에 갔다. 전혜영, 전은영 자매의 부친이 쿠바 대사를 하다 끌려간 전영진이다. 말레이시아 대사 장용철의 부인은 북한 영화 〈홍길동〉의 여주인공이었다. 장용철과 그 가족들도 수용소 생활을 하고 있다.

외무성 성원이 숙청을 피하는 법

숙청의 살벌한 칼바람 속에서도 외무성은 다른 부서에 비해 피해가 적었다. 처벌을 받은 외무성 성원의 친인척들은 평양에서 쫓겨났지만 성원 본인은 평양에 남는 혜택을 입었다. 김계관 1부상을 중심으로 외무성이 '기지'를 발휘했기 때문이다. 장성택 사건으로 해외공관의 대사, 참사들이 평양에 소환됐을 때 김계관 1부상과 외무성은 김정은에게 다음과 같이 보고했다.

"장성택 사건이 터진 후 당의 조치에 따라 여러 외교관이 소환되었습니다, 이들이 평양에 들어오기 위해 출국할 때 상주국 정보요원들이 '탈북하라', '당신이 평양에 가지 않겠다고 소리만 쳐도 우리가 도와줄 수 있다'고 권유했습니다. 하지만 모든 동무들은 경애하는 김정은 원수님께서 계시는 평양의 하늘만을 바라보며 조국에 들어왔습니다. 충성심이 높은 동무들입니다. 외무성에서는 내보내시되 평양에 남아 생활할 수 있도록 배려해 주시기 바랍니다."

김정은은 외무성의 제의서대로 하라는 지시를 내렸다. 지방으로 추방될 줄 알았던 외무성 성원들은 지옥 문 앞까지 다녀온 것처럼 감사의 눈물을 흘렸다. 그러나 점차 시간이 흐르면서 수용소로 끌려간 자식과 형제, 사돈들을 생각하며 피눈물을 흘렸을 것이다.

다른 기관과는 달리 외무성 전체에 대한 대대적인 숙청은 단 한 번도 없었다. 한국에 와서 관련 질문을 꽤 받았다.

"북한의 모든 기관에서 계속 숙청이 일어나고 있는데 외무성 라인만은 1990년대부터 지금까지 계속 이어져 오고 있다. 비결은 무엇인가.”

북한 내에서도 다른 기관 성원들로부터 자주 듣던 질문이었다.

남북대화에 관여했던 북한 간부들 중에서 1991년 남북기본합의서 채택 후 현재까지 생존해 있는 사람들은 평창올림픽 때 내려왔던 김영철 라인뿐이다. 김영철은 군부를 대표해 남북대화에 참여했다.

통전부 라인 중에는 허담과 윤기복, 김중린이 세상을 떠났다. 사인은 병사 혹은 노환이었다. 김용순과 김양건은 목격자가 단 한 사람도 없는 의문의 교통사고로 사망했다. 통전부 부부장 최승철과 한시해, 무역성 부상 김정우, 보위부 부부장 류경은 총살되었다. 경제 라인이었던 김달현 부총리 겸 무역상은 지방으로 쫓겨나 울화병으로 죽었다.

북한에서 한국과 사업을 한다는 것은 한 발은 저승에 걸어놓고 있는 것과 다름없다. 하지만 외무성만은 내가 입직한 1988년 이후에 김영남, 백남순, 박의춘, 리수영, 리용호 순으로 외교부장이 별 잡음 없이 교체되었다. 1부상 또한 강석주에서 김계관으로 큰 탈 없이 이어졌다. 중국과의 사업을 담당했던 김성기 부상이 보위부에 잡혀가는 등 숙청이 전혀 없었던 것은 아니지만 조직 자체가 대대적으로 물갈이된 적은 없었다.

그 비결은 우선 외교사업이라는 특수성과 관련된다. 외무성에서 일하게 되면 세상 돌아가는 형편을 비교적 잘 알게 된다. 김씨 3대의 마음도 남보다 먼저 읽을 수 있어 그들의 눈 밖에 나는 행동을 하지 않는다. 이런 실제 사례가 있다.

중국 공산당 간부들이 북한을 방문해 김일성과 김정일에게 북한도 개혁개방으로 나가야 하지 않겠느냐고 권고한다. 김씨 부자는 겉으로는 중국의 정책에 배울 것이 있다는 식으로 말하지만 속으로는 북한이 중국처럼 하다가는 망한다고 생각한다. 그리고는 당 간부들이 중국의 개혁개방 정책에 대해 어떤 인식을 가지고 있는지 매우 교묘한 방법으로 떠본다.

간부들에게 경제개혁 방안을 물을 때 조심해야

인민경제대학이나 사회과학원 같은 기관에 북한의 현 경제구조를 개혁하기 위한 대안을 내놓으라고 지시한다. 김씨 부자의 속마음을 모르는 간부들은 중국의 정책과 비슷한 대안을 제기한다. 김정일은 대안의 수정주의적 요소를 지적하고 간부들을 지방으로 추방한다. 하지만 외무성 간부들은 이미 김정일의 마음을 알고 있기 때문에 그런 화를 면할 수 있다.

외무성 성원들의 '관용적인 태도'도 숙청에서 살아남는 이유가 된다. 3~4년을 주기로 해외를 오가며 근무하는 외무성 성원들은 북한 사회의 불합리성을 누구보다도 잘 알고 있다. 동료 가운데 북한 체제에 대한 불만을 표출하는 사람이 있어도 웃고 넘어간다. 다른 기관의 충성분자처럼 당위원회나 보위부에 신고하는 경우가 매우 드물다. 호상 비판을 하는 경우에도 신사적인 태도를 지키려 하고 다른 기관들처럼 홍위병식 공격이 진행되지 않는다.

가장 중요한 것은 김정일이나 김정은이 즉흥적으로 내리는 지시를 무조건 집행하지 않는다는 점이다. 외무성에는 문건으로 보고

하고 김정일의 재가를 받는 엄격한 사업질서가 잡혀 있다. 강석주도 김정일로부터 즉흥적인 지시를 많이 받기는 한다. 하지만 다른 기관처럼 무조건 "알겠습니다"하고 집행하지 않는다. 엄격히 따져본 후 설사 집행을 하는 경우에도 김정일에게 다음과 같은 식으로 문건을 작성해 재가를 받는다.

'장군님이 주신 지시를 집행하기 위해 대책을 논의했다. 모두들 현명한 방침이라고 하면서 이렇게 혹은 저렇게 해보자는 좋은 의견이 많이 제기되었다.'

김정일의 지시가 비현실적인 경우에는 이런 문건을 작성한다.

'장군님의 지시대로 하면 이런 점이 좋겠지만 간혹 이런 문제가 야기될 수도 있다. 이렇게 하면 더 좋지 않을까 하는 일부 의견도 있었다.'

보고를 받은 김정일은 다시 한 번 고민할 수밖에 없으며 '그만두라' 혹은 '그대로 추진하라'는 지시를 내리게 된다. 어떤 결정이든 외무성의 부담은 줄어들 수밖에 없다.

다른 기관은 "수령님과 장군님의 교시와 말씀은 지상의 명령"이라고 하면서 무조건 집행한다. 집행 결과가 좋지 않을 경우 책임을 져야 한다. 출당철직이라든가 심하면 처형이다. 실례로 "화폐를 교환해 인플레이션을 잡으라"는 김정일의 지시를 받은 박남기는 총살을 당했다. 집행의 장단점을 따져보지 않고 화폐개혁을 추진했다가 주민들의 불만을 혼자 뒤집어쓴 것이다.

부족한 전기 사정을 해결하기 위해 김정일이 중소형 발전소를 많이 건설하라고 지시한 적도 있었다. 해당 지역의 지리적 환경을 고려하지 않고 너도나도 중소형 발전소를 지었다가 혼란이 빚어졌다. 낭비에 가까운 시멘트와 자재 소비가 이뤄졌지만 전기가 제대로 생산되지 않는 지역도 있었다. 검열총화가 진행되고 관련 책임자는 철직되었다.

말은 쉽지만 외무성과 같은 사업체계를 수립하는 것이 용이한 일은 아니다. 외무성처럼 모든 간부와 성원 사이에 말없는 공감대가 형성되어야 가능하다. 한쪽이 절대적인 충성과 집행을 주장할 때 다른 한쪽에서 집행의 장단점을 따지려고 하다가는 목숨이 위태로워진다.

영국공산당의 북한 세습 비판에 곤혹, "논쟁에 말려들지 말라"

영국 주재 북한대사관의 외교관은 대사까지 포함해 3명뿐이었다. 대사를 제외하면 내가 영국의 정치·경제·사회·문화·국방 등의 부문을 관할했고 다른 서기관이 유럽연합, 아일랜드, 벨기에, 룩셈부르크를 담당했다. 업무량이 과중했다. 밤 12시 전에는 자본 적이 없다. 주말에도 휴일이 아니었다. 한국식으로 말하면 월화수목금금금, 북한식으로는 월화수목금토토였다.

그러나 과중한 업무량은 이겨낼 수 있었다. 가장 힘든 것은 영국의 사회주의정당, 공산당과의 사업이었다. 이들도 겉으로는 북한을 지지했다. 그러나 인간적으로 가까워지면 속내를 털어놓으며 북한 체제를 비판했다. 내가 탈북한 직후, 한국 TV에서 반복해서 보여주던 유튜브 영상이 있다. '영국공산당(마르크스-레닌주의자)' 행사에 참석해 연설하고 노래를 부르는 내 모습을 담은 영상이다. 사실 나는 이 당의 지도자 하팔 브라와 이론논쟁을 제일 많이 했다.

북한은 2012년 4월 15일 김일성 탄생 100돌 행사를 계기로 김일성광장에 걸린 마르크스와 레닌의 초상화를 철거했다. 하팔 브라가 특히 흥분하며 비판한 부분이다. 그는 내게 이렇게 말했다.

"북한의 혁명은 특수성이 분명히 있다. 김일성 가문에서 지도자가 세습되는 것도 어느 정도 이해한다. 그렇다고 수십 년 동안 김일성광장에 걸려 있던 마르크스와 레닌의 초상화까지 내린 것은 너무 심한 처사가 아닌가. 아무리 시대가 변하고 마르크스-레닌주의의 한계가 드러났다고 해도 철학적 뿌리는 변할 수 없다. 마르크스와 레닌의 초상화를 내린 북한 노동당의 조치는 전 세계 공산주의자를 실망시켰다."

그의 비판에 어떻게 해명하라는 평양의 지시나 설명은 없었다. 그가 발언한 내용을 당국제부에 전보로 보냈지만 "그런 도발적인 논쟁에 말려들지 말라"는 지시만 내려왔다.

마르크스-레닌주의는 세습을 봉건적인 잔재로 규정하며 원칙적으로 반대하고 있다. 겉으로야 당당한 모습을 보이지만 사회주의 국가를 표방하는 북한이 세습에 대해 떳떳할 리는 없다. 하물며 부자 간 세습이 연이어 두 번 이뤄진 상황이다.

김일성에서 김정일로의 세습은 오랜 시간을 두고 서서히 이뤄졌다. 북한 주민들도 자연스럽게 받아들였다. 사회주의국가나 서구

좌파 정당도 비판적인 시각을 갖긴 했지만 '그럴 수도 있겠거니'하고 넘어갔다. 이때는 김일성광장에 마르크스와 레닌의 초상화가 걸려 있어도 그다지 어색하지 않았다.

하지만 김정일에서 김정은으로의 세습은 북한 주민에게도 난데없고 갑작스러웠다. 세계에 자랑할 만한 일이 아니라는 것은 너나없이 알고 있었다. 이런 분위기에서 초상화를 그대로 두는 것은 대단히 찜찜한 일이었다. 초상화 속의 마르크스와 레닌이 지켜보는 가운데 그들이 반대했던 세습 행사를 치를 수는 없었던 것이다. 만약 초상화를 두고 행사를 강행했다면 서구 언론의 조롱을 받았을 것이라고 본다. 이런 사정을 하팔 브라에게 어떻게 설명할 수 있었겠는가.

영국에 있다고 해서 김씨 부자의 초상화 문제를 피해갈 수 있는 것은 아니다. 런던 주재 북한대사관은 김일성과 김정일의 생일 등 북한의 주요 명절에 영국의 좌익 정당이나 단체들과 경축행사를 개최한다. 북한 규정에 의하면 이런 행사에는 반드시 김씨 부자의 초상화를 행사장 정면에 걸어놓아야 한다. 초상화와 함께 찍은 사진이 없으면 행사를 진행한 것으로 인정받지 못한다.

문제는 좌익 정당 등이 마련한 행사장에서 발생한다. 김씨 부자의 초상화 문제로 마찰이 생기는 경우가 종종 있었다. 북한대사관 측이 김씨 부자의 초상화를 행사장 정면에 걸려고 해도 영국공산당 등은 이를 허용하지 않았다. 정 그러려면 행사장 측면에 붙은 마르크스, 엥겔스, 레닌, 스탈린 초상화 옆에 걸라고 했다. 김일성과 김정일이 위대하다고 치더라도 마르크스나 레닌보다 앞에 있을 수는 없으므로 최소한의 도덕(룰)은 지켜 달라는 요구였다.

그러나 북한대사관으로서는 받아들일 수 없는 요구였다. 그랬다가는 목이 달아난다. 어쩔 수 없이 남이 마련한 행사장에 북한 외교관들이 정장을 입고 한두 시간 전에 도착해 벽에 못을 박아야 한다. 그렇게 김씨 부자의 초상화를 한두 번 걸다 보니 나중에는 요령이 생겼다. 영국 공산주의자들과 매번 다툴 수도 없고 해서 아예 초상화 걸개판을 구입했다. 거기에 미리 못을 박아 놓고 행사가 있을 때마다 미니버스에 싣고 다녔다. 이동식 걸개판에 붉은 천을 치고 초상화를 걸고 나면 감쪽같았다.

2015년 9월 당중앙위원회 선전선동부가 외교관들의 사상 상태를 검열하기 위해 영국에 온 적이 있다. 선전선동부에 김씨 부자의 초상화에 대한 영국 공산주의자들의 태도를 그대로 보고할 수는 없었다. 현지 상황을 알 수 없는 선전선동부는 나의 사업을 요해하고 '깊은 감명'을 받았던 모양이다. 다른 나라의 외교관들에게 "수령에 대한 영국 주재 대사관 성원들의 충성심을 따라 배우라"는 지시를 내렸다. 그들이 정작 배워야 할 것은 나의 '충성심'이 아니라 요령이었던 것이다.

북한 '명절'에 유럽 좌익정당 축하문 받기 '고역'

북한의 주요 명절 때마다 영국 사회주의계열 정당 지도자로부터 축하서신을 받아내는 것도 어려운 일이었다. 이들의 축하서신은 조선중앙통신과 중앙TV 등을 통해 북한 체제를 선전하는 수단으로 이용된다. 세계 각국은 북한의 명절을 크게 경축하고 있으며, 김정일에 이어 김정은도 세계 인민들로부터 존경과 흠모를 받고 있다고 선전하는 식이다.

축하서신은 북한 외교관의 실적 사항이다. 개별적으로 사업을 총화(평가)하고 건수가 떨어지면 추궁을 당한다. 문제는 북한에 명절이 너무 많아 영국의 좌익 인사들이 매우 짜증스러워한다는 점이다. 김정은에게 무조건 축하서신을 보내야 하는 명절과 행사를 꼽아보면 다음과 같다.

'새해 첫날, 신년사가 나왔을 때, 김정은 생일, 김정일 생일과 경축집회, 김일성 생일과 경축집회, 김일성 노작 출판일, 조선인민군 창건일, 6·15남북공동선언 기념일과 연대성 집회, 조선전쟁발발 기념일과 한국대사관·미국대사관 앞에서의 반미 시위 조직, 김정일 당중앙위원회 사업 시작일과 행사, 전쟁승리기념일과 각종 행사, 조선해방경축일과 행사, 공화국 창건 기념일과 행사, 노동당 창당 기념일과 행사, 김정숙 생일과 행사.'

이런 날에는 영국에서 다만 몇 명이라도 모아놓고 경축행사를 벌이고 축하서신을 받아 평양에 보내야 한다. 영국 좌익 인사들이 짜증을 안 낼 수 없다. 몇몇은 모든 축하서신을 한 번에 다 보내면 안 되겠느냐고 불평한다. 그럴 때마다 내가 그들을 어르는(달래는) 말이 있다.

"조선 혁명의 특성은 기념일과 경축행사로 혁명적 분위기를 고조시키면서 전진해 온 역사다. 이런 행사를 통해 조선 인민들은 혁명적 신념과 열정을 더욱 고양하게 된다. 영국 동지들이 각종 경축 행사와 축하서신을 이어준다면 이는 언론을 통해 보도될 것이고 조선 인민들은 더욱 신심에 넘쳐 투쟁하게 될 것이다."

이제는 그들도 북한식 사업방식에 익숙해진 터라 월별로 편지 초안을 만들어 놓고 연도만 고쳐 보내는 방법을 쓰고 있다. 그러면서도 옛 소련 공산당이 이런 형식주의적인 사상선전 사업을 중시하다가 망했는데 조선 노동당도 큰일 날 수 있다고 걱정한다.

일부 공산당이 우익 정당보다 적극적으로 북한을 비난하는 것도 참기 어려웠다. 영국에는 좌익 정당이 여러 개 있다. 그중에서 가장 큰 정당이 로버트 그리피스가 이끄는 '영국공산당'이다. 당 기관지인 〈모닝 스타〉는 세계적으로 공산주의 이념을 표방하는 유일한 영어 일간지다. 1970년대까지 김일성종합대학과 평양외국어대학 학생들은 이 신문을 많이 읽었다. 북한과 소련을 비판하지 않았기 때문이다. 하지만 〈모닝 스타〉는 1979년 소련이 아프가니스탄을 침공하면서 반소로 돌아섰고, 그 후 북한의 세습통치를 앞장서서 비판하고 있다.

이 신문은 마르크스-레닌주의는 진리이지만 소련 지도자들과 북한의 김씨 가문이 공산주의라는 미명 하에 마르크스-레닌주의를 더럽혔다고 공격한다. 특히 북한은 장성택 처형이 불씨가 돼 붕괴될 것이라는 장편의 기사까지 게재한 적이 있다. 우익 정당으로부터 비난받는 것은 당연한 일이지만 한때 세계 공산주의 운동에 지대한 영향력을 가졌던 '영국공산당' 기관지로부터 공개적인 비판을 받으니 마음이 무거웠다.

나를 '혁명의 배신자'라고 한 영국인 허드슨의 '순정'

북한 외교관은 세계가 북한을 중심으로 돌아가고 있고 평양이 세계 혁명의 중심지인 것처럼 허위자료를 만들어 끊임없이 본국에 보내야 한다. 내 경우에는 김일성과 김정일의 생일에 수십 명, 수백 명이 모여 탄생 경축 회의를 열었다고 부풀려 보고한다. 그러면 북한 언론은 영국에서 대규모 경축집회가 있었던 것으로 보도한다. 실제는 런던의 자그마한 지하 방에서 연로한 영국인 공산당 7~10명이 모였을 뿐이다. 외부 실정을 잘 모르는 나의 부모님조차 "영국이 미국과 동맹국인데 친북 단체와 인사들이 그렇게 많다니 놀랍다"고 하면서 북한이 세계 혁명의 중심이라고 믿었다.

대사관 당 비서로서 나는 김씨 가문의 노작을 출판하기 위해 해마다 몇 번씩 대사관 성원들에게 월급을 기부하라고 호소했다. 북한은 대사관에 자금도 지원하지 않으면서 각 대사관의 노작 출판 부수와 배포량을 조사한다. 성과가 기대치에 못미치면 어김없이 비판이 날아온다.

나는 대사관 성원들로부터 갹출한 돈으로 영국 신공산당출판사를 찾아가 김정은의 노작을 500부 혹은 1,000부씩 인쇄했다. 평양에는 직원별로 누가 얼마를 기부해 총 몇 부를 출판했다고 보고해야 한다. 문제는 그 다음부터이다. 1,000부나 되는 김정은의 노작을 배포할 대상이 영국에는 없다. 영국 좌익단체에 배포해도 며칠 지나면 다 쓰레기통에 들어간다. 아까운 월급으로 노작을 출판해 보고하고 그 노작은 쓰레기통으로 들어가는 일이 반복된다.

이런 상황에서 영국인 더모트 허드슨은 북한에게는 보배 같은 인물이다. 북한 언론에 제일 많이 등장하는 외국인인 그는 영국조선친선협회 위원장, 영국선군정치협회 위원장, 영국주체사상연구소조 위원장 등을 맡고 있다. 인터넷 홈페이지를 통해 매일 친북적인 기사를 쓴다. 때로는 북한에 대한 지지 성명을 발표하고 김정은에게 편지를 쓰기도 한다. 그와 관련된 소식은 거의 매주 북한 언론에 보도된다.

그는 북한의 사회주의가 승리할 수 있다고 믿으며, 북한이 한반도를 통일할 것이라고 확신하고 있다. 적어도 내가 보기에는 그렇다. 몇 십 년 동안 북한을 옹호하는 '연대성 활동'에 모든 것을 바친 인물이지만 인간적으로는 안쓰러워 보일 때가 많다.

허드슨은 부동산 시세를 평가하는 평범한 공무원이었다. 재직 중 영국 〈선데이 타임스〉와 전화 인터뷰를 하다가 북한 편향적인 발언을 했다는 이유로 해고되었다. 얼마 안 되는 연금을 가지고 상당히 힘들게 살면서도 북한을 위한 일이라면 무슨 일이라도 했다.

2015년 그의 모친이 사망했다. 그의 생활형편을 잘 알고 있었던 나는 3,000유로를 장례비용으로 지원해 주자고 평양에 요청했다. 북한은 1980년대까지 친북 인사들의 활동을 재정적으로 지원했다. 고난의 행군이 시작된 1990년대 말에는 재정지원이 완전히 끊겼고 김정은 시대에 들어서면서 거꾸로 친북 인사들에게 찬조를 요구했다. 책을 보내라, 잔디 씨를 보내라며 부담을 주었다.

뜻밖에도 평양에서 그에게 3,000유로를 주라는 지시가 내려왔다. 내가 봉투를 건네자 허드슨은 "도리어 내가 조선 혁명을 지원해야 할 입장에 있는데 이 돈은 받을 수 없다"고 사양했다. 나는 한사코 봉투를 손에 쥐어주었다.

"당신은 조선 혁명을 지원하다 해고까지 당한 사람이다. 우리가 당신을 돌보아주어야 하는데 우리도 어렵다 보니 그렇게 못 해주고 있다. 그러니 이번만은 우리 성의를 생각해서 받아 달라."

그의 눈가에 이슬까지 맺혔다. 나보다 두 살 많은 동년배라고 할 수 있는데 뭔가 표현할 수 없는 동료애를 느꼈다. 하루는 그가 나를 찾아와 이렇게 말했다.

"어머니가 세상을 떠난 후 집을 상속받았다. 집을 판 돈을 동생과 40만 파운드씩 나누기로 했다. 그 돈의 일부를 주체사상을 전 세계에 보급하는 데 쓰고 싶다. 내 소망을 평양에 전달해 달라."

큰일이었다. 그는 정부가 제공하는 임대주택에서 여덟 살 아들과 살고 있었다. 집에 전등도 제대로 켜지 못했다. 그의 말을 그대로 평양에 보고하면 주체사상 보급 자금이 없어 허덕이는 상황에서 당장 돈을 들여보내라고 할 것이 뻔했다. 내가 타이르며 말했다.

"우리는 그 돈보다는 허드슨 동지가 영국에서 아무런 걱정 없이 편안히 사는 것을 더 바란다. 조선 혁명을 위해 싸우다 피해를 본 동지를 도와주지 못해 가슴이 아픈데 당신 어머니 집을 판 돈을 우리가 가질 수는 없다. 그 돈으로 빨리 집이라도 마련했으면 좋겠다."

그는 또 눈물을 흘렸다. 그해 여름 그는 북한에 들어가게 되었다. 나는 평양으로 출발하는 그를 잡고 당부했다.

"평양에 가면 기부 이야기는 절대로 하지 말기 바란다. 말을 꺼내면 당신에게 돈을 내라고 할 것이다. 조선은 당신에게 돈을 받으면 그만이지만 나는 당신과 영국에서 계속 일해야 한다. 당신의 가난한 모습을 볼 수 없다. 절대 돈 얘기는 하지 말라."

그는 알았다고 했지만 평양에 가서 기부금을 내겠다고 하지 않을까 불안했다. 나는 그가 도착하기 전에 평양에 전보를 보냈다. '허드슨은 경제적으로 정말 어렵게 살고 있다, 그가 기부를 하겠다고 해도 절대 받으면 안 된다'는 내용을 자세하게 썼다. 아니나 다를까, 그는 평양에서 기부 이야기를 꺼냈다. 다행히 내가 보낸 전보를 간부들까지 다 읽은 이후라 그의 희망은 받아들여지지 않았다.

내가 탈북한 후 허드슨은 '태영호는 혁명의 배신자'라는 비난 성명을 발표했다고 한다. 그렇지만 언제나 그를 동정하고 진심으로 걱정해 준 나의 진심을 그도 알고 있을 것이라고 믿는다. 북한 정권에 더는 속지 말고 행복한 삶을 살았으면 좋겠다.

장애인청소년 예술단 영국 공연 추진

2014년 초 북한 장애인연맹으로부터 전보가 왔다. 영국의 민간단체로부터 장애인연맹에 대한 지원을 받아달라는 내용이었다. 시설이나 약품 지원을 바란다면서 장애인 부문과 관련된 영국 민간단체와의 교류도 주선해 달라고 했다.

머릿속에 스치는 생각이 있었다. 외무성 부국장 시절, 유럽국 탁구대회를 준비하면서 장애인연맹 청사를 드나든 적이 있다. 장애인 청소년들로 구성된 예술단의 연습을 우연히 보았다. 기량이 괜찮은 편이었다. 북한 장애인청소년 예술단의 영국 방문을 추진한다면 괜찮지 않을까. 장애 청소년에게는 희망을 줄 수 있고, 북한의 이미지도 높일 수 있을 것으로 보였다.

북한의 패럴림픽 참가를 추진했던 경험도 생각났다. 문건을 잘 만들어 보고하면 북한 장애인청소년 예술단의 해외 공연을 성사시킬 수 있을 것 같았다. 그해 2월 마이클 커비 UN 북한인권조사위원장이 작성을 주도한 「북한 인권상황 보고서」가 발표되면서 북한에 대한 세계 여론이 아주 안 좋을 때였다. 북한의 인권유린 상황이 나치 독일의 유태인 탄압이나 남아공의 인종격리 정책보다 반인륜적이라는 분위기였다.

일부 국가는 인권유린의 주범인 김정은을 국제형사재판소에 넘겨야 한다고 주장했다. 북한이 장애인을 격리하고 말살시키는 정책을 쓰고 있다는 의혹도 제기되었다. 나는 그런 상황을 역이용했다.

"조선의 장애인청소년 예술단이 세계 인권 여론의 중심인 런던과 파리를 방문하면 서방의 인권공세를 누그러뜨리는 데 상당히 기여할 것이다. 조선의 장애인들이 차별 받지 않고 좋은 대우를 받고 있다는 사실을 알림으로써 조선 사회주의의 우월성을 세계에 과시하는 계기가 될 수도 있다. 갈수록 심해지는 반공화국 인권공세를 장애인 예술단 공연을 통해 이완시켜야 한다."

이런 요지의 보고서를 평양에 보냈다. 물론 나는 추진하는 바를 직선적으로 보고서에 담지 않았다. 패럴림픽 참가 추진 과정에서 얻은 교훈으로 문제를 최대한 정치화한 것이다.

사실 나는 다른 의도를 품고 있었다. 북한에는 외국에 한 번 가

보고 싶어서 몇 년 동안 연습을 하고 있는 장애인 청소년들이 있었다. 손풍금(아코디언)을 켜고 춤을 추고 노래를 불렀다. 이들을 가르치는 헌신적인 교원도 있었다. 그들의 노력이 빛을 보게 하고 싶었다. 또한 북한 언론을 통해 장애인청소년 예술단의 해외공연이 보도된다면 집에서 우울한 나날을 보내고 있을 수만 명의 장애인 청소년에게 희망을 안겨줄 수 있을 것 같았다.

현학봉 대사도 적극적인 지원을 아끼지 않았다. 얼마 후 김정은의 승인이 떨어졌다는 전보가 왔다. 김정은의 결재를 받긴 했지만 나의 마음은 공연 내용에 대한 생각으로 무거워졌다. 북한에서는 성인은 물론 유치원 아이의 공연 내용도 사전에 당 선전선동부의 검열을 받아야 한다. 공연 내용에 무조건 김씨 일가와 북한 체제에 대한 선전이 들어가야 승인을 받을 수 있다. 북한 내부 공연이 이럴진대 외국 공연은 더 말할 필요도 없다.

하지만 일반 학생 예술단도 아니고 시각, 청각, 지체 장애인 중학교 학생들이 영국에 와서 북한 체제를 칭송하는 공연을 하면 차라리 오지 않은 것보다 못하다. 나는 며칠 동안 괴로워하다가 "이번 공연은 영국인, 프랑스인의 구미에 맞는 내용, 척 봐도 알 수 있는 익숙한 내용으로 구성하는 것이 효과적"이라는 전보를 평양에 보냈다.

아무런 반응이 없어 불안했지만 얼마 후 평양으로부터 "대표부의 의견을 참작해 공연 내용을 비정치적인 것으로 꾸미기로 합의했다"는 내용의 전보가 왔다.

〈백설공주와 일곱 난쟁이〉를 무용으로, 〈You raise me up〉을 노래로, 〈오페라의 유령〉을 아코디언 연주로 준비하는 등 북한 공연단이 이처럼 비정치적인 내용을 들고 나간 것은 이때가 처음이었다.

예술단 출국 준비는 초고속으로 진행되었다. 장애인 학생들의 부모에게 외국 방문 준비를 하라고 통보했을 때 누구도 믿지 않았다고 한다. 정상인들도 외국에 가기 힘든데 그것도 중국이나 러시아도 아닌 영국과 프랑스라고 했으니 누가 믿었겠는가.

2015년 2월 예술단이 떠나는 날, 평양역은 인산인해를 이루었다. 부모와 친척, 동네 어른들까지 나와 눈물을 흘리며 배웅했다. 열차가 출발하는 순간, 이들이 "김정은 원수님 만세!"를 외친 것은 필수적인 공정이었다. 예술단의 출발 소식은 북한 방송과 TV, 노동신문을 통해 즉시 보도되었다.

장애인 아들 둔 리분희가 예술단 이끌고 비정치적 공연

나는 런던에서 예술단을 맞이했다. 시각, 청각, 지체 장애인 학생들과 장애인연맹 김문철 부위원장, 장애인체육협회 리분희 서기장 등 20여 명이었다. 김문철 부위원장은 김일성종합대학 영어학부를 졸업하고 장애인연맹에 배치 받았다. 북한의 장애인 처우를 상당히 개선한 인물이다. 리분희는 한국의 현정화와 남북 단일팀을 이뤄 세계선수권대회에서 금메달을 딴 북한의 체육 영웅이다. 그의 남편은 북한 남자 탁구의 간판스타인 김성희다.

리분희에게는 지체장애인 아들이 있었다. 그는 중앙체육단 탁구 감독을 마다하고 장애인체육협회를 조직했다. 장애 청소년에게 꿈을 주는 일이라고 생각해서다. 그의 명성에 힘입어 장애인 탁구팀이 꾸려졌고 거의 매년 장애인 탁구경기가 열린다. 북한의 장애인들이 공개적으로 체육경기에 나설 수 있는 데는 리분희의 공로가 크다. 그가 평창동계패럴림픽 때 내려왔다면 먼발치에서라도 그의 모습을 보았을 텐데 많이 아쉬웠다. 혹시 그의 신상에 무슨 일이라도 생기지 않았는지 걱정이 된다.

장애인청소년 예술단의 공연은 2015년 2월 하순부터 3월 초까지 런던과 파리에서 이뤄졌다. 영국에서는 옥스퍼드대학, 영국왕립음악대학, 케임브리지대학에서 세 차례 공연을 가졌고, 프랑스에서는 민간구호단체 SPF 건물과 국립청각장애인학교에 꾸며진 무대에 올랐다.

BBC 등 영국 언론은 북한 장애인청소년 예술단의 도착과 공연 소식을 비중 있게 보도했다. 일부 반북 정치인들은 방송에 나와 북한의 영국 공연 목적은 김정은 체제의 인권유린행위를 물타기하려는 데 있다고 비판했다. 하지만 영국 정부의 반응은 상당히 긍정적이었다.

영국 외무성 간부들은 북한 학생들을 만나 외무성 내 장애인 취업상황을 알려주었다. 장애인도 외교관이 될 수 있다고 격려했다. 시각장애인인 한 영국 하원의원은 "눈이 보이지 않아도 국회활동을 불편 없이 하고 있다"며 자신의 생활을 학생들에게 구체적으로 설명해 주었다.

수많은 한국 교민들과 소수의 탈북민이 공연장을 찾아왔다. 영국에 거주하는 한 탈북 할머니는 소년단 넥타이를 맨 학생들의 손을 잡고 눈물을 흘렸다. 어느 할머니는 농아 장애인 학생의 손을 잡고 "나는 함경북도에서 왔는데 거기에서 온 아이는 없느냐"고 묻기도 했다.

개막공연 때 한국대사관 측은 “축하하러 가고 싶다”고 했지만 북한대사관은 “우리가 좀 불편한 측면이 있다”고 응대할 수밖에 없었다. 속으로는 오라고 하고 싶었지만 대표단에 보위원이 있었다. 한국 외교관과 공연 대표단이 접촉하게 되면 ‘무슨 대화를 나눴느냐’고 시시콜콜 물어볼 것이 뻔했다. 시끄러운 일도 생길 수 있었다. 하지만 공연장 자체는 통일의 장이었다. 두 번째 공연이 끝난 후, 뉴몰든의 한국 교민들이 예술단 전체를 초청해 식사를 함께했다. ‘우리의 소원은 통일’을 부르며 밤을 지새웠다.

북한대사관에서는 현학봉 대사의 제안에 따라 모든 성원들이 한 달 월급을 모았다. 대사관도 할 일이 많았다. 공연 때마다 꽃과 먹을 것을 담당했다. 대사관 성원의 자녀들은 통역을 맡았고, 나의 아이들도 예술단과 숙식을 함께하며 그들의 눈과 손발이 되어주었다.

“비행기가 왜 실내에서 뜹니까”

예술단에는 평양음악대학에서 가야금을 가르치는 시각장애인 여성 교수가 있었다. 북한에서는 유명한 장애인 연주자였다. 어렸을 때 김일성 앞에서 가야금 연주를 할 만큼 재능이 뛰어났다. 예순이 넘은 나이였지만 가야금 줄을 튕기는 현란한 손놀림은 탄식을 자아내게 했다. TV가 그 손놀림을 오래 비춰주었는데 손가락에 반지가 보이지 않았다. 손가락에 옥가락지 하나만이라도 끼고 있었다면 덜 허전했을 것이다. 현학봉 대사는 마음이 아팠던 모양이다. 대사관 성원들이 모은 돈으로 교수에게 금반지를 사드렸다. 모든 학생들에게는 손목시계와 가방을 선물로 전달했다.

예술단과 동행하면서 한 가지 놀라운 사실을 발견했다. 청각장애인 학생 중에 우리글을 모르는 아이들이 있었다. 북한에도 초등교육 과정부터 농아학교가 있기 때문에 우리글을 모르리라고는 상상도 못 했다. 동행한 교원의 말에 따르면 농아학교는 설비나 급식 상태가 낙후하고 그나마 지방에만 있다고 한다. 사정이 이러하니 청각장애 자녀를 둔 부모는 농아학교를 기피한다. 울며 겨자 먹기로 집 근처 학교에 보내지만 장애 아동을 위한 특수교육은 기대조차 할 수 없다. 청각장애 아동이 중학생이 되도록 문맹인 이유가 거기에 있었다. 맹인학교도 사정은 비슷하다고 했다. 마음이 너무 아팠다.

손풍금을 독주했던 시각장애인 학생이 내게 했던 질문을 잊을 수 없다.

"평양에 돌아가면 비행기를 어떻게 탔는지 동무들에게 말해 주기로 했습니다. 저는 비행기는 야외에서 타는 것으로 알고 있었습니다. 그런데 제가 탄 비행기는 실내에서 날아올랐습니다. 왜 그렇습니까?"

잠시 어리둥절했으나 곧 무슨 뜻인지 알 수 있었다. 학생은 베이징 공항 터미널에 들어간 뒤 실내에서만 움직였다. 밖으로 나와 비행기를 타는 순간을 고대했지만 이리저리 움직이다가 앉으라는 곳에 앉고 나니 비행기가 날아올랐던 것이다. 그에게 하나하나 설명해 주긴 했다. 그래도 평양에 돌아가 어떻게 설명해야 할지 난감해하는 표정이었다.

북한 장애인 청소년들은 난생 처음으로 해외 투어를 경험했고 평생 잊지 못할 추억을 안은 채 평양으로 돌아갔다. 예술단 방문 성과도 기대 이상이었다. 북한 매체는 예술단의 귀국 소식을 보도했다.

"이번 공연은 적대 세력들의 반공화국 인권 소동을 물거품으로 만들어놓은 중요한 계기가 되었다. 높은 수준으로 공연하는 이들을 보고 관객들은 조선의 장애인 교육 수준의 높이를 잘 알게 되었다."

보도가 어찌됐든 장애인청소년 예술단의 영국과 프랑스 방문은 패럴림픽 참가에 이어 북한의 장애 청소년에게 새로운 희망을 안겨주었다. 선천성 소아마비로 걷지 못하는 딸을 둔 외무성의 한 동료는 내게 간청했다.

"딸이 너무나 외국에 나가고 싶어 한다. 장애인연맹에 딸을 소개시켜 줬으면 좋겠다. 피아노 실력은 다소 모자라지만 당신이 장애인연맹 간부들과 친분이 있으니 해외 공연을 나가는 팀에 딸을 넣어줄 수도 있지 않겠는가."

그의 딸은 어릴 때부터 문학을 좋아해 글을 잘 썼다. 딸이 쓴 소설은 중국 연변에까지 소개되었다. 소설을 읽은 연변 조선족 처녀가 '팬레터'를 보내오기도 했다. 지체장애인으로서 분투하는 소설 속 주인공을 보며 자기도 힘을 내서 살고 있다는 편지였다.

그러던 딸이 갑자기 피아노를 사달라고 했다. 소설은 아무리 잘 써봐야 외국에 못 나가니 피아노를 배우겠다는 소리였다. 성화에 못 이겨 피아노를 사줬더니 매일 8시간을 연습한다고 했다. 아비로서의 안타까움과 안쓰러움을 충분히 이해할 수 있었다. 장애인연맹에 그의 딸을 소개했다. 외무성에 신세를 많이 진 장애인연맹 측은 아이를 한 번 만나본 후에 결정하겠다고 했다. 그 후의 일은 잘 모르겠다.

김영철 정찰총국장, 영국 대리대사 불러 테러 협박

장성택 처형 사건을 계기로 세계 언론은 김정은의 야만적인 공포 통치 스타일을 집중조명했다. 2014년부터였던 것 같다. 유엔에서도 김정은을 국제형사재판소에 회부해야 한다는 목소리가 높아지고 있었다. 북한 입장에서는 핵문제보다 김정은에게 이목이 집중되는 인권 문제가 더 골치 아픈 문제였다.

북한 인권 문제가 부각될 때마다 '핵 위기를 고조시켜 인권에 쏠린 여론을 핵문제로 옮겨가게 해야 한다'던 김정일의 지시가 생각나면서 나는 김정은도 인권 문제를 핵 위기로 덮어버릴 것이라는 예상을 했다. 내 예상은 틀리지 않았다.

이 해부터 북한 핵 위기가 고조되었고 세계 언론은 물론 영화사의 이목까지 끌게 되었다. 2014년 6월 미국 컬럼비아영화사가 제작한 김정은 풍자 영화 〈디 인터뷰(The interview)〉 예고편이 공개되었다. 같은 해 8월에는 영국의 채널4가 북핵 문제를 다룬 드라마 〈오퍼짓 넘버(Opposite Number)〉를 제작한다는 보도가 나왔다. 이런 소식을 즉시 평양에 보고하는 것이 런던 주재 북한대사관의 일상 업무다.

나는 채널4의 보도자료를 그대로 번역해 외무성에 보냈다. 보도자료에 따르면 드라마는 60분 분량의 10부작이었다. 줄거리는 이렇다.

'영국인 핵 과학자가 비밀임무를 맡고 북한에 갔다가 억류된다. 그는 북한의 강압에 의해 핵무기 개발에 참여하게 되고 이로 인해 국제적인 위기 상황이 발생한다. 영국 총리는 자신과 정치색이 매우 다른 미국 대통령과 협력해 핵 과학자를 구출한다.'

채널4는 드라마의 방영일이나 주요 배우를 밝히지는 않았다. 그런데 북한 외무성이나 런던 주재 북한대사관도 전혀 예견치 못했던 외교 분쟁이 일어났다. 8월 31일 북한 국방위원회 정책국은 채널4의 드라마 제작 계획에 대해 "정치적 도발이며 고의적 적대행위"라고 비난하는 담화를 대외적으로 발표했다. 담화는 또한 "우리의 자위적인 핵 보검이 마치 영국의 핵기술을 비법(불법)탈취하여 마련된 것처럼 보이도록 황당무계한 내용을 줄거리로 하고 있다"고 주장하면서 "드라마 제작이 영국 총리 관저의 묵인과 비호, 조장 하에 꾸며지고 있다. 영국 당국이 제작을 중단시키고 제작자들을 처벌하라"고 요구했다.

우선 북한 외무성도 모르게 이같은 담화가 나오게 된 배경에 대한 설명부터 해야 할 듯하다. 핵·경제병진노선 채택 이후 북한에서는 부처 간 불통 현상이 더욱 심해졌다. 특히 군부는 국방위원회 명의로 외교 문제까지 간섭했다. 북한외교는 한동안 혼란기를 겪었다.

미국 정치인이 북한을 비판하거나, 한미 합동군사훈련이 벌어질 때면 군 정찰총국이 나서서 성명이나 담화를 남발했다. 외무성과는 사전 협의도 없었다. 김정일 시대에는 나름대로 질서가 있었다. 총참모부 성명이나 해군사령부 성명 등을 발표할 때면 반드시 외무성과 사전 협의를 거쳤다. 그러나 2013년부터 군부는 외무성이 해야 할 일까지 가로채 가며 국방위원회 명의로 발표하곤 했다. 일종의 충성경쟁 같은 행동이었다.

외무성은 군부가 왜 저러나 의아해 했지만 박의춘 외무상이나 김계관 1부상 등은 지켜볼 수밖에 없었다. 김정은으로부터 전화 지시도 없던 시절이어서 외무성의 의견을 따로 보고하기도 어려웠다. 들려오는 이야기로는 김영철 정책총국장이 글을 잘 쓰는 인재를 선발해 정찰총국 내에 전문 부서를 꾸려 각종 대외문서를 쓰게 했다고 한다. 김영철은 평창동계올림픽 때 방남해 한국 언론과 정치권으로부터 '천안함 폭침 사건의 주범'으로 지목받은 군부 강경파다.

채널4에 대한 국방위원회 정책국의 담화는 담화로만 끝나지 않았다. 김영철은 평양 주재 영국대사를 소환했다. 휴가 중인 대사를 대신해 임시대리대사(여성)가 들어갔다. 김영철은 영국 총리 앞으로 보내는 국방위원회 정책국 항의편지를 전달했다. 영국 정부가 반북 드라마 제작을 중지하지 않으면 영국 내에서 상상할 수 없는 보복행위가 일어날 것이고 그 책임은 영국 총리가 져야 할 것이라는 내용도 있었다. 말하자면 채널4 청사를 폭파하겠다는 것이다. 담화가 발표된 다음날에 벌어진 일이다. 사태는 심각해졌다.

영국 외무성 경악, "군부가 나설 상황인가"

영국 정부는 매우 당혹했다. 외교의 초보적인 상식과 관례도 모르는 군부가 전면에 나서 영국대사를 불러 공개 테러 행위를 하겠다고 협박한 상황이었다. 영국 정부는 현학봉 대사와 나를 소환했다. 정찰총국은 평양에서 이런 일이 벌어진 사실조차 런던 주재 북한대사관에 통보하지 않았다. 영문도 모른 채 영국 외무성 아태국장의 설명을 들은 현학봉 대사와 나는 경악을 금할 수 없었다.

아태국장은 몇 시간 전 김영철 정찰총국장이 평양 주재 영국 임시대리대사에게 넘겨준 편지 사본을 보여주면서 다음과 같은 문제에 대한 북한대사관의 공식 입장을 밝혀줄 것을 요구했다.

1. 국가 간의 관계는 일반적으로 외무성이 관할한다. 외무성의 관할이 불가능한 상황, 오직 무력으로 해결할 수밖에 없는 상황일 때 군대가 나선다. 그렇다면 현재 군부가 전면에 나서서 양국 관계를 다루어야 할 상황까지 왔다고 보는 것인가.
2. 북한과 달리 영국은 언론의 자유가 보장된 국가다. 영국에서 언론매체는 정부의 통제 밖에 있고 언론매체는 자체 판단에 따라 콘텐츠를 제작한다. 영국 정부는 물론 북한도 영국 언론의 활동에 간섭할 수 없다. 북한이 영국 채널4에 드라마 제작을 중지하라고 한 것은 언론자유를 보장하고 있는 영국 가치관에 대한 정면 도전이고 도발이다.
3. 북한 4성 장군인 김영철이 평양 주재 영국 임시대리대사를 직접 호출해 드라마 제작을 중지하라고 요구했다. 군부의 독단적인 결정인지, 북한 외무성과 협의를 거친 행위인지 명백히 밝혀 주기를 바란다.
4. 북한 군부가 채널4의 드라마 제작이 중지되지 않을 경우 테러를 감행하겠다고 선언했다. 그 입장이 정확한 것인지 재확인해 줄 것을 요청한다. 테러 행위 포기와 같은 북

한의 입장 표명이 없을 경우, 영국 정부는 북한 국방위원회 정책국의 서한을 세계에 공개할 수밖에 없다. 그럴 경우 북한의 테러 지원국 재지정과 같은 엄청난 후과가 뒤따를 수 있다.

5. 북한이 영국 내에서의 테러 행위를 포기할 경우, 영국 정부는 상기 서한을 공개하지 않는 등 이 문제를 조용히 해결할 수 있다.

아태국장의 통보를 들으면서 너무나 어처구니가 없어 말이 나오지 않았다. 우리는 본국에 보고한 뒤 다시 만나자고 하고 일어섰다. 아태국장은 "외교적 상식이 없는 군부가 흥분해서 한 일이라고 판단되니 문제를 조용히 해결하고 넘어가자"고 했다. 평양에 보고하고 이튿날 대응 지시가 내려왔다.

"모든 테러를 반대한다는 공화국의 입장만을 전달하라. 다른 말은 일절 하지 말고 문제를 조용히 해결하라."

현학봉 대사는 영국 외무성 아태국장을 만나 앵무새처럼 같은 말을 반복할 수밖에 없었다. 아태국장은 "대사의 통보를 채널4에 대한 테러 포기로 이해해도 되는가", "김영철 대장의 테러 위협이 북한 정부의 입장이 아니라 일개 장성의 입장으로 봐도 되는가"를 따져 물었지만 현학봉 대사는 "모든 테러를 반대하는 것이 공화국의 일관된 입장"이라는 말을 되풀이했다. 아태국장은 더 이상 따지지 않고 "귀측의 통보를 채널4에 대한 테러 공격 포기로 이해하고 이 사건을 조용히 덮겠다"고 했다. 이 소동은 이렇게 조용히 넘어갔다.

김정은 헤어스타일 조롱한 미용실 찾아가 테러 위협

김정은이 전 세계적인 주목을 받게 되면서 기막힌 소동도 빚어졌다. 2014년 4월 14일 오후 영국 주재 북한대사관은 다소 북적이고 있었다. 다음날이 김일성 생일이었다. 김일성 위대성 학습, 강연회, 김정은에게 올릴 축전 채택 등으로 분주하게 움직였다. 점심을 먹고 대사관으로 돌아온 최근성 국제해사기구 주재 부대표가 자신의 집 주변 미용실에 김정은의 사진이 걸려 있다고 알려주었다. '최고존엄'의 사진을 광고용으로 쓰고 있다는 것이었다. 대사관에서 누구도 나서려 하지 않아 당 비서인 내가 최근성과 함께 미용실에 갔다.

미용실은 대사관에서 3㎞ 안팎에 있었다. 최근성의 자녀들이 등하교하는 길목이었다. 미용실 쇼윈도에 붙여진 광고에는 김정은의 사진과 함께 이런 문구가 적혀 있었다.

"Bad Hair Day?"(머리 모양이 마음에 안 드는 날인가요?)

"남성 고객은 15% 할인!"

몇 달 전 세계 언론은 "김정은이 북한의 남자 대학생에게 자신처럼 옆머리를 짧게 쳐 올리라는 지시를 내렸다"고 보도한 적이 있었다. 미용실 주인이 이 보도에 착안하고 김정은의 머리스타일을 풍자하면서 호객광고를 한 것이었다. 영국에서는 여왕이나 총리 사진까지 광고사진으로 사용하지만 북한 외교관 입장에서 이를 묵과할 수는 없었다. 아무 조치도 취하지 않고 있다가 발각이라도 되면 언제라도 목이 날아갈 일이었다.

나는 미용실 주인의 시야에 들어갈 수 있는 거리에서 사진기와 촬영기(캠코더)로 미용실 외부와 김정은 사진을 촬영했다. 주인에게 심리적 압박감을 주기 위해서였다. 주인은 머리를 깎으면서도 우리를 주시하고 있었다. 우리는 주인이 불안해 한다는 것을 확인한 후 미용실에 들어갔다. 양복에 넥타이까지 매고 차려 입은 두 남자가 큼직한 사진기를 메고 들어서자 긴장하는 눈치가 역력했다. 나는 위협적인 톤으로 말했다.

"당신이 이 미용실 주인인가. 당신이 내건 저 판촉용 사진에 나오시는 분이 누구인 줄 아는가. 조선의 최고영도자 김정은 원수님이시다. 우리는 조선민주주의인민공화국 대사관에서 왔다. 조선은 최고존엄을 건드리면 전쟁도 불사하는 나라다. 당신이 잘 모르고 한 일 같은데 당장 사진을 내려라. 그러지 않으면 결과는 전적으로 당신 책임이다. 좋게 말할 때 듣는 것이 좋을 것이다."

주인은 부들부들 떨면서 즉시 사진을 뗐다. 간단히 문제를 해결하고 미용실에서 나와 꽤 걸었다. 등 뒤에서 주인의 고함 소리가 들렸다.

"여기는 자유 민주주의 국가다. 북한에서 하는 짓이 나한테 통할 줄 아는가!"

우리는 못 들은 척하고 대사관으로 돌아왔다. 주인은 테러 위협을 느꼈던 모양인지 이 사실을 경찰에 신고하고 영국 언론사에 알렸다. 당일 저녁 현지 석간신문 〈이브닝 스탠더드〉가 처음 이 사건을 보도했다. 몇 시간 후 한국을 포함한 전 세계 언론은 "북한 외교관들이 영국 미용실 주인을 위협했다. 북한은 최고존엄을 건드리면 핵실험까지 하는 나라"라고 떠들었다. 이튿날 영국 대학생들이

떼를 지어 북한대사관 앞으로 몰려와 구호를 외쳤다.

"김정은은 대학생에게 자기 머리 스타일을 강요하지 말라! 북한대사관은 영국의 가치관을 존중하라!"

김일성 생일에 축하행진을 유치한 것이 아니라 항의시위를 촉발한 격이었다. 기자들이 미용실 주인을 인터뷰하자 으쓱해진 주인은 다음날 김정은 사진을 또 내걸었다. 며칠이 지나 미용실에 다시 가보았다. 주인도 속으로는 북한에 테러를 당할까봐 두려웠던지 김정은 사진을 다시 내린 모양이었다. 평양에서는 "영국 주재 조선대사관 성원들의 충성심을 따라 배우라"는 지시를 모든 해외공관에 내려 보냈다. 나의 위협에 사시나무 떨듯 하던 미용실 주인의 모습이 떠오를 때마다 그에게 정말 미안한 생각이 든다.

김정은과 로드맨의 '위험한 만남', 주선자는 베일 속

2014년 12월 평양에서 지급전보가 날아왔다. 긴급한 작전 명령을 받는 느낌이었다.

"영국 다큐멘터리 제작회사 '치프프로덕션(Chief Production)'의 사장 콜린 오플랜드를 조속히 만나라. 그는 데니스 로드맨의 평양 방문을 다룬 다큐멘터리 영화를 제작하고 있다. 그에게서 영화 1차 편집본을 받아 외교신서물(diplomatic package)로 평양으로 보내라."

'코트의 악동'으로 불렸던 데니스 로드맨은 기행과 악행으로 유명했던 미국 NBA 농구 스타다. 그는 2013년 2월부터 2014년 1월까지 여러 차례 북한을 방문해 김정은을 만났다. 나는 평양으로부터 지급전보를 받기 전까지 그의 북한 방문과 관련된 영화가 영국 제작사를 통해 촬영되고 있다는 사실을 알지 못했다.

그의 방북을 누가 주선했는지는 아직도 베일에 싸여 있다. 강석주가 주도했다는 일부 외신의 보도가 있긴 했지만 근거 없는 이야기다. 로드맨을 맞이하는 김정은 옆에 강석주가 서 있었다는 사실 말고는 아무런 논거가 없는 추측성 보도에 불과하다. 김정은이 로드맨의 팬이었다고는 하지만 그의 '방북 초청 사업'은 외무성의 사업 기준으로는 해서는 안 되는 일이었다. 이른바 '최고존엄' 곁에 '악동'을 세워놓는다는 것은 누가 봐도 위험한 그림이었다. 외무성의 작품이 아닐 가능성이 농후하다. 내가 볼 때는 인간적으로는 김정은과 가깝지만 대외 사업에는 그다지 경험이 없는 그 누군가의 소행이다. 김정은이 로드맨의 팬이라는 것을 알고 두 사람의 '우정'을 뉴스화해 김정은의 인간적인 측면을 세계에 보여주려는 의도인 듯하다. 이런 건의를 그대로 승인한 김정은의 외교적 안목도 엿볼 수 있다.

로드맨 초청은 2012년 12월 12일 인공위성(은하 3호) 발사, 두 달 후인 이듬해 2월 12일 3차 핵실험과 분리해서 생각할 수 없다. 북한과 김정은에 대한 성토로 세계 여론이 들끓었던 때였다. 김정은 집권 후 첫 번째 핵실험이 실시된 직후인 2월 말, 로드맨의 첫 방북이 이뤄진 것은 핵실험에 쏠린 부정적 여론을 희석시키는 데 목적이 있었다.

김정은은 로드맨과 함께 웃고 박수치고 포옹하는 모습을 연출하면서 "이러한 체육 교류가 조선과 미국 사이의 이해를 증진하는 데 기여하게 될 것"이라고 했다. 핵실험은 했지만 김정은 자신은 매우 개방적인 지도자라는 이미지를 광고하려고 했던 것이다. 그의 시도는 어느 정도 성공적이었다. 세계 언론은 혼란스러워했고 미 국무성 대변인은 관련 논평마저 피했다.

로드맨은 2013년 한 해 동안 두 차례 더 방북해 "김정은은 독재자가 아니라 '좋은 사람(Good Man)'"이라는 말을 거듭했다. 김정은 입장에서는 핵실험에 대한 세계인의 분노를 누그러뜨리고 자신의 이미지를 고양시키는 일석이조의 광고였다. 김정은은 로드맨의 이용가치를 원하는 만큼 활용했다. 이 해 12월 장성택 처형으로 세계 여론이 재차 요동치자 이듬해(2014) 1월 로드맨의 네 번째 평양 방문이 성사되었다. 명분은 김정은의 생일(1.8) 하객으로 초청한다는 것이었지만 그 숨은 의도는 충분히 짐작할 수 있다. 로드맨은 김정은과 수만 명의 평양시민 앞에서 생일축하 노래를 불렀다.

로드맨에 대한 비판 여론이 비등했고 그의 방북을 후원했던 아일랜드의 도박업체는 후원 계약을 취소했다. 나는 이런 흐름을 런던에서 조용히 지켜보고만 있었는데 난데없이 평양에서 급박한 지시가 날아온 것이다. 다소 긴장되었다. 나는 '치프프로덕션' 사장 콜린 오플랜드에게 "영화의 1차 편집본이 완성되었으면 북한대사관으로 들고 오라"고 연락했다. 다음날 그가 대사관에 달려왔다. 그는 "내가 1차 편집본을 들고 평양에 직접 들어가기로 했는데 왜 나의 방북은 불허하고 영화만 보내라고 하느냐"고 했다. 그 무렵 북한은 에볼라 바이러스 문제로 모든 외국인의 방북을 불허하고 있었다. 그에게 그렇게 설명해 주니 더 이상 따지지 않고 1차 편집본을 넘겨주었다. 이를 받아본 평양 쪽에서는 며칠이 지나도록 아무 소식이 없었다. 별일 없이 지나가는가보다 했다.

"수령 결사옹위 정신으로 반북 영화 상영 막아라"

2015년 1월 평양에서 또 다른 지시가 내려왔다. 장편의 전보였다.

"오플랜드가 제작한 1차 편집본은 전반적으로 반북적이다. 이것은 조선과 '치프프로덕션'의 합의 내용에 어긋난다. 특히 영화 시작 부분에 장성택이 체포되는 모습이 나온다. 로드맨의 평양 방문은 일반 외국인의 방문이 아니다. 최고영도자 김정은 원수님의 대외적 권위와 관련된 중요한 방문이다. 장성택 숙청 사진을 넣은 것은 김정은 원수님의 대외적 권위를 손상시킬 수 있는 대목이다. 이 영화는 미국 '슬램댄스 영화제'에 출품될 예정인데 이대로 나갔다가는 큰일이다. 현지 대표부에서 오플랜드를 만나 장성택 사진을 무조건 빼도록 조치하라. '수령 결사옹위'의 견지에서 비장하게 임해야 한다. 만일 오플랜드가 말을 듣지 않으면 법적으로 소송하겠다고 위협하는 등 모든 수단과 방법을 총 동원하라."

나는 오플랜드를 대사관으로 불렀다. 그와 논쟁이 벌어졌다.

"당신은 영화를 공개하기 전에 조선과 협의를 거치겠다고 하지 않았는가. 장성택 숙청 사진은 영화에서 빼라. 그대로는 미국 슬램댄스 영화제에 나갈 수 없다."

"에볼라 바이러스를 이유로 나의 방북을 허용하지 않은 것은 북한이다. 그러지 않았다면 내가 북한에 들어가 협의를 했을 것이다. 그리고 지금 장성택 처형 사건이 세계적인 주목을 받고 있다. 이 문제를 다루지 않는다면 현실을 반영한 영화라고 인정받기 어렵다. 그나마 장성택 사진은 영화 초반에 잠깐 나온다. 영화의 전반적인 흐름과는 상관이 없다. 우리는 이미 슬램댄스 영화제에 이 영화를 출품한 상황이고 1월 말 상영될 예정이다. 이제 와서 영화를 수정하는 것은 시간적으로 불가능하다."

"조선과 협의 과정을 거치겠다는 것이 당신의 약속이었다. 당신이 약속을 지키지 않는다면 우리는 법적인 절차로 갈 수밖에 없다. 소송을 당해도 괜찮겠느냐."

"약속은 했지만 북한에 편집권을 준 것은 아니다. 계약서 같은 것도 없다. 소송을 하려면 하라. 나는 이 사실을 언론에 공개하겠다."

오플랜드가 이렇게 고압적으로 나오니 더는 대응할 수 없었다. 김정은에게 로드맨 초청을 건의했던 그 누군가는 외국인과의 접촉 경험도 없었던 듯하다. 김정은을 칭송하는 영화를 만들겠다는 의욕만 앞세우고 오플랜드를 너무 믿었다. 영화에 대한 최종 편집권이 북한에 있다는 계약서조차 만들지 않았다. 그러면서 책임은 대사관에 떠넘기려고 하고 있었다.

나는 오플랜드와의 대화 내용을 그대로 평양에 보고했다. 다만 내가 모든 결과를 책임질 수는 없는 일이어서 이런 설명을 붙였다.

"서방 국가와 사업을 할 때는 반드시 서면 계약서를 체결해야 한다. 민감한 사안을 다룬 영화라면 더욱 그랬어야 했다. 쌍방의 의무가 명시된 계약서 없이 영화를 만든다는 것 자체가 시작부터 잘못된 일이다. 이런 상태에서 소송을 하겠다고 해도 상대방은 끄떡도

하지 않을 것이다."

평양에서도 집요하게 나왔다. 영화 제작을 위해 오플랜드와 함께 북한을 방문했던 '백두문화교류사' 대표 마이클 스페이버를 런던으로 불러 그와 함께 문제를 해결하라는 지시가 다시 내려왔다. 스페이버는 중국 연길 훈춘 지역에서 비영리단체인 '백두문화교류사'를 운영하고 있었다. 그를 런던에 부르니 며칠 후 그가 왔다. 스페이버는 "나도 이 분쟁을 해결하려고 수차례 시도해 봤다"면서 이렇게 하소연했다.

"나는 영화 제작과 아무런 관련이 없다. 로드맨 방북을 내가 주선한 것도 아니다. 자문 역할로 로드맨의 북한 방문에 참여한 것뿐이다. 장성택 사진을 빼달라고 오플랜드에게 여러 번 간청했지만 소용이 없었다. 나는 앞으로도 북한과 계속 사업을 해야 하는 사람이다. 거듭 말하지만 이 영화는 나와 무관하니 제발 이 분쟁에서 나를 빼줬으면 좋겠다."

이쯤 되면 대세는 기울어가고 있었다. 그와의 대화 내용을 외무성에 보고하니 이번에는 '무조건 영화제 상영을 저지시키라'는 지시가 내려왔다. 역시 '수령 결사옹위' 정신을 발휘하라는 단서가 붙었다. 오플랜드에게 위협도 해보고 사정도 해보았지만 결국 영화는 2015년 1월 상영되었고 그 후 여러 영화제에서도 특별상을 받는 등 주목을 받았다.

나는 '수령 결사옹위' 정신을 관철하지 못했다는 비판을 받는 정도에 그쳤지만 평양의 그 누군가는 큰 처벌을 받았을 것이다. 로드맨을 이용한 김정은의 '농구외교'는 이렇게 막을 내렸다. 이후 김정은은 로드맨을 만나주지 않다가 2017년 6월 그의 다섯 번째 방북을 허용했다. 오플랜드가 제작한 영화는 〈데니스 로드맨의 평양방문기(Big Bang in Pyongyang)〉라는 제목으로 같은 달 한국 TV조선에서도 방영되었다.

BBC 한국어 방송 극력 저지 중 기자 3명 억류

BBC는 오래전부터 평양에 지국을 건설할 계획을 품은 채 기회를 노리고 있었다. 2002년경에 이미 평양지부를 열고 북한 소식을 매일같이 전송하고 있는 APTN을 지켜보면서 가만히 있기 어려웠다. 2015년에 접어들면서 BBC는 본격적으로 평양지국 개설 문제를 런던 주재 북한대사관에 타진해 왔다.

그런데 BBC는 평양지국 개설과 병행해 2017년부터 한국어 라디오 채널을 개국한다는 정보가 입수되었다. 한국어 방송은 북한에 대한 '선전포고'나 다름없었다. 현재 한국어 라디오 방송을 송출하는 외국 언론은 중국의 국제방송, 러시아방송, 일본 NHK, 미국 VOA(Voice of America), 자유아시아방송(RFA) 등이 있다. 북한의 견지에서 보면 중국과 러시아방송은 별 문제가 없다. 하지만 나머지는 북한 체제에 대해 비판적인 방송이라는 공통점이 있다.

공영방송인 BBC는 APTN과는 색깔이 크게 다르다. APTN는 해설과 논평이 거의 없는 뉴스를 송출하지만 BBC는 그 반대였고 북한의 정책에 대해 거의 비판적이었다. BBC가 한국어 방송을 시작한다는 것은 결국 북한 주민을 상대로 방송하겠다는 뜻으로 받아들일 수밖에 없었다.

평양의 지시에 따라 현학봉 대사와 내가 번갈아 가며 BBC 본사를 방문해 협상을 벌였다. BBC의 한국어 방송을 저지하기 위해서였다. 우리는 "지금까지 모든 대조선 라디오방송은 미국의 대조선 적대시 정책에 호응하는 방송이었다. 여기에 동참하면 BBC의 권위와 공정성, 객관성과 정확성이 허물어질 것이다. 나아가 BBC 기자들의 조선 방문이 영원히 불가능해진다"고 주장했다.

BBC 측은 "우리가 지향하는 방송은 대북 목적이 아니다. 한반도와 중국 동북지방에 거주하는 한국어 사용 주민을 위한 방송이다. 방송 내용도 뉴스나 문화, 스포츠 같은 것이지 절대로 대북 비판을 지향하지 않는다"고 했다.

그러나 북한으로서는 북한 주민에게 외부 실상을 알려주는 것 자체가 체제를 붕괴시키는 위험 요소였다. BBC의 소프트파워는 물리적 무기보다 치명적인 것이어서 결코 받아들일 수 없었다. BBC의 한국어 방송을 저지 또는 지연시키기 위해 북한은 평양지국 개설 문제를 이용하는 전술을 쓰기로 했다. BBC 측에 평양지국을 승인해 주겠으니 대북 라디오방송을 중지하라고 했다. 다만 APTN처럼 북한 기자를 쓰는 조건이었다.

이런 협상이 진행되는 와중인 2016년 4월 말 북한을 방문한 루퍼트 윙필드-헤이즈 등 BBC 취재진 3명이 구금되는 사건이 발생했다. 이들은 북한 대학과의 과학기술 교류를 위해 북한을 방문하는 국제평화재단(IPF) 관계자와 노벨상 수상자들과 동행 방북하면서 5

월 초에 개최될 노동당 7차 대회를 취재할 예정이었다. 루퍼트 윙필드-헤이즈는 평양 체류 중에 '뚱뚱하고 예측할 수 없는 지도자'라고 김정은을 묘사하는 등 북한을 자극했다.

노동당 7차 대회는 1980년 6차 대회 이후 36년 만에 치러지는 큰 행사였다. 수많은 외국 기자들이 평양에 체류 중이거나 도착할 예정이었다. 김정은에 대한 '험담'을 허용했다가는 다른 기자들도 따라할 수 있었다. 그렇게 되면 사태는 걷잡을 수 없게 되고 힘들게 마련한 '잔치'에 재를 뿌리는 격이 된다.

북한은 루퍼트 일행을 구금하고 며칠간 공포를 느끼게 한 다음 비행기에 태워 돌려보냈다. BBC 측은 자사 취재진의 억류에 대한 북한의 사죄를 요구했고, 나는 영국 외무성과 BBC 본사를 방문해 영국 정부와 BBC 측에 항의했다. 서로 사죄하라는 공방전이 벌어졌다. 결국 북한과 BBC의 평양지국 개설 협상은 결렬되었다. BBC는 2017년 8월 대북 라디오방송을 시작했다. BBC와의 협상이 결렬되자 서울 주재 BBC 특파기자 스티브 에반스는 매우 실망스러워했다. 그는 나의 친구이기도 하다. 북한이 향후 BBC의 방북을 허용할지는 두고 봐야 알 일이지만 당분간은 어려울 듯하다.

3층 서기실이 보낸 암호

2015년 3월 프랑스 주재 북한대표부에 있는 동료로부터 뜻밖의 전화가 왔다. 그는 정보기관의 감청을 감안해 아리송한 말을 했다.

"태 동무, 외무성 김일성광장 쪽 4층에서 일하는 여자 부원의 아버지가 무언가를 부탁해 왔다. 그 내용을 메일로 써서 보냈으니 잘 읽어보라. 태 동무의 이름과 동무가 외국에 나갈 때마다 보는 문건을 생각하면서 읽으면 이해가 될 것이다."

무슨 말인지 한참을 생각했다. 나는 한 단어, 한 단어를 곱씹어 가며 퍼즐을 맞춰나갔다. 우선 '외무성 김일성광장 쪽 4층'은 당위원회를 말한다. 외무성 청사는 'ㅁ'자형인데 김일성광장 주석단을 마주한 쪽 4층에 당위원회와 간부처가 있었다. 당위원회가 소환하면 나쁜 일, 간부처가 부르면 좋은 일이 있음을 의미하는데 일을 하다 보면 좋은 일보다는 나쁜 일이 더 많기 마련이다. 무슨 과오를 범해 당위원회에 불려가게 되면 '4층에 갈 일이 생겼다'고 말하곤 했고, 그래서 당위원회를 일명 '4층'이라고 불렀다.

'여자 부원의 아버지'는 3층 서기실의 백순행이었다. 당시 외무성 당위원회의 여자 부원은 두 명뿐이었다. 한 명은 나이가 나보다 많았다. 그의 부친을 내가 알 리 없었다. 다른 한 명은 갓 시집을 간 젊은 부원이었는데 백순행의 딸이었다. 따라서 백순행의 '부탁'이라는 것은 3층 서기실로부터 내려온, 김정은의 지시라는 뜻이었다.

백순행은 평양외국어학원 프랑스어과를 졸업했다. 나에게는 7년 선배가 된다. 프랑스어에 능통해 1970년대 후반에 파리 주재 북한 무역대표부에 파견되었다. 이때 프랑스 사회당 당수였던 미테랑의 평양 방문을 성사시켜 김정일의 눈에 들었다. 귀국 후 당국제부에 들어가 1980년대 말부터는 3층 서기실에서 김정은 가족을 돌보는 일을 맡았다. 고영희가 파리로 치료를 받으러 다닐 때도 모든 사업을 주관했다.

치밀하고 실수를 모른다는 평을 받았던 백순행은 김정은 시대에도 3층 서기실에서 김정은의 사업을 직접 보좌하고 있었다. 데니스 로드맨이 방북했을 때 김정은 옆에 서 있던 인물이 바로 그다. 나는 영국 주재 북한대사관 참사로 있었던 2004년부터 2008년 사이 백순행과 사업상 연계가 많았다. 영국에서 여러 가지 물자를 구입해 평양으로 보내며 그와 연락했다. 한 번은 영국산 말을 수입하기로 했지만 실패한 적도 있었다.

떨리는 마음으로 메일함을 열었다. 낯선 메일이 하나 들어와 있었는데 첨부된 워드파일 문건에는 암호가 걸려 있었다. 이제는 '태 동무의 이름과 동무가 외국에 나갈 때마다 보는 문건'에 대한 풀이를 해야 할 차례였다. 나의 영문 이름 철자와 여권번호를 결합해 보라는 의미일 것이다. 'thaeyongho'와 여권번호를 차례로 패스워드로 입력했더니 문서가 열렸다.

내용은 간단했다. 문서를 열었으면 회신을 하라는 것과, 내가 문건을 보낼 때는 나의 영문 이름 철자와 보내는 날짜로 암호를 걸라는 것이었다. 회신을 보냈더니 5분도 안 돼 다른 메일이 왔다. 이렇게 몇 차례 메일이 오고간 후에는 평양의 백순행이 직접 나의 휴대폰으로 전화를 걸어왔다. 백순행 또한 암호를 지정하는 말을 했다. 암호는 더 복잡해졌다. 다음 번 메일부터 앞에는 '대사'를, 뒤에는 '나'를 이용하라는 이야기였는데 세세한 풀이는 생략하기로 한다.

이렇게 3층 서기실과 나, 다른 말로 표현하면 조선노동당 중앙위원회에 있는 김정은 사무실과 나의 교신이 이뤄졌다. 3층 서기실이 국가전보 체계를 이용하지 않은 이유는 외무성 간부에게조차 알려지면 안 되는 사안이 있었기 때문이다. 국가전보 체계를 이용하게 되면 외무성의 과장, 국장, 부상, 1부상, 상은 물론 암호를 푸는 변신원까지 그 사실을 알게 된다. 매우 은밀하고 복잡한 과정을 거쳐 백순행이 나에게 보낸 첫 번째 지시는 다음과 같다.

"에릭 클랩튼 공연 최고 좌석으로 6장 예매하라"

"수령의 신변안전과 관련되는 특별사항이다. 대사는 물론 당신의 가족에게도 이 사실을 알려서는 안 된다. 5월 20일과 21일 런던 로열앨버트 홀에서 에릭 클랩튼 공연이 열린다. 가장 좋은 좌석으로 총 6장의 티켓을 예매하되 중앙 쪽으로 네 자리, 측면으로 두 자리를 구입하라."

북한에서 에릭 클랩튼의 공연을 보러 영국에 올 사람은 김정철밖에 없었다. 이미 에릭 클랩튼의 평양 공연을 추진해 보긴 했지만 그것과는 차원이 달랐다. 3층 서기실로부터 직접 지시가 내려온, 이른바 '백두혈통'을 수행해야 하는 일이었다. 나는 내가 경험했던 '김정철과의 61시간'과 그 준비 과정을 매우 상세하게 서술하려고 한다. 북한 체제의 단면을 여지없지 보여줄 수 있다고 믿기 때문이다.

우선 나는 김정철이 에릭 클랩튼의 공연을 보기 위해 영국에 온다는 사실을 현학봉 대사에게 알리기로 했다. 누구에게도 알리지 말라는 3층 서기실의 지시를 어기는 행동이었지만 김정철이 오게 되면 어차피 대사도 알게 될 수밖에 없는 사실이었다. 북한 외교관 중에는 3층 서기실의 사업을 보장한답시고 대사에게도 보고하지 않고 독자적으로 움직이다가 대사와 충돌하는 경우가 많았다. 티켓을 예매하려면 공연장에 가야 하지만 혼자서 외출하는 것이 금지돼 있는 대사관 규정상 대사에게 외출 이유를 대기도 궁색했다. 이런 것들 역시 북한 체제의 단면이 아닐 수 없다.

3층 서기실에서 내려온 지시문을 출력해 대사에게 보고했더니 그도 대단히 긴장했다. 나는 즉시 공연장으로 달려갔다. 가장 좋은 좌석은 이미 중간 매표상에게 넘어간 뒤였다. 다시 대사관에 들어와 인터넷으로 남아 있는 좌석 가운데 괜찮은 위치를 골라 티켓을 구입했다. 그런데 3층 서기실이 중앙 쪽과 측면으로 분산해 표를 구매하라고 한 것은 어떤 의도에서였을까. 김정철이 정면 좌석에 앉았다가 시야가 좋지 않으면 측면으로 이동할 수 있게 하려는 것으로 보였다. 그 치밀함에 오싹해졌다.

두 번째 지시는 런던 사보이호텔의 스위트룸 2개를 예약하라는 것이었다. 사보이호텔은 런던에서 손꼽히는 최고급 호텔이다. 거기에 일반 스위트룸이 아니라 가운데 거실을 두고 방이 2개로 갈라져 있는 형식을 원했다. 김정철이 갑자기 무언가를 원할 수 있으니 수행원이 거실에서 대기하다가 곧바로 수발을 들어야 한다는 얘기였다.

인터넷으로 사진만 보고 예약할 수는 없었다. 육안으로 확인하기 위해 사보이호텔에 갔다. 거실이 딸린 스위트룸은 하루 숙박비가 2,000유로 이상이었지만 오래 전에 예약이 끝나 있었다. 돈을 더 주겠다고 하는데도 호텔 측은 안 된다고 했다. 2,000유로라면 나의 두 달치 월급보다 많은 돈이었다. 세상에 아무리 부자가 많다고 한들 하룻밤 자는데 2,000유로가 넘는다고 하니 어이도 없고 화도 났다.

이미 예약이 끝났다고 보고하자 “템스 강이 내려다보이는 스위트룸을 예약하라”는 새로운 지시가 내려왔다. 물론 거실은 있어야 했다. 거실과 룸 하나가 붙어 있는 구조는 어렵지 않게 찾을 수 있었다. 하지만 거실 양옆으로 방 2개가 붙어 있는 형식을 찾는 것은 하늘의 별 따기였다. 시내에서 조금씩 외곽으로 나오면서 고급호텔이란 호텔은 다 찾아다녔다. 겨우 찾은 것이 런던 중심부 템스 강 북쪽에 있는 5성급 첼시하버호텔이었다. 스위트룸 하나와 개별 룸 두 개를 예약했다. 스위트룸은 250만~400만 원 수준이었다.

세 번째 임무는 런던의 관광명소 10곳을 선정해 보고하는 것이었다. 나는 트라팔가 광장, 런던아이(London Eye), 버킹엄 궁전 등 런던의 명소를 선정해 보고하면서 영국 국회를 끼어 넣었다. 영국의 의회민주주의가 어떻게 작동하는지 김정철에게 설명해 주고 싶었기 때문이다. 당시 영국은 북한 공무원 20명을 한 달 동안 영국에서 연수시키는 프로그램을 해마다 실시하고 있었다. 이때 국회 방문은 필수 코스였다. 북한 공무원들은 영국 총리와 야당 의원들이 서로 야유하고 고함 치는 모습을 전혀 이해하지 못했다.

‘행정 수반을 저렇게 공격하면 정부의 권위는 어떻게 되겠는가. 영국이 세계 강국으로서의 지위를 유지할 수 있겠는가.’

김정철이 이렇게 생각하지 않는다면 다행이었다.

내가 선정한 관광명소에 대한 사진과 설명문을 3층 서기실로 보내자 이번에는 영국의 이름난 식당을 추천하라는 지시가 떨어졌다. 월급이 1,000달러도 안 되는 내가 그런 곳을 알 리가 없다. 인터넷으로 검색해 일식당, 이탈리아 식당, 프랑스 식당 등을 골랐고 주변 풍경이 좋은 식당과 템스 강을 오르내리는 크루즈선 식당 등을 선택해 보고했다. 이것만으로는 만족을 못 했는지 얼마 후에 '더 샤드'에 있는 식당과 스페인 식당을 예약하라는 지시가 내려왔다. '더 샤드'는 런던에서 제일 높은 빌딩이다.

"김정은 원수님이 태영호 동지를 구체적으로 요해하셨다"

2015년 4월 말 선발대가 런던에 도착했다. 3층 서기실 예술담당 부부장 장룡식, 당국제부 부원 김주성, 문화성 예술교류국장으로 구성된 3명이었다.

김정은의 예술담당 보좌관인 장룡식은 김정은이 관람하는 모든 공연을 최종 심의하는 인물이다. 국가공훈합창단 단장이라는 직무로 활동하고 있으나 사실은 3층 서기실에서 근무한다. 1970년대 말 모스크바에서 그와 함께 음악을 공부한 동료 대부분이 처형되거나 수용소로 끌려갔다. 아직 생존해 있는 사람은 만수대예술단 단장 김일진뿐이다.

김주성은 당국제부의 통역전문 부서인 8과 부원이다. 8과는 김정은의 통역을 전담하고 있다. 평양외국어대학 영어학부를 나온 그는 외국어대학 동시통역연구소를 거쳐 외무성 번역국 과장으로 일하다가 당국제부 통역과에 들어갔다. 2014년 8월 런던에서 대사관 연수과정을 받은 적이 있다. 1년도 안 돼 다시 선발대로 런던에 온 것이다.

문화성 예술교류국장은 나도 처음 보는 인물이라서 아는 바가 없다. 장룡식은 런던에 도착한 다음날부터 나를 데리고 다녔다. 낮에는 런던의 음반판매점, 음악대학, 음악도서관 등을 돌아보고 저녁에는 뮤지컬과 교향악단 공연을 관람했다. 덕분에 나는 〈레미제라블〉, 〈미스 사이공〉, BBC 교향악단의 공연을 보는 호사를 누렸다.

장룡식은 런던에서 구입할 음반 목록을 들고 왔다. 콘서트, 노래축제, 가극, 뮤지컬 등이 망라돼 있었는데 이를 모조리 구입하려고 했다. 대부분 인터넷으로 주문해야 하는 것이었고 일부는 유튜브에서 무료로 구할 수 있는 것도 많았다. 나는 그에게 내가 사용하던 노트북과 USB를 건네주면서 인터넷에서 무료로 다운받으라고 권유했다. 그는 내 말을 이해하지 못했다. 그에게 유튜브에서 다운로드받는 법을 알려주었더니 그는 하루 2~3시간 자면서 수십 편을 복사했다.

하루는 대사관 뒷마당에서 그가 담배를 피우고 있었다. 깊은 생각에 잠겨 있는 것으로 보여 이유를 물었다. 그는 "내 사무실에 인터넷만 있어도 세계적으로 유명한 공연 자료를 모두 열람할 수 있을 것"이라면서 인터넷의 위력에 놀라움을 표시했다. 김정은의 예술담당 보좌관인 그가 인터넷을 처음 접했다고 하니 이번에는 내가 믿어지지 않았다.

매일 한국 콘텐츠를 접하고 인터넷을 이용하는 김정은이 자신의 '음악 선생'에게조차 인터넷을 제공하지 않는다는 의미였다. 장룡식의 처지가 새삼 가긍해(가련해) 보였다. 하지만 그는 음악밖에 모르는 사람이었다. 인터넷 음악에 빠져들면서 잠도 제대로 자지 않았다. 밤을 새워도 힘든 줄 모르겠다고 했다. 그랬던 그가 평창동계올림픽 때 삼지연관현악단 지휘자로 방남했다. 서울의 번화한 거리와 한국의 발전상을 돌아보면서 그가 무슨 생각을 했을지 궁금하다.

어느 날은 김주성이 나에게 귀띔했다.

"이번 일을 잘해야 한다. 김정은 원수님의 신임이 정말 크다. 원수님께서 태 공사 동지의 생활에 대해 구체적으로 요해하셨다."

김정은이 나에 대해 이것저것 캐물었다는 말이었다. 어떻게 된 일인가 싶어 물었더니 김주성은 이런 사실을 알려주었다. 상황을 극화해 본다.

런던 방문을 위해 준비작업을 하고 있는데 중앙당 교환수로부터 전화가 왔다. 교환수는 "경애하는 김정은 동지가 통화를 원한다"고 했다. 김정은으로부터 직접 전화를 받는다는 것은 대단한 특전이었다.

"김정은입니다,"

"당국제부 8과 부원 김주성 전화 받습니다."

김주성은 일어서서 답변했다. 김정은의 질문이 이어졌다.

"김주성 동무입니까. 런던에 가본 적이 있습니까."

"예. 가보았습니다."

김정은은 김주성에게 런던 주재 북한대사관에 외무성 성원이 몇 명인지, 대사는 어떤 사람이며 공사는 어떤 사람인지, 영어 실력은 어느 정도인지, 런던 실정은 잘 알고 있는지 등을 구체적으로 질문했다. 그리고는 "런던대사관에 중요한 과업을 주려고 하는데 누구에게 맡기면 좋겠는가"라며 의견을 물었다.

김주성에 따르면 김정은이 문건을 보면서 하나하나 확인하고 있는 것 같았다고 했다. 김주성은 "태영호 공사에게 맡기면 좋을 것 같다"고 했고, 김정은은 "동무도 그렇게 생각하는가. 알았다"고 하면서 수화기를 내려놓았다.

김정은은 이처럼 나에 대해 직접 확인까지 했지만 그 1년 후에 나는 북한을 탈출했다. 나를 보증했던 백순행, 김주성은 물론 나를 믿었던 김정은도 배반한 셈이다.

김정철의 방문 날짜가 다가오자 현학봉은 대사관 대청소를 지시했다. 대사관 구내, 사무실, 가정 내부까지 구석구석 세심한 청소가 이뤄졌다. 대사관 성원의 부인들까지 나서서 페인트칠도 다시 했다. 대사관 내부 식당의 즙기류(접시와 술잔)도 다시 점검했다. 김정철이 대사관에 들어와 식사를 하자고 할 수도 있으므로 어떤 요리를 준비할 것인지 구체적인 계획도 세웠다. 김정철이 온다는 사실은 이때까지도 현학봉 대사와 나만이 알고 있었다.

5월 초 3층 서기실로부터 연락이 왔다. 평양 주재 영국대사관에 3명의 사증(비자)을 신청했는데 사증이 빨리 나오도록 영국 측과 협의하라는 지시였다. 백순행, 모란봉악단 기타리스트 강평희, 봉화진료소 주치의였는데 김정철과 동행할 수행원이었다. 오히려 김정철만은 별 문제가 없었다. 영국대사관은 지문과 동공 인식을 거쳐야만 사증을 발급해 주었다. 가명을 사용해야 했던 김정철은 어쩔 수 없이 영국대사관을 직접 방문했다고 한다.

나는 3명에 대한 사증 발급 문제로 영국 외무성 아태국 부국장을 찾아갔다. 그는 이미 김정철이 방문한다는 사실을 알고 있었다. 그는 "우리는 최대한 협력하겠다. 필요한 사항이 있으면 사전에 알려 달라. 혹시 영국 정부 쪽에 만날 사람이 있으면 미리 준비해 두겠다"고 했다. 나는 이 내용을 평양에 보고하면서 의견을 달았다.

"영국 측이 누가 무슨 목적으로 오는지 눈치를 챈 것 같다. 차라리 대표단의 공식 경호를 영국 측에 요구하면 어떻겠는가. 2003년 런던 주재 조선대사관을 개설할 때 최수헌 외무성 부상 일행의 경호를 요청한 적이 있다. 이때 10여 명의 경호 인력과 방탄차 두 대를 지원해 준 전례가 있다."

3층 서기실의 지시는 "영국 정부 측과의 공식 면담은 없다. 경호를 요청하면 방문이 공식화된다. 어떤 경우에도 공식화하면 안 된다"는 것이었다. 김정철이 이동할 때도 대사관 차를 쓰지 말고 렌트카를 이용하라고 했다. 또한 대표단이 사용할 아날로그 방식 휴대폰 3대와 이동식 와이파이 기기를 몇 개 구입해 놓으라고 했다. 평양의 김정은이 김정철 혹은 그의 수행원들과 언제라도 연락을 주고받을 수 있게 하려는 조치로 느껴졌다.

김정철과의 61시간

5월 19일 김정철 일행 4명이 모스크바를 통해 런던에 도착했다. 밤 9시였다. 대사와 내가 비행기 승강구까지 마중을 나갔다. 1등석에 앉았던 김정철이 제일 먼저 내렸다. 대사와 나는 허리를 90도로 꺾어 인사를 했고 그는 "수고하십니다"라고 한마디를 하고는 말문을 닫았다. 매우 피로해 보였다.

모두들 간단한 짐만 들고 있었다. 수하물을 기다릴 필요가 없어 곧바로 승합차에 올랐다. 김정철은 차에 앉으면서 "런던 옥스퍼드 거리에 있는 음반판매점 HMV에 가자"고 했다. 밤 10시에 가까운 시간이었고 아직 1시간은 더 가야 했다. 이미 문을 닫았을 시간대였다. 나는 정중하게 "지금은 문을 닫았을 테니 내일 오전에 가보시는 게 좋을 것 같다"는 '말씀'을 올렸다. 김정철은 간청에 가까운 부탁을 했다.

"런던으로 오는 비행기 안에서 음반판매점 생각만 했다. 문을 닫았으면 가서 문을 두드리든가 전화를 하면 되지 않겠는가. 외교관이 부탁하면 주인이 나오지 않겠는가. 그만한 인맥도 없는가."

정말 난처했다. 런던은 평양이 아니었다. 문을 두드리면 경찰이 나타날 테지만 김정철에게 차마 그 말은 할 수 없었다. 나는 일단 "알겠습니다. 상점부터 가겠습니다"라고 했다. 수행원들도 그가 불가능한 일을 요구한다는 것을 알면서도 누구 하나 만류하는 사람이 없었다.

런던 히드로 공항에서 도심의 옥스퍼드 거리까지 적어도 2시간은 걸린다. 밤 11시가 다 돼갔다. 김정철이 시계를 보더니 다시 나에게 "문을 열 수 있겠느냐"고 물었다. 그때서야 나도 용기를 내어 "가보기는 합니다만 사실 불가능하다"고 말해 주었다. 김정철은 한숨을 쉬며 호텔로 가자고 했다. 런던 서부 템스 강변에 있는 첼시하버호텔은 옥스퍼드 거리와 반대 방향에 있었다. 영국인 운전기사에게 호텔로 가자고 하니 그도 한숨 쉬면서 핸들을 돌렸다.

호텔에 도착해 여장을 풀었다. 김정철이 나를 부르더니 당장 바지를 세탁해 달라고 했다. 비행기 안에서 포도주를 흘렸다는 것이다. 여벌의 바지도 없었다. 그의 손짐(캐리어)은 텅 비어 있었다. 새벽 1시 경이었다. 호텔 측에 문의해 봤지만 아침이 되어야 세탁물을 가져갈 수 있다고 했다. 사실 물어보나마나였다. 부르는 대로 돈을 주겠다고 해도 말을 듣지 않았다.

나는 김정철에게 다시 한 번 '정중한 말씀'을 올렸다.

"지금은 밤이라서 어디 가서 세탁할 데도 없습니다. 아침에 바지를 구입해서 입고 이 바지를 세탁물로 맡기면 좋을 것 같습니다."

김정일이나 김정은 등에게 보고할 때는 절대로 '합시다'라는 표현을 쓰면 안 된다. 반드시 '이렇게 하면 좋을 것 같습니다', '…라고 생각됩니다', '…라고 생각해 보았습니다' 같은 표현을 써야 한다.

김정철은 "런던 바닥에 24시간 운영하는 세탁소가 없다는 것이 말이 되는가. 이 바지는 내가 정말 애용하는 바지다. 다른 바지는 입고 싶지 않다"고 했다. 나는 일단 알았다고 하고 바지를 들고 나왔다. 호텔 밖에는 현학봉 대사와 문명신 서기관이 그 시간까지 대기하고 있었다. 대사관에도 국제해사기구에 파견된 최근성과 유광성이 대기 중이었다.

대사와 문명신은 런던의 모든 세탁소를 찾아보기로 했다. 새벽 4시쯤에 문명신이 호텔로 왔다. 다행히 대형 세탁소를 찾아내 바지를 세탁해 왔다고 했다. 나는 얼룩이 사라진 깨끗한 바지를 보며 '당이 결심하면 일이 되는구나'라고 생각했다. 이제 돌이켜보면 서글프고 한심한 생각이 아닐 수 없다.

아침에 김정철에게 바지를 건넸더니 그의 눈이 휘둥그레졌다. 무조건 세탁해 오라고 하고서는 '진짜 세탁해 왔느냐'고 놀라워했다. 그는 밤새 세탁소를 찾아다녔느냐고 물었고 나는 "대사관 동무들이 총동원되어 세탁소를 찾아냈다"고 말해 주었다. 그는 매우 고마워했다. 김정철은 곧장 바지를 입었다. 그렇게 좋아할 줄은 몰랐다. 그는 다들 모이게 하라고 했다.

그는 미니바에서 위스키를 꺼내 수행원과 나에게 한 잔씩 부어주면서 '쭉 내라'고 했다. '쭉 내라'는 '원샷'의 북한식 표현이다.

수행원들은 거절하지 않고 위스키를 마셨지만 나는 그럴 수 없었다. 이날부터 전투가 시작되는 것이나 마찬가진데 술에 취할 수는 없었다. 내가 정신을 못 차리면 대표단 사업은 끝장이었다. 또 다시 용기가 필요했다.

"제가 쓰러지면 오늘 일은 다 파트(파투)됩니다. 저만은 그만 마시겠습니다."

'파트되다'는 '망친다'는 뜻인데 북한 사람들이 카드놀이를 할 때 쓰는 말이다.

김정철은 "술 못 마시는 외교관도 있느냐"며 무조건 마시라고 했다. 나는 속으로 '혁명의 수뇌부를 잘 보위하려면 술도 잘 마셔야 한다'고 생각하면서 조금 마시는 척하다가 잔을 내려놓았다. 내가 "저도 한 잔 붓겠습니다(따르겠습니다)"라고 하자 김정철은 뜻밖에도 거절했다. 평양을 떠나기 전 날, 누군가를 찾아갔더니 "술 한 잔 하자"고 해서 과음을 했다는 것이다. 그러면서 "술도 못 마시면서 나에게는 술 한 잔 하자고 했다"며 핀잔을 주었다.

김정철은 누구를 찾아간 것일까. 그리고 그에게 술을 권한 사람은 어떤 인물일까. 나는 궁금해졌다. 간부가 외국에 나올 때 상급(상사)을 찾아가 출국 통보(인사)를 해야 하는 것이 북한의 관행이다. 김정철이 출국통보를 할 사람은 김정은밖에 없다. 또한 김정철에게 '술 한 잔 하자'고 할 수 있는 사람도 김정은뿐이다.

나는 갈피를 잡을 수 없었다. 내가 아는 바로는 김씨 가문은 모두 술을 좋아한다. 김일성과 김정일은 "김씨 가문은 술 마시는 DNA를 가지고 태어난다"고 한 적이 있다. 김정철이 말한 '누군가'가 김정은을 의미한다면 그가 술을 잘 마시지 못한다는 것을 의미한다. 외신들은 김정은과 로드맨이 함께 술 마시는 사진을 공개하면서 김정은이 매일 저녁 와인이나 위스키, 코냑 등으로 공포심을 이겨내기 위해 술을 엄청나게 마시고 있다고 보도해 왔다. 그런 김정은이 술을 마실 줄 모른다는 것은 믿기 힘든 이야기다. 아직도 풀리지 않은 그날의 '미스테리'였다.

김정철과 함께 부른 〈마이 웨이〉, 그의 눈엔 이슬이

수행원들이 둘러앉아 술잔을 기울이며 이야기를 나누는 동안 백순행은 컴퓨터를 켜고 평양에 무언가를 보고하고 있었다. 백순행은 항상 작은 수첩을 꺼내보며 보고서를 썼다. 문건 암호 결합과 은어들이 들어간 난수표 같았다. 정보기관이 메일을 열어봐도 핵심 단어는 알 수 없게 만든다고 한다.

얼마 후 백순행은 "평양에 사업보고가 끝났다. 일정대로 움직이라는 지시가 내려왔다"고 김정철에게 보고했다. 김정철은 음반판매점부터 가자고 했다. 5월 20일 오전은 음반을 사면서 보냈다. 나는 김정철에게 템스 강 크루즈선 식당에서 점심 식사를 하자고 제안했다. 런던 관광으로는 괜찮은 코스였다. 하지만 김정철은 크루즈선은 싫다고 하면서 아무 데서나 간단히 먹자고 했다. 나는 '더 샤드' 건물에 있는 식당으로 김정철 일행을 안내했다. 고급 요리가 나왔지만 김정철은 잘 먹지 않았다.

식사 도중 난처한 일이 생겼다. 몇 술 뜨다 말고 담배를 피우러 가겠다고 했다. 식당은 31층에 있었다. 김정철이 담배를 피우기 위해 1층으로 내려간다면 모든 수행원이 따라가야 했다. 처신하기 어려운 상황이긴 했지만 그 누구도 김정철을 만류하지 않았다. 다시 한 번 내가 총대를 멨다.

"1층으로 내려가셔야 하는데 승강기를 잡으려면 시간이 좀 걸릴 것 같습니다."

김정철은 화장실에서 몇 모금만 빨겠다고 하면서 자리에서 일어났다. 당황한 나는 황급히 그를 따라나섰다. 그는 화장실 용변칸으로 들어가 무작정 담배를 피워 물었다. 화재경보기가 울릴까봐 가슴이 조마조마했다. 잠시 후 한 외국인이 들어왔다. 식당 측에 신고를 할 수도 있었다. 나는 그에게 "미안하다. 내 친구가 담배 쥐골(골초)인데 딱 한모금만 빨려고 담배를 물었으니 한 번만 양해해 달라"고 빌었다. 그는 웃으면서 알았다고 했다. 역시 영국신사였다.

김정철은 자신의 말을 지켰다. 몇 모금 빨더니 담배를 용변기에 던졌다. 그 순간 병원이든 유치원이든 가리지 않고 담배를 피우던 김정은이 생각났다. 김정철은 런던에 있던 3박 4일 동안 시도 때도 없이 담배를 피우겠다고 했다. 차에 오르기 전에는 무조건 한 대 피웠다. 차에 올라서도 30분 정도만 지나면 또 피우겠다고 했다. 나는 운전기사에게 차 안에서 담배를 피우게 해달라고 요청했다. 그는 흡연은 금지돼 있고 담배 냄새가 배면 특별 세차를 해야 하는데 비용이 상당하다고 했다. 내가 돈을 넉넉히 주겠다고 하자 운전기사도 쾌히 동의했다.

차에서 담배를 피우게 되자 김정철은 정말 좋아했다. 저도 모르게 콧노래를 불렀다. 무슨 노래인지는 알 수 없었다. 그러더니 나를 보고 노래를 한 곡 불러보라고 했다. 잠깐 머뭇거리다가 평소 좋아하던 〈마이 웨이〉를 불렀다. 내가 선창을 하니 김정철도 흥이 나서 따라 불렀다. 나는 가사가 잘 생각나지 않았지만 그는 1절에 이어 2절까지 불렀다. 그런데 〈마이 웨이〉를 부르는 그의 눈에 약간 이슬이 맺혀 있었다. 순간 그에 대한 연민의 정을 느꼈다.

승합차가 영국 국회의사당 앞에 도착했다. 내가 작심하고 만든 일정이었다. 국회 앞 광장에는 처칠과 간디의 동상이 나란히 서 있다. 나는 김정철에게 그들의 세계관에 대해, 간디의 동상을 국회 앞 광장에 세운 영국인의 관용에 대해 설명했다. 영국의 정치구조와 국회 운영방식에 대한 설명도 열성적으로 했다. 하지만 김정철은 별 관심이 없는 것 같았다. 나의 말이 귀에 거슬린 것은 아닐까. 아차, 하는 생각이 들어 약간 겁이 난 것도 사실이다.

다음 장소는 '런던 아이(London Eye)'였다. 그곳으로 가겠다고 했더니 김정철은 불쑥 런던에 악기거리는 없느냐고 물었다. 무슨 기타 브랜드를 대면서 그 기타가 있는지 가보고 싶다고 했다. 내가 미처 파악하지 못한 부분이었다. 기타리스트의 공연을 보러 온 것인데 왜 미리 알아보지 않았을까 후회스러웠다. 운전기사에게 물어봤더니 그는 런던에 세계적으로 유명한 악기거리가 있다고 했다. 이름은 덴마크거리인데 왜 그런지는 잘 모르겠다고 웃었다.

덴마크거리에 들어서는 순간 김정철은 세상의 모든 것을 다 얻은 것처럼 너무나 행복해 했다. 어느 기타상점에 들어가서는 마음에 드는 기타를 골라잡고 즉흥 연주를 했다. 솜씨가 대단했다. 30대 안팎의 상점 주인이 김정철에게 '이름이 무엇인가', '앨범을 출시한 적이 있는가'라고 물어볼 정도였다. 그러더니 두 사람은 합동 연주까지 했다. 이 거리의 상점 주인 대부분은 30~40대 안팎이었다. 낮에는 상점을 운영하고 저녁에는 펍(pub) 같은 데에서 공연하는 전문 기타리스트가 많았다.

아쉽게도 김정철이 찾는 기타는 없었다. 상점 주인은 런던에서 100㎞ 정도 떨어져 있는 한 지방 마을을 소개했다. 그곳에 김정철이 찾는 기타가 있다고 했다. 김정철은 매우 아쉬워하며 기타 부속품을 많이 사는 데 만족해야 했다. 김정철과 상점 주인은 에릭 클랩튼과 관련된 대화를 오래 이어갔다. 기타에 문외한인 나로서는 알아들을 수 없었다. 나는 동행한 강평희에게 '(김정철이) 평양에서도 기타를 치느냐'고 물어보았다. 밴드를 조직해 내부 공연을 자주 한다는 답이 돌아왔다.

어느덧 오후 5시가 가까워지고 있었다. 오후 7시에 시작되는 에릭 클랩튼 공연을 보기 위해선 1시간 전에 공연장에 도착해야 했다. 저녁을 먹을 시점이었다. 시큰둥한 모습으로 점심 식사를 한 김정철에게 이번에는 고급식당으로 안내하지 않고 무엇을 먹고 싶은지 의견을 구했다. 의외로 김정철은 맥도날드 햄버거가 먹고 싶다고 했다. 맥도날드에서 내가 주문하려고 하자 그는 자신이 직접 하겠다고 나섰다. 햄버거를 너무나 맛있게 먹는 그의 모습을 보면서 '이럴 줄 알았으면 진작 맥도날드로 데리고 올 것을…'하는 생각뿐이었다.

오후 6시경, 우리는 로열앨버트 홀(Royal Albert Hall)에 도착했다. 김정철은 공연장 입구에 있는 매대에서 티셔츠, 컵, 열쇠고리, 앨범 등 에릭 클랩튼과 관련된 기념품을 구입했다. 상당한 분량이었다. 매대에서 이것저것 들춰보고 있는데 갑자기 백순행이 다가왔다. 그는 "빨리 공연장으로 들어가자"며 "기둥 뒤에서 누가 사진을 찍고 있다"고 했다. 이때까지만 해도 나는 백순행이 예민하게 굴고 있다고 생각했다. 주변을 둘러보았으나 우리를 주시하는 사람들은 없는 것 같았다.

김정철은 정면 쪽 좌석에 앉았고 나는 측면 구역에 자리를 잡았다. 공연 중에 김정철이 자리를 바꾸자고 하면 즉시 응할 수 있게 신경을 썼다. 공연이 시작됐지만 나는 단 한순간도 집중할 수 없었다. 김정철에게 누가 접근하지 않을까 해서 쌍안경을 들고 주변을 살폈다. 김정철은 공연에 도취된 것 같았다. 자리에서 일어나서 열광적으로 박수를 쳤고, 너무 흥분해 주먹을 쳐들기도 했다.

호텔로 돌아온 김정철은 흥분이 가시지 않은 듯했다. 또 술을 마시자고 했다. 명령과 다름없었다. 각자의 방 미니바에 비치된 양주와 맥주를 들고 내 방에 모였다. 미니바에 있던 모든 술이 그날 밤 동이 났다.

지방 소도시에서 원하던 기타 사고는 꼭 껴안아

밤새 술을 마시고 곯아 떨어져 있는데 5월 21일 새벽에 현학봉 대사로부터 전화가 왔다. 빨리 인터넷을 열어보라며 상기된 목소리로 다그쳤다.

"일본 언론이 김정철 동지를 포착했다. 공연장 입구에서 기념품을 사는 장면, 공연 도중에 환호하는 장면 같은 것을 찍었다. 남조선과 영국 언론은 말할 것도 없고 세계 언론이 김정철의 에릭 클랩튼 공연 관람에 대해 떠들고 있다."

인터넷에 접속해 보니 그의 말 그대로였다. 김정일 사후 수년 동안 은둔생활을 했던 김정철이 이제는 자유롭게 세계를 활보하고 있다는 보도가 주를 이뤘다. 수행원 모두가 긴장했다. 김정은도 보도를 접했을 것이 분명했다. 평양에서는 아무런 지시도 없었다. 김정철의 휴대폰에도 전화가 온 것 같지는 않았다.

당장 돌아오라면 돌아가야 할 형편이었다. 김정철의 결정이 중요했다. 백순행이 이날 공연 관람에 대해 완곡하게 물었지만 김정철은 단호했다.

"여기까지 와서 그따위 기자 나부랭이들이 무서워 공연을 보지 않고 돌아가겠는가. 무조건 보겠다."

백순행은 평양에 관련 보고를 날렸다. 새로운 지시가 없는 이상 3일째 일정을 시작하기로 했다. 오전 일정은 덴마크거리 상점 주인인 소개했던 지방 도시로 내려가 김정철이 원하는 기타를 사는 것이었다. 그런 소도시에 기타 전문점이 있다는 것이 의아하긴 했다. 허탕을 치지 않을까, 김정철은 걱정했지만 내가 인터넷으로 검색한 바로는 의심할 여지가 없었다.

아침을 먹고 바로 출발했다. 정말 조그마한 마을이었지만 2층 규모의 대형 기타판매점이 있었다. 주인의 말로는 전문가들만이 찾는 매장이었다. 그토록 원하던 기타를 찾은 김정철은 기타를 꼭 껴안았다. 미국에서 생산하는 전기기타였는데 제품명은 기억나지 않는다. 나의 안목으로는 그리 희귀한 기타로 보이지 않았다.

하지만 김정철은 나에게 "이 기타를 사려고 여러 대사관에 전보를 보냈는데 왜 찾지 못했을까"하며 한탄했다. 그는 기타를 메고 거의 40분 동안 연주했다. 강평희가 거들 때도 있었다. 기타를 모르는 나에게는 프로급의 연주로 들렸다. 백순행이 기타 값을 치르려고 했지만 김정철은 자신이 직접 지불했다. 특정한 구분이 있는 것 같았다. 식사나 공연 관람에 필요한 비용은 3층 서기실이 부담하고, 사적인 물품 구입은 본인이 지불하는 것으로 보였다. 그 돈이 그 돈인데도 말이다.

기타 가격은 2,400파운드 정도였다. 비싼 기타는 아닌 것 같았는데 김정철의 취향에는 딱 맞는 모양이었다. 내가 기타를 들어주겠다고 했는데도 김정철은 스스로 어깨에 메겠다고 했고 차안에서도 기타를 품에 안았다. 마치 어린 아이를 안은 아버지 같았다. 그는 너무 좋아했다. 나에게 감사의 말을 반복했다. 괜히 나도 기쁘긴 했다.

백순행은 평양으로부터 새로운 지시를 받은 것 같았다. 그는 "오늘 공연도 예정대로 관람한다. 공연장에 기자들이 진을 치고 있을 것이 명백하니 위장해야 한다. 선글라스와 모자를 사러 가자"고 했다. 나는 이제라도 영국 측에 공식 경호를 요구해야 하지 않겠느냐고 제기했지만 백순행은 요지부동이었다. 영국 측에 경호를 요구하면 김정철의 방문이 공식화되기 때문에 안 된다는 이유였다.

안경점에서 선글라스를 구입하고 난 뒤, 김정철은 아동복 매장에 가자고 했다. 런던까지 와서 아이 옷도 안 사가면 '나쁜 아빠'라는 말이었다. 그를 옥스퍼드 거리에 있는 셀프리지 백화점으로 안내했다. 수행원들도 구매할 물품이 있었다. 김정철은 내가, 수행원은 문명신이 담당했다. 백순행은 김정철이 물건을 고를 때 가까이에 붙지 말라고 조언했다. 자기가 무엇을 사는지 남들이 아는 것을 싫어한다는 것이었다. 그의 말대로 김정철을 아동복 매장까지만 안내하고 멀찌감치 떨어져 지켜 보았다. 백순행 등은 지하로 내려가 보드카와 영국 특산 위스키 등 고급 양주를 수십 병 구입했다.

호텔에서 간단히 요기를 하고 전원이 다시 공연장으로 갔다. 입구마다 기자들이 진을 치고 있었다. 입장을 강행하는 수밖에 없었다. 기자 수가 제일 적어 보이는 입구에 차를 세웠다. 재빨리 내려 공연장으로 들어가려고 했지만 금세 기자들이 몰려들었다. 김정철과 내가 공연장을 들어가고 나오는 모습이 이날 밤 전 세계에 타전되었다.

공연장 안에도 기자들이 꽉 차있었다. 여기저기서 플래시가 터졌다. 이날 공연의 주인공은 에릭 클랩튼이 아니라 김정철이었다. 이번에도 나는 공연에 집중할 수 없었지만 김정철은 지난 번 그대로였다. 그는 긴장한 표정 없이 공연을 만끽했다. 공연이 끝나자 김정철 주변으로 기자들이 몰려들었다. 공연장 밖에도 군중들이 모여들기 시작했다.

공연장 복도에서 기자들에게 에워싸였다. 이도저도 못하고 있던 상황에서 건장한 영국 경호원들이 등장했다. 이들은 기자들 사이에 길을 내면서 우리를 안내했다. 조용히 지켜보던 영국 당국이 이러다간 인명피해가 날 수 있다고 판단하고 긴급히 경호 인력을 투입했던 것이다.

호칭 없는 김정철, 음악에만 빠져 있는 김정은의 형일 뿐

우리는 경호원들의 안내와 작전대로 움직였다. 일반 차량의 출입이 금지된 지하주차장으로 내려갔다. 승합차를 불러 타고 지하주차장을 빠져나오는 순간에도 기자들은 연신 사진을 찍어댔다. 겨우 호텔에 도착했지만 기자들에게 노출된 것은 여기도 마찬가지였다. 호텔 입구에 방송 카메라까지 설치돼 있었다. 이제는 호텔에도 들어갈 수 없는 형편이었다.

협의 끝에 호텔에 있는 짐은 대사관 성원들이 가져 오기로 하고 런던 외곽으로 벗어나기로 했다. 히드로 공항에서 가까운 홀리데이인에 숙소를 잡았다. 김정철은 긴장이 풀린 탓인지 방에 들어가자

마자 침대에 쓰러졌다.

영국에서 빠져 나가는 것도 난제였다. 김정철이 모스크바를 통해 런던에 왔다는 사실을 안 기자들은 모스크바로 가는 공항 출구에 대기하고 있었다. 아침 일찍 VIP라운지를 이용하기로 하고 내가 히드로 공항 측과 협상을 벌였다. 공항 측은 VIP라운지 이용을 허용했고, 김정철 일행이 이륙 40분 전 다른 승객들보다 가장 늦게 탑승할 수 있게 편의를 제공하겠다는 약속을 지켰다.

김정철 일행은 5월 22일 오전 10시 40분에 출발하는 러시아 아에로플로트 항공기에 탑승했다. 탑승 직전 김정철은 내 손을 꼭 잡았다.

"공사 동지, 이번에 정말 수고 많았습니다. 귀국하시면 제가 꼭 한 턱 내겠습니다. 저를 찾아주십시오."

나는 "앞으로 꼭 다시 만나자"고 하고 그와 헤어졌다. 이것이 김정철과 함께 보낸 61시간의 마지막 순간이었다.

김정철은 내게 반말을 하지 않았다. 언제나 '공사 동지'라는 존칭을 썼다. 그런데 나는 한 번도 그를 '김정철 동지' 혹은 '대장동지'라고 불러본 적이 없었다. 동행한 수행원들도 '김정철에게는 이런 호칭을 쓰라'는 말을 해주지 않았다. 내가 그를 불러야 할 상황이 생기면 나는 '저…'하고 말끝을 흐리곤 했다.

장성택의 딸 장금송도 '대장동지', '대장누나'라고 불렀다. 하지만 김정철은 호칭이 없는 사람이다. 수행원들도 김정철에게 특별한 호칭을 쓰지 않았다. 김정철이 김정은을 도와주고 있다고 생각하는 사람도 많겠지만 그러자면 일정한 직책과 호칭이 있어야 한다. 내가 본 김정철은 음악과 기타에만 미쳐 있는 사람이며, 김정일의 아들이자 김정은의 형일 뿐이다.

대사관으로 돌아오니 대사관 밖에도 기자들이 진을 치고 있었다. 김정철이 이미 모스크바로 떠난 줄 모르고 있었던 것이다. 그간 쌓였던 피로가 몰려와 자고 싶은 생각밖에 없었다. 대사 외에는 단 한 번도 누설한 적이 없었지만 김정철이 런던에 왔다간 것은 대사관 성원의 아이들까지 알고 있었다. 김씨 가문과 관련된 이야기를 말해서도 안 되고 물어봐서도 안 된다는 것은 북한 사회의 불문율이었다. 대사관 사람들은 내 입에서 김정철에 대한 이야기가 나오기만을 기다리고 있었다. 집에 돌아오니 아이들의 반응이 냉랭했다.

"아버지가 어디 가셨나 했더니 김정철을 안내하러 가신 거네요."

북한에서 김정은의 직접 지시를 받고 이처럼 큰 과업을 수행했다면 주변의 칭송을 받게 된다. 어깨가 으쓱해지는 것도 크게 나무랄 일은 아니다. 나 또한 아이들이 아버지를 대단한 인물로 여기면서 호기심을 가지고 이것저것 물어볼 줄 알았다. 하지만 아이들의 눈이 더 정확했다.

"일반 주민에게는 썩어빠진 자본주의 음악은 들으면 안 된다고 하고, 외국 노래를 들으면 대학에서 추방까지 시킨다. 인민들에게는 고난의 행군을 강요하면서 김씨 가문은 하고 싶은 일이란 일은 다 한다. 런던에서 하루 저녁에 몇 천 달러를 탕진하면서 퇴폐적인 서방 음악을 감상한다니 이게 말이 되는가."

아이들은 울분을 감추지 못했다. 김씨 가문을 '하느님'처럼 바라보는 우리 세대와는 전혀 다른 세대가 형성되고 있었다. 며칠 동안 김정철을 보좌한 일이 갑자기 창피해졌다. 자랑할 만한 일이 결코 아니었다. 노예가 노예주의 뒷바라지나 한 꼴이었다. 아내 또한 나에게 수고했다는 말을 하지 않았다. 대사관 내 다른 사람들의 생각도 나의 아이들과 아내와 비슷할 것 같았다.

며칠 후 외무성에서 공식 전보가 왔다. 런던 주재 대사관에서 중요한 사업을 잘 처리했다는 내용이었다. 김정은의 칭찬이 있었던 것 같다. 하지만 으쓱해서 다니면 안 되겠다는 생각이 들었다.

'방북 불가' 로이터 기자 신원보장해 주고 입국시켜

2016년 5월 북한 노동당 7차 대회를 앞두고 서울 주재 로이터통신 특파원 제임스 피어슨으로부터 전화가 왔다. 그는 베이징 주재 로이터통신 사진기자 다미르 사골과 함께 북한에 입국허가서를 냈는데 자신만 허용되고 다미르는 불허되었다고 했다. 그는 나에게 다미르의 방북을 도와달라고 간청했다. 서울의 로이터통신 기자가 런던 주재 북한대사관 공사에게 부탁하는 상황이었다. 조금 이상하게 보일 수도 있겠지만 로이터는 영국의 통신사였고, 영국 언론인과 교분이 많은 나에게 그런 부탁이 몰리는 것은 당연했다.

다미르 사골은 세계적으로 유명한 사진기자다. 그의 방북이 거절되면 세계의 수많은 언론이 북한의 조치를 비판할 것이 명백했다. 북한이 기자의 방문을 불허했다가 다시 승인해 준 사례는 단 한 차례도 없었지만 나는 일단 그가 왜 요시찰명단에 올랐는지 문의했다. 평양의 답변은 "다미르 사골이 북한에서 찍은 사진이 인터넷에 많이 올라와 있는데 너무 북한 체제에 적대적"이라는 것이었다.

인터넷에서 그의 북한 관련 사진을 찾아보았다. 북한의 낙후된 농촌과 남루한 옷을 입은 어린이들의 사진 등이 있었다. 하지만 그 정도는 북한 관광객들도 다 찍은 일반적인 수준이었다. 적대적이라고 볼 수는 없었다. 나는 평양에 이런 의견을 보냈다.

"다미르의 사진을 검토해 본 결과 적대적이라고는 볼 수 없다. 다소 부정적이기는 하나 그 정도 사진은 인터넷에 차고 넘친다. 세계적으로 명망 있는 로이터통신 기자의 입국을 막으려면 좀 더 설득력 있는 이유가 있어야 한다. 그런 이유 제시 없이 조선 방문을 불허하면 로이터통신과 등지게 될 것이다."

내게 부탁은 했지만 제임스 피어슨도 다미르의 방북이 허용될 것이라고 기대하지는 않았다. 혹시나 해서 친분 관계가 있는 내게 한 가닥 희망을 걸어본 것이었다. 그런데 내가 보고한 지 하루가 지나 그의 입국허가서가 나왔다. 나는 탈북한 후 서울에서 제임스를 만났다. 그는 당시 다미르의 방북 허가가 나왔다고 본사에 전하니 다들 믿지 않았다고 말했다. 제임스는 한국 영어신문 〈Korea Times〉 김효진 기자의 남편이다.

로이터통신사 측에서 전혀 믿지 않았던 '기적'이 일어난 이유는 의외로 간단하다. 북한은 방북 기자의 글과 사진을 대사관을 통해 파악하고 저장해 둔다. 그 기자가 다시 방북을 신청하게 되면 파일을 열어보고 조금이라도 껄끄러운 사항이 있으면 입국을 허용하지 않는다. 이럴 때 현지 대사관에서 해당 기자의 신원을 보장해 주면 허용해 주는 것이 원칙이다.

하지만 북한 외교관치고 그런 보장을 해주겠다고 나서는 사람은 거의 없다. 책임질 일은 하지 않는 것이다. 나는 방북이 불가능했던 여러 영국 기자들의 북한 입국을 실현시켜 주었는데 다미르 사골이 마지막이었다.

2018년을 핵 보유 위한 평화환경 조성 시기로 설정

김정일 시대에도 감행하지 못했던 노동당 7차 대회는 36년 만에 열린 당대회라는 의미도 있지만 북한의 '위험한 핵 질주'가 가속화되는 기점이기도 했다. 이 대회에서 북한은 핵보유국임을 재천명하면서 2013년 3월 김정은이 제시한 핵·경제병진노선의 항구화를 선언했다. 또한 김정은을 당위원장으로 '추대'하고 당내 기구와 인사를 개편했다.

당대회 후 모든 단위에서 후속 회의가 열렸다. 외무성도 예외일 수 없었다. 해외 모든 공관의 대사들이 노동당 7차 대회에 참석하기 위해 입국했고 이들은 평양에서 '제44차 대사 회의'를 진행했다. 이 회의에서는 '당 제7차 대회에서 제시한 국가 핵무력 완성을 위한 외교부문 전사들의 과업'이 토의되었다. 당대회에서 외무상으로 선출된 리용호의 사회로 진행된 회의의 의제는 크게 세 가지였다.

'핵무력 완성 기간을 어떻게 설정할 것인가.'

'대북 제재는 어느 정도까지 심화될 것인가.'

'핵보유국이 되기 위해서는 어떤 노정을 거쳐야 하는가.'

회의에서 대사들은 대북 제재가 장기화되면 북한 경제가 입을 피해가 막대할 것이므로 단기간에 핵무력을 완성해야 한다는 데 의견을 모았다. 그 적절한 시기는 2016년 하반기부터 2017년 말까지로 보았다. 근거는 이렇게 제시했다.

"2016년 말에 미국 대선이 진행된다. 미국의 새 행정부가 모든 정책 라인의 인선 작업을 마무리하려면 2017년 중순까지 갈 것이다. 그리고 이 해 하반기에는 남조선이 대선 국면에 진입한다. 남조선의 새 정부가 출범하는 2018년 초까지는 한국과 미국의 정책 협의가 용이하지 않다. 결국 2016년 말부터 2017년 말까지는 남조선과 미국의 정치적 공백 기간이라고 볼 수 있다. 그때까지 미국은 조선에 대한 군사적인 공격을 가할 수 없을 것이다."

대북 제재는 지금까지 참아왔고 당분간은 참을 수도 있는 문제였다. 심화된다고 하더라도 북한 입장에서 크게 두려워할 카드는 없었다. 남은 것은 어떤 노정을 거쳐 핵보유국이 되느냐는 문제였는데 대사들은 인도와 파키스탄 모델을 북한에 창조적으로 적용하자는 결론을 도출했다.

"남조선의 새로운 정부가 출범하는 2018년 초부터는 조선도 핵보유국의 지위를 공고화하는 평화적 환경조성에 들어가야 한다. 이때는 조선도 인도와 파키스탄처럼 핵실험 동결을 선언하고 장기적으로 남조선과 미국에 북한의 핵에 대한 '면역력'을 조성해야 한다."

인도와 파키스탄은 단기간에 핵실험을 연이어 실시한 후, 다급히 핵실험 중지를 선언한 바 있다. 미국, 러시아 등 5개 핵보유국은 처음엔 인도와 파키스탄의 핵 보유를 인정할 수 없다고 했지만 2001년 9·11테러가 일어나면서 상황이 급변했다. 아프가니스탄에서 반테러 전쟁을 치르게 된 미국은 파키스탄과 인도의 협력을 필요로 했고 두 나라는 이러한 환경을 이용해 자연스럽게 핵보유국이 되었다.

하지만 대사들의 결론은 실패한 예측에 근거를 둔 것이었다. 당대회가 열린 2016년 5월 북한은 이 해 미국 대선에서 민주당 후보가 당선될 것으로 전망했고, 이듬해 2017년 한국 대선에서는 진보세력이 집권할 것으로 예상했다. 2016년 9월 북한의 5차 핵실험은 그런 예측에 따라 진행된 것이었다.

그러나 북한의 예상은 빗나갔다. 미국 대선에서는 공화당 트럼프 후보가 승리했고, 한국에서는 '최순실 국정농단 사건'이 일어나 보수정권이 9개월이나 앞서 물러나고 2017년 5월 문재인 정부가 들어섰다. 2017년까지 국가 핵무력 건설을 완성하겠다던 북한은 더욱 속도를 낼 수밖에 없었다. 이해 북한이 6차 핵실험을 단행하고 두 차례의 ICBM 발사를 통해 미국 본토 타격능력을 보유했다고 선언한 것은 이 때문이다.

2016년 12월 나는 한국에서 공식 활동을 시작하면서 통일부 출입 기자단과 회견을 가졌다. 이때 나는 북한의 핵 개발 완성 계획을 공개하고 이를 '핵질주 계획'이라고 표현한 바 있다. 2017년에 감행한 북한의 핵실험과 ICBM 발사는 나로서도 충분히 예상하고 있던 일이었다. 이 계획에 따르면 2018년은 북한이 핵보유국임을 기정 사실화하기 위한 평화적 환경조성의 시기다. 평창동계올림픽을 전후해 북한이 적극적인 화해 제스처를 보이는 것은 이런 측면으로 이해할 수 있다. 북한이 다른 것은 몰라도 핵 문제만큼은 결사적으로 매달리고 있다는 사실을 더 많은 사람들이 절감했으면 좋겠다.

영국서 바라본 북한은 숙청과 처형의 나라, 수치와 분노 일어

한국으로 망명하기 몇 달 전인 2016년 3월 평양에서 한 장의 전보가 당 비서인 내 앞으로 날아왔다.

"반당반혁명종파분자인 장성택 일당의 여독 청산 사업의 일환으로 평양시 대성구역에 조성했던 평양민속공원을 철거한다. 모든 출판물에서 민속공원과 관련된 사진을 없애버리고 이와 관련해 영국인에게 배포한 대외 선전 출판물도 회수해 소각하라."

어이가 없어 말문이 막혔다. 장성택이 건설을 주도했던 평양민속공원은 몇 년 동안 평양 시민과 군인들이 동원되어 조성한 것이었다. 건설비는 수억 달러에 달했다. 서울의 경복궁, 창덕궁 등에 외국인 관광객이 몰리는 것을 부러워했던 북한은 평양민속공원을 지어놓고 조선의 민속 문화를 체험할 수 있는 명소가 생겼다며 국내외에 대대적인 홍보를 했다. 이때 영국 주재 북한대사관에서도 평양민속공원 홍보물을 많이 배포했다. 결혼식 날 신혼부부와 친구들이 평양민속공원을 찾는 것은 필수 코스였다. 이런 명소를 준공한 지 3

년 만에 해체한 이유는 단 한 가지였다.

"민속공원을 보면 장성택이 생각난다."

김정은의 말 한마디에 축구장 10개보다 넓은 민속공원이 철거된다는 것은 고대 로마의 폭군 네로 황제 때나 있을 법한 일이다. 구글어스를 통해 평양민속공원 자리를 찾아보면 완전히 폐허가 된 모습이다. 증오를 품어왔던 고모부를 처형하고 수만 명을 잔인하게 숙청하고서도 김정은은 만족을 못 했던 모양이다. 평양민속공원 철거는 김정은의 '뒤끝' 있는 성질을 여실히 보여주었다.

전체적으로 돌이켜보면 영국 주재 북한대사관 공사 생활은 회한의 나날이었다. 런던에 온 지 몇 달 만에 은하수악단이 처형되더니 또 몇 달 후에 경악할 만한 장성택 숙청이 이뤄졌다. 마음은 만신창이가 됐다. 이런 정권 아래서 일한다는 것이 수치스러웠다. 동시에 분노가 치밀었다. 또한 정을 나눴던 선후배 동료들이 처형되거나 수용소로 끌려가는 것을 보면서 가슴이 아리기도 했다.

영국에서 공사로 근무하는 동안 북한과 영국의 관계가 그다지 좋지 않았다. 다만 한 가지 진전은 있었다. 호상 비상주 무관을 교환한 일이다. 무관 교환은 영국이 먼저 제안했다. 영국은 양국이 외교관계를 설정한 지 10년이 지났으므로 이제는 무관을 서로 교환할 때가 됐다면서 북한의 의사를 타진했다. 베이징 주재 영국 무관을 평양 주재 비상주 겸임 무관으로 파견하겠다는 방법론을 제시했다.

북한으로서는 좀 난감한 문제였다. 영국은 매년 3월 실시되는 한미 '키 리졸브' 합동군사훈련에 주한 유엔사령부 상주 장교나 소부대 군사인원을 참가시키고 있었다. 이때마다 나는 영국 국방성을 찾아가 한미 합동군사훈련에 영국이 참가하지 말 것을 요구한다. 그러면 의례적인 답변이 돌아온다.

"영국은 한국뿐만 아니라 다른 동맹국과도 군사훈련을 진행한다. 영국이 한미 합동군사훈련에 참가하는 것은 북한에 대한 적대행위가 아니다. '키 리졸브' 훈련은 매년 실시되는 방어훈련이다. 모든 국가가 군사훈련을 진행하지만 한미 합동훈련의 수준은 매우 높다. 영국군도 이 훈련에 참가해 많이 배우고 있다. 군사강국이며 미국과 특수 관계에 있는 영국조차도 미군과 그런 훈련을 진행하지 못하고 있는 마당에 '키 리졸브' 훈련 참가를 포기할 수는 없다."

북한 군부는 한미 합동훈련이 진행될 때마다 어쩔 수 없이 대응훈련을 해야 한다. 그럴 때마다 감당하기 힘든 엄청난 전쟁 준비 물자가 소모된다. 한미 합동훈련은 그 존재만으로도 북한의 전력을 약화시키는 요인이 되는 것이다. 북한 군부는 이같은 어려움을 토로하면서 틈만 나면 외무성에 합동훈련을 중지시켜 달라고 요청하곤 했다.

해마다 되풀이 되는 일이지만 영국의 '키 리졸브' 훈련 참가 문제가 북한에 껄끄러운 것은 사실이었다. 따라서 영국 무관을 받아들인다는 것은 북한이 이런 상황을 묵인하는 것으로 보일 수 있었다. 그러나 북한군의 견지에서 보면 외국 군대와 교류를 강화하는 것은 군의 위상을 높일 수 있는 좋은 기회였다. 영국으로부터 군의관 양성과 같은 협력을 이끌어낼 수도 있었다. 북한은 결국 무관 교환에 동의했다. 2015년 8월 북한과 영국은 무관 교환에 서명하고 모스크바 주재 북한 무관이 영국을, 베이징 주재 영국 무관이 북한을 겸임하는 것으로 합의했다.

한미 훈련 때면 갱도에 들어가 고통받는 북한군

나는 한미 합동군사훈련에 대한 북한의 대응훈련이 얼마나 감당하기 어려운 일인지 진작부터 알고 있었다. 이런 경험을 했기 때문이다.

김정일이 유럽에서 핵전쟁 준비가 가장 잘 돼 있는 스웨덴에 가서 터널 공법을 배워오라고 한 적이 있다. 1997년 10명으로 구성된 북한군 갱도(터널)전문가 대표단이 스웨덴을 방문했다. 대표단과 함께 핵전쟁 준비용 터널을 돌아보면서 놀랐다.

전쟁 위협이 거의 없는 스웨덴에는 전 국민이 대피할 수 있는 터널(지하 대피소)이 갖춰져 있었다. 터널 안에는 식량과 의약품은 물론 학교, 병원, 탁아소 등 후생시설까지 구비돼 있었다. 배풍(환풍) 장치가 얼마나 잘 되어 있는지 습기가 전혀 없었다. 며칠 동안 스웨덴의 터널을 돌아본 대표단의 기색은 매우 어두워졌다. 그들의 이야기다.

"조선과 스웨덴의 전쟁용 터널 건설 방식이 완전히 달랐다. 조선은 터널 입구부터 중심까지 통로가 직선이다. 그래야 수많은 피란민이 한꺼번에 몰려들어도 혼란에 빠지거나 압사하지 않는다고 믿었던 것이다. 하지만 스웨덴 터널은 입구에서 조금만 들어가면 90도로 꺾어지고 이런 식으로 중심까지 지그재그 식으로 연결된다. 핵전쟁이 일어나면 핵 폭풍의 피해가 가장 극심하다. 이 피해를 최소화하려면 터널 통로를 지그재그 식으로 만들어 폭풍의 압력을 줄이는 것이 맞다."

간단한 차이인 것 같았지만 북한 전문가들이 받은 충격은 컸다. 6·25전쟁 때 미군 폭격에 피해가 엄청났던 북한은 전후 당의 전국 요새화 방침에 따라 수많은 터널을 건설했다. 핵심 군수공업과 주요 장비, 군의 지휘시설과 통신시설 등을 터널 속에 몰아넣었다. 대표단이 귀국한 후 북한은 스웨덴 방식으로 터널 건설 공법을 변경했다.

그런데 문제는 다른 측면에서 발생했다. 전시 상황에서는 터널 전술이 여러모로 유효하다. 하지만 북한의 경제적 수준이나 에너지 사정으로는 터널을 정상적으로 유지하기가 어려웠다. 정전이 되면 환풍기가 돌아가지 않아 통신장비 등 주요 시설에 녹이 슬었고 병사들은 여러 가지 질병에 시달렸다. 준전시 상태가 선포되거나 한국과 미국이 합동군사연습을 하게 되면 인민군 대부분이 터널 생활을 해야 한다. 그 부담과 고통이 대단히 크다.

북한군 관계자는 터널의 환풍 시설을 가동하지 못하면 장기적으로 모든 장비들이 녹이 슬 것이라고 걱정하곤 했다. 대놓고 말은 하지 않았지만 북한군의 터널에 의지한 전술에 심각한 문제가 있다는 것은 명백했다. 그때부터 20여 년이 흐른 지금도 북한의 에너지 상황은 그다지 호전되지 않았다. 그 세월 동안 북한군 장비가 얼마나 녹이 슬었을지 익히 짐작할 수 있다.

맏이 영국 데려올 기회 생겨, 망명의 조건 마련

영국 생활 가운데 가장 기뻤던 순간이 있다. 2014년 2월경 만

이를 영국으로 데려올 수 있는 뜻밖의 기회가 생겼다. 나는 하늘이 준 기회라고 여겼다.

김정은이 현지지도를 하면서 북한 사회에 제일 부족하다고 생각한 것은 자신의 구상을 실현할 고급 인력이 없다는 점이었다. 측근 간부들은 대부분 70, 80대 고령이었다. 김정은의 말을 이해하지 못했다. 60대 간부들도 세상 형편에 어두웠다. 자신의 요구를 들어주지 못했다. 화가 난 김정은은 외국에 학생들을 많이 내보내라고 지시했다. 그러나 그저 유학을 보내라고만 했지 자금은 해결해 주지 않았다.

교육성은 해외 대사관에 조국에 자금이 없으니 학생들을 명문대학에서 공부시킬 수 있게 현지에서 장학금을 따내라고 매일같이 독촉했다. 나도 영국의 여러 단체나 대학들과 교섭해 보았지만 씨도 먹히지 않았다. 장학금을 타내려면 우선 대상 학생이 선정되어야 하고 그 학생이 어느 대학, 어느 학부에 진학하는지가 결정되어야 한다.

북한 학생이 영국 대학에 진학하려면 입학원서와 영어실력 평가인 IELTS(International English Language Testing System) 성적을 인터넷으로 제출해야 한다. 인터넷도 없고 더욱이 영국 시험센터도 없는 북한에서 여간 어려운 일이 아니다. 또한 결핵이 없다는 건강검진서를 함께 제출해야 하는데 영국은 북한 병원의 문서를 인정하지 않는다. 북한에서 제일 가까운 건강검진센터는 베이징에 있다. 해외여행의 자유가 없는 북한의 실정상 건강검진을 받기 위해 베이징까지 가는 것은 거의 불가능했다. 설사 이같은 과정을 치러냈다 해도 인터넷 화상 통화를 통한 면접을 볼 수 없다.

북한 당국이 2013년 말까지 2년 동안 학생들의 유학을 시도해 봤지만 특별한 방법이 없었다. 이때 누가 김정은에게 건의했던 모양이다. 해외에 상주하고 있는 외교관 성원의 자녀를 해당 국가의 대학에 보내면 가능하다는 것이었다.

2014년 1월 김정은은 두 명이든, 세 명이든 상관하지 말고 외교관의 대학생 자녀를 유학 보내 인재를 키우라는 지시를 내렸다. 외교관들은 열광적으로 환영하고 호응했다. 나도 너무 기뻤다.

이 조치에 따라 나는 이 해 3월 평양에 들어가 맏이를 런던에 데려올 수 있었다. 한국으로 망명하기 위한 최소한의 조건이 마련된 것이다.

"수령의 신변안전과 관련되는 특별사항이다. 대사는 물론 당신의 가족에게도 이 사실을 알려서는 안 된다. 5월 20일과 21일 런던 로열앨버트 홀에서 에릭 클랩튼 공연이 열린다. 가장 좋은 좌석으로 총 6장의 티켓을 예매하라." 3층 서기실로부터 직접 내려온 지시였다. 북한에서 에릭 클랩튼의 공연을 보러 영국에 올 사람은 김정철밖에 없었다. 이때 내가 경험했던 백두혈통, 김정철과의 61시간이야말로 북한 체제의 단면을 여지없지 보여주는 에피소드이다. 왼쪽이 김정철, 오른쪽이 저자 태영호.(BBC방송 화면 캡쳐)

김정일의 집무실이 있는 당중앙 청사 내에 3층 서기실이 있다. 어느 건물 3층에 있다는 의미가 아니라 3층 규모 건물 전체를 쓰고 있어 유래된 이름이다. 북한 주민들도 잘 모르는 건물이다. 3층 서기실은 중앙당 일꾼들도 마음대로 접근할 수 없는 완전한 금지구역이다. 김정은은 2018년 3월 5일 한국 대통령 특별사절단을 여기서 맞이했다. 이때 북한 언론들은 처음으로 이 청사를 조선노동당 본관이라고 소개했다.

2014년부터 북한 핵위기가 고조되어 세계 언론은 물론 영화사들까지 주목하게 되었다. 사진은 2014년 6월 미국 컬럼비아영화사가 제작한 김정은 풍자 영화 〈디 인터뷰(The interview)〉의 포스터. 이 해 8월에는 영국의 채널4가 북핵 문제를 다룬 드라마 〈오퍼짓 넘버(Opposite Number)〉를 제작한다는 보도도 나왔다.

2부
노예 해방을 위하여

7장

소년 유학생

소년 유학생으로 선발되다

내가 열네 살 때이던 1976년 1월 뜻하지 않은 행운이 찾아왔다. 내가 다니던 평양외국어학원에 몇 달 전부터 중앙당 간부들이 내려와 영어·프랑스어·아랍어 학부 2, 3학년 학생들을 대상으로 학적부를 살펴보고 시험을 치르게 했다. 병원으로 데리고 가 신체검사도 시켰다. 자주 있는 일은 아니지만 당시 중앙당은 그런 방식으로 대남공작부서 요원을 선발하곤 했다. 학생들 사이에서 대남공작원으로 뽑혀갈지도 모른다는 소문이 돌았다.

아버지에게 그 이야기를 했더니 약간 긴장하는 표정이었다. 대남공작원으로 선발된다는 것은 죽으러 가는 길로 여기던 분위기였다. 그렇다고 당의 명령을 거부할 수는 없었다. 혁명을 위해 한 목숨 바치러 가는 것이라고 영광스럽게까지 생각하던 사람도 없지 않았다.

그런데 신체검사를 받은 학생 대부분이 간부집 자녀였다. 간부들이 설마 자기 자식들을 사지로 보내겠느냐는 생각이 들어 약간 안심하고 있었다. 하루는 담임선생이 나를 조용히 불렀다. 저녁에 긴급 학부형회의가 있으니 아버지에게 참석해 달라는 말을 전하라고 했다. 아버지에게 전화를 걸었다. 아버지는 "학교에서 뭐 잘못한 것이 있느냐"고 물었다. 없다고 대답하고 집에 돌아와 학교에 간 아버지를 기다리는데 애가 좀 탔다.

밤늦게 귀가한 아버지에게 어머니는 무슨 일이 있느냐고 물었다. 그때서야 아버지는 집에 경사가 났으니 술상부터 차리라고 했다. 중앙당 간부는 학부형들에게 이런 말을 했다고 한다.

"여기 모인 학부형들의 자녀들이 당중앙의 배려로 시리아와 중국으로 유학을 가게 됐다. 1월 하순에 출발할 예정이니 이제부터 아이들을 외국에 보낼 준비를 해야 한다. 양복부터 시작해 일체의 준비를 당이 담당하니 여러분들은 아이들의 사상적 준비만 잘하면 된다."

아버지의 말로는 간부집에서는 모두 부인들만 참석했고 '평민가정'은 아버지들만 참가했다고 한다.

이튿날부터 소년 유학생에 선발된 학생들은 남포혁명학원으로 내려가 몇 주 동안 사상교육을 받았다. 김영남 상임위원장의 아들 김동호, 김일성의 책임서기 최영림의 딸 최선희, 허담 외교부장의 딸 허영희 등이 이때 선발된 고위 간부집 자녀였고, 간부부 부부장의 딸 이영숙, 중앙당 과학교육부 과장의 아들 전재광 등 중앙당

중견급 간부 자녀들도 포함됐다.

유력한 집안의 자제도 아닌 내가 어떻게 선발됐는지 나도 신기했다. 훗날 외무성에 입직한 후 나는 그 궁금증을 참지 못해 김정일의 《대외활동 부문 말씀집》을 열어본 적이 있다. 이 책은 외무성 서고에 극비 보관 중이었다. 경위는 대략 다음과 같았다.

시리아 대통령이 군사지원 대가로 유학생 초청

1974년 10월 시리아 대통령 하페즈 알아사드가 북한을 방문해 김일성에게 군사원조를 요청했다. 1970년대 제3세계의 지도자로 부상하며 자주적인 대외정책을 표방하던 김일성은 그의 요청을 다 들어주겠다고 약속했다. 시리아를 중동에서 북한의 든든한 지지 세력으로 만들겠다는 계산이었다. 알아사드는 화답의 차원으로 "시리아가 북한에 줄 수 있는 것은 별로 없다. 그러나 북한에 아랍어 전문가들이 필요할 수 있으니 학생들을 보내면 잘 교육시켜 돌려보내겠다"고 했다.

알아사드가 떠난 뒤, 김일성은 김정일에게 지시했다.

"내 경험에 의하면 외국어는 어릴 때 배워야 한다. 나도 중국어와 러시아어를 젊었을 때 배웠더니 아직도 머리에 남아 있다. 그렇다고 아이들만 보낼 수도 없으니 중학생과 대학생을 적절히 섞어 보내라."

김정일은 이 기회에 자신이 후계자가 되는 데 공을 세운 측근들에게 선심을 베풀기로 했다. 당시 당 국제비서였던 김영남과 외교부장 허담은 1974년 2월 당중앙위원회 전원회의에서 김정일이 공식 후계자로 선출되는 데 막후에서 모든 준비를 했다. 김정일은 두 사람에게 자녀들이 어느 학교 몇 학년이냐고 물었다. 외국어학원 영어학부에 다니던 김영남의 아들과 허담의 딸이 소년 유학생에 뽑히게 되는 순간이다.

김정일은 아랍어를 배울 학생과 함께 영어는 물론 프랑스어 전공자까지 선발하라고 지시했다. 챙겨줄 간부들이 더 있었던 것이다. 영어·프랑스어 대상 선발 학생은 중국에 보낼 심산이었다. 달리 보낼 데가 없었던 까닭이다. 김정일은 이어 "간부집 자녀들만 유학가면 나쁜 여론이 돌 수 있으니 평민 자녀들도 적당히 넣는 것이 좋겠다"고 덧붙였다. 김일성에게 이런 계획이 문건으로 보고됐다. 김일성에게 올라가는 모든 보고를 담당하던 책임서기 최영림이 이 사실을 알게 되었다. 그의 딸 최선희가 소년 유학생에 뽑힌 배경이다.

외국어학원 프랑스어학부에 다니던 간부집 자녀들도 선발됐다. 당시 중앙당 조직지도부 부부장 딸 안경애, 중앙당 재정경리부 부부장 딸 최화선 등이다. 이들은 현재 북한에서 비선실세로 활약하고 있다.

대사관 직원 가족으로 위장해 중국 유학

결국 나는 공부를 좀 잘한 덕에 간부집 자녀 사이에 끼어 소년 유학생에 선발됐다. 함흥, 청진, 신의주에서 뽑힌 학생들도 합류해 우리 조는 총 24명이었다. 나중에 당시 중국 주재 북한대사였던 현준

극의 아들 현용일과 공사의 아들 서금철이 현지에서 추가로 편입됐다.

아랍어학부에 선발된 학생들은 시리아로 가고, 영어와 프랑스어를 배울 학생들은 중국으로 향했다. 프룬제아카데미 사건으로 곤욕을 치른 최광수와 엄철호는 이때 시리아로 떠났다. 앞에서 언급했던 두 사람과는 외무성에서 함께 일한 동료 사이다.

1976년 1월 21일 우리 조는 기차로 평양을 출발해 압록강을 건넜다. 동급생들과 나는 만14세에 접어들던 해였으므로 한국으로 치면 중학교 2학년 나이었다. 보호자가 필요했다. 자녀를 보낸 간부들의 영향력이 행사됐을 듯하다. 당에서 평양외국어학원 영어 교원 최광배 선생 부부, 창광산호텔 요리사 부부, 사회안전부 운전사 부부를 우리 조에 배속시켰다. 명목상 이들은 대사관 직원으로 편입됐다.

우리는 대사관에 도착해 여장을 풀었다. 어쩌다가 나는 소년 유학생의 조직책임자인 반장으로 뽑혔다. 간부집 자녀들도 많았는데 대사관 측이 나를 반장으로 지명한 이유는 지금도 잘 모르겠다. 나는 중국학교 측과의 교섭, 동료들의 활동을 지도하는 역할 같은 것을 수행하게 되었다. 중국에 온 지 한 달이 다 되도록 학교에는 가지 못했다. 무슨 영문인지 알 수 없었다. 얼마 후 학생 한 명당 후견인을 붙여주었다. 누구는 삼촌, 혹은 큰아버지 또는 고모부, 이모부 등으로 말을 맞추는 훈련을 시켰다. 내게는 대사관 참사 서재필이라는 분이 '이모부'로 선정됐다.

북한은 중국 측에 소년 유학생을 보낸다고 통보하지 못했다. 중국 유학은 애초부터 김정일의 측근을 챙겨주기 위해 급조된 것이었다. 그 부작용이었다. 양국의 문화교류협정에 의해 이미 중국에는 북한 대학생 수십 명이 공부하고 있었다. 이 부담을 중국 측이 떠맡고 있었기 때문에 중국과의 협정에 포함돼 있지 않은 중학생을 또 보내겠다는 통보를 차마 할 수 없었다. 중국 측이 받아줄 리도 만무했다.

북한은 북한식 빨치산 전법을 구사했다. 무작정 들이미는 식이었다. 일단 학생들을 보내놓고 외교관의 자녀 혹은 친척이라고 우기기로 했다. 태씨라는 희성을 지닌 내게 '이모부'가 후견인으로 선정된 연유다.

우리는 외교관 자녀들이 중국어를 공부하는 베이징 55중학교에 들어갔다. 영어와 프랑스어를 배우기 위해 유학을 왔는데 정작 공부는 중국어학교에서 하는 촌극이 빚어졌다. 북한에서 공부하는 것보다 나을 게 없었다.

중국 학생들 모택동 비판에 충격 받아

베이징 55중학교에서 모택동 사망을 겪었다. 그날은 1976년 9월 9일이었다. 날짜를 잊을 수 없는 것은 이날이 북한의 공화국 창립절(건국절)이기 때문이다. 중국은 매년 이날이 오면 인민대회당에 북한대사관 직원과 유학생들을 초청해 오찬연회를 열어준다.

그날 대사관 직원들은 뭔가 분위기가 이상하다고 수군거렸다. 중국 측 간부들은 대부분 나오지 않았다. 실무자들이 음식을 내오면서 "오늘은 조선 동지들끼리 마음껏 먹고 마시고 돌아가시라"고 한 것이 전부였다. 모두들 범상치 않은 일이 일어났다고 생각하고 대충 일어났다. 음식이 들어갈 리 없었다. 중국 측에 문의해 보니 곧 알게 될 것이라며 대답을 피했다. 표정이 심각했다.

대사관으로 돌아왔다. 모택동 사망 소식은 저녁 무렵에야 보도되기 시작했다. 온 거리가 울음판이었다. 길거리와 학교에서 목메어 울던 중국인들의 모습이 눈에 선하다. 55중학교는 며칠 동안 수업을 중단하고 매일 추도식만 열었다. 몇 시간씩 서서 추도연설을 듣다가 쓰러져 실려 나가는 아이들이 많았다.

하지만 모택동 사망 직후부터 중국 정세는 심상치 않게 돌아갔다. 권력 투쟁이 일어나면서 '4인방'이 제거됐고, 지방으로 좌천됐던 등소평(鄧小平·덩샤오핑)이 베이징에 올라왔다. 몇 달 전까지만 해도 모택동 이야기만 나오면 눈물부터 흘리던 학급 동료들이 "모택동 동지는 공도 있고 과도 있다"는 말을 서슴없이 하기 시작했다. 언론에는 모택동의 공과 과가 7대3이라는 '7·3' 주장까지 나왔다. 북한 소년 유학생들에게는 크나큰 충격이었다.

우리는 55중학교를 2년 이상 다녔다. 영어 실력은 큰 진전이 없었고, 학부형회의를 하면 가짜 부모와 이모, 고모들이 참석해 연기를 했다. 북한의 '연극'은 한계점에 도달했다. 오래 전부터 김영남과 허담은 아이들이 제대로 영어를 배울 수 있게 북한대사관이 대책을 취하라고 독촉하고 있었다. 그러던 차에 중국 주재 북한대사가 현준극에서 전명수로 교체됐다. 1977년 3월경 외교부 부부장으로 재직하다가 대사로 부임하게 된 전명수는 허담으로부터 관련 대책을 취하라는 직접 지시를 받고 베이징에 도착했다.

당시 중국도 외국어 전문가 양성체계가 북한과 비슷했다. 베이징외국어대학 산하에 부속중학교를 두고 중등 교육단계에서부터 외국어를 가르치는 방식이었다. 부속중학교 졸업생이 거의 베이징외국어대학에 진학하는 점도 북한과 다를 바가 없었다.

전명수라고 해서 뾰족한 수가 있는 것은 아니었다. 해결책 없이 시간만 보내던 그는 문제를 정면 돌파하기로 했다. 중국 외교부장 황하를 북한대사관 연회에 초청했다. 적당히 취기가 오른 후 전명수는 "허담 외교부장이 황하 외교부장에게 개인적으로 전하는 부탁을 말씀 드리겠다"고 하고 연회장 밖에 대기시켜 놓았던 허영희를 들어오라고 했다.

전명수가 "이 아이가 허담 외교부장의 딸"이라고 소개하자 황하는 깜짝 놀라면서 "어떻게 베이징에 와 있느냐"며 물었다. 전명수가 사연을 이야기했다.

"우리 조선도 외국어 전문가를 영재 단계에서부터 양성하려고 한다. 하지만 어디 보낼 데가 없다. 우리가 아이들을 보내 공부시킬 수 있는 유일한 나라가 중국인데 중국 동지들이 소년 유학생을 받을 것 같지 않았다. 할 수 없이 대사관 자녀들로 위장시켜 베이징 55중에 입학시켰지만 영어 교육이 잘 되지 않는다. 황하 외교부장 동지께서 베이징외국어대학 부속중학교에서 이 아이들이 공부할 수 있도록 조치를 취해 주면 감사하겠다."

중국 외교부는 베이징외국어대학과 부속중학교에 대한 행정권을 쥐고 있었다. 허담의 딸까지 왔다는데 황하는 차마 거절할 수 없었다. 황하의 지시로 우리는 1978년 4월부터 베이징 55중학교에서 베이징외국어대학 부속중학교 영어과로 전학했다. 중국에 간 지 2년 3개월 만이었다.

김일성과 기념사진을 찍다

베이징외국어대학 부속중학교로 전학한 그 달, 김일성이 중국을 비공식 방문했다. 무슨 일로 방문했는지 구체적인 내막은 알 수 없었다. 사전 조짐은 있었다. 수십 명의 선발대가 북한대사관에 도착했다. 어른도 아이도 매일같이 청소를 해야 했다. 우리는 대사관 기숙사를 비롯해 청사 구내를 쓸고 닦았다. 대사관의 모든 성원과 유학생이 참여하는 공연을 준비했고, 김일성이 대사관에 입장할 때를 대비해 '만세 리허설'까지 했다. 하루 이틀이 아니었다. 저녁마다 대사관 창문을 다 닫아놓고 '만세' 훈련을 하고 공연 연습을 했다. 창문을 닫은 것은 비공식 방중이었으므로 기밀을 유지하기 위해서다.

김일성은 다른 나라를 공식 방문할 때 북한대사관에 들러 기념사진을 찍곤 했다. 이번에는 비공식 방문이어서 대사관을 방문하지 않을 가능성도 컸다. 그렇다고 대비를 안 할 수도 없는 일이어서 대사관은 나름대로 최선의 영접을 준비한 것이다. 하지만 이 모든 노력은 수포로 돌아갔다.

대사관 측의 예측대로 비공식 방문 중인 김일성이 자국 공관을 방문하기는 어려웠다. 김일성이 머물고 있던 베이징 조어대국빈관으로 오라는 지시가 내려왔다. 국빈관에 가니 이미 중국 측이 사진 촬영대를 준비해 놓고 있었다. 촬영대 위에서 한참을 기다렸다. 이윽고 정원 쪽에서 김일성과 수행원들이 걸어오는 모습이 보였다.

선전 영화에서나 봤던 김일성의 모습이 점점 눈앞에 다가오니 꿈인지 생시인지 알 수 없었다. 너나할 것 없이 목청껏 만세를 외쳤다. 김일성은 촬영대 가까이에 다가와 손을 흔들었다. 5m 정도의 거리를 두고 난생 처음으로 김일성을 봤다. 김일성이 대사에게 "유학생들이냐"고 물어보는 소리까지 다 들렸다. 대사는 "유학생도 있고 대사관 자녀들도 있다"고 했고, 김일성이 "공부를 잘 시키라"고 하면서 촬영대 중앙에 앉았다. 지시에 따라 만세를 멈추고 기념촬영을 했다.

촬영이 끝나자마자 다시 만세소리가 울려 퍼졌다. 김일성은 손을 흔들며 우리에게 또는 대사에게 뭐라고 말했는데 만세 소리가 너무 커서 하나도 들리지 않았다. 잠시 후 김일성은 손을 흔들며 천천히 퇴장했다.

다해봐야 10분도 안 걸렸을 것이다. 김일성이 사라지자 다들 그 자리에 멍하니 서 있었다. 당 비서가 촬영대에서 내려와 다시 버스에 타라고 소리쳤다. 그때서야 정신을 차리고 움직이기 시작했다. 모두들 하느님을 만난 듯한 기분이었다. 그날 밤, 내게 손을 흔들며 다가오던 김일성의 모습이 눈에 아른거려 잠을 잘 수 없었다.

몇 달 후 김일성과 찍은 기념사진이 평양에서 날아와 수여식이 열렸다. 천연색(컬러) 사진이었다. 이전까지 그런 경우는 없었다. 김일성 기념사진은 물론 천연색 사진 자체가 북한에는 없던 시절이었다. 모두들 좋아서 어쩔 줄을 몰라 했다.

북한에서 최고지도자와의 기념사진은 그것만으로도 권력이다. 한 가정이 어느 정도 핵심계층인가를 평가하는 기준이 된다. 집안에 김일성이나 김정일과의 기념사진이 많이 붙어 있으면 목에 힘을 주고 살 수 있다. 핵심계층에 속하지 못한다고 비관에 빠져 있는 주민도 어쩌다 최고지도자와 기념사진을 찍으면 자신은 이제 동요계층에서 빠져나왔다고 믿게 된다. 김정은이 '현지지도'를 할 때마다 기념사진을 계속 찍어대는 것도 다 이유가 있는 것이다. 김씨 가문의 사진정치는 북한 사회를 지탱하는 핵심 요소 중의 하나다.

김일성과의 기념사진이 우리 집안의 '면죄부'로 작용한 적도 있다. 북한에는 '숙박 검열'이라는 것이 있다. 평양에는 아무나 들어올 수 없다. 지방에 거주하는 사람들은 반드시 통행증을 받아야 한다. 시골에 사는 부모형제나 친척이 설령 통행증을 받아 평양에 온 뒤에도 마음대로 재울 수 없다. 인민반장을 찾아가 숙박등록을 해야 한다. 재우려는 사람 이름, 통행증 번호, 본인과의 관계 등을 숙박등록부에 기입하고 인민반장의 수표(사인)를 받는다. 이것만으로 끝이 아니어서 그 수표를 들고 동(洞) 분조소를 찾아가 등록대장에 이름을 올려야 비로소 등록이 완료된다. 한국으로 치면 동네 반장에게 사인을 받고 나서 파출소장에게 승인을 받는 식이다.

그날 밤 분조소 안전원은 임의로 인민반을 골라 그 인민반에 속한 모든 집을 검열한다. 미등록자가 숙박하고 있는지를 단속하는 것이다. 이것을 숙박 검열이라고 하는데 보통 새벽 2~3시경에 이뤄진다. 지금은 숙박 검열에 걸리면 돈이나 물건을 쥐어주며 무마시킬 수 있지만 당시는 무조건 비는 수밖에 없었다.

아버지도 숙박 검열에 걸린 적이 있다. 삼촌을 몰래 재우다가 들켰다. 안전원에게 잘못했다고 사정했지만 잘 봐줄 것이라는 기대는 하지 않았다. 그런데 안전원이 집안에 걸린 천연색 기념사진을 보고 아버지에게 물었다.

"이런 사진을 동무가 왜 가지고 있는가. 사진 중에 아는 사람이 있는가."

"중국에 유학 중인 아들이 있다. 수령님이 중국을 방문했을 때 찍었다."

"그런 가정에서 이렇게 숙박등록규정을 어기면 되겠는가."

안전원은 말은 그렇게 했지만 삼촌의 공민증을 돌려주고 조용히 나갔다. 안전원은 처음 본 천연색 사진에 놀라고, 그것이 김일성과의 기념사진이라는 점에 더 놀랐을 듯하다. 그런 사진을 걸고 있는 집안이라면 필경 친척 중에 고위 간부가 있을 것이라고 넘겨짚었을지도 모른다.

아버지가 공사장 현장 기사로 일하다가 자재 낭비 문제로 검찰에 가택수색을 당한 적도 있었다. 검찰 역시 그 사진을 보고 아들이 무엇을 하느냐고 물어보더니 수색을 중지하고 철수했다고 한다.

북한에는 별의별 검열이 많은데 전기 검열이라는 것도 있다. 열악한 전력 사정 때문에 전기를 함부로 써서는 안 된다. 전기 밥가마(밥솥)를 몰래 쓰다가 갑자기 들이닥친 '전기 검열대'에 곤욕을 치르는 일이 종종 일어난다.

모택동 격하운동에 "나쁜 물 든다"며 북한 소환령

중국에 가던 해 모택동이 사망했고 귀국할 무렵에는 박정희 대통령이 서거했다. 북한 유학생들은 대단히 좋아했다.

'이제는 통일이 된다.'

'박정희와 같은 인물은 남조선에서 절대 나오지 못한다.'

북한에서는 김일성이 박정희를 엄청 미워한다고 알려져 있었다. 신문, 라디오, TV에서도 박정희 대통령에 대한 비방과 욕이 연일 흘러나왔다. 그런 지도자가 죽었으니 나도 금방 통일이 되는 줄 알았다.

그때는 몰랐지만 박정희 대통령이 서거할 무렵, 북한에서는 유학생들의 귀국이 논의되고 있었다. 심상찮은 중국 정세 때문이었다. 모택동이 사망한 지 2년 만인 1978년 12월 중국 공산당 전원회의가 개최됐다. 이 회의에서 '당은 문화대혁명의 실패와 폐해를 인정하고 중국을 개혁개방으로 이끈다'는 선언이 채택됐다. 당이 모택동의 과오를 공식화하자 중국 지식인과 언론은 모택동의 문화대혁명을 앞다투어 비판했다.

중국 정세는 김일성과 김정일에게 상당한 충격을 주었다. 당내 파벌 숙청을 통해 정적을 무자비하게 처형한 것은 김일성이 모택동보다 더 하면 더 했지 못하지는 않았다. 김일성은 등소평이 모택동의 공과를 따지는 것을 보며 권력을 다른 사람에게 넘기면 안 되겠다는 결심을 굳히게 된다. 믿을 만한 사람은 아들 김정일밖에 없었다.

김정일 역시 중국의 모택동 격하운동을 보면서 북한 체제의 안정을 염려했다. 중국에 보낸 소년 유학생들이 '나쁜 물'을 먹을 수 있겠다고 생각하고 미리 손을 썼다. 김정일은 중국 측이 신경 쓰지 않게 소년 유학생을 조용히 철수시키라는 지시를 내렸다. 결국 우리는 부속중학교를 졸업하지 못한 채 1980년 2월 귀국 길에 올랐다.

북한에서 평양에 소재한 대학들, 즉 중앙대학에 입학하려면 성분이 기본계층 이상이어야 한다. 당 산하 대학은 문턱이 더 높아 핵심계층만 들어갈 수 있다.

북한의 대학은 두 갈래로 나눠져 있다. 교육위원회가 운영하는 일반 고등교육 기관과 노동당이 관리하는 당 산하 교육기관이 그것이다. 전자는 김일성종합대학, 평양외국어대학, 김책공업대학 등 일반 대학이고, 후자는 김일성고급당학교, 인민경제대학, 국제관계대학, 그리고 각 시(市)에 있는 공산대학이다.

만18세이던 1980년 4월 나는 평양 국제관계대학에 입학했다. 소련과 동구권의 '국제관계대학'을 본떠 만든 4년제 외교관 양성 대학이다. 평양 국제관계대학에서는 국제관계사, 국제법, 대외활동방법, 대외문건 작성법, 세계사, 세계지리, 김일성·김정일의 대외활동 혁명역사 등을 가르쳤다. 외국어별로 반을 갈라 영어, 러시아어, 프랑스어, 스페인어, 중국어, 아랍어도 교육했다. 각 학년 학생 수는 100명 안팎, 학급은 30명 정도였고 학년마다 3개 학급이 있었다.

학생 대부분은 군대에서 10년 정도 복무한 제대군인들이었다. 여기에 중국 소년 유학생 출신 20명과 평양과 지방의 외국어학원에서 올라온 '직통생'이 10여 명 있었다. 지방 학생들이 대다수를 차지하며 기숙사 생활을 했다. 평양에서 대학을 다니는 '자택생'은 학년

별로 30% 수준이었다.

대학 내에 대규모 농장도 있었다. 학생들은 일요일에도 쉬지 못하고 농장에 나가 농사일을 도왔다. 대학은 농장 작업에 참여한 자택생에게 매달 감자 한 배낭 또는 돼지고기 1kg을 지급했다. 나도 물론 작업에 빠지지 않았다. 어머니는 내가 감자나 돼지고기를 받아 올 때마다 "학생에게 부식물을 주는 학교가 어디 있느냐"면서 국제관계대학은 정말 좋은 학교라고 했다.

5·18광주민주화운동 일어나자 "이제 통일 되겠구나"

내가 국제관계대학에 입학하던 해에 한국에서 5·18광주민주화운동이 일어났다. 북한 TV에서 연일 관련 보도를 내보냈다. 총을 든 광주 시민들이 트럭을 타고 시내를 질주하는 장면은 북한 대학생들에게도 충격으로 다가왔다. 박정희 대통령 서거에 이은 충격적인 사건이었다. 그때 우리들은 '야 이제 통일이 되는구나'라고 생각했다.

북한에서는 광주민주화운동을 '광주인민봉기'라고 불렀다. '인민봉기'는 통일전략전술이라는 매우 낯익은 공식에 나오는 용어다. 인민봉기→독재정권 타도→친북정부 수립→북남통일로 이어지는 공식이다. 북한에서 대학에 다녔던 우리들은 '인민봉기'라는 표현 하나에 곧 통일이 될 것이라고 기대했다. 물론 정세 오판이었다.

정세 오판을 한 것은 김일성이나 김정일도 마찬가지였다. 북한

정권은 "남조선의 독재자만 몰아내면 남조선 인민들이 봉기를 일으켜 북남통일을 이룰 수 있을 것"이라고 착각했다. 김일성이 1968년 김신조 등 남파공작원을 투입해 박정희 대통령을 제거하려고 했던 것도 그런 이유에서다.

5·18광주민주화운동 이후에는 김정일이 오판했다. 전두환 대통령만 제거하면 친북정권을 수립할 수 있을 것이라고 믿었다. 1983년 아웅산 테러 사건을 일으킨 것도 그 이유에서다. 그러나 한국은 박정희, 전두환 대통령 같은 지도자가 제거된다고 해서 급변하는 체제가 아니다. 김대중 정부가 출범했을 때 북한이 자기모순에 빠진 것도 통일전략전술의 논리를 맹종해서다.

이 논리에 따르면 김대중 정부는 '친북정권'이다. 북한에 나라를 바치든가 아니면 북한과 손을 잡고 통일을 이뤄야 한다. 그러나 그것이 될 리가 없다. 김대중 정부 출범 후 북한은 기존 통일전략전술을 포기했다. 주사파나 반체제 세력이 민중봉기를 일으켜 친북정권을 수립하는 방식이 불가능하다는 것을 깨닫게 된 것이다.

이전에는 '통일은 이러이러한 방식으로 한다'는 방법론이 있었지만 김대중 정부 출범 후에는 대남 적화통일 전략을 북한 주민에게 선전하지 않는다. '우리민족끼리', '6·15와 10·4 정신', 연방제 통일방안 같은 위장평화공세만 펼친다. 남한 민중은 더 이상 북한이 아우르고 가는 대상이 아니다. 김정일은 핵무기 등 대량살상무기를 통해 남한 민중을 포함한 한국 자체를 쓸어버려야 북한의 영원한 생존이 가능하다는 결론에 이르렀다. 다시 말해 북한의 새로운 통일전략은 핵 그 자체라고 할 수 있다.

'곁가지' 치기 시작, 김성애 시계 사건

광주민주화운동이 일어난 그해, 국제관계대학에서도 상징적인 사건이 발생했다. 이른바 '김성애 시계 사건'이다.

북한은 대학 경비를 학생들이 선다. 그럴 땐 학교에서 숙박을 해야 한다. 나의 2년 선배 가운데 김광섭의 남동생이 있었다. 김광섭은 김일성의 사위다. 김일성과 김성애 사이에서 태어난 김경진과 결혼했다. 김광섭은 현재 오스트리아 북한대사로 있다.

김광섭의 남동생은 이름이 기억나지 않으므로 편의상 ㄱ이라고 한다. ㄱ이 어느 날 학교 경비를 섰다. 다음날 일어났더니 자기 전에 풀어놓았던 금시계가 보이지 않았다. 누군가가 훔쳐간 것이 분명했다. ㄱ은 학급의 반장과 당세포비서를 찾아가 하소연했다.

"간밤에 금시계를 잃어버렸다. 우리 형이 김일성 수령님의 사위인데 결혼식 때 김성애 동지가 나에게 채워준 매우 소중한 시계다. 꼭 찾아 달라."

김일성과 김성애가 등장하자 학급 반장과 당세포비서는 귀가 솔깃했다. 해결만 하면 뭔가 덕을 볼 줄 알았던 모양이다. 학급 친구들을 닦달하는 과정에서 역시 나의 2년 선배인 최광일이 걸려들었다. 당회의를 열어 무조건 "네가 훔쳤지?"라고 다그치면서 최광일이 인정할 때까지 괴롭혔다. 거의 인민재판이었다. 나이든 한 선배가 나서서 최광일의 얼굴을 때리기까지 했다. 그런데 최광일의 부친은 중앙당 조직지도부 과장이었다. 그는 얼굴이 터져 귀가한 아들에게 자초지종을 들었다. 그때부터 일이 커졌다. 북한의 일반 주민들은 몰랐지만 그 무렵 김정일의 유일지도체제가 세워지고 있었다. 김일성의 본처인 김정숙이 낳은 김정일, 김경희는 '본가지'이고 후처 김성애 소생인 김경진, 김평일, 김영일은 '곁가지'였다. 유일지도체제를 확립한다는 것은 '곁가지'를 쳐내는 작업이라고 할 수 있었다.

최광일의 부친은 다음날 중앙당에 나가 김성애 시계 찾기 소동을 보고했다. 이것이 김정일의 귀에 들어간 것은 물론이다. 얼마 후 김정일의 측근인 김영남 국제비서가 학교로 달려왔다. 김영남은 학생들을 모아놓고 "시계 찾기 놀음은 여기서 끝내라"며 문제가 된 학급 반장과 당세포비서를 그 자리에서 출당, 퇴학시켰다.

학생들은 어안이 벙벙했다. 김정일 유일지도체제 수립이란 다름 아닌 '곁가지'를 친다는 것을 의미한다는 사실을 몰랐기 때문이다. 그렇다고 김영남이 이에 대해 설명해 줄 수도 없는 일이었다. '김성애 시계 사건'은 김정일이 후계구도를 장악해 가는 과정에서 돌출된 상징적인 사건이었다. '곁가지 중의 곁가지'라고 할 수 있는 ㄱ은 이 소동으로 불이익을 받지는 않았지만 졸업 후 중앙부처에 들어가지 못했다. 김일성 사위의 동생이어서 웬만하면 들여보내 줄 수도 있었을 텐데 김정일은 그만큼 냉혹한 사람이었다.

국제관계대학에서 배운 상대를 제압하는 협상기술

나는 국제관계대학에서 외교협상방법을 배웠다. 지나고 보니 북한 외교가 강한 근본적인 이유가 여기에 있을 수도 있겠다는 생각이 든다. 국제관계대학은 협상 전 육체적 준비, 협상을 성공으로 이끄는 방법, 협상을 깨는 방법, 협상에서 고지를 선점하는 방법 등으로 외교협상방법을 구분해 매우 구체적으로 가르쳤다.

예를 들면 중요한 협상을 나가기 전에는 3일 전부터 특이한 음식을 먹어서는 안 된다고 가르친다. 심지어 물을 많이 마시는 것도 금기 사항이다. 협상 도중 화장실에 가서는 안 되기 때문이다. 한국이나 미국 같은 적대적인 상대방과 회담할 경우 특히 그렇다. 회의석상에서 먼저 일어서는 쪽이 패한 것으로 간주되는 때도 있었다는 것이다.

그러면서 실제 사례까지 알려주었다. 판문점 군사정전위원회 회담 때 북한과 미국 대표 사이에 신경전이 있었다. 서로 먼저 일어서지 않으려고 13시간 동안 아무 말도 없이 앉아 버티다가 끝내 미국 대표가 포기하고 일어섰다고 한다. 아예 진작 일어났어야지 13시간을 참다가 일어나게 되면 상당한 내상을 입었을 것 같다.

회담을 깨버려야 할 필요가 있을 때도 방법이 있다. 상대방의 말꼬리를 물고 늘어져 흥분시켜야 한다. 남북회담 때 실제 있었던 일이다. 회담을 앞두고 한미 팀스피리트 군사훈련이 시작되었다. 북측은 회담을 무산시키기로 작정하고 남측에 책임을 떠넘기기로 했다.

남측 대표는 북측의 속셈을 모르고 회담을 시작하면서 "아침에 회담장으로 오면서 개구리 울음 소리를 들었다. 아직 경칩도 오지 않았는데 개구리가 잠을 깬 것을 보니 예년보다 봄이 일찍 오려나보다. 이번 회담도 잘 될 것 같다"고 인사말을 했다.

북측 단장은 남측의 속을 슬슬 긁는 대답을 했다.

"설마 개구리가 봄이 일찍 와서 땅에서 나왔겠는가. 팀스피리트 훈련에 참가한 탱크 소리에 놀라서 나왔겠지. 팀스피리트 훈련이 얼마나 시끄러웠으면 미물인 개구리까지 봄이 오기 전에 나와 항의를 하겠는가."

회담 시작 전 기자들이 사진을 찍고 있던 중에 벌어진 일이었다. 남측도 가만히 있을 수 없었다. 말싸움으로 시작된 회담은 당연히 결렬되었다.

북측의 입장만을 밝히고 회담을 깨버릴 필요가 있었을 때는 이런 방식을 썼다. 1970년대 남북적십자 회담 과정에서 실제 일어난 일이다. 일반적으로 기자들은 회담장에서 인사말을 주고받을 때만 사진촬영을 하고 본격적인 회담이 시작되면 회담장을 나가게 된다. 북측은 기자들이 사진을 찍을 때 북측의 입장을 밝혀 선전 효과를 극대화하기로 했다.

북측의 김태희 단장은 회담장에 들어서면서 남측의 이범석 단장과 악수하면서 "안녕하십니까"라는 인사 대신 "이범석 단장이 먼저 이야기하십시오"라고 치고 나갔다. 이례적이고 갑작스러운 김태희의 제의에 이범석은 본능적으로 사양하면서 "북측에서 먼저 하세요"라고 했다. 김태희는 자리에 앉으면서 기다렸다는 듯이 "그럼 제가 먼저 발언하겠습니다"하고 이범석의 동의도 받지 않고 주머니에서 원고를 꺼내 읽었다. 당황한 이범석은 "발언 순서도 정하지 않고 이렇게 하는 법이 어디 있느냐"고 항의했지만 김태희는 아무런 대꾸도 하지 않고 원고만 읽어내려 갔다.

대학 2학년 때 야간돌격대 자원해 노동당 입당

대학에서 치사하고 지독한 방법을 가르치는 것 같지만 '총성 없는 전쟁'인 외교 전선에 투입할 전사를 양성하는 기관이라 이해가 되는 측면이 있다. 김정일도 국제관계대학의 교육과정에 상당한 신경을 썼는데 그가 대학에 보내준 책을 보면 그의 관심이 어디에 있었는지 짐작할 수 있다. 주로 외국의 정보기관과 정보요원의 활약상을 그린 서적이었다. 지금도 기억하는 것은 일본에서 활동한 소련 스파이 리하르트 조르게에 대한 책과, 일본군 비밀요원 양성소인 육군 나카노 학교에 대한 책이다.

대학 교원들은 "일본 나카노학교 졸업생들처럼 조국을 위해 목숨을 초개와 같이 바쳐야 한다"고 교육했다. 공산국가이며 반일 감정이라면 세계 최고인 북한이 국제관계대학 학생들에게 일본의 간첩학교 졸업생을 본받으라고 교육하는 것이 상당히 아이러니하다. 어쨌든 나는 나카노학교 졸업생들의 '무훈'으로부터 큰 감명을 받았다.

당 산하 기관이다 보니 국제관계대학에는 일반 대학에 없는 혜택이 하나 있다. 대학 졸업반 때 학업성적이 좋으면 입당을 시켜준다. 당원이 되는 것은 정말 어려운 일이다. 청년들은 군 복무를 해야 입당이 용이하다. 그리고 입당 후 대학에 가거나 사회로 나간다. 나처럼 유학을 갔다가 대학에 진학한 사람들은 사회에 나가 거의 10년은 일해야 입당할 수 있다. 그러면 거의 30대 후반이 된다.

당원이 되지 못하면 승진이 어렵고 당원 회의에도 참여할 수 없다. 같은 또래라도 당원은 진급이 빨라 곧 상급자가 된다. 결국 비당원이면 같은 직장에서 같은 일을 해도 당원보다 하급자가 되고 당원의 말에 복종해야 한다. 자괴감이 들 때가 많다. 어릴 때 나는 아버지가 어렵게 입당하는 모습을 봤다. 자진해서 수년 동안 건설현장을 누비고 나서야 입당이 가능했다. 내가 '반드시 입당을 한 뒤 장가를 가야겠다'고 결심한 이유다.

졸업반이 되기 전까지는 거의 모든 학생들을 입당시키는 것이 국제관계대학의 관례였다. 그런데 내가 졸업 학년을 앞둘 무렵에는 상황이 조금 변했다. 당의 질적 공고화 문제가 제기되면서 입당 조건이 까다로워졌다. 학업성적이 우수한 학생 전부를 입당시키는 것이 아니라 성적과 함께 남보다 특출한 점을 따지게 된 것이다.

더구나 우리 학급의 비당원은 소년 유학생과 '직통생'뿐이었는데 다들 성적이 엇비슷했다. 성적만으로는 누가 당원이 될지 아무도 장담하기 어려웠다. 다른 학생보다 먼저 입당하기 위해서 뭔가 특출한 점이 있어야 했고, 그러자면 뭐라도 해야 했다.

기회는 1982년 초에 찾아왔다. 김일성 탄생 70돌을 맞이하는 해였다. 김정일은 김일성의 생일인 4월 15일 전에 주체사상탑, 김일성경기장, 개선문을 건설하라는 지시문을 하달하고 전 당원과 국민이 이 건설에 참여해 줄 것을 호소했다.

대학 2학년이 끝나가던 무렵이었다. 이 기회를 놓쳐서는 안 되겠다고 생각했다. 북한 특유의 작업동원 방식이 있다. 당이 주요 시설물의 건설 계획을 발표하고 작업 참여를 권유한다. 건설이 완료되면 작업에 참여한 사람들을 무더기로 입당시킨다. 아무런 보수도 주지 않지만 사회적 성분(신분) 상승을 원하는 사람들은 기꺼이 작업에 참여한다. 북한이 대규모 건설 사업을 실시할 때마다 썼던 방법이다.

이때도 북한은 모든 당원, 직장인, 대학생에게 건설에 참여할 것을 호소했다. 겉은 호소지만 실질은 지방 당원을 돌격대로 조직해 건설에 투입하고, 평양시민들을 '야간돌격대'에 입대시켜 작업에 동원한 것이나 마찬가지였다. 입당을 위해선 못 할 것이 없는 사람이 많았다. 당원은 돌격대나 건설대에, 평양 시민은 야간돌격대에 지원했다. 일단 지원하면 저녁 8시부터 12시까지 건설장에서 일해야 했다.

야간돌격대는 군대처럼 연대, 대대, 중대, 소대 단위로 편성한다. 매일 출결을 확인받아야 하며 작업과제도 수행해야 한다. 일한 정형(작업성과)은 해당 직장이나 대학에 통보된다. 나는 야간돌격대에 '입대'해 1982년 1월 초부터 4월까지 김일성경기장 건설 현장에서 근무했다. 방과 후 저녁을 먹고 8시부터 자정까지 일해야 비로소 하루가 끝났다. 수업시간에 조는 때가 많았지만 대학 교원들은 나무라지 않았다. 오히려 나의 입당 의지를 기특하게 여겼다.

이렇게 몇 달 동안 일한 덕분에 나는 1984년 2월 입당사업이 벌어질 때 우리 학급에서 제일 먼저 입당했다. 어릴 때부터 승벽심(호승심)이 강했던 내가 남들보다 먼저 노동당에 입당하고 나니 정말 기분이 좋았다. 훗날 나는 입당을 못 해 거의 10년째 고생하는 외무성 동료들을 많이 접했다. 안쓰럽기도 했지만 내 나이 스무 살 때 야간돌격대에 나가 입당할 수 있는 기초를 쌓았던 지난날을 자랑스럽게 여기기도 했다.

유학 시절 박정희 동경하는 중국 학생들을 보며

1984년 3월 평양국제관계대학을 졸업했다. 다른 졸업생은 외무성, 무역성, 대외문화연락위원회 등 대외 사업기관으로 배치됐지만 소년 유학생 출신은 대기하라는 지시가 떨어졌다. 의아했지만 얼마 후 중앙당 간부가 와서 이유를 설명했다. 그는 소년 유학생 출신을 소집한 자리에서 "친애하는 지도자 김정일 동지의 배려로 동무들은 다시 유학을 가게 됐다"며 각자 유학을 가게 될 국가를 발표했다.

다들 중국으로 다시 가는 줄 알았다. 그런데 일부는 아프리카와 아시아 국가로 배정됐다. 내가 속한 영어 조에서 한동철은 시에라리온(아프리카 서부 대서양 연안에 있는 공화국. 인구 616만 명), 이철석은 자이르(현 콩고), 이호준은 베트남이었다. 한동철은 시에라리온 유학을 마치고 돌아와 대남공작부서에 들어갔다. 나중에 중국에서 한두 번 만났을 뿐 지금도 그의 행방은 알 수 없다. 그를 굳이 이름도 낯선 아프리카 소국에 보내야 했는지도 의심스러운 대목이다. 이호준은 현재 베트남 주재 북한대사관 참사로 있고, 이철석은 얼마 전까지 북한 국가경제개발위원회 부위원장으로 재직했다. 이들은 모두 평민 집안 출신이었다.

나머지는 중국 베이징외국어대학이었다. 우리는 중국으로 향했고 1984년 9월 베이징외국어대학에 입학했다.

5~6년 전에 이 대학 부속중학교에 다녔던 우리에게 베이징외국어대학은 모교와 같았다. 결국 다시 모교로 돌아온 셈이어서 익

숙할 만도 한데 그동안의 변화가 던진 충격에 머리가 혼란스러울 정도였다.

중국은 몰라보게 달라져 있었다. 온통 개혁개방으로 들끓었다. 공산국가 같지 않았다. 극장과 TV에 나오는 영화나 드라마는 전부 미국 아니면 일본에서 만든 것이었다. 대학 강의의 초점은 전부 미국의 현실에 맞춰졌고, 미국인 교수들이 직접 미국식 민주주의와 양당 체계를 가르쳤다. 나로서는 전혀 예견하지 못한 변화였다. 모택동에 대한 학생들의 평가도 완전히 달라져 있었다. 지금은 모택동이 역사적으로 꽤 복권된 상태지만 당시는 그의 과오에 대한 이야기가 더 많이 나올 때였다.

만나는 중국 학생들마다 이런 이야기를 했다.

"한국은 경제적으로 엄청난 기적을 이뤘다. 그런데 지금 북한은 무엇을 하고 있는가. 기존 사회주의 계획경제 이론으로는 공산주의로 갈 수 없다. 중국처럼 사회주의 시장경제 노선으로 경제력을 향상시킨 다음 공산주의로 가야 한다."

그럴 때마다 북한 유학생들은 이렇게 반론했다.

"중국처럼 하다가는 혁명의 전취물(쟁취물)을 잃게 될 수 있다. 지금 중국이 가는 길은 사람들을 돈밖에 모르는 존재로 만드는 것이다. 조선은 끝까지 붉은 기를 지킨다."

중국 학생들은 한국의 박정희 대통령과 싱가포르의 이광요(리콴유)의 국가주도 산업화 경제정책을 대단히 동경했다. 그들의 입에서 박정희와 김일성이 비교될 때마다 은근히 부아가 치밀었다. 학과 토론 시간 때마다 중국 학생들과 자연히 벌어지는 논쟁이 끝나면 북한 유학생들은 저도 모르게 우울한 기분에 빠져 들었다.

현실적으로 중국은 나날이 발전하고 있었지만 북한 경제는 갈수록 침체상태에 빠지고 있었다. 베이징외국어대학 외국인 기숙사에는 북한 유학생이 60명 정도에 불과했다. 미국, 일본, 영국 등 서방에서 온 유학생이 절대 다수였다. 한국 유학생은 전혀 없었다. 베이징언어학원에 소수가 있었을 뿐이다.

저녁이면 기숙사 정원에서 외국 유학생들과 맥주를 마시기도 했다. 처음엔 출신 국가 이야기로 시작됐다가 결론은 항상 '북한은 아무런 자유가 없는 나라'로 귀결됐다. 외국 유학생의 비웃음에 물리적인 싸움도 자주 벌어졌다.

당시 베이징 이외에도 상해, 남경, 천진, 광주 등 중국 주요 도시에 총 400여 명의 북한 유학생들이 있었다. 대부분 영어·프랑스어 학부에서 공부했고, 일부가 캄보디아어, 스리랑카어, 인도네시아어를 배웠다. 이들은 기숙사 내에서도 군대와 같은 생활을 했다. 북한에서부터 몸에 밴 습관이어서가 아니라 마땅히 그래야 한다고 생각했던 것이다. 그렇다고 완전히 자발적인 것도 아니었다. 통제는 있었다. 아침 6시면 전원이 기상해 집단체조와 달리기를 했다. 계절에 관계없었다. 외국 유학생들은 또 다시 비웃었다.

"북한은 아침 기상까지 통제하는 나라냐?"

저녁 10시에는 북한 유학생 전원이 기숙사 열람실에 모여 인원점검을 했다. 도서관에 갔다가도 10시 전에 돌아와 인원점검에 참가해야 했다. 한 명이라도 나타나지 않으면 비상사고였다. 나는 대사관 당위원회 유학생담당 부비서에게 제안한 적이 있다.

"외국 유학생들이 저렇게 놀려대는데 아침 집체기상만은 중지하는 것이 어떻겠느냐. 자체적으로 기상하면 된다. 나라 평판에도 영향을 미치는 문제이니 고려해 달라."

유학생담당 부비서는 "유학생준칙이므로 바꾸기 어렵다"고 했다. 외국 유학생들은 북한 유학생의 생활을 보며 '군사독재'라고 비웃었지만 우리의 하루 생활준칙은 그대로 돌아갔다. 그런데 재미있는 것은 외국인 여학생들이 북한 유학생에게 꽤 호감을 보였다는 사실이다. 특히 북한에 대한 이미지가 매우 좋지 않은 미국과 일본 여학생들이 제일 먼저 북한 남학생에게 접근했다는 점도 흥미롭다.

집단생활하는 북한 유학생들, 경멸과 호기심 대상

매주 일요일 오전, 북한 유학생들이 모여 체육행사를 할 때마다 외국인 여학생들이 몰려들었다. 편을 갈라 축구와 배구를 자주 했는데 여학생들이 구경하며 박수를 치고 환호를 질렀다. 경기가 끝나면 여학생들이 은근하게 말을 걸며 접근해 왔다. 교내에 "북한 유학생들은 전부 숫총각, 숫처녀"라는 소문이 퍼진 것도 호기심을 자극했던 모양이다.

그런 소문이 퍼진 데에는 내게도 일말의 책임이 있는 것 같다. 외국인 학생들과 맥주를 마시다 보면 사적인 대화도 오가게 된다. 몇몇은 섹스 경험에 대해 묻기도 했는데 없는 경험을 있다고 말하기도 우스운 일이다. 없다고 하면 대부분 '거짓말'이라며 믿지 않으려 한다.

나와 친했던 한 프랑스 유학생이 "너 진짜 스물세 살이 넘도록 섹스를 못해 봤느냐"고 물어보기에 "하늘에 대고 맹세한다. 정말 못해 봤다"고 말해 주었다. 하늘에까지 맹세할 일은 아니었지만 하도 믿어주지 않기에 해본 대답이었다. 그 후 북한 유학생들은 거의 성 경험이 없다는 소문이 퍼졌다. 그 후에도 여럿이 "대학 생활 동안 섹스도 하지 않고 어떻게 사느냐"고 계속 물어보았다. 그래서 정색하고 이렇게 말해 준 적이 있다.

"조선은 유교 문화가 너무 강하다. 결혼 전에 남녀 관계가 문란하면 지탄을 받는다. 남자도 그렇지만 여성인 경우 한 번 관계를 가진 남자와 결혼으로 이어지지 않으면 안 좋은 소문이 생겨 치명적이다. 결혼이 어려워질 수도 있다. 조선에서 남녀 대학생이 연애하여 소문이 나는 경우 퇴학처분까지 받을 수 있다. 또한 대학 내에서 풍기문란 단속이 너무 심하다. 솔직히 결혼 전 호기심에 여성과 관계를 가진다는 것은 상상도 못 할 일이다."

외국 학생들도 점차 북한 학생들의 섹스문화에 대해 이해하기 시작했다. 자기들 같으면 그런 사회에서 절대 살 수 없다고 하면서도 북한 학생들이 순수하다며 따라다녔다. 프랑스 유학생 A와 미국 여학생 크리스는 우리들이 북한으로 귀국할 때 "너희들과 같이 지내고 싶다. 북한에 가고 싶다"고 졸라댔다. 두 사람은 북한 유학생들이 주선해 준 외국어 교열원 자리를 얻어 북한에 들어왔다.

물론 A와 크리스는 막상 북한에 들어온 뒤 대단히 실망했다.

평양에 와서도 북한 친구들과 즐거운 시간을 보낼 줄 알았는데 졸지에 외톨이가 되어버렸다. 모든 외국인에게 보위부 감시가 붙는 까닭에 북한 친구들이 잘 만나주지 않았기 때문이다. 평양에 일단 도착하면 외국에서의 생활이 이어지면 안 된다는 것을 두 사람이 이해하기는 어려웠을 것이다.

A는 외무성 청사 앞을 지날 때마다 북한 친구들의 이름을 하나하나 부르면서 이렇게 외쳤다고 한다.

"야, 김일성광장으로 빨리 나와라. 평양에서 같이 놀고 맥주도 마시자던 놈들이 다 어디로 숨었는가."

나는 이 말을 A의 안내를 맡았던 박경남으로부터 나중에 들었다. 박경남은 평양외국어학원 동문이다. A가 외무성 청사 앞에서 내 이름도 불렀을 것이라고 생각하니 괜히 미안한 마음이 든다. 그나마 나는 A와 고려호텔에서 몰래 만나 몇 차례 맥주를 마시기는 했다. 크리스는 그 후 쓸쓸히 미국으로 돌아갔다. 지금은 아마 50대 초반의 가정주부일 것이다.

외국인 여학생이 많이 접근해 왔지만 북한 남학생 대부분은 좋은 말로 완곡히 거절했다. 여학생과의 교제가 들키면 북한으로 소환되기 때문이었다. 그것은 인생을 망치는 일이었다. 지금 생각해 보면 일요일 오전 기숙사에 남은 여학생들에게 북한 유학생의 체육행사는 괜찮은 구경거리였던 것 같다. 다른 학생들은 영화 관람이다, 데이트다 해서 외출하는 경우가 많았다. 스물을 갓 넘어 뜨거운 피가 흐르던 북한 남학생에게는 연애 경험을 쌓을 수 있는 좋은 기회였겠지만 한 번 지나간 세월은 다시 돌아오지 않는다.

〈동물농장〉 영화 보며 북한 현실 오버랩

1980년대 후반 중국의 대학에서는 미국과 일본, 한국에 대한 연구와 토론이 활발하게 진행되고 있었다. 중국의 새로운 출로를 모색하던 때였다. 많은 중국 학생들이 한국의 박정희 대통령이나 싱가포르의 이광요의 국가주도형 발전모델에 호의를 보였다.

어느 날 베이징외국어대학에서 미국 영화 〈동물농장〉을 방영해 주었다. 조지 오웰의 동명 소설을 각색한 애니메이션인데 중국 학생들의 호평이 대단했다. 하지만 북한 학생들의 마음은 매우 무거웠다. 특히 '모든 동물은 평등하다. 그러나 일부 동물은 더 평등하다'는 영화 속 메시지는 북한의 변화하는 현실을 심통히(마음이 아프고 괴롭게) 반영하는 것 같았다.

평양에는 1980년대 초반부터 곳곳에 외화상점이 들어섰다. 이것은 '외화와 바꾼 돈표'가 위력을 발휘하는 시대가 도래했다는 뜻이다. 사람의 가치가 '외화와 바꾼 돈표'를 얼마나 가지고 있느냐에 따라 평가되기 시작했다. 북한 학생들은 〈동물농장〉을 보며 '돈을 가지면 더 평등해질 수 있다'는 현실을 새삼스럽게 자각했다. 많은 학생들이 충격을 받았고 일부는 조지 오웰이 어떻게 공산주의의 변화발전을 저렇게 생동하게 그릴 수 있느냐고 은근히 감탄을 표시했다.

당시 중국은 김정일이 걱정했던 것처럼 유학생들이 '나쁜 물'을 마실 수밖에 없는 환경이었다. 이것은 개혁개방, 미국 영화, 미국식 강의, 공산주의 전망 논쟁, 자유연애 등 몇 가지 단어만 나열해 봐도 익히 짐작할 수 있다.

북한의 현 체제에 대해 의구심을 품는 학생들이 보이기 시작했다. 술잔을 기울이며 "중국의 개혁개방 정책이 옳다고 본다. 우리 당도 정책적 수정을 해야 한다"고 말하는 학생도 있었다. 그런 학생은 응당 대사관 당 위원회에 보고해 북한으로 송환시켜야 하지만 유학생 대부분은 대화에 말려들지 않고 비켜갔다. 나 또한 그랬다. 일부 학생들이 북한 체제에 대해 대화하는 소리가 들리면 슬며시 자리를 피하곤 했다.

한 번 맛본 자유는 잊을 수 없고, 일단 품은 회의는 버리기 어렵다. 1988년 7월 우리는 중국 유학을 마치고 귀국했지만 그 후유증이 나타나기 시작했다. 중국 유학생 출신 가운데 이미 끌려간 선배가 있었다. 또한 1년도 안 돼 체포된 친구도 있다.

유학생 숙청으로 이어진 김일성대학 독서회사건

귀국 후 나는 외무성 유럽국에 들어갔고, 이의성은 외무성 조약국에 입직했다. 서금철은 1년 전부터 국가관광총국에서 일하고 있었다.

서금철은 나와 소꿉놀이 동무다. 소년 유학생 때부터 국제관계대학, 베이징외국어대학까지 같이 공부했다. 이의성은 개성외국어학원에서 수재로 뽑혀 베이징으로 유학 온 친구였다. 두 친구가 체포된 후, 동료들과 나는 외무성 담당 보위원에게 소환됐다. 보위원은 중국 유학 시절 이의성이 어떤 미국인 학생과 친하게 지냈느냐고 따져 물었다.

이의성은 영어회화 공부를 위해 미국 학생들과 몰려다니기는 했지만 나는 그가 북한 체제에 대해 헐뜯는 것은 한 번도 듣지 못했다. 나는 "이의성으로부터 이상한 점은 발견하지 못했다"고 진술하고 무난히 풀려났다.

나중에 알고 보니 이의성의 혐의는 미국 CIA에 포섭됐다는 것이었다. 지금도 나는 그가 미국의 간첩 역할을 했다고 믿지 않는다. 다만 그는 북한 체제의 미래에 대해 걱정하는 말을 많이 했고, 귀국 후 체제와 대치되는 발언을 다소 한 적은 있다. 보위부에서 이를 엮어 그를 간첩으로 몰지 않았나 의심된다.

서금철의 경우는 좀 달랐다. 체포됐을 당시 서금철의 부친은 소련 나호드카 주재 북한 총영사였다. 외무성 내에서 잔뼈가 굵은 베테랑 외교관으로 통했다. 이전 경력은 중국 주재 북한대사관 공사, 노동당 국제부 과장 등인데 1970년대 말 내가 베이징에 있을 때 대사관 공사가 바로 그였다.

서금철은 유학 시절부터 북한 체제에 매우 회의적인 견해를 가지고 있었다. 그의 말을 직접 들은 적도 있다.

"김일성·김정일의 체제는 오래 가지 못한다. 벌써 젊은 대학생들과 인텔리 층에서 심상치 않은 움직임이 있다. 일단 폭발하면 삽시간에 번져갈 것이다."

나는 그가 너무 낭만적으로 생각하는 것 같아 아무런 대꾸를 하지 않았다. 속으로도 그렇게 쉽게 되겠느냐고 반신반의했다. 내가 호응을 보이지 않자 그도 내 감정을 읽었는지 더 이상 말을 꺼내지 않았다. 왜 그가 그런 말을 꺼내면서 나의 의중을 살폈는지 아직도 이해할 수 없다.

그는 베이징외국어대학 한 해 선배였다. 나보다 1년 앞서 북한으로 돌아가 국가관광총국 대외사업처로 발령을 받았다. 내가 평양에 돌아왔을 때는 이미 체포된 상태였다. 귀국 직후에 나는 "서금철 등 몇몇 유학생들이 잡혀 갔으니 절대 발언을 주의하라"는 조언을 많이 들었다.

결국 서금철의 부친과 모든 가족은 지방으로 추방됐다. 나중에 들은 사건의 내막은 대략 이러하다.

1988년 보위부는 내부 협조자를 통해 김일성종합대학 학생들이 은밀히 독서회를 운영한다는 제보를 받았다. 처음에는 철없는 대학생들이 모여 제 딴에 정치논쟁이나 하겠지 했는데 막상 조사해보니 딴판이었다.

우선 독서회 참여자들의 수준이 높았다. 저마다 학부에서 수재급으로 통하는 학생들이었다. 또한 독서회에서 논의되는 문제들이 상당히 민감하고 심각했다. 예를 들자면 이런 논의였다.

"김일성 독재체제는 더 이상 조선을 발전으로 이끌 수 없다. 아직도 조선에는 봉건사회의 잔재인 신분제도가 살아 있다. 이것은 무계급 사회를 지향하는 공산주의 이념과는 완전히 상반되는 제도다."

보위부는 즉시 독서회에 참여한 학생들을 체포해 족쳤다. 조사결과 김일성종합대학 학생뿐만 아니라 이미 사회 활동 중인 해외유학생 출신들이 독서회에 개입한 정황이 드러났다. 김정일은 김일성종합대학 독서회 사건에 외국 정보기관이 연루돼 있을 수 있으니 유학생들을 전면적으로 조사하라는 지시를 내렸다.

처음에는 중국 유학생 몇 명이 체포됐다. 그러다가 이 사건은 전국적으로 확대됐다. 앞서 언급했던 대로 카잔 유학생들이 큰 피해를 봤다. 그 후에도 유학생 숙청은 끊이지 않았다. 이 사건 이후 북한에는 새로운 풍조가 생겼다. 간부들의 사윗감 1등 후보였던 유학생 출신이 이제는 애물단지가 됐다. 너도 나도 아이들을 해외로 보내던 간부들의 열의는 삽시간에 가라앉았다.

김정일은 "체제를 수호할 기둥을 키워내야 할 김일성종합대학이 반체제 세력의 온상이 될 수 있다"며 관련 지시를 하달했다. 김일성종합대학 내 국가보위부 한 개 부서가 설치됐다. 일반적으로 대학 내에 담당 보위원이 한두 명씩 상주하고 있지만 김일성종합대학의 경우처럼 한 개 부서가 설치된 곳은 없다. 만약 북한 체제가 붕괴된다면 왜 그렇게 됐는지 여러 가지 원인과 분석이 제시될 것이다. 나는 김일성종합대학 출신들의 역할이 그 주요 원인 가운데 하나가 될 것이라고 확신하고 있다.

8장
명천 태서방

명천의 태서방 집안, 빈농에서 토지개혁으로 기반 마련

사실 나의 출생과 가계, 성장사와 결혼을 이야기하는 것은 그리 내키지 않은 일이다. 내 나이 아직 만 56세에 불과하고 내 삶 또한 평범하기 그지없다. 내 생애에 대해 흥미를 가질 사람도 많지 않을 것이다. 하지만 생각을 달리 해봤다. 내 삶에 스며들 수밖에 없었던 북한의 시대상, 사회상, 생활상 등과 또한 이 모든 것들의 변천사를 내 삶을 서술하는 방법을 통해 한국 사회라는 스크린에 투영할 수도 있겠다는 생각이 든 것이다.

이것은 한국 사회라는 그림 위에 북한 사회라는 새로운 그림을 덧그리겠다는 의미도 된다. 겹쳐지는 부분도 있을 테고 삐져나오는 부분도 있을 것이다. 이것은 비슷한데 저것은 다를 수도 있을 것이다. 한국인 스스로는 모르는 한국 사회의 실상을 북한 사회와 대비시켜봄으로써 얻는 깨달음이 있을 테고 그 반대의 경우도 성립되리라고 믿는다.

나는 1962년 7월 25일 평양시 중구역 종로동에서 태어났다. 평양에도 종로가 있다. 서울 종로가 동대문부터 시작되듯이 평양 종로도 대동문에서 시작된다. 대동문은 평양의 동대문이다. 출생 당시의 우리집은 만수대예술극장과 평양학생소년궁전(청소년들의 예술체육과 과학교육 분야의 방과 후 활동을 교육하는 기관) 사이에 있던 단층 주택가에 자리 잡고 있었다. 단층 1칸짜리 20㎡ 정도의 작은 집이었다. 그 집에서 한 살 위인 누이와 다섯 살 아래인 남동생이 함께 자랐다.

부친 태형길은 1935년생이다. 함경북도 명천군 아간면 황곡리에서 출생했다. 나의 친가는 명태의 어원이 된 '명천의 태서방' 집안인 셈이다. 명천의 태서방이 물고기를 잡아 왕에게 진상한 데서 명태라는 이름이 유래했다는 이야기다. 모친 김명덕은 1937년생이며 함경북도 명간군이 고향이다. 명천군과 명간군은 서로 인접해 있다.

내가 태어났을 때 부친은 평양건설건재대학 시공(施工)강좌 교원, 모친은 서문인민학교(초등학교) 교원이었다. 나는 인민학교에 들어가기 전까지 명천군 조부 댁에서 자라다시피 했다. 모친의 건강이 좋지 못했기 때문이다.

조부 태동식은 1918년생으로 기억한다. 조부는 글을 몰랐지만 가난한 농민이어서 그런지 일제강점기 때부터 좌익 사상에 빠져 명천농민조합에 가입했다. '명천농조' 활동 때문에 일본 경찰에 붙잡혀가 매를 맞았다는 이야기를 어릴 때부터 들었다. 하지만 조부가 사회주의, 공산주의 사상을 이론적으로 깊이 알았을 리는 없다.

나는 한국에 온 뒤, 조부의 자취를 찾기 위해 일제강점기 때 민간지를 검색해 본 적이 있다. 할아버지의 이름을 검색 키워드로 넣었을 때는 아무런 결과가 없었지만 '명천농조'로 검색하자 여러 기사가 나왔다. 하나만 예를 들면 1935년 3월 2일자 동아일보는 '명천경찰서가 길주경찰서의 지원을 받아 농촌 청소년 130여 명을 검거했다'며 '농촌을 중심으로 한 농조(農組) 공작이 탄로된 듯하다'고 보도했다. 이때를 전후해 나의 조부가 일본 경찰에 체포됐을지도 모를 일이다.

동아일보 기사가 나온 1935년은 조부의 나이 만 17세 때다. 이때 이미 할아버지는 두 살 연상인 할머니 이순향과 가정을 이룬 기혼자였고, 이 해 첫아들(나의 부친)을 낳았다. 그 후 딸 하나(죽순)와 아들 둘(정길·중길)을 더 얻어 모두 3남 1녀를 두었다. 당시 세태로는 자식을 많이 둔 것도 아니었지만 그래도 넷을 둔 덕에 김일성의 토지개혁 때 상당한 혜택을 입게 된다.

1945년 8월 15일 해방이 되고 김일성을 앞세운 소련군이 진주했다. 김일성은 1946년 3월 5일 무상몰수 무상분배 원칙하에 토지개혁을 단행했다. 김일성은 토지개혁을 진행하면서 농민을 4가지 계층으로 분류했다. 5정보 이상의 땅을 소유한 사람은 지주, 그 다음은 부농, 중농, 빈농 순이었다.

할아버지는 당연히 빈농에 속했다. 반면 할아버지의 형, 그러니까 나의 큰할아버지 태동찬은 중농으로 분류됐다. 이유는 간단하다. 증조부로부터 할아버지는 돌이 많은 돌각담 땅을, 큰할아버지는 제사를 지낼 장손이라는 이유로 좋은 땅을 물려받았기 때문이다.

토지개혁 과정에서는 두 분의 운이 거꾸로 작용했다. 빈농인 할아버지에게는 좋은 땅이 할당됐고, 부양가족 수가 적지 않아 꽤 넓은 땅이 주어졌다. 중농인 큰할아버지는 상대적으로 불이익을 받았다. 중농은 혁명 과정의 동요세력으로 간주되기 때문이다. 한 집안 형제도 빈농과 중농으로 갈려 누구는 좋은 땅을 받고 누구는 불이익을 받았다. 비극 아닌 비극이었다. 지금 생각해 보면 중농이나 부농조차도 겨우 잡곡밥이나 먹는 정도였다. 하지만 김일성은 농민을 계급적으로 철저히 분류함으로써 통치의 토대를 조성했다.

김일성은 모든 빈농에게 땅을 주면서 공산당에 입당할 것을 요구했다. 공산주의 이념은 잘 몰랐지만 갑자기 땅이 생겨 마냥 좋았던 할아버지는 마을에서 제일 먼저 공산당에 입당했다. 하지만 큰할아버지는 달랐다. 큰할아버지도 입당은 했지만 사정은 판이하다. 큰할아버지의 장남인 태세길은 일제 때 만주 심양에 가서 중학교까지 나온, 당시 명천군에서는 몇 안 되는 지식인이었다. 큰할아버지는 맏아들의 간청으로 마지못해 입당했다.

할아버지가 앞장서서 입당한 것은 나로서도 충분히 이해가 된다. 할아버지는 공산당이 준 땅에서 1946년 한 해 동안 농사를 지어 송아지 한 마리 살 돈을 마련했다. 돌각담 땅에서는 몇 년씩 뼈가 빠지게 일해도 구경 못 했던 거금이었다. 그 돈으로 송아지를 사겠다고 의기양양하게 장에 나간 할아버지가 고개를 숙이고 빈손으로 돌아왔다. 송아지를 황소로 키우겠다는 상상으로 화투판에 앉은 것이 화근이었다. 할아버지는 크게 뉘우치고 이듬해 다시 농사에 매달려 결국 송아지 한 마리를 장만했다. 일한 만큼 큰돈을 벌 수 있는 시절이었다. 할아버지는 그런 시절을 공산당이 만들어준 것이라고 믿었다. 공산당이 하라는 일이라면 두 손 들고 나설 수 있었던 것이다.

말이 나온 김에 하는 이야기지만 할머니가 어린 나에게 자주 하던 당부가 있다. 첫째 남자는 밥을 남겨서는 안 되며, 둘째 절대로 도박을 하면 안 된다는 것이었다. 이 두 가지만 명심하면 망할 일이 없다고 했다. 나는 할머니의 당부를 지금까지 잘 지키고 살았다고 자부하고 있다. 해방 후 북한에서는 한동안 도박이 허용됐고, 많은 사람들이 도박에 빠져 살았다고 한다. 김일성이 과도 많지만 북한에서 축첩제도를 없애고 도박과 마약을 하는 사람들을 엄벌에 처한 것은 잘 한 일이라고 본다.

해방 후부터 6·25전쟁 전까지 5년 동안은 북한의 사회역사 발전단계에서 전성기였다고 볼 수 있다. 토지개혁과 산업국유화법령 시행으로 땅과 공장을 소유했던 지주와 자본가 계급이 청산됐다. 이들 대부분은 원한을 품은 채 남한으로 내려갔지만 전반적인 북한 사회 분위기는 고조됐다. '민주조선건설'이라는 구호 아래 나라를 발전시키려는 열의로 들끓었다고 한다.

당위원회 지시를 따라야 하나, 치안대에 가입해야 하나

해방 직후 김일성의 토지개혁이 그랬듯이 6·25전쟁 또한 여러 사람의 운명을 바꿔놓았다. 함경북도 오지에 살았던 할아버지도 예외일 수는 없었다.

1950년 10월 17일 국방군(국군)이 평양을 점령한 후 북한 인민군의 전면적인 후퇴가 시작됐다. 인민군의 후퇴가 시작되자 잠잠하던 명천군 산골에도 모진 바람이 불었다. 명천군당은 모든 리(마을)당 조직에 후퇴명령을 하달했다. 후퇴명령이 떨어지자 황곡리 리당 위원장은 당원 12명을 모아놓고 "당에서 후퇴 지시가 내려왔으니 밤 9시까지 군당청사에 집결하라"고 지시했다. 할아버지는 그 12명 가운데 하나였다.

할아버지는 집으로 돌아와 할머니에게 짐을 꾸리라고 했다. 할머니는 만류했다.

"곧 추위가 닥쳐오는데 도망칠 데가 어디 있어요?"

"당이 후퇴를 명령했으니 지시를 따라야 하오."

"정 가려면 형길(나의 부친)이를 데려가세요. 형길이가 소년단 위원장을 했으니 국방군이 가만두지 않을 거예요."

"국방군이 어린애까지 해치지는 않을 것이오. 나 하나 걷기도 힘든데 애를 어떻게 데리고 간단 말이오."

이같은 대화가 오고갔고 할아버지는 아편 한 덩어리를 짐 보따리 속에 넣었다. 그때까지만 해도 북한에서는 아편을 심는 것이 허용됐다. 설사, 감기 등의 치료에 아편을 이용하고 있었다. 젊을 때부터 몸이 허약했던 할아버지는 아편에 의지해 모진 행군을 견디려고 했던 것이다.

결국 할아버지 혼자 후퇴에 나섰다. 이것은 내가 할아버지로부터 직접 들은 이야기다. 약속 시간에 군당청사 앞에 가보니 황곡리

당원 13명 가운데 모인 사람은 리당위원장과 할아버지 두 명뿐이었다고 한다. 군당 위원장이 출발을 명령했고, 그 순간부터 당원들은 청진 방향으로 행군을 시작했다. 왜 가는지, 어디로 가는지도 모르고 무조건 북쪽으로 갔다고 한다. 열흘 동안 걸어 함경북도 무산에 도착했다. 중국으로 넘어가라는 지시가 떨어질지도 모른다는 소문이 돌았다.

10월 25일 중공군이 압록강을 넘어왔다. 상부에서 전혀 다른 지시가 내려왔다. 미군이 후퇴하고 있으니 진격하는 중공군과 인민군을 따라 고향으로 돌아가라는 것이었다. 대오를 갖추고 명천군까지 행군했다. 할아버지는 행군에서 낙오될 때마다 조용히 대열에서 떨어져 아편을 씹었다고 한다. 그러면 다시 기운이 솟아났고 결국 아편 덕분에 '적 강점지역'에 남지 않았다는 것이 할아버지의 회고였다. 그런 이야기를 하는 할아버지의 어투와 표정에서 뿌듯함과 자부심이 느껴졌다.

할아버지는 군당을 따라 명천에서 무산까지를 왕복했다. 직선거리로는 142㎞ 정도다. 차를 타면 반나절이면 갔다 올 수 있는 거리를 할아버지는 도보로 한 달을 걸었다. 그 한 달이 할아버지와 여러 사람의 운명을 바꿔놓았다.

명천군당이 후퇴했을 때 명천읍은 국방군에게 점령됐다. 소수 병력이었지만 국방군의 지시에 따라 명천군에 치안대가 조직됐다. 치안대에 가입하지 않으면 총살한다는 명령이 떨어졌다는 증언도 있다. 군이 후퇴를 하지 않은 또는 미처 후퇴를 하지 못한 명천군 주민 대부분이 치안대에 가입했다. 큰할아버지도 이때 치안대에 들어갔다. 노동당원들도 별 수 없었다. 대다수가 치안대에 가입했고 큰할아버지의 장남인 태세길도 그런 노동당원 중의 하나였다.

'총살 위협'만큼의 강압은 아니었지만 당시 만 15세였던 아버지에게도 압력이 들어왔다. 리 치안대 대장이 찾아와 "곧 아간면 중학교가 개학하는데 소년단 위원장이었던 형길이 네가 학교에 나와야 다른 아이들도 나올 수 있다"며 "꼭 학교에 나오라"고 했다. 리 치안대 대장은 할아버지와도 가까운 사이었다.

아버지가 소년단 위원장에 뽑힌 것은 6·25전쟁이 일어나기 한 해 전의 일이다. 1946년 6월 6일 김일성은 '조선소년단'을 조직했다. 학교 내의 보이스카우트 조직 정도로 이해하면 된다. 1949년 전국 소년단 연합단체 모임이 열렸다. 아버지가 다니던 아간중학교에서도 대표로 한 명을 보내야 했다. 공부를 제일 잘했던 아버지가 소년단 위원장으로 뽑혔다. 단위원장은 평소에도 붉은 별 3개와 붉은 줄 세 개가 들어간 마크를 팔에 붙이고 다닌다. 단위원장이 된다는 것은 당시 분위기에서 대단히 자랑스러운 일이었다.

그런데 갑자기 전국 소년단 위원장 모임에 참석하려고 하니 양복도 구두도 없었다. 그나마 잘사는 큰할아버지 집에 빌리러 갔다. 큰할아버지가 "태씨 집안에 경사가 났다"고 구두를 꺼내려는데 땅 문제로 오래 전부터 우리 집안을 홀대하던 큰할머니는 "어른 구두를 애한테 주는 법이 어디 있냐"며 극구 반대했다. 아버지는 구두도 양복도 빌리지 못하고 돌아왔다. 할머니는 눈물을 흘리며 집에 하나밖에 없는 이불을 뜯어 양복을 지었고 다음날 아버지에게 입혀 보냈다. 아버지는 "내가 전국 소년단 위원장 누계번호 72번"이라고 자랑스러워하며 "너도 크면 꼭 소년단 위원장이 돼라"고 했다. 나는 아버지처럼 소년단 위원장이 되지는 못했지만 이제는 돌아가신 아버지가 생전에 그렇게 자랑스러워하시던 모습이 내가 나이를 먹어가면서 자주 떠오르곤 한다.

학교에 나오라는 리 치안대장의 강요에 아버지는 망설였다. 할아버지는 노동당을 따라 북으로 후퇴했고, 큰아버지(태세길)를 비롯한 마을 어른들은 치안대에 가입했다. 어느 편에 서야 할지 고심할 수밖에 없었다. 그때까지만 해도 아무런 정치이념이 없었던 아버지는 학교에 가기도 싫고 해서 '일단 좀 놀자'하는 심정으로 한 달 동안 등교하지 않았다. 이 한 달도 나의 운명에 결정적으로 작용한다. 할아버지와 아버지의 선택이 훗날 내가 외교관으로까지 성장하는 데 그렇게 큰 도움이 될 줄은 두 분 또한 상상도 못 했을 것이다.

국방군은 명천읍을 점령한 지 한 달도 안 돼 함흥 방향으로 후퇴했다. 그런 소동을 겪으면서도 국방군을 한 명도 보지 못했다는 것이 아버지의 회고였다. 노동당이 다시 들어오면서 대대적인 조사가 진행됐다. 치안대에 가입했던 사람들이 우선 조사 대상이었다. 하지만 다른 곳처럼 서로 죽일 내기가 벌어지지 않았다. 작은 마을에 오랫동안 모여 살다 보니 한 다리만 건너면 친척이고 사돈 관계였다.

할아버지와 함께 후퇴했던 황곡리 당위원장은 조용히 할아버지를 찾아와 이렇게 말을 맞추자고 제안했다.

'우리가 떠나면서 일부러 당원들을 남겨두었다. 다 후퇴를 하면 남은 가족들을 돌볼 사람이 없지 않은가. 리당위원장의 지시를 받은 일부 당원들이 치안대에 들어가 마을 사람들을 보호해 주었다.'

리당위원장은 이런 내용의 조사문건을 만들어 군당에 보고하자고 했다. 사실과는 달랐지만 큰아버지를 비롯한 당원들을 구하기 위해 거짓 문서를 작성해 군당에 올려 보냈다. 이들이 치안대에 들어가 당원과 인민군 가족을 보호한 것도 사실이었다. 단 한 건의 학살 사건도 없었다. 군당에서 그 문건을 믿었는지는 알 수 없으나 태세길 등 치안대에 들어갔던 당원들은 출당 당하지 않고 용서를 받았다. 국방군과 치안대의 요구에 따라 학교에 다닌 학생 명단도 작성되었는데 이때는 이 명단이 지닌 의미를 아무도 알지 못했다.

아버지는 휴전 이듬해인 1954년 아간고등중학교를 졸업하고 평양건설건재대학 입학시험에 응시했다. 한국에는 서울에 있는 대학을 '인(in) 서울대'라고 한다는 말을 들었는데 당시 북한에서는 평양에 있는 대학을 통칭해 '평양 중앙대학'이라고 불렀다. 성적이 우수한 다른 학생들도 김일성종합대학 등 '평양 중앙대학'에 많이 응시했지만 합격한 것은 아버지뿐이었다. 국방군 점령기에 학교에 나갔던 학생들은 '중앙대학' 추천이 부결되었기 때문이다.

아버지는 명천군에서 처음으로 중앙대학에 들어간 학생이었다. 방학 때 명천군 고참역에서 내려 황곡리까지 거의 30리 길을 대학모를 쓰고 걸어가면 지나가던 모든 사람들이 선망의 눈길로 쳐다봤다고 한다. 마을에 도착하면 밭에서 일하던 동네 사람들이 달려나와 반겼다. 그날 저녁에는 온 마을 사람들이 달걀이나 산나물 꾸러미를 손에 들고, 어떤 때에는 쌀도 한 바가지씩 들고 찾아왔다. 라디오도 없고 전기와 신문도 들어오지 않던 시절이라 아버지의 평양 이야기가 마냥 신기했다. 밤새 쑥불을 피워 모기를 쫓아가며 어른

아이 할 것 없이 둘러앉아 웃음꽃을 피웠다. 아버지도 신이 났다.

"지금 평양에서는 전쟁의 상처를 씻기 위해 아파트 살림집을 14분에 한 채씩 조립합네다."

"그거이 사실이가?"

"틀림없습네다."

"이야, 세상 좋아졌구나야."

"얼마 후면 우리 황곡리 마을에도 전기가 들어올 겁네다."

아버지의 이야기에 따르면 대강 이런 식의 대화가 있었고 전기가 들어올 것이라는 말에 온 마을 사람들이 만세를 불렀다고 한다.

그러나 아버지의 고향 마을은 전쟁이 끝난 지 몇 년이 흘렀음에도 여전히 가난했다. 우리 집안도 크게 달라진 것은 없었다. 할아버지는 몸이 불편했고 아버지는 아직 벌이가 없는 고학생이었다. 당분간 가난에서 벗어난다는 것은 불가능해 보였지만 불과 몇 년 사이에 북한 농촌 사회는 상전벽해 수준의 변화가 일어나게 된다.

황곡리 시골에도 농지 협동화 바람

김일성은 농업 생산량을 증대하기 위해서는 협동조합을 통해 사회주의 경리(경작)형태를 실현해야 한다고 확신했다. 당시는 노동당 내에서 자유로운 토론이 허용되던 때여서 김일성의 생각에 반대하는 최창익 등은 '공업화도 이루지 못한 북한에서 트랙터 같은 대형 농기구가 필수적인 협동화는 아직 이르다'는 반론을 폈다.

김일성은 반론을 물리치고 시범적으로 몇 개 지역에서 조합을 조직해 보면서 점차 확대해 나가는 정책을 폈다. 우선 빈농, 제대 군인, 자녀가 외지로 나가 일손이 없는 농가 등을 앞세워 조합을 조직하고 대출 우대, 비료 지급 등으로 지원했다. 농촌의 협동화가 급속도로 진행되기 시작했다.

1950년대 말 황곡리에도 협동화의 바람이 불어왔다. 마을 리당위원장이 할아버지를 찾아왔다. 중요한 사안이 생길 때마다 리당위원장이 할아버지와 상의를 한 것은 두 가지 이유가 있다. 하나는 할아버지가 핵심 당원이었다는 점이고, 또 하나는 황곡리에서 태씨 집안이 유력한 가문이었다는 점이다. 황곡리에는 원래부터 태씨와 동씨가 많이 모여 살았고 힘 있는 집안으로 통했다. 리당위원장은 동씨였다. 그의 이야기는 이러했다.

"당에서 협동조합을 조직하라는 지시가 내려왔소. 나눠준 땅을 다시 거둬 합치고 공동으로 경작하는 방식이오. 소와 농기구들도 다 모아 공동으로 쓸 것이오. 곧 협동조합을 조직하자는 회의를 열 테니, 동무는 적극적으로 협동조합에 참여하겠다는 의견을 발표하시오."

할아버지는 협동조합이 무엇인지, 그리고 한 번 나눠준 땅을 왜 다시 합치는지 이해하지 못했지만 당에서 하라는 일이니 기꺼이 나서겠다고 했다. 얼마 후 회의가 열리자 할아버지는 사전 각본대로 의견을 발표했고 황곡리 협동조합이 조직됐다.

마을에서 좋은 땅과 소, 농기구를 갖고 있던 주민들은 다소 시큰둥한 반응이었다. 일부 부농은 협동조합에 가입하기 전에 가축을 몰래 팔아치우기도 했다. 마을총화를 통해 비판도 하고, 가축을 미리 빼돌리지 못하게 조치를 취했다. 대체로 큰 저항 없이 순응했다. 조합에 가입하지 않으면 반동으로 몰릴 수 있었다. 강제성은 없었지만 국가의 모든 지원이 협동조합에 집중됐기 때문에 농민들 대다수가 조합에 가입했다. 김일성이 아직 독재의 마각을 드러내기 전이어서 마지막까지 가입을 주저하는 농가는 있었지만 감옥이나 노동단련대로 보내는 등의 처벌이나 제재는 없었다.

경작지가 부족한 데 비해 인구가 조밀한 북한에서 경지를 통합하고 노동력을 효율적으로 투입하면 생산량이 증대되는 것은 당연한 일이었다. 협동화는 시행 초기 대성공이었다. 북한은 1958년 8월 농촌 경리의 사회주의적 개조가 끝났다고 발표했다. 이것은 모든 농가가 협동조합원이 되었다는 것을 의미했다.

조합에서 할아버지는 소를 맡아 키웠다. 사실 키운다기보다는 방목에 가까워 산으로 들로 소를 끌고 다니며 풀을 먹이는 일이었다. 힘든 농사일보다는 훨씬 편했다. 할머니도 조합이 좋다고 했다. 할머니는 몸이 쇠약한 할아버지, 일하기 싫어하는 어린 삼촌들, 그리고 고모와 같이 농사를 지었다. 힘들고 신도 안 났다. 그런데 조합에 가입하니 농축산반에 들어가 돼지를 기르게 됐다. 그 일이 적성에 맞았던 듯하다.

고모 태죽순은 모든 마을 처녀들이 탐내던 리상점 판매원이 됐다. 농사일 대신 아침부터 옷을 곱게 입고 상점에서 물건을 팔았다. 손님도 별로 없어 하루 내내 홀로 일하면서 이따금 장부를 정리하는 것이 다였다. 삼촌 태정길과 태중길은 이젠 방과 후에도 농사일을 도와주지 않아도 됐다. 더러 나무만 해오는 것으로 충분했다.

협동화는 적어도 우리 집안 식구에게는 너무나 좋은 방향으로 작용했다. 당의 명령에 따라 후퇴 행군까지 감행한 할아버지가 당에 의해 핵심계층으로 분류됐기 때문일 것이다. 그러나 협동화가 모든 사람에게 만족을 준 것은 아니다. 비핵심계층이 상대적인 불이익을 받은 것은 두 말할 필요가 없다.

행정 단위와 마찬가지로 협동조합도 리(마을) 단위로 조직됐기 때문에 당의 정치활동과 협동조합의 경제활동이 긴밀하게 결합됐다. 당이 리 단위로 상점, 탁아소, 유치원, 소학교를 신설한 것은 정치적 당위성과 경제적 효율성을 동시에 추구한 결과라고 할 수 있다. 또한 리인민위원장이 협동조합 관리위원장 직책을 겸임케 한 것은 정치와 경제를 유기적으로 관리하기 위한 조치였다. 지금 와서 돌이켜 보면 일대 혁명이었다.

정치와 경제를 유기적으로 결합한 조치를 '일대 혁명'이라고 한 것은 현재 북한 주민의 의식 구조가 그 정도를 '혁명'으로 받아들일 만큼 과거지향적이라는 의미에서 쓴 표현이다. 한국인이라면 '50년, 60년 전이 더 좋았지'라고 말할 사람이 누가 있겠는가.

1960년대엔 농촌 형편이 평양 못지않아, 이후 지방 가면 '나락'

협동화로 인해 마을 운영의 질서도 바뀌었다. 이전에도 리당위원장이 큰 힘을 행사했지만 나의 큰할아버지처럼 유력한 집안의 연장

자나 부농, 그리고 남성을 중심으로 한 전통적 권위가 상당한 영향력을 발휘했었다. 하지만 협동조합이 조직되면서 그 영향력은 조합의 간부들에게 넘어간다. 조합 농장관리위원장, 작업반장, 분조장의 지시가 마을 유지, 원로, 심지어 아버지의 말보다 더 중요한 시대가 된 것이다. 이것은 새로운 사회관계가 구축된 것이라고 할 수 있다. 상징적인 실례가 있다. 이전까지 결혼식이나 환갑연의 주탁(주빈석)은 집안 어른이나 마을 유지의 차지였다. 하지만 협동화 이후에는 리당위원장, 농장관리위원장 같은 간부들이 그 자리를 꿰차게 됐다.

비슷한 일이 한 집안 내에서도 벌어졌다. 할아버지는 가난하고 몸도 허약해 집안 행사에서 찬밥 대우를 받아왔었다. 기본상이 차려지는 주탁에 앉지 못하고 다른 방에서 초라하게 음식을 먹곤 했다. 하지만 처지가 바뀌고 시대가 변하자 할아버지는 당당하게 주탁에 앉게 됐다. 누가 뭐래도 할아버지는 핵심당원이었다. 더구나 평양중앙대학에 다니는 아들과 마을 상점 판매원을 길러낸 존경받는 어른이기도 했다. 북한식으로 표현한다면 머슴이 나라의 주인이 된 셈이다.

여성의 발언권이 높아진 것도 협동화가 야기한 확연한 변화였다. 할머니는 원래부터 사리분별이 밝고 말도 잘했다. 할아버지보다 훨씬 나았다. 그럼에도 할머니는 남의 집 사내에게 이래라 저래라 말 한마디 건네기 어려웠다. 하지만 조합에 들어간 뒤에는 일도 잘한다는 평가를 받으며 분조장이 됐고, 남자에게 지시도 내리고 총화(비판)도 하는 여장부가 됐다. 분조는 20명 내외의 조직이며, 그 위로는 작업반, 조합이 있다.

전쟁에서 많은 남성들이 죽고 힘깨나 쓰는 청장년들은 아직 군복무 중이었다. 당연히 여성들의 역할이 중요할 수밖에 없었다. 자료에 의하면 1950년대 말 북한 농업협동조합 작업반장 중 40%가 여성이었다. 전쟁 때부터 마을의 리더였던 황곡리 당위원장이 병사하자 여성 리당위원장이 임명된 것은 시대의 자연스러운 흐름이었을지도 모른다. 신임 리당위원장은 젊은 과부였다. 군대 간 남편이 6·25전쟁 때 전사했다. 당은 일찍부터 그를 눈여겨보고 함경북도 공산대학에 보내 1년 정도 공부를 시켰다. 그런 다음 마을의 전권을 맡겼다. '과부 리당위원장'은 마을 최고의 실력자가 되어 모든 것을 좌지우지했다.

협동화를 완성한 후 북한은 대대적인 농촌문화혁명에 착수했다. 마을마다 전기 공사를 벌였다. 여기 저기 널려 있는 가구마다 전기 공사를 하다가 새로운 착안을 하게 됐다. 농촌에 집단 거주지를 만들게 되면 전기 공사를 용이하게 할 수 있을 뿐만 아니라 주민들을 관리하고 감시하기에도 편리했다.

1959년부터 황곡리에도 '사회주의 문화주택 건설' 사업이 시작됐다. 리인민위원회가 들어설 부지를 선정하고 이를 중심으로 집단부락을 건설하기로 했다. 그런데 부지 선정부터 새로운 질서가 반영됐다. 처음에 마을 어른들은 풍수지리에 따라 집단거주지를 정하려고 했다. 하지만 관리위원회는 풍수지리에 의거한 주택관념을 봉건주의 잔재로 비판하면서 마을 입구에 있던 장승마저 '미신'이라며 없애버렸다. 관리위원회는 지하수가 나오는 부지를 선택하고 문화

주택 건설 사업을 본격적으로 시행한다.

모든 집은 하나의 설계로 통일됐다. 북한은 부동산에 대한 개인소유권을 인정하지 않고 주택사용권만을 부여한다. 할아버지도 집을 한 채 배정받았다. 낡은 초가집을 버리고 큰 기와집으로 이사했다. 큰 부엌과 창고, 외양간, 닭과 돼지우리, 변소, 방앗간을 갖춘 두 칸짜리 집이었다. 방앗간까지 있었다는 점이 특이하다. 집 앞에는 30평 정도 텃밭도 있었다.

나는 유치원 시절 할아버지 집에서 자랐고 소학교 시절에도 여름 방학 때면 할아버지 집에 놀러 가곤 했다. 평양 우리 집보다 두 배는 컸다. 지금 생각해 보면 18평 정도는 됐던 것 같다. 우리 집은 단층집이고 수도도 없었다. 마을 집체수도를 이용했다. 반면 할아버지 집은 부엌에 졸짱(파이프)을 박은 수동 양수기가 있었다. 물을 한 바가지 정도 넣고 아래위로 저으면 부엌에서 물이 나왔다.

아직 텔레비전은 없던 시절이다. 전기가 들어오니 라디오도 듣고 영화도 볼 수 있었다. 마을에 문화주택을 건설하면서 선전실을 만들었는데 토요일마다 읍에서 영사기를 가져다가 영화를 돌렸다. 영화가 상영되는 날이면 아이들은 몇 시간 전부터 선전실에 몰려가 장난을 치며 놀았다. 나도 그런 아이들 중의 하나였다. 영화가 시작되면 무대 위 화면 뒤로 돌아가 보며 신기해 하던 생각이 난다.

아버지는 고향에 내려갈 때마다 마을의 급격한 변화와 새로운 모습을 보곤 했다고 내게 말했다. 나도 방학 때 할아버지 집에 가면 할머니가 매일 아침에는 달걀을 삶아주고 저녁이면 병아리를 잡아주던 기억이 난다. 평양 우리 집에서는 달걀조차도 매일 먹지 못했으며 병아리는 일주일에 한 번 먹기도 어려웠다. 이것은 당시 평양과 농촌의 생활수준이 비슷했거나 오히려 농촌의 경제 사정이 더 좋았다는 것을 보여준다.

노동당은 이후에도 비료 등을 농촌에 지속적으로 지급했다. 점차 트랙터까지 지원하게 되어 농업생산량이 더욱 늘어났다. 전기는 이미 들어왔고, 사회주의 문화주택 건설도 완료되어 북한 농촌은 완전히 '근대화'됐다. 김일성과 노동당을 따르면 무엇이든 가능하다는 집단주의적 관념이 점차 확산돼 갔다.

그러나 이것은 1950년대 말부터 1960년대까지의 농촌 풍경이다. 김정일이 북한을 이끌면서 대부분의 자원은 평양에 집중됐다. 김정은은 지방 현대화를 거의 포기하다시피 했다. 평양에 남기 위해서는 이혼도 불사할 만큼 평양과 지방의 격차가 벌어졌다. 지금 평양 주민에게 지방 추방은 나락에 떨어지는 악몽을 의미한다. 공산주의의 허구성과 김씨 왕조의 독재가 초래한 비극이 아닐 수 없다.

6·25 때 이모할머니 가족 월남 사실 드러나 아버지 좌천

아버지는 1959년 대학을 졸업하고 평양건설건재대학 시공강좌 교원으로 입직했다. 이 해 어머니와 결혼했다. 북한에서 결혼식은 신랑, 신부 집에서 한 번씩 나누어 진행된다. 당시 아버지 집은 함경북도 명천군에, 어머니 집은 양강도 혜산시에 있었다. 먼저 아버지 집에서 식을 올리고 다음날 기차를 타고 혜산으로 가서 또 결혼식을 치렀다.

두 분은 명천에서 처음 만났다. 어머니는 고등중학교에 진학하기 위해 고향 명간군에서 명천군으로 왔다. 명간에는 고등중학교가 없었기 때문이다. 어머니의 외삼촌이 명천에서 살았기 때문에 어머니는 그 곳에서 고등중학교에 통학했고 이때 아버지를 알게 되었다. 아버지의 학급 친구 이진규라는 분이 다리를 놓아주었다고 한다. 이진규는 아버지의 '공부 라이벌'이었다. 공부도 잘했고 집안도 부유했다. 부친이 명천군 아간면 병원 의사였다. 명천군의 내로라하는 유지 집안의 아들인 셈인데 그의 사촌 여동생이 어머니였다.

가난한 집안에서 자란 아버지는 잘사는 집 아들 이진규에게 마음을 열지 않았던 것 같다. 하지만 이진규는 아버지에게 사촌 여동생을 소개시켜 줄 만큼 호감을 가졌던 모양이다. 하루는 그가 아버지를 찾아와 말했다.

"야, 내 여동생과 한번 사귀어보지 않을래? 그만하면 예쁘다."

그의 동생이 누구인지 아버지도 잘 알고 있었다. 아버지도 싫지는 않아 그러자고 했다. 이진규는 이미 어머니에게 "우리 학급 형길이가 공부도 잘하고 사람도 진국인데 사귀어 볼래?"하고 바람을 넣고 있었다. 어머니도 싫다고는 하지 않았다. 그렇게 아버지와 어머니는 학교 뒷산에서 첫 만남을 가졌고 인연의 싹이 텄다. 어머니는 고등중학교를 졸업하고 양강도 혜산사범학교에 입학한 이후에도 아버지와의 연애를 이어갔다.

결혼은 했지만 신혼집은 미처 마련하지 못한 상태였다. 북한에서 주택은 국가가 무상으로 배정해 주는 것이 원칙이다. 하지만 전쟁 때 파괴된 주택이 많았기 때문에 다시 주택 배정을 받는 것은 시간이 오래 걸렸다. 아버지는 일단 어머니를 평양으로 올라오게 했다. 평양역 부근에 아버지의 5촌 당숙인 태을혁이라는 분이 살고 있었다. 한 칸짜리 집에 아이만 여섯이었다. 그 좁은 집에 어머니를 데려가 한 달만 머물게 해달라고 당숙에게 부탁했다.

아버지는 평양 중구역 인민위원회를 찾아가 '집은 내가 짓겠으니 땅을 달라'고 요청했다. 아버지가 건축전문가인데다 사회주의 사회였기에 가능한 요청이었다. 인민위원회는 평양학생소년궁전 부근의 땅 30㎡(9평) 정도를 할당했다. 훗날 내가 일하게 된 외무성도 바로 이 부근에 있었다.

아버지가 집을 짓는다는 소식을 들은 동료 교원과 학생들이 너나할 것 없이 돕겠다고 나섰다. 당시는 '사회주의 건설'이 한창이던 때였다. 저마다 건설현장에서 시공지도를 하고 있었던 동료와 학생들이 벽돌과 시멘트, 기타 건설자재를 들고 왔다. 건설현장에 널린 자재를 가져간다고 해도 못하게 말리거나 막는 사람도 없었다. 공산주의가 그런 대로 순수하게 작동하던 시절이었기에 가능했던 일이다.

한 달 만에 신혼집이 완성됐다. 퇴근 이후와 주말에만 일했음에도 금세 집이 완성된 것은 아버지를 비롯한 시공전문가들이 달라붙었기 때문인 듯하다. 아버지는 어머니를 데려와 신혼살림을 시작했다. 비록 길게 가진 못했지만 이 무렵 북한은 전쟁의 상흔을 극복하고 다시 한 번 전성기를 맞이하고 있었다. '사회주의 지상낙원'이라는 표현이 나온 것도 이때였다. 북한 주민들은 체제에 대한 신뢰와 긍지를 느끼고 있었고, 일상의 소소한 재미와 행복을 맛보고 있었다.

그런 분위기에서 내가 태어났다. 문을 잠그지 않아도 도둑 걱정이 없었고 이웃 인심도 넉넉했다. 동네 할머니들이 우리 집 탄불을 갈아주곤 했다. 교원이었던 어머니가 점심시간에 집을 오갈 여유가 없었기 때문이다. 그 시절은 온 동네가 한 집안 식구나 다름없었다.

어머니는 내가 일곱 살이 되자 아침마다 일찍 깨웠다. 동네에 하나밖에 없는 쓰레기장에 구멍탄재를 버리는 일을 내게 맡겼다. 지금도 나는 아침에 일찍 일어나는 편인데 그때 생긴 습관인 듯하다. 아홉 살 때부터는 내가 직접 탄불을 갈았다. 우리 집은 평양 중심에 있긴 했지만 명천 할아버지 집보다 못했다 공동수도와 화장실을 이용해야 하는 불편함도 있었지만 다 그렇게 사는 줄만 알았다. 풍족하지는 못했지만 춥고 배고픈 기억은 없는 행복한 시절이었다.

하지만 그런 행복 속에서 이미 북한 체제의 비극이 잉태되고 있었다. 내가 다섯 살이던 1967년 5월 25일 노동당 중앙위원회 제4기 제15차 전원회의가 열렸다. 김일성의 이른바 5·25교시가 나온 날이다. 이 회의를 계기로 김일성의 권력이 절대화되고 당의 유일사상 체계를 세우는 사업이 공식화됐다. 김일성은 정적들을 숙청하는 동시에 전국적으로 주민등록사업을 실시했다. 이른바 '대오정비사업'이었다. 주민들의 출신성분을 다시 가려내 독재 체제를 구축하려는 의도였을 것이다.

모든 주민이 6·25전쟁 후 달라진 가족관계를 다시 써내야 했다. 그 과정에서 아버지의 이모(이순향 할머니의 언니) 가족의 행적이 불분명하다는 사실이 드러났다. 이모의 아들은 군대에 나가 행방불명됐고, 남은 가족은 국방군이 후퇴할 무렵 행방이 묘연해졌다. 당은 이를 월남으로 간주해서 아버지는 핵심계층에서 기본계층으로 지위가 떨어졌다.

어린 내게도 남은 기억이 있다. 하루는 아버지의 책장을 둘러보다가 이상한 점을 발견했다. 건설대학 교원으로 일하면서 아버지는 관련 교과서나 책을 여러 권 썼다. 그런데 어느 책을 보니 아버지의 직업이 중앙과학기술통보사 건설편집부 기자로 돼 있었다. 중앙과학기술통보사는 외국의 선진 과학기술을 북한에 전파하는 중요 기관이다. 기자 또한 사회적으로 인정받는 직업이었지만 나는 왜 그렇게 됐는지 너무 궁금해서 아버지에게 물어보았다.

결국 이모 가족의 월남이 문제였다. 건설대학 당위원회는 가족 중에 월남자가 있는 교원이 학생을 가르치는 것은 부적절하다며 아버지에게 중앙과학기술통보사 발령을 내렸다. 지금 북한에서는 대학 교원의 인기가 매우 낮아 웬만하면 교원을 하지 않으려고 발버둥친다. 하지만 당시 대학 교원의 지위는 중앙기관 일꾼보다 높았다. 아버지는 분명 좌천을 당한 것이며 실제로 매우 서운해 했다.

그럼에도 아버지는 당에 반감을 가지거나 불평하지 않았다. 혁명의 전진로상에서 취해진 필연적인 조치라고 받아들였다. 아버지는 이후 기자로 일하면서 당에 입당하기 위해 노력했지만 이모 가족의 월남 문제가 번번이 발목을 잡았다. 그런 아버지를 보면서 할머니는 몸이 아파 당에 보탬도 안 되는 할아버지의 당증을 아버지에게 주면 안 되느냐고 리당위원장에게 물어보기도 했다. 그 모습이 아직도 생각난다. 얼마 후 아버지는 평양시 건설현장으로 보내달라고 자진 탄원하여 수년 동안 현장 기사로 일하고 나서야 입당을 했다.

만경대를 '망경대'로 잘못 쓴 수학천재의 영락

아버지가 대학 교단에서 물러날 무렵, 나의 이모부도 건설건재대학 건축설계학부 수학강좌 교원에서 물러나 농업성 과수설계국 지도원으로 자리를 옮겼다. 역시 좌천이었지만 이모부도 아버지처럼 반감이나 불평을 드러내지 않았다.

이모부 김세권은 아버지와 같은 대학, 같은 학급 동기였다. 별명이 '수학천재'였다. 공부를 너무 잘했고, 하루 내내 수학문제만 풀었던 '글뒤지(공부벌레)'였다고 한다. 이모부는 외모가 촌스럽고 옷차림에도 전혀 신경을 쓰지 않는 전형적인 수학자였다. 그 무렵 나의 이모는 양강도 혜산사범전문학교 무용학과에 재학 중이었다. 무용을 잘해 혜산시에 소문이 자자했으며, 아침에 집을 나서면 뭇 총각들의 눈길을 사로잡았다고 한다.

이모부와 이모는 아버지의 소개로 만났다. 아버지는 어머니에게 "사람은 실력이 기본이다. 김세권은 수재고 사람도 진국이다. 그만한 신랑감도 없다"고 했지만 막상 이모부를 처음 본 어머니는 그의 외모가 너무 촌스러워 이모가 거절하지 않을까 걱정했다고 한다. 하지만 그처럼 깔끔하고 새침했던 이모는 첫눈에 좋다는 반응이었다.

"아저씨(형부)가 대학을 함께 다니면서 이미 파악한 사람인데 제가 무슨 이견이 있겠어요. 형부가 좋다는 사람이면 무조건 좋은 사람일 거예요."

이모와 이모부는 그해 벼락 잔치를 했다. 그 후 이모부는 평양건설건재대학을 졸업하고, 이 대학 건축설계학부 수학강좌 교원으로 근무하다가 1967년 김일성의 5·25교시 후 농업성 과수설계국 지도원으로 좌천되었다. 하지만 유능한 설계가라는 평가를 받아 북한에서 누구나 살고 싶어 하는 평양시 중구역 종로동의 외랑식(집채의 바깥쪽에 복도가 있는 건축양식) 아파트를 배정받았다. 그때가 1970년 언저리였던 것으로 기억한다.

당시 우리 집은 종로동의 단층이었다. 이모 집은 10분 거리여서 우리 가족이 거의 매일 들렀다. 아파트에서 사는 이모네를 대단히 부러워했던 것 같다. 그때 이모는 내가 다녔던 창전인민학교 교원으로 근무하고 있었다. 하루는 이모 집에서 아버지가 이모부를 심하게 나무라던 기억이 난다. 기억을 더듬어 정리해 보면 그날의 상황은 이러했다.

농업성에서 김일성의 혁명 활동에 대한 시험이 있었다. '김일성의 고향은 어디인가'라는 문항에 이모부는 만경대라고 써야 할 것을 '망경대'라고 썼다. 당위원회는 비판토론 준비를 하라고 했다. 하지만 이모부는 받침 하나를 잘못 썼을 뿐인데 그것이 무슨 문제가 되느냐며 반발했다. 당시는 김일성의 유일사상체계가 확립되는 과정이어서 만경대를 '망경대'로 쓴 것이 얼마나 '죽을죄'인지 모를 수 있었다.

이모부는 농업성에서 시험을 치렀던 이야기를 하며 아버지의 찬동을 기대했던 것 같다. 하지만 아버지는 “정신이 나갔느냐”며 “수령님의 고향조차 제대로 쓰지 못했으니 큰일 났다”고 야단을 쳤다. 이모부는 이 사건 때문에 훗날 입당할 때도 고초를 겪었다고 한다.

내가 북한에서 살면서 미국이 실제로 북한을 공격할 것이라고 믿었던 때가 두 번 있었다.

처음은 1968년 1월 북한이 미 해군 소속 정찰함 푸에블로호를 나포한 직후였다. 만 여섯 살 때 평양에서 겪은 일인데 어머니가 배낭에 내 옷과 간식을 넣어주며 눈물을 훔치던 생각이 난다. 상부에서 자녀들을 지방으로 소개하라는 지시가 내려왔던 것 같다.

두 번째가 8·18도끼만행사건 이후다. 1976년 8월 18일 판문점에서 도끼 만행 사건이 일어났다. 북한 군인 30여 명이 도끼를 휘둘러 미루나무 가지치기 작업을 감독하던 주한 미군 장교 2명을 살해했다. 김일성종합대학을 다니던 김평일이 자원 입대했다. 김평일은 김일성의 두 번째 부인 김성애가 낳은, 김정일의 이복동생이다. 김일성이 자기 아들부터 군대에 보내니 간부들도 가만히 있을 수 없었다. 간부 자식들과 대학생 대부분이 군대에 들어갔다. 평양 시내에 매일 공습경보가 울리고 주민들은 대피훈련을 했다.

북한은 미국의 공격으로부터 평양을 보위한다고 하면서 ‘적대계층’에 속하는 수만 명을 지방으로 보냈다. 평양을 사수하는 전투가 벌어질 경우를 대비해 적에게 붙을지도 모를 동요 혹은 적대세력을 미리 분류하는 조치였다. 평양에는 ‘골수 빨갱이’만 남게 되었다.

이모네 가족은 황해북도 황주군 흑교로 나가라는 지시를 받았다. 이모는 대성통곡했다. 이모부는 "당이 전쟁준비를 위해 나가라는 것인데 무슨 말이 많으냐"며 서둘러 이삿짐을 쌌다. 이모는 나의 아버지에게 "왜 저런 사람에게 나를 시집보냈느냐"고 투정을 부렸다. 아버지는 "쓸데없는 소리 하지 말라"며 다독였다.

이모네의 어린 아들과 두 딸은 상황을 파악하지 못하고 멍해 있을 뿐이었다. 이모는 짐을 실을 차가 도착하자 눈물을 씻으며 피식 웃었다. 이모는 씩씩하게 차에 오르면서 "일을 잘해 평양에 올라올 테니 그때 다시 모여 행복하게 살자"고 웃으며 떠났다.

이모부는 흑교에 내려가 정말 열심히 일했다. 온 나라의 과수원 건설 현장은 다 누볐다. 가족을 다시 평양에 살게 하기 위해 일생 동안 출장을 다녔다. 그 덕분에 평양시의 중심은 아니었지만 평양시 역포구역 능금동 농업성 과수설계사업소 설계원으로 올라왔다. 하지만 그 작은 기쁨도 오래 가지 않았다. 이모부는 뇌출혈로 사망했다. 눈에 흙이 들어가기 전에 아이들을 평양시 중심부에 살게 하는 것이 꿈이라던 이모부는 끝내 그 꿈을 실현하지 못했다.

그래도 이모네는 마음만 먹으면 우리 집에 놀러올 수 있어 좋다고 했다. 지방에서 평양으로 올라오려면 통행증이 있어야 하는데 보통 어려운 절차가 아니었다. 하지만 평양시 교외인 역포구역 거주자는 시민증만 있으면 가능했다. 이모네 자녀들, 나의 이종사촌들은 일요일이면 버스를 타고 또 몇 시간씩을 걸어 우리 집에 놀러오곤 했다.

어릴 때 평양에서 자란 사촌들은 평양에 대한 추억과 동경을 지니고 있었다. 고층 건물, 아스팔트 도로, 네온등(네온사인)과 가로등이 즐비한 평양을 거닐며 만족을 느꼈던 것 같다. 평양에 한 번만이라도 다녀온 경험을 지방 사람들이 얼마나 영광스럽게 생각하는지 한국인들은 아마 이해하지 못할 것이다.

지방 처녀들에게 '평양 총각'이 얼마나 선망의 대상인지 모른다. 한마디로 '금값'이다. 북한은 평양 총각과의 결혼을 통해 평양에 올라오는 지방 처녀를 막기 위해 이들의 평양 거주를 거의 승인해주지 않고 있다. 하지만 결혼해서 지방에 살다가 당의 조치로 평양에 있는 직장에 배치 받는 경우는 부부의 평양 거주를 승인해 준다. 가정을 파괴할 수는 없다는 이유에서다.

후에 나는 아버지에게 이모네가 평양에서 지방으로 소개된 이유를 물었다. 아버지는 이모부의 부친이 일제강점기에 마을 구장을 지냈다고 했다. 평양에 있을 때 이모 집에는 이모부의 부친이 상경해 함께 살고 있었다. 이모부의 부친은 종로동 이웃들에게 '노당원'으로 불리며 존경을 받았다. 종로동에서 이뤄지는 모임이나 작업동원 과정에서 이뤄지는 토론에도 참여해 경륜과 식견을 보여주기도 했다.

이모부의 부친은 해방 후에 마을에서 제일 먼저 입당했고 전쟁 때 후퇴도 당과 함께했다. 응당 핵심계층으로 평가될 수 있었지만 5·25교시 후 일제 때의 구장 경력이 문제시되어 핵심에서는 제외되었다. 이모네가 추방이 아니라 소개를 당한 것은 그나마 이모부의 부친이 해방 이후 당을 위해 충실히 일했기 때문이다.

추방된 가정은 평양시 주변구역에도 다시 들어올 수 없다. 하지만 소개를 당한 사람이 지방에서 충실히 일해 당의 인정을 받으면 평양시 외곽에는 들어올 수 있다. 자녀들이 평양 중앙대학에 갈 수 없다는 제약은 있었다. 내가 사촌들에게 "이모부처럼 수학 공부를 열심히 해 대학에 가라"고 하면 이런 대답이 돌아왔다.

"평양에 있는 대학에 가지 못하고 지방대학에 가면 졸업 후에 평양시 주변구역에도 배치를 받지 못하고 지방에 내려가야 한다. 그럴 바에는 차라리 대학에 가지 않는 것이 낫다. 지금처럼 평양시 주변구역에서 살고 싶다."

사촌들은 대학에 가지 않고 현재 역포구역 과수농장에서 농장원으로 일하고 있다.

김일성 사진으로 딱지 만든 친구 가족의 불행

나는 종로유치원을 나와 1970년 9월 1일 창전인민학교에 입학했다. 인민학교는 한국의 초등학교에 해당하는데 현재 북한에서는 소학교라고 칭하고 있다. 북한은 유치원부터 고등중학교까지 무조건 거주 단위로 학급(반)을 조직한다. 그래서 유치원 때 같은 반 동무가 인민학교, 고등중학교를 졸업할 때까지 한 반에서 공부한다. 소꿉놀이 동무와 학교 동무의 구별이 없는 셈이다.

인민학교 입학 후 이듬해 4월이 되면 각 학급에서 한두 명씩을 선발해 소년단에 입단시킨다. 당시 관례였다. 나도 그때 선발돼 김일성의 생일이자 국가 명절인 4월 15일 김일성의 고향인 만경대에서 입단맹세를 하고 소년단에 입단했다. 유치원 때부터 학급반장을 계속했던 것이 내가 선발된 이유였다. 소년단에 입단하면 목에 소년단 붉은 넥타이를 매게 된다. 나는 학급에서 유일하게 붉은 넥타이를 매고 다녔는데 어린 마음에도 으쓱하는 기분이었다.

4월 15일 1차로 진행된 입단식은 소년단 창립절인 6월 6일에 2차, 7월 27일 3차, 9월 9일 4차 순으로 이어진다. 1등부터 꼴찌까지 줄을 세우고 우선 선진분자들부터 입단시킨 후 그 다음, 또 그 다음 선진분자 순으로 입단시키는 방식이다. 결국은 학급의 모든 아이들이 소년단에 입단하게 된다. 소년단 입단을 한 번에 일률적으로 하지 않는 이유는 간명하다. 이렇게 선후차를 둠으로써 철저히 대중을 분할통치하기 위함이다. 당과 모든 근로단체들의 가입도 이와 같은 방식이다.

어릴 때 내 꿈은 우주비행사였다. 인류 최초로 우주여행을 하고 돌아온 소련 우주비행사 유리 가가린을 무척 좋아했다. 당시 노동신문은 소련의 경제성과를 자주 보도하곤 했는데 아마 그런 지면에서 유리 가가린을 처음 알게 된 듯하다. 그때는 밤마다 하늘과 별을 멀끔히 바라보는 버릇이 있었다. 유리 가가린이 저 하늘을 몇 번이나 돌았다고 하는데 믿어지지가 않았다. 아버지는 내가 별에 대해서 관심을 가지자 "너는 앞으로 커서 유리 가가린과 같은 우주 비행사가 되라"고 했다.

창전인민학교 때 겪은 두 가지 일이 특히 기억에 남아 있다. 학교 주변에 큰 독집(독채)이 있었다. 일본에서 귀국한 재일동포가 살았다. 그 집 주인은 토요타 자가용차를 몰고 다녔다. 소련제 볼가 자동차밖에 보지 못한 동네 아이들은 화려한 토요타 차가 지나갈 때마다 졸졸 따라다녔다. 어쩌다 차가 정차해 있으면 모두 차안을 들여다보느라고 야단법석이었다.

그날도 아이들과 함께 토요타 차를 따라다니는 나를 마침 귀가하던 아버지가 봤다. 아버지는 나를 집으로 끌고 들어가 “남의 자가용차를 부러워하지 마라. 네가 크면 우리 집에도 차가 생긴다”고 심하게 질책했다. 아버지의 말이 이어졌다.

“지금 우리나라는 높은 속도로 발전하고 있다. 당 제5차 대회에서 수령님께서 6개년 계획을 제시하셨는데 6개년 계획이 완성되면 우리 집에도 텔레비전이 생긴다. 그리고 아파트로 이사를 가게 될 것이다. 네 할머니가 계신 명천군에도 버스가 들어간다. 앞으로 할머니 집에 갈 때는 명천읍에서 황곡리까지 걷지 않고 버스를 타면 된다. 네가 커서 아버지 나이가 되면 우리도 일본처럼 집집마다 승용차가 생겨 주말이면 남포나 원산, 함흥으로 해수욕을 다녀올 수 있다.”

구멍탄을 때는 작은 단층집에서 듣는 아버지의 이야기는 마치 꿈속의 동화 같았다. 우리도 아파트에서 살고 자가용차도 생긴다는 말만 들어도 가슴이 벅차올랐다. 그 후부터 다시는 ‘재포’의 자가용차를 따라다니지 않았다. 북한에서는 재일동포를 재포라고 부른다.

저녁이면 온 동네 아이들과 함께 몰려갔던 이웃 부잣집 텔레비전도 더 이상 부럽지 않았다. 우리 집도 텔레비전이 생긴다는 아버지의 말이 생각나서다. 아버지의 확신이 열 살 안팎이던 내게도 전해졌다는 것은 체제에 대한 믿음이 그만큼 확고한 사회 분위기였다는 뜻이 된다. 모두들 월급과 배급으로 살아가던 세월이었다. 특별히 잘사는 사람도, 못사는 사람도 없었다. 북한 역사발전 과정에서 1960년대 중반부터 1970년대 중반까지가 제일 좋은 시절이었던 것 같다. 이 시기가 나의 유소년기와 겹쳐 있다.

또 한 가지는 애처로운 일화다. 순철이라는 동무가 있었다. 축구를 잘하는 지독한 장난꾸러기였다. 순철이는 또 딱지치기 선수였다. 누구보다 딱지를 많이 가지고 다녔고 동네나 학교에서 동무들의 딱지를 휩쓸어 모았다. 나도 딱지치기를 무척 좋아했다.

그날도 순철이와 몇 명이서 딱지치기를 하고 있는데 지나가던 안전원이 갑자기 딱지를 보자고 했다. 안전원은 딱지 몇 개를 주워 들더니 누구 것이냐고 물었다. 하얀 모조지로 만든 딱지는 순철이 것밖에 없었다. 딱지를 펴니 김일성 노작의 맨 앞에 수록된 김일성 사진이었다.

'아버지 원수님'의 초상화로 딱지를 만들면 안 된다는 것쯤은 그 어린 나이에도 모두 알고 있었다. 순철이를 제외한 아이들이 '대고!'(야, 큰일났다!)하고 소리쳤다. 우리도 순철이가 김일성 초상화로 딱지를 만들었을 줄은 꿈에도 몰랐다. 안전원은 순철이의 집을 묻고는 어디론가 사라졌다가 얼마 후 몇 명과 함께 돌아왔다. 그들은 순철이 집으로 들어갔고 한참 후 다시 나왔다. 순철이의 어머니가 순철이를 두들겨 패는 소리가 들렸다. 순철이는 애처로운 비명을 지르면서 울었다. 우리는 무서워 다들 집으로 흩어져 갔다.

며칠 후 순철이네가 지방으로 추방된다는 소식을 들었다. 다들 무슨 영문인지 몰랐고 나도 지방으로 추방된다는 것이 그렇게 심각한 줄은 몰랐다. 이삿짐을 싣고 순철이네가 동네를 떠나는 날, 배웅하는 어른들은 없었다. 아이들만 모여 작별인사를 하는데 순철이가 차에서도 계속 울던 모습이 눈에 선하다. 후에 아버지는 김일성 초상화에 손을 대면 순철이네처럼 시골로 추방되니 절대로 건들지 말라고 신신당부했다.

"영어 잘해야 잘 살 수 있다" 당 간부 아이들 외국어학교로

1974년 7월 나는 인민학교를 졸업했다. 한국의 초등학교와는 달리 인민학교는 4년제다. 성적은 4년 내내 학급에서 1등부터 3등 사이를 오갔던 것 같다. 중학교 진학을 앞두고도 내 미래에 대해 구체적으로 생각해 본 적은 없었다. 동네 형들이 그랬던 것처럼 창전인민학교를 졸업하면 서문중학교로 가면 될 것이라고 막연히 생각했다. 서문중학교는 어머니가 일하는 서문인민학교와 담 하나를 사이에 두고 있었다.

아버지와 어머니가 나의 전망문제(진로)를 놓고 다투던 날이 기억난다. 나를 두고 어머니는 "평양외국어학원에 보내야 한다"고 했고, 아버지는 "맏아들을 통역관을 시키겠는가. 나처럼 건설기사 아니면 기계공학 박사나 우주비행사로 키워야 한다"고 했다. 어머니의 주장은 이러했다.

"과학자, 기술자는 전망이 없다. 앞으로는 정치 간부나 외교관을 해야 잘 살 수 있다. 지금 서문인민학교를 졸업하는 간부집 아이들은 다 외국어학원 시험을 준비하고 있다. 아무렴 간부들이 나라의 미래를 더 잘 내다보지 당신이 더 잘 알겠는가."

간부들이 미래를 더 잘 내다볼 것이라는 말에 아버지가 밀리는 듯했다. 당시 서문인민학교 주변에는 중앙당 일꾼 가족들과 김일성 주치의 같은 의사들이 많이 살았다. 간부들만 전문적으로 치료하는 남산병원이 부근에 있었기 때문이다. 이들 중에는 서문인민학교 학부모들도 많았다. 어머니는 학부모들로부터 "내 아이는 평양외국어학원에 추천해 달라"는 부탁을 수없이 받았다.

이같은 체험을 했던 어머니는 "이제는 영어를 해야 잘 살 수 있다. 힘 있는 집 아이들은 다 영어학부를 신청한다"고 아버지를 설득했다. 아버지는 "외국어를 배운다고 해도 러시아어를 해야 소련에도 갈 수 있지 미국놈 말은 배워서 뭘 하겠느냐"며 짜증을 냈지만 어머니의 고집을 꺾을 수는 없었다. 나의 미래는 이렇게 결정됐다.

당시는 인민학교별로 평양외국어학원 응시생을 소수로 제한하고 있었다. 창전인민학교 학부모 가운데 중앙당 간부나 남산병원 의사들이 많았다면 나에게 응시 기회는 오지 않았을 것이다. 다행히 창전인민학교 주변에는 인민무력부 간부들이 많이 살았다. 군간부들은 그때까지 자녀에게 외국어를 가르쳐야 유리하다는 사실을 모르고 있었다.

우리 학급에서는 나를 포함해 네 명이 평양외국어학원에 응시해 세 명이 합격했다. 북한 부주석이었던 최용건의 운전사 아들 최용학과 소꿉놀이 친구 전인철이 나와 함께 합격했고, 중앙당 운전사 아들은 떨어졌다. 전인철과 나는 희망대로 영어학부에 들어갔고 최용학은 프랑스어학부에 들어갔다. 창전인민학교 전체에서는 소년단 위원장을 했던 한철범 등 총 11명이 합격했다.

한철범에 대해서는 특히 덧붙일 이야기가 있다. 프랑스어과에 입학한 한철범은 졸업 후 무역성에서 일하다가 1990년대 초 프랑스 주재 북한무역대표부 서기관으로 파견되었다. 2000년대 후반에는 어느 특수기관에 들어가 중국에서 활동했다. 김정남의 재정 지원 역할을 하던 그는 김정은이 집권하면서 평양으로 소환돼 총살되었다. 김정남과 가까웠다는 이유뿐이었다. 부인과 자녀도 수용소로 끌려갔다. 부인은 북한의 유명 성악배우인 주창혁의 차녀였다. 한철범의 동서였던 박명호는 운 좋게 좌천을 면하고 현재 중국 주재 북한대사관 공사로 근무하고 있다. 대사관에서 계속 근무해도 좋다는 김정은의 '특혜배려'가 있었다고 한다.

나는 1974년 9월 1일부터 평양외국어학원 영어학부 1학년 2반에서 공부를 시작했다. 인민학교는 걸어서 다녔는데 지하철도(지하철)로 통학을 하니 매일 온 평양시를 도는 것 같은 느낌이었다. 당시 '벤또'라고 불렸던 도시락도 싸가야 했다. 하지만 이런 것은 사소한 변화에 불과하다. 평양외국어학원에서 나는 처음으로 북한의 새로운 현실을 목격했다. 간부집 자녀들이 입학생의 25%에 달했다.

영어학부 1학년은 총 3개 학급이었다. 이 중에 최고위층 자녀만 나열해 보면 허담 외교부장의 딸 허영희, 김일성의 책임서기의 딸 최선희, 김영남 상임위원장 아들 김동호 등이 있었고, 후에 오진우 인민무력부장의 딸 오선화와 3층 서기실장 리명제의 딸이 편입했다. 최선희는 현 외무성 미국담당 부상이며, 김동호는 현재 중국 주재 북한대사관 참사로 있다. 당내에서 세력이 막강했던 중앙당 조직부 부부장의 딸 석영희 정도는 간부집 자녀 명단에 명함도 들이밀지 못할 정도였다.

창전인민학교에서는 간부집 자녀를 보지 못했다. 아무개 아버지가 승용차를 타고 다닌다더라는 말도 못 들었다. 당시 북한은 간부집 자녀들을 남산인민학교와 남산중학교에서 교육시키고 있었다. 일반 주민의 자녀와 격리시키려는 의도에서였다. 김일성의 자녀들인 김정일, 김경희, 김평일, 김경진, 김영일도 남산학교를 졸업했다. 평양외국어학원에서 간부집 자녀들을 보며 의외의 충격을 받았다. 아버지 등(빽)을 믿고 공부를 하지 않을 줄 알았는데 오히려 일반 주민의 아이들보다 더 열성적이었다. 집에서 어떤 말을 들었는지 모르겠지만 특히 영어 공부를 열심히 했다. 그들을 보면서 나도 앞으로 간부가 되려면 열심히 공부해야겠다는 자각이 들었다.

어느 나라, 어느 사회나 엘리트 교육은 있다. 북한도 예외가 아니다. 북한에서 엘리트 양성은 중학교 단계에서부터 시작된다. 1960년대까지만 해도 중등 교육단계의 엘리트 양성기지는 두 곳뿐이었다. 하나는 김일성이 해방 후 만경대에 세운 만경대혁명학원이고 다른 하나가 평양외국어혁명학원이다. 두 학교에 '혁명'이라는 단어가 붙어 있음을 유의해야 한다.

해방 후 김일성은 만주에서 항일무장투쟁을 하다가 전사한 전우들의 자녀들을 키우기 위해 만경대에 기숙학교를 세웠다. 이때 만경대혁명가유자녀학원이라는 이름을 붙였고 이후 학원이라는 단어 앞에 혁명이라는 수식어를 붙이는 것이 관례가 됐다. 김일성은 전사자의 자녀들을 만주에서 데려다 만경대혁명학원에 입학시켰다. 북한 체제를 떠받치는 기둥으로 이들을 키울 생각이었다.

김일성은 6·25전쟁을 일으키면서 자신이 속한 최고사령부 호위를 만경대혁명학원 출신에게 맡겼다. 이를 '친위중대'라고 부른다. 김일성은 "부모들이 일제와 싸우다가 죽었는데 그 아이들까지 전사자로 만들 수는 없다"며 전장으로 내보내지 않고 경비를 서게 한 것이다. 김일성은 전쟁이 끝날 무렵 이들을 소련과 동유럽 국가들에 유학을 보냈다. 실제로 이들은 전후 복구건설과 1970년대 김일성·김정일 후계 체제 구축의 기둥 역할을 했다. 만경대혁명학원 출신 가운데 고위층에 오른 인물로는 강성산과 연형묵(이상 총리), 김환(부총리) 등 당 간부들과 인민군 총참모장을 지낸 오극렬, 김영춘 등이 있다.

평양외국어혁명학원에는 6·25전쟁으로 비롯된 전쟁고아들이 많이 입학했다. 처음에는 이들도 소련과 동유럽으로 보냈지만 다 보낼 수는 없었다. 도처에 고아원을 설치해 국가가 고아를 키우면서 일부 우수한 아동을 평양외국어혁명학원에 입학시켜 외국어를 가르쳤다. 1960년대까지 외국어학원과 외국어대학 졸업생은 거의 다 전쟁고아 출신이었다. 전쟁 때 부모를 잃어 한국과 미국에 대한 적대감이 대단히 강했던 이들은 외교관 집단을 형성하며 애초에 김일성의 의도한 바대로 외교전사 역할을 충실히 수행하게 된다.

1970년대에 들어서자 평양외국어혁명학원에는 세월이 흐르면서 사라진 전쟁고아 대신 간부집 자녀들이 줄지어 입학하기 시작했다. 간부들은 이미 북한 사회에 새로운 계급분화 과정이 이뤄지고 외국어 전문가가 경제적으로 유리해질 것이라고 예측하고 있었다.

1960년대 중소분쟁을 겪은 김일성은 1970년 노동당대회를 통해 대외 정책방향을 제3세계 국가들과의 관계강화로 돌리기 시작했다. 외국어 전문가에 대한 수요가 크게 늘어나게 된 셈인데 일반인들은 이같은 흐름을 읽지 못했지만 간부들은 간파했다. 1970년대 초부터 간부집 자녀들이 평양외국어혁명학원으로 몰려든 데는 그런 배경이 있었다. 반면 군사 간부나 당 간부가 되기 위해 진학하는 만경대혁명학원의 인기는 갈수록 떨어졌다. 평양외국어혁명학원은 전쟁고아 입학생이 사라지면서 1970년대 초 교명에서 '혁명'이란 단어가 삭제된다.

평양외국어대학 출신 탈북자 많아

북한의 외국어 전문가 양성체계는 두 갈래다. 평양외국어학원을 졸업하고 평양외국어대학이나 김일성종합대학 외문학부로 진학하는 코스가 하나다. 평양외국어학원에 가면 웬만하면 외국어대학까지 그대로 간다. 외국어학원이 실질적으로 외국어대학 준비과정 역할을 하는 것이다. 1970년대 초부터 직할시와 각 도에 설립된 외국어학원에서 올라오는 경우도 있다. 영어와 러시아어를 전공한 졸업생 가운데 공부를 잘하고 성분이 좋으면 평양외국어대학이나 김일성종합대학 외문학부에 진학한다.

입학 후 다녀보니 평양외국어학원은 다른 중학교에서는 찾아

볼 수 없는 엄격한 엘리트 교육을 시키고 있었다. 매달 학습경연을 하고 1등부터 꼴찌까지 게시판에 계속 공시했다. 철저한 상대평가다. 우리 학년에서 1등은 현재 보위부에서 일하고 있는 황성필과 평양외국어대학 교무부학장 차철호가 많이 차지했다. 나에겐 힘에 부치는 경쟁자들이었다. 나는 1등부터 5등 사이를 오르내렸다.

평양외국어학원만의 특이점도 있다. 첫째 외국 교과서도 교재로 사용한다. 수업시간에 영국의 BBC 링거폰(Linguaphone·영어회화 교육 프로그램) 교재를 암송시켰다. 테이프를 틀어놓고 영국인이 말하는 소리 그대로 모방하게 했다. 훗날 한국 외교관들을 많이 접해 봤지만 영어 발음만은 북한 외교관이 더 정확한 경우가 많았다. 남북 간 듣기 교육 방식의 차이인 듯했다. 이런 교재는 일반에서는 구할 수도 없고 구해서도 안 되는 품목이다. 외부인에게 보여주거나 유출해서도 안 된다.

링거폰 교재에는 다양한 그림이 수록돼 있었다. 영국인의 집안 풍경, 아침식사 장면, 쇼핑 장면 등이었다. 거실에는 소파와 애완견이 있었고 쇼핑은 승용차로 다녔다. 빵, 버터, 치즈, 베이컨 등도 처음 접하는 단어였고, 영국인들이 아침마다 차나 우유를 마신다는 사실도 처음 알았다. 세상에 이런 생활도 있나, 충격을 받았다. 어릴 때는 달에 가보는 것이 꿈이었는데 영어 교재를 보면서 영국이라는 나라에 한번 가보고 싶었다.

아버지도 그림들을 보면서 '유럽은 정말 잘 사는구나'하고 탄복했다. 당시 북한은 각종 선전수단들을 동원해 〈세상에 부럼(부러움) 없어라〉는 노래를 끊임없이 내보내고 있었다. 북한이 세상에서 제일 살기 좋은 나라라는 내용의 노래였다. 주민들도 매일 그 노래만 부르고 있었지만 평양외국어학원에서는 학생들이 정말 부러워할 다른 세계를 보여주고 있었던 것이다.

평양외국어학원은 이따금 외국 영화를 보여주기도 했다. 영어과는 미국이나 영국 영화, 러시아어과는 소련 영화, 프랑스어과는 프랑스 영화를 보여주는 식이었다. 〈사운드 오브 뮤직〉, 〈메리 포핀스〉 같은 영화는 지금도 기억이 생생하다. 외국 영화에 등장하는 명곡들도 학교에서 배웠다. 졸업 후 외국인을 상대할 때 외국 노래 몇 곡쯤은 불러야 한다는 것이었다. 북한이 폐쇄 사회가 아니라는 것을 보여주기 위한 교육이었다. 하지만 이런 노래들을 북한 주민 앞에서 불러서는 안 된다고 가르쳤다.

북한에서 일반인이 외국영화를 몰래 보는 것은 중범죄다. 심지어 처형되는 경우도 있다. 내가 학교에서 미국 영화를 보여준다고 말했을 때 아버지조차 반신반의했을 정도다. 하지만 엘리트 교육을 위해서라면 미국 영화마저도 허용된다. 엘리트 교육과 일반 교육을 철저히 분리시키는 것이다.

두 번째 특이한 점은 선배 존중 문화다. 1년만 선배여도 후배들은 무조건 복종해야 한다. 선배들이 가끔 아래 학년 후배들을 구타하는 사건이 있었지만 대부분의 경우 교원은 못 본 척하고 넘어간다. 성인이 돼 만나도 이런 관계는 유지된다. 외무성 내에서도 학원 선배들을 만나면 설사 후배가 직급이 높아도 존대어를 썼다.

세 번째는 체육문화다. 일례로 김일성종합대학에도 없는 수영장이 평양외국어학원에는 올림픽을 치를 수 있는 규모로 갖춰져 있었다. 평양외국어학원 출신들은 체육을 못하면 축에 못 든다. '축에 못 든다'는 것은 대우를 못 받는다는 뜻이다. 공부보다는 체육을 잘해야 인기가 있었다. 다른 중학교나 전문학교와 체육 경기를 하면 지는 법이 없었다. 점심시간이면 무조건 운동장에 나가 축구, 탁구, 농구를 해야 하며 다른 학부와 축구를 할 때면 거의 전쟁 수준이다. 경기에서 지면 영어학부 선배들이 나서서 욕설을 퍼부었다.

현재 북한에서 외교관이나 무역일꾼으로 성장하는 가장 빠른 길은 평양외국어학원에 입학하는 것이다. 그래야 외국어대학이나 김일성종합대학에도 들어갈 수 있다. 당연히 인재가 몰리고 유명 인사도 많다. 우선 현 노동당 부위원장 리수용, 외무상 리용호, 당 서기실에서 김정은을 직접 보좌하고 있는 서기실 부부장 백순행 등의 이름을 꼽을 수 있다. 여기에 몇 년 전 처형된 국가보위부 실세였던 부부장 류경, 현 외무성 1부상 김계관, 미국담당 부상 최선희 등이 있다.

평양외국어학원, 외국어대학 출신 중에 한국으로 망명한 사람도 상당수다. 가장 먼저 한국에 온 사람은 1987년 KAL기 폭파사건을 저지른 김현희다. 나와 동갑(1962년생)이라고 알고 있는데 그렇다면 같은 학년이거나 한 해 선배였을 것이다. 외국어학원에서 김현희를 본 기억은 없다. 다만 KAL기 사건 후 북한에서는 김현희가 평양외국어대학 일본어과를 다녔으며 대외경제위원회에서 근무하던 그의 아버지 등 온 가족들이 다 없어졌다는 소문이 돌았다.

그 다음의 망명자가 전 국가안보전략연구원 고영환 부원장이고, 그 후 프랑스어과 강명도, 영어과 김광진, 독일어과 최세웅 등이 한국에 왔다. 이미 많이 알려진 분들이어서 이름을 거명했지만 아직 망명 사실조차 공개되지 않은 채 통일을 위해 힘쓰고 있는 동문도 많다. 이제는 평양외국어학원 한국동문회를 조직할 때가 되지 않았는가 생각한다. 그런 날이 오면 나는 물론 내 아내와 두 아들도 정회원으로 가입할 것이다. 내 가족은 전원이 평양외국어학원을 다녔다. 안타까운 것은 평양외국어학원 졸업생 중에서 이미 숙청되거나 생사나 행방이 묘연한 동문도 많다는 점이다. 아내의 경우, 급우 가운데 연락이 안 되는 친구가 반절가량이다. 남편과 함께 숙청됐거나 지방으로 쫓겨난 것으로 보인다.

노동당의 비공개 부분인 김현희 KAL기 폭파사건

'김현희 KAL기 폭파사건'은 내가 외무성에 들어오면서부터 당면했던 일이었기 때문에 깊은 인상으로 남아 있다. 처음에 나는 당의 모든 정책과 선전을 한 점 의심 없이 받아들였다. 하지만 김현희 KAL기 폭파사건을 계기로 북한 노동당의 정책에 공개적인 부분과 비공개 부분이 따로 있다는 놀라운 사실을 발견했다.

당시 북한 언론은 KAL기 폭발사건이 한국의 자작극이라고 주장하며 매일같이 한국과 미국을 비난했지만 외무성 유럽국은 정반대로 움직였다. KAL기 사건의 주범인 북한공작조는 유럽에서 사전 적응훈련을 했다. 사건 후 유럽의 해당 국가들은 북한에 강력하게 항의했고 외무성 유럽국은 이를 무마시키는 데 급급했다. 오스트리아, 유고슬라비아 등은 인터폴과 협력해 북한공작조의 현지 체류과정을 전면적으로 조사했다.

동구권 국가들은 같은 공산체제여서 북한에 공개적인 항의를 하지 않았지만 오스트리아만은 빈 주재 북한대사관 외교관 수를 대폭 감축하는 제재조치를 취했다. 빈 주재 북한대사관은 서방 국가에 나가 있는 해외공관의 거점 역할을 했다. 상당수의 전문외교관과 북한노동당 조사부를 비롯한 특수기관 요원들이 외교관 신분을 지니고 상주하고 있었다.

북한은 KAL기 폭파사건을 북한이 일으킨 것이 아니라고 항변하면서 외교관 추방조치를 거둬줄 것을 요구했다. 하지만 오스트리아는 북한이 계속 부인할 경우 북한공작조의 빈 체류과정을 공개할 수밖에 없다고 위협했다. 북한은 어쩔 수 없이 한발 뒤로 물러서 침묵으로 대응할 수밖에 없었다. 오스트리아는 북한공작조의 빈 적응훈련 과정을 언론에 공개하지 않고 조용히 넘어갔다. 북한으로서는 다행이었다.

나는 이런 과정을 지켜보면서 “모든 테러를 반대한다”던 당의 정책이 사실이 아니라는 것을 깨달았다. 중국에서 유학 생활을 할 때 일어난 ‘아웅산 테러’에 대해 세계 언론은 북한의 소행이라고 보도했지만 나는 ‘반북 선전공세’라는 당의 주장을 굳게 믿었다. 하지만 KAL기 폭파 사건 후 외무성에서 벌어지는 일들을 직접 목도하면서 마음이 다소 복잡해졌다.

‘아무리 남조선이 밉고 서울올림픽에 배가 아프다고 해도 어떻게 무고한 사람들까지 죽일 수 있는가.’

이런 괴리감을 느끼면서도 나는 ‘혁명 과정에서 희생은 불가피하다’는 북한식 폭력혁명 이론을 믿고 있었다. 나는 ‘서울올림픽을 파탄 내려면 그렇게밖에 할 수 없었겠지'하고 당의 사업을 합리화했다. 씁쓸한 기억이 아닐 수 없다.

핵심 빨치산 출신 가문에 장가를 가다

북한에는 직업 선택의 자유가 없다. 유학생이라고 해서 예외는 아니다. 당 간부부가 유학생의 학업성적과 출신성분 등을 따져 보고 외무성, 보위부, 인민무력부, 무역성, 대외문화연락위원회 등 대외사업 기관에 배치한다.

유학생들이 제일 가기 싫어하는 곳은 대학 교원이나 과학연구기관, 외국문출판사나 조선중앙통신사와 같이 별로 '먹을 알'이 없는 곳이다. 반면 무역성이나 대외보험총국, 무기거래를 하는 99호총국처럼 외화를 만질 수 있는 기관을 가장 선호한다.

지금은 조금 달라졌지만 외무성 또한 유학생들이 선호하는 기관 중의 하나였다. 1988년 10월 외무성 발령을 받은 나는 간부집에서 선이 자주 들어왔다. 누구네 딸인데 일단 결혼하면 스웨덴이나 스위스 같은 좋은 나라에 보내준다, 전망이 쭉 열린다는 식이었다. 외무성에 들어갈 때가 만 스물여섯 살이었다. 당시 북한에서는 마땅히 가정을 이뤄야 할 나이다. 이전에도 맞선 기회가 다소 있었으나 간부집 딸은 거의 없었다.

부모님은 내게 어울릴 만한 처자를 원했는데 조건은 매우 구체적이었다. 결혼 후에 어차피 외교관 부인이 될 테니 외국어대학 혹은 김일성종합대학에서 영어를 전공한 여성이면 좋겠고, 나이 차이도 좀 있으면 하는데 나보다는 어리고 내 동생(1967년생)보다는 연상이면 좋겠다는 말이었다. 이것은 1963년부터 1966년 사이에 태어나 외국어대학이나 김일성종합대학에서 영어를 공부한 처녀를 찾아야 한다는 것을 의미했다. 평양 바닥에 그런 처자가 많을 리 없다. 몇 명과 맞선을 보았으나 잘 되지 않았다.

그러던 차에 한창 연애 중이던 김동호가 나섰다. 당시 동호는 외국어대학 영어과에 다니는 이명희라는 처녀와 사귀고 있었다. 동호가 소개시켜주려던 사람은 이명희의 한 학급 친구였던 오혜선이라는 처자였다. 그런데 처자의 가정환경이 너무나 요란했다. 우리 가정과 어울릴 것 같지 않았다.

오혜선의 부친은 인민군 중장 오기수였다. 당시 김일성정치대학 총장으로 재직하고 있었다. 집은 24시간 무장보초가 서는 독집(독채)이었고 김일성정치대학 구내에 있었다. 여기까지도 충분히 '요란'한데 오기수는 오백룡의 조카였다. 오백룡은 김일성과 함께 빨치산 투쟁을 한 사람이다. 오백룡의 장남 오금철은 공군사령관, 차남 오철산은 해군 정치위원이었다. 오기수의 사촌형제가 공군과 해군의 수장이었다는 얘기가 된다. 마치 오백룡 가문이 북한군을 틀어쥐고 있는 것처럼 보일 때였다.

나는 그리 내키지 않아 동호의 제안을 거절했다. 부모님도 좀 더 평범한 집 처녀가 좋을 것이라고 했다. 하지만 동호는 간부집 딸이지만 성품이 수수하고 좋다고 하면서 있는 좋은 말은 다 갖다 붙였다. 사실 내 귀에 번쩍 들어온 것은 그 처자가 1981년 탄자니아 대통령 줄리어스 니에레레가 방북했을 때 조선소년단을 대표해 '영접보고'를 했다는 사실이었다.

조선소년단의 영접보고는 외국 정상이 방북했을 때 이뤄진다. 보통 김일성이 비행장까지 마중을 나가 외국 정상과 함께 무개차를 타고 평양 시내를 한 바퀴 돈다. 그러다가 청소년 수만 명이 대기하고 있는 4·25문화회관 앞 광장이나 개선문 앞 광장 같은 환영행사장에 도착하면 조선소년단 연합단체 위원장 남학생과 여학생이 두 사람 앞으로 나간다. 남학생은 우리말로, 여학생은 영어로 '각하의 우리나라 방문을 환영합니다'라고 환영인사를 하면 김일성과 외국 정상이 두 학생의 손을 잡고 환영군중 속을 지나 다시 무개차에 오르게 된다. 국빈을 맞아들이는 환영행사에서 김일성에게 영접보고를 했다는 것은 그만큼 외모가 출중하다는 것을 의미했다.

나는 못 이기는 척하고 동호의 제안을 받아들였다. 부모님도 한 번 만나는 보라고 했다. 하지만 무작정 간부집 처녀를 만났다가는 난감해질 수도 있을 듯했다. 처녀는 나를 좋다고 하는데 내가 싫다고 하면 외무성 간부를 통해 압력이 들어올 수도 있었다.

외국어대학 영어 교원 최금선 선생을 찾아갔다. 나의 은사이기도 한 최 선생은 당시 오혜선의 담임 교원이었다. 최 선생과는 한때 한동네에서 살아 부모님도 잘 아는 사이었다. 오혜선은 어떤 학생이냐고 최 선생에게 물어보니 첫 마디에 좋다고 하면서 "백년가약을 맺어도 후회가 없을 것"이라고 했다.

1989년 4월 어느 날, 모란봉의 꽃피는 길에서 지금의 아내 오혜선을 처음 만났다. 몇 마디만 해봐도 알 수 있었다. 더 말할 필요가 없었다. 당시 나는 자신감으로 충만해 있었다. 북한 기준에서 대학 졸업, 두 번의 중국 유학, 좋은 직장, 노동당원 등 '만점짜리 신랑'의 조건을 다 갖추고 있었기 때문이다. 사실 아내를 만나기 전까지 여러 명과 선을 봤지만 그리 마음을 채운 처자는 없었다. 그럼에도 아내는 첫눈에 반했으니 하늘이 내린 연분이라는 것이 있는 모양이다.

그날 바로 집에 데려갔다. 부모님도 무척 좋아했다. 아내가 가자고 해 처가도 당일 찾았다. 장인이 부리나케 차를 타고 달려왔다. 장인, 장모는 이미 동호의 애인으로부터 나에 대한 이야기를 많이 들었던 모양이었다. 일은 일사천리로 진행됐다.

그때 아내는 아직 대학 졸업반에 다니고 있었다. 두 집 어른들은 우선 약혼식을 올리자고 했다. 첫 선을 본 지 한 달 만에 약혼을 했고 이 해 10월 17일 결혼식을 올렸다. 우리 부부는 결혼 전인 7월 평양에서 열린 세계청년학생축전 조선청년학생대표단 성원으로 참가했다. 한국에서 임수경이 참가한 그 축전이다. 젊은이들이 참가한 축제의 현장에서 우리는 대표단 성원들로부터 축복의 인사를 수없이 받았다. 이 또한 잊을 수 없는 기억이다.

아내는 무역성 근무, 행복한 신혼생활에 맏이가 태어나다

아내의 조부 오도현은 6형제의 맏이었다. 그 덕에 형제 중에서 유일하게 중학교까지 다녔다고 한다. 바로 아래 동생이 오백룡으로 원래 이름은 오수현이었다. '백룡'이란 이름은 백룡처럼 잘 싸우라는 뜻에서 김일성이 지어줬다고 한다.

아내의 조모 신일은 김일성빨치산부대에서 작식대원(취사대원)으로 일했다. 김일성의 회고록 《세기와 더불어》에도 나오는 여성 빨치산이다. 조부는 일본군 토벌대에 의해 희생됐지만 조모는 내가 결혼한 다음 해에 사망하셨다. 처가에 갈 때면 할머니는 나를 앉혀놓고 만주에 살던 이야기를 풀어놓았다. 처가 사람들은 귀에 못이 박히도록 들은 가족사여서 누구도 들으려 하지 않았지만 나는 할머니의 이야기를 매우 재미있게 들었다. 어떤 때는 그때까지 생존해 있던 빨치산 여대원들이 할머니를 찾아오기도 했다. 할머니의 이야기는 이러했다.

오도현 부부가 살던 마을에 가끔 김일성이 찾아와 무장 투쟁 조직 문제 등으로 청년들과 회의를 하곤 했다. 문맹자가 태반이던 마을에서 중학교까지 나온 오도현과는 말이 통했다. 어느 날은 오도현의 집에서 점심을 먹었다. 그때 두세 살 아이였던 장인이 김일성에게 계속 매달렸다. 김일성은 탄알 주머니에서 총알을 꺼내 장인에게 쥐어 주며 가지고 놀게 했다고 한다. 그 후 오도현은 일본 토벌대와의 전투에서 희생됐다. 만형이 죽자 둘째 오백룡이 김일성 유격대에 입대했고, 셋째와 넷째도 뒤를 이었다. 이 형제들은 김일성을 따라 동만주로 갔다가 셋째와 넷째는 희생되고 오백룡만 살아남았다.

해방 후 김일성은 만경대혁명가유자녀학원을 세우고 장인을 비롯한 빨치산 유자녀들을 만주에서 데려다 공부시켰다. 이후 장인은 6·25전쟁 때 최고사령부 '친위중대'에서 복무하다 소련 모스크바로 유학을 떠났다. '혁명가 유자녀'들이 밟은 전형적인 과정이었다. 유학 후에는 외무성 소련담당자로 일하다가 김일성이 인민무력부를 빨치산 자녀들로 꾸리면서 인민무력부 총정치국 간부국장으로 다시 입대했다. 그 뒤에도 관운이 이어져 총정치국 간부국장, 105탱크사단 정치위원, 판문점 군사정전위원회 북측 차석대표, 김일성군사대학 정치부총장을 거쳐 북한군의 정치간부를 양성하는 김일성정치대학 총장이 된 것이다.

이런 집안에서 자라며 평생 독집에서 편안하게 살았던 아내가 평범한 우리 집으로 시집오면서 고생을 많이 했다. 당시 우리 집은 모란봉구역 개선동에 있는 3칸짜리 조그만 아파트였다. 간부집에만 있던 가스 곤로를 썼던 아내는 우리 집의 석유곤로를 다룰 줄 몰라 내가 몇 번 도와준 적이 있다. 처음에는 어머니의 걱정이 컸지만 아내는 빠르게 적응해 나갔다. 요리를 무척 잘해 아버지의 후한 칭찬을 받기도 했다.

장인도 나를 무척 좋아했다. 주말이면 아내와 함께 처가에서 보냈는데 장인은 내가 맥주를 좋아한다는 것을 알고 처남들도 못 마시게 보관해 둔 맥주를 내오곤 했다. 외무성에서 소련담당자로 근무한 경력이 있는 장인은 국제정세에 대해 많이 물어보았다. 폐쇄된 사회인 북한에서는 군사대학 총장도 외부 정보와는 격리되어 있었다. 장인은 나의 이야기를 매우 흥미 있게 들었고, 특히 북미 회담 과정에 관심을 보였다.

아내는 1989년 9월 대학을 졸업하고 무역성에 들어갔다. 외무성과 무역성은 김일성광장을 사이에 두고 붙어 있었다. 우리 부부는 아침마다 같이 출근했고, 어떤 때는 시간 약속을 하고 지하철 승리역 앞에서 만나 같이 퇴근했다. 정말 행복했던 나날이었다. 훗날 나는 아내가 김일성과 탄자니아 대통령 앞에서 영접보고를 하는 사진을 거실 벽에 크게 걸었다. 동료들이 집에 놀러오면 자랑도 몇 번 했는데 동료들로부터 '1등 바보'라는 소리도 꽤 들었다. 북한에서는 아내 자랑을 하는 사람을 '1등 바보'라고 한다.

1990년 맏이가 태어났다. 우리 집안의 첫 손자여서 이름은 나의 아버지가 지어주셨다. 자기 운명을 자기가 책임진다는 의미와 앞으로 이름을 떨치라는 뜻의 한자를 썼다. 그러나 북한은 김씨 3대를 제외한 어떤 개인도 스스로 주인이 될 수 없는 사회였다. 훗날 맏이가 북한을 떠나 자유국가에서 살게 된 것을 보면 아버지에게 어떤 선견지명이 있었던 것도 같다.

9장

노예 해방을 위하여

"이순신이 누구예요?"

아이들이 자라는 것을 보면 세월이 빠르다는 것을 새삼 느끼게 된다. 독일이 통일되던 1990년에 태어난 맏이도 어떻게 보면 지금까지 파란 많은 삶을 살았다. 평양에서 태어나 덴마크, 스웨덴에서 초등학교를 다니고 다시 북한으로 돌아갔다가 또 영국에 가서 중학교에 다녔다.

맏이가 덴마크에서 대사관 주변 천주교 국제학교(초등학교)에 다닐 때가 생각난다. 같은 학급에 한국 여자아이가 있었다. 이 학교는 영어로 모든 교육이 이뤄졌기 때문에 'North Korea'와 'South Korea'가 뭔가 다르다는 것 정도는 아이들도 충분히 알고 있었다. 그래서인지 맏이와 한국 여자아이는 서로 거의 말을 하지 않았다고 한다. 슬픈 현실이지만 어린아이에게까지 분단 의식이 있었던 것이다.

하루는 맏이가 학교에서 돌아와 이순신이 누구냐고 물었다. 북한에서도 이순신에 대해 가르치긴 하지만 맏이의 나이가 당시 만6세여서 북한에서 초등교육을 받은 적은 없었다. 어떻게 이순신을 아는지 신기했다. 맏이는 학교에서 자기 나라의 가장 위대한 인물이 누구인지, 왜 위대한지 발표하는 시간이 있었다고 했다.

맏이는 당연히 "우리나라는 김일성 대원수님이 제일 위대하다"며 "우리나라를 빼앗은 일본을 몰아냈다"고 했다. 발표 차례가 된 한국 아이는 "우리나라는 이순신 장군님이 가장 위대하다. 우리나라에 쳐들어온 일본을 쫓아냈다"고 했다. 학급 교사는 김일성에 대해서는 알고 있었지만, 이순신은 몰랐던 것 같다. 교사는 맏이와 한국 아이를 일으켜 세워 "왜 북한과 남한은 일본을 몰아낸 사람에 대해 다르게 말하느냐"고 물어봤지만 두 아이가 제대로 대답했을 리가 없다. 거기에 일본 아이까지 있었다면 더 난감한 상황이 벌어졌을 듯하다.

맏이가 그때의 일을 기억하고 있는지는 모르겠지만 녀석이 겪었을 정체성 혼란을 생각하면 마음이 편치 않다. 그 후에도 맏이는 런던에서 중학교를 다니다가 북한에 들어가 평양외국어학원에 다녔고 또 다시 영국으로 나왔다. 인성과 성격이 형성되는 유소년기와, 한창 공부하고 즐겨야 할 20대를 맏이는 남다르게 보냈다.

그래도 우리 가족은 대부분의 외교관 가족과는 달리 부모와 자식이 떨어져 살았던 시기는 거의 없었다. 2013년 4월 평양에서 영국 주재 공사로 나올 때 맏이와 1년 정도 헤어진 것이 전부였다. 이때도 둘째아이는 데리고 나왔다. 운 좋게도 맏이는 이듬해 3월 영국으로 왔다.

두 아이는 영국에서 공부를 꽤 열심히 했다. 맏이는 런던에서 공중보건경영학을 공부하면서 영국의 보건복지체계에 상당한 관심을 가졌다. 배움의 마지막 기회가 될지도 모른다는 심정이었던 것 같다. 실습기간에는 현지인 환자들을 극진히 돌봐주었다.

둘째아이는 축구를 좋아했다. 영국에 도착할 때만 해도 프로축구 선수의 꿈을 가지고 있었다. 평양외국어학원 중어과 4학년 재학 중에는 '민족어팀' 스트라이커로 출전해 영어과팀을 꺾었다. 학원 창립 수십 년 역사에 민족어팀의 첫 우승이었다. 둘째아이가 평양을 떠날 때 교원들은 우스갯소리로 '네가 떠나니 민족어학부 축구는 망했다'고 아쉬워했다고 한다.

런던에 와서도 매일 축구하러 다녔던 둘째아이는 한 달쯤 지나자 갑자기 "축구선수로서는 전망이 없으니 공부를 해야겠다"고 했다. 영국 아이들의 축구 실력을 따라갈 수 없다는 것이었다. 그때부터 공부에 전념하기 시작했다. 1년이 지나 학부형 총회에 갔을 때의 뿌듯함을 잊을 수 없다. 영어강좌를 총괄하는 교사는 둘째아이의 영어작문이 우수작으로 당선되었다면서 학부형의 얼굴을 한번 보고 싶었다고 했다. 담임인 수학교사는 꾸준히 노력하는 둘째아이의 모습에서 밝은 미래가 보인다고 칭찬했다. 수학 성적이 전체 학년에서 1, 2등을 다툰다는 것이었다.

그런데 아이들이 어릴 때와는 많이 달라져가고 있었다. 북한의 현실에 눈을 떠가고 있었다는 의미다. 내가 자랄 때와는 비교하기 힘들 정도였다. 회상해 보면 어머니는 내게 책을 사주며 사상적 단련을 시키려고 했던 것 같다. 소학교 교원이던 어머니가 처음으로 사온 책은 《강철은 어떻게 단련되었는가》, 《철의 흐름》, 《어머니》 등 소련 소설이었다. 너무 재미있어 읽고 또 읽었다.

특히 《강철은 어떻게 단련되었는가》는 후에 영화와 드라마로도 여러 번 봤지만 그때마다 재미있었다. 프롤레타리아 혁명을 위해, 불평등이 없는 무산계급사회를 건설하기 위해 자신의 모든 것을 바치는 주인공 파벨의 행동과 대사는 아직도 기억에 생생하다. 파벨이 애인 토냐를 안고 "남편이 되면 너를 때리지 않을게"라고 사랑을 고백하던 장면은 어린 나의 가슴도 떨리게 했다.

어머니는 그 뒤에도 여러 권의 외국 소설을 사다주었고 내가 완독할 때마다 감상을 묻곤 했다. 그리고 이렇게 말했다.

"영호야, 소설 속의 주인공들처럼 너도 커서 인간의 해방과 자유를 위해서 투쟁해야 한다."

아버지도 어머니와 같은 마음이었다. 아버지는 김일성의 항일무장투쟁 실화를 다룬 《항일빨치산 참가자들의 회상기》를 사왔다. 며칠 만에 다 읽었다. 인류의 해방과 나라의 독립을 위하여 싸운 공산주의 투사들의 이야기에 가슴이 뛰었다.

그런 추억과 감상에 젖어 있던 나는 아이들에게 나의 경험을 강요한 적이 있다. 매일 저녁 김일성의 회고록 《세기와 더불어》를 몇 시간씩 무조건 읽고 독후감을 말해 보라는 숙제를 내주었다. 아이들이 유럽 국가에서 성장해 북한 체제에 대한 무조건적인 복종 정신이 부족하다고 생각했던 것이다. 그런 정신이 옳아서가 아니라 그것마저도 없으면 아이들이 겪을지도 모를 위험과 고난이 염려스러워서였다.

나는 아이들에게 《세기와 더불어》를 끝까지 읽게 하지 못했다. 회고록의 내용과 북한의 현실이 차이가 컸던 까닭에 아이들은 아무런 재미를 느끼지 못했다. 지금도 북한은 학생들에게 《세기와 더불어》나 《항일빨치산 참가자들의 회상기》 등을 강제로 읽게 하고 독후감을 쓰게 하고 있다. 하지만 현재 북한 사회에서 공산주의 서적이나 소설을 자발적으로 읽는 학생들은 거의 없다. 나는 이것이 북한의 새로운 세대의 현실이며 통일의 토대가 될 것이라고 믿는다.

누가 뭐래도 나는 북한의 '황금기'에 태어나고 자랐다. 의식주, 의료, 복지 문제를 해결해 주는 사회주의 국가의 기능이 어느 정도 작동하던 때였다. 나라에 대한 자긍심과 충성심을 느꼈고 지금에 와서도 크게 부끄럽지는 않다. 그러나 나의 아이들은 완전히 다르다. 황금기는커녕 고난의 행군 시기에 출생하고 성장했다. 국가의 혜택을 받지 못한 것은 물론이고, 국가가 개인의 자존심과 애국심을 손상시키는 사례를 경험한 세대다.

아이들은 외국 현지 학교에서 놀림의 대상이 되었다. 북한에서 왔다고 하면 일단 반응부터가 다르다. '아, 그렇구나'가 아니라 '어, 그래? 정말이야?'라고 되묻는다. 점차 친해져도 놀림은 계속된다.

'북한에는 인터넷이 없다던데 그러면 어떻게 사는가.'

'모든 청년들이 김정은처럼 머리를 짧게 깎아야 하는가.'

'장성택이 처형됐을 때 시체를 개에게 먹으라고 주었다던데 사

실인가.'

답변하기 어렵고, 곤혹스럽고, 때로는 모욕감을 느끼게 하는 질문이 끊이지 않았다. 내가 매일같이 겪어야 하는 고충을 아이들도 경험하게 된 것이다.

아이들은 책이나 영화, 인터넷을 보면서 북한에 대해 비판적인, 그리고 비관적인 시선을 가지기 시작했다. 북한의 인권 상황에 대해 탄식도 했다. 그러나 아이들은 나에게 "왜 우리는 조선 사람으로 태어났느냐"고 원망해 본 적이 한번도 없다. 그런 모습이 내게는 더 괴로운 일이었다.

이렇게는 못살겠다

맏이가 런던에 온 지 2년이 조금 넘었을 때다. 2016년 3월 중국의 북한 식당 여종업원들이 집단적으로 탈북했다. 충격적인 사건이었다. 가족 단위나 친인척끼리 탈북한 사건은 많아도 한 개 조직에서 집단적으로 탈북한 사례는 처음이었다. 큰 성은 단번에 무너지지 않는다. 작은 돌부터 삐져나오다가 큰 돌이 뽑혀 나오면서 붕괴된다. 나는 여종업원들의 집단탈북이 북한 체제 붕괴의 단초가 될 것이라고 믿는다.

북한 사회가 뒤집어진 것은 물론이다. 탈북하지 않은 나머지 여종업원들은 즉시 평양으로 소환되어 취조를 받았다. 여종업원들이 평소 한국 영화나 드라마를 즐겨 보면서 한국을 동경했다는 조사 결과가 나온 듯하다.

영국 주재 북한대사관에도 지시가 내려왔다. 대사관과 숙소의 모든 컴퓨터를 조사해 한국 영화나 드라마를 보는 성원을 적발하라는 것이었다. 5월이 되자 새로운 지시가 떨어졌다. 가슴이 철렁 내려앉았다. 북한식 표현을 쓰자면 이런 명령이었다.

"여종업원 집단탈북의 원인은 인터넷을 통해 남조선 콘텐츠를 너무 보다가 머리가 돌아버렸기 때문이다. 대사관 성원의 자녀 가운데 25세 이상은 전원 7월 중으로 귀국시켜라."

맏이가 다시 평양에 들어가야 한다는 뜻이었다. 외교관 자녀들을 해외에 유학시켜 인재 부족 문제를 해결한다던 김정은의 계획은 2년도 안 돼 폐기되었다.

외교관으로 살아오면서 북한 체제에 대해 모르는 바는 아니었다. 사실 외국에서 유학 생활을 하다가 중단하고 북한 대학에 편입한 청년들이 문제를 일으키는 경우가 꽤 있었다. 나는 아이들에게 절대로 영국에서 있었던 일을 말하면 안 된다고 몇 번씩이나 주의를 주었다. 하지만 영국에서 공부 잘하고 있는 맏이를 막상 북한에 다시 들여보내려고 하니 격분을 금할 수 없었다.

북한의 외교관 중에는 자녀 문제로 골머리를 썩이는 사람들이 많다. 떨어져 있으면 사무치게 그립고 걱정도 된다. 부모는 해외에 나가 있고 자녀는 평양에서 홀로 생활하면 교육적인 문제도 발생한다. 쉽게 말해 아이가 비뚤어지는 경우도 꽤 있다. 부모 없는 집에 이성 친구를 불러들이거나 음주, 도박 같은 비행에도 쉽게 노출된다. 자식을 평양에 두고 온 외교관 부인 중에 우울증에 걸린 사례도 어렵지 않게 찾을 수 있다.

나는 세상에서 가장 나쁜 것이 부모와 자식 사이의 사랑을 어떤 목적에 이용하는 것이라고 생각한다. 어떤 변명을 붙여도 평양에 두고 온 자식은 해외에서 근무하는 외교관에게 '인질'일 수밖에 없다.

나는 현학봉 대사에게 "7월이면 맏이의 학기가 끝나는데 그때까지만 공부할 수 있게 해달라"고 부탁했다. 평양에 나의 제기 사항이 올라갔고 며칠 후 무조건 7월 중에는 들여보내라는 상부의 지시가 내려왔다. 평양의 재촉은 이후에도 반복됐다. 7월이 다가오면서 맏이의 얼굴빛이 흐려졌다. 아내의 말수도 눈에 띄게 줄어들었다. 나는 결심했다.

'이렇게는 못살겠다. 부모가 자식을 데리고 살 권리도 없는가. 이렇게는 더는 살지 말자. 이게 무슨 사람의 삶이냐.'

나는 일생을 북한 시스템을 위해 봉사했다. 특전과 혜택도 많이 받았다. 하지만 자식의 미래를 놓고 더는 저울질하고 싶지 않았다. 부모 마음대로 자기 자식과도 함께 살지 못하는 시스템에 신물이 났다. 나는 아이를 데리고 있으려는 문제로 수차례 당국과 싸워왔다. 아이와 함께 생활할 수만 있다면 어떤 일도 불사했다. 아이를 잘 키우는 것이 일생의 목표이기도 했다. 더 이상 참기 어려웠다.

'자식에게만은 소중한 자유를 찾아주자. 노예의 사슬을 끊어 꿈을 찾아 주자.'

이제는 북한을 떠날 때가 됐다는 결심을 굳혔다. 맏이의 평양행을 얼마 앞두고 가족들과 대사관 주변 공원으로 산책을 나갔다.

아내에게는 이미 탈북 문제를 상의한 후였다. 아무리 자식이라도 정작 탈북 결심을 이야기하려고 하니 가슴이 뛰고 말이 나오지 않았다. 무슨 눈치를 챘는지 긴장하는 아이들 앞에서 울렁거리는 가슴을 겨우 진정하고 말문을 열었다.

"아버지로서 맏이만 평양에 보낼 수는 없다. 당국의 지시에 순응해야만 했던 지난날이 한스럽다. 이제는 인간으로서의 권리를 찾기로 했다. 더는 노예처럼 살 수 없다. 지금까지 노예처럼 살아온 것만 해도 충분하다. 나는 탈북하기로 결심했다. 우리가 탈북하면 우리 형제와 가문이 큰 불이익을 당하겠지만 우선 우리 먼저 자유를 찾자. 그들을 위해 열심히 살면 된다. 아버지로서 너희들에게 줄 수 있는 유산은 자유다. 한국에 간다 해도 우리가 바라는 바대로 되지는 않겠지만 너희만이라도 자유롭게 살 수는 있을 것이다."

아내와 두 아들도 의견을 말했다. 이를 모두 옮기는 것은 적절치 않은 것 같아 한마디씩만 전해 본다. 먼저 아내의 말이다.

"기회가 있었음에도 너희를 다시 북한으로 데려간다면 우리 또한 후회할 것이고, 너희도 두고두고 우리를 원망할 것이다. 우리가 탈북하면 나 때문에 할머니와 친척들이 감당하기 어려운 고통을 당할 테고 그런 생각을 하면 심장이 찢어지는 것 같다. 하지만 그 죄는 엄마가 다 받겠다. 자유를 찾아 먼저 떠난 우리가 스스로 자랑스럽게 여길 날이 언젠가는 꼭 오리라 믿는다. 그들의 몫까지 열심히 살자."

아이들은 "친척들을 생각하면 마음이 아프지만 우리도 자유롭게 살고 싶었다. 꼭 성공해서 통일이 되는 날 북으로 돌아가 사촌 형제들을 잘 돌보겠다. 아버지, 어머니에게 고맙다"고 말했다.

가족끼리 탈북을 결정하자 친형제처럼 지냈던 현학봉 대사가 눈에 밟혔다. 너무 미안했다. 평양외국어학원 6년 선배인 현학봉은 외무성에 있을 때부터 절친한 동료이자 친구였다. 그는 외무성 5국(미국국) 부국장, 나는 유럽국(12국) 부국장이었고 둘 다 부문당 비서였다. 서로 힘든 대목을 잘 알아 외무성의 희로애락을 함께했다. 1990년에는 통일거리 건설장에 외무성 돌격대로 같이 나가 6개월 동안 주택 건설에 참여했다. 이 해 아내가 맏이를 낳았을 때 젖이 잘 나오지 않자 현학봉은 직접 낚시꾼을 찾아가 잉어를 사다주었다. 북한에는 젖이 부족한 여성에게 잉어피를 먹이는 관습이 있다.

영국에서도 현학봉과 나는 밤을 새가며 열성껏 일했다. 그는 솔직한 성품의 소유자였다. 나에게 감추는 것이 없었다. 하지만 나는 동료들에게는 물론 그에게도 탈북계획을 말할 수 없었다. 통일이 되면 그들에게 떠난다는 말조차 남기지 못한 나의 처사에 대해 용서를 빌고자 한다.

우리 가족은 날짜를 정하고 탈북을 꼼꼼히 계획했다. 대사관에서는 누구도 눈치 채지 못했다. 드디어 그날이 왔다. 대사관을 나와 400m쯤 걸었다. 다시 대사관을 바라볼 수밖에 없었다. 내 일생을 바쳐온 북한 체제와 영원히 작별하는 순간이었다. 이렇게 떠나자고 오십 평생을 살아왔는가, 하염없이 눈물이 흘러내렸다. 대사관의 모습이 점점 멀어져갔다. 나의 탈북을 모른 채 대사관에서 웃고 떠들 동지들을 생각하니 가슴이 미어졌다. 제발 무사하기를, 제발 그들이 무사하기만을 바랄 뿐이었다.

김정일 시대 봉건사회로 퇴행을 거듭

탈북 직전, 나는 가족들에게 이렇게 말했다.

"김정은은 오래 가지 못할 것이다. 그러나 가만히 있으면 조선 체제가 우리가 생각했던 것보다 더 오래 갈 수도 있다. 나는 남조선에 가서 통일을 위해 일하려고 한다. 노예 처지인 우리 친인척들을 해방시키기 위해서라도 더 열심히 싸울 것이다."

한국에 와서도 나는 그 다짐을 한순간도 잊은 적이 없다. 다행히 통일을 위해 일할 수 있는 자리가 내게 주어졌고, 감히 말하지만 오늘도 분초를 아껴가며 일하고 있다. 한국에 와서 놀란 것 중의 하나는 젊은 세대가 통일에 대해 별로 관심이 없는 것이었다. 통일을 절실한 민족적 과제로 여기는 북한 학생들과는 완전히 딴판이었다.

그러나 나는 실망하지 않는다. 통일을 위해 한 발 한 발 묵묵히 걷다 보면 한국의 젊은 세대들도 통일을 간절히 원하는 시기가 곧 오리라 믿는다. 중요한 것은 통일을 어떤 방식으로 이끌어야 할지 미리 준비해야 한다는 것이다. 이것은 내가 일조할 수 있는 부분이며 나의 사명이기도 하다.

내가 50대 후반이라는 나이에 어울리지 않게 자서전에 가까운 책을 쓰기로 결심한 것은 현 북한 사회에 대한 올바른 이해를 주는데 목적이 있다. 한국에서는 북한 사회를 사회주의, 공산주의라는 이념과 결부해 들여다보고 있다. 이런 방식으로 고찰하다 보니 대북정책에서 좌익과 우익, 보수와 진보로 갈라질 수밖에 없으며 대북정책 논쟁에서도 스펙트럼이 넓어질 수밖에 없다. 그렇다면 과연 북한은 사회주의 사회, 공산주의 국가일까.

사회주의 사회란 신분적 평등과 경제적 평등이 실현된 사회를 의미한다. 인류가 정말 유토피아적인 사회주의 사회를 건설할 수 있다면 그보다 더 좋은 일은 없을 것이다.

나의 친가와 처가 어른들은 김일성이 하라는 대로만 하면 한반도에 사회주의 이상사회를 건설할 수 있다고 믿었다. 하지만 그분들은 북한의 사회주의 사회가 어떻게 사회주의 봉건사회로 변화되었으며 봉건사회로부터 다시 노예사회로 퇴행했는지를 이해하지 못하고 세상을 떠났다. 그만큼 북한 사회주의의 퇴행과정은 매우 은밀한 방식으로 진행되었다.

6·25전쟁은 수백 만 명의 동족살상이라는 비극만 남긴 채 끝났지만 전쟁 후에도 한반도를 통일하려는 북한 공산주의자들의 열정은 식지 않았다. 김일성은 공산주의자들의 이상과 열정을 이용해 1960년대 말까지 당내에서 모든 파벌을 숙청하고 유일한 지도체제를 수립했다. 또한 동아시아에서 처음으로 사회주의 복지체계를 세웠다.

내 기억에도 뚜렷하다. 집의 문을 걸지 않아도 도적이 들지 않았다. 부모님이 늦게 퇴근할 때면 옆집 할머니가 와서 탄불을 갈고 밥도 해주었다. 예닐곱 살 때 나는 혼자 기차를 타고 평양에서 명천의 할아버지 집이나 혜산의 외할아버지 집까지 갔다. 거의 10시간이 걸렸다. 내가 똑똑해서가 아니었다. 평양역에서 아버지는 명천군이나 청진까지 가는 승객을 찾아 '이 아이를 명천 고참역에 내려달라'

고 부탁했다. 그리고는 명천 할머니에게 '아이를 보낸다'고 전보를 쳤고 삼촌이 새벽에 고참역에 나와 역에서 내리는 나를 받아 업고는 외가로 갔다.

일요일에는 아버지가 생맥주를 '바케스'에 담아 사들고 왔다. 자그마한 단칸방에서 동네 사람들과 모기쑥불을 피워 놓고 밤새 맥주를 마셨다. 넉넉하지는 못했지만 이웃과 웃으며 미래를 그리던 시절이었다. 1970년대 초까지만 해도 평양과 지방의 격차는 거의 없었다.

이런 사회주의 북한이 언제부터 기울기 시작했을까. 나는 김정일이 대학을 졸업하고 노동당에 들어와 세습통치를 확보하기 위한 사상이론적인 체계를 정립하면서부터라고 생각한다. 김정일은 아버지 김일성을 내세워 1967년 5월 25일 이른바 '5·25교시'라고 하는 북한식 공산주의 이론을 발표했다. 사회주의 사회인 북한이 더욱 전진하려면 계급투쟁과 프롤레타리아 독재를 더욱 강화해야 한다는 내용이다.

평온하고 행복한 마을에 갑자기 일어난 '아닌 밤중에 홍두깨'였다. 1960년대 말부터 북한식 '문화대혁명'이 벌어졌다. 이것은 역사의 기본 흐름에 역행하는 것이었다. 이론적으로 보면 김정일이 레닌과 스탈린의 프롤레타리아 독재론을 계승하는 것처럼 보였다. 분단된 한반도의 특수성을 고려한 조치로도 볼 수 있었다. 하지만 실상은 북한 사회를 다시 여러 계급으로 나누는 역사적 퇴행이었다. 김일성을 인간이 아닌 초인간적인 지도자로 만들어 절대적으로 숭배하게 하겠다는 의도였다.

5·25교시 후 북한 주민은 핵심계층과 동요계층, 적대계급 잔여 분자로 나눠지게 되었다. 핵심계층에 들어가지 못한 주민은 신분상승이 불가능했다. 능력이 모자라도 핵심계층에만 속하면 자동적인 신분상승이 가능했다. 조선시대처럼 양반, 중인, 상민, 천민으로 갈라지는 흐름이 시작되었다.

6·25전쟁 때 인민군에 나가 싸웠거나, 노동당을 따라 후퇴한 사람은 상층으로 올라갔다. 우연히 고향에 남아 미군과 국방군을 맞이했던 사람은 동요계층으로 분류되었다. 지주나 자본가의 자녀나 월남 인사가 있는 가족, 또한 소위 '남한 부역 세력'의 가족은 적대계층으로 낙인이 찍혔다.

더욱 가관인 것은 북한을 위해 싸웠던 남로당 출신들, 일본에서 '사회주의 조국'으로 돌아온 재일동포마저 핵심계층에서 일반 동요계층으로 구분되었다. 항일빨치산 활동을 했을지라도 김일성부대 출신이 아니면 '혁명전통을 상하좌우로 넓히려는 반당세력'으로 분류되어 그 자녀와 함께 당과 국가의 요직에서 추방되었다.

핵심계층이 아니면 당, 외교, 보위, 안전, 검찰, 군대 군관 등 당과 국가의 기본 부서에 들어갈 수 없었다. 실례로 내가 다닌 국제관계대학은 당 간부 양성기관이어서 핵심계층 자녀가 아니면 입학이 불가능했다. 1976년 판문점 도끼만행 사건을 계기로 김정일은 평양에서 핵심계층이 아닌 주민은 지방으로 추방하거나 소개시켰다. 나의 이모네도 이때 평양에서 지방으로 소개되었다. 적대계층 중에서 북한 사회에 저항하거나 반발한 주민은 처형하거나 수용소로 끌고 갔다. 온 나라가 점차 감옥화, 병영화되어 갔다.

단언컨대 북한은 현대판 노예사회다

5·25교시 후 김정일은 '당의 유일사상체계 확립의 10대원칙'을 발표하며 김일성을 신격화하는 작업에 들어갔다. 당과 사회를 하나로 단결시키고 영도하기 위한 지도자로서 김일성이 필요한 것이 아니라 김일성이라는 수령을 위해 당, 국가, 군대, 경제 등 나라의 모든 것이 필요하다는 수령절대론을 내세웠다. 수십 만 명에 달했던 북한의 진정한 공산주의자들의 투쟁역사는 깡그리 부정되었다. 오직 김일성의 혁명역사, 만경대 가문의 역사만이 조선의 역사라고 수정했다.

1970년대 초반부터는 김일성에 대한 '충성과 효성'이라는 봉건도덕을 내세웠다. 이때부터 김정일은 김일성 신격화를 위해 역사를 날조한 것은 물론 곳곳에서 수령 우상화 작업을 벌였다. 1972년에는 환갑을 맞은 김일성을 내각수상에서 국가주석으로 옮겨 앉혔다. 명분은 김일성을 '잘 모셔야 한다'는 것이었지만 속셈은 그를 허수아비로 만드는 것이었다. 실제로 김정일은 김일성에게 대외 활동만 하게 했다.

김일성이 내각수상으로 있을 때는 내각이 경제를 장악했다. 사회주의 본성에 맞게 국가계획위원회가 수립한 계획에 따라 경제가 움직였다. 그러나 김정일은 내각에서 군수경제를 떼어내 당경제로 만들었다. 당내에 39호실과 금수산경리부 등 자신과 김씨 가문의 사치 생활을 보장할 부서를 설치했다.

사회주의 계획경제 체계가 허물어지기 시작했다. 간부들은 경제가 사분오열 찢어지는 것을 막기 위해 김정일에게 내각사업을 맡아줄 것을 요청했다. 하지만 김정일은 김일성이 경제사업을 하지 말라고 했다면서 자신은 당과 군대만 맡겠다고 했다. 나라의 경제가 김씨 가문의 향락만을 위한 경제로 전락했다.

김정일은 김일성에 대한 충성과 효도를 강조하면서 모든 예술활동의 지향점을 김일성 찬양으로 돌렸다. 그 어떤 영화나 노래도 김일성 찬양에 대한 것이 아니면 검열에서 통과가 되지 않았다. 김일성의 만수무강을 바란다면서 경치 좋은 곳에 특각(별장), 초대소를 건설하고 전국적으로 젊고 예쁜 여성을 징발하는 5과 체계를 수립했다.

김정일은 당의 정상적인 기능마저 마비시켰다. 김정일이 당 사업을 하기 전에는 당내에 '집체토의 체제'가 있었다. 김일성의 유일독재가 존재하긴 했지만 정책은 집체적으로 토의해 결정했다. 그러나 김정일은 모든 사안을 수령에게 보고하고 결론을 받아 처리하는, 당의 강한 영도 체계를 세운다고 하면서 '제의서 체계'를 수립했다. 당조직비서인 김정일 자신이 제의서를 통해 김일성에게 보고하고 결론을 받아낼 테니 자신에게 전체 사안을 보고하라는 뜻이었다. 이 체계 역시 김일성을 바지저고리로 만들고 나라의 정보와 권력을 김정일이 독점하는 결과를 초래했다. 김정일의 독단에 의해 모든 것이 좌지우지되는 체계가 형성된 것이다.

1980년대부터 북한은 제의서 통치, 방침 통치의 시대였다. 당의 정책과 나라의 법 위에 김정일의 제의서나 방침이 군림했다. 부서별 수평적인 토의나 협의는 거의 사라지고 수직적인 사업 체계만이 존재했다. 오직 김정일에게 보고하고 지시를 받아 처리하는 방식이었다.

온 나라 인민을 오직 김정일을 위해 복무하는 노예사상으로 교양하기 시작한 것도 이 무렵이다. '김일성 동지를 수반으로 하는 당 중앙위원회를 목숨으로 사수하자'와 같은 구호는 김정일을 위해 목숨을 바치는 '800만의 총 폭탄정신'으로 변질되었다. 모든 청소년들은 '장군님은 명사수, 나는 명중탄' 정신을 배워야 했다.

북한은 이미 실질적인 봉건사회 또는 왕조국가였다. 사회 전반을 미신적인 수령절대론이 지배했다. 러시아에서 출생한 김정일은 갑자기 백두산에서 태어난 광명성으로 둔갑했다. 나라 전체가 사기와 허위로 뒤덮였다. 식량 400만 톤을 생산하고는 800만 톤의 알곡고지를 점령했다고 선포했고, 지방에서 굶는 사람들이 생기고 경제가 파탄지경으로 가고 있었지만 1980년대 북한은 사회주의 완전승리의 문 앞에 도달했다고 선언했다. 수령을 신적인 존재로, 북한을 성공한 사회주의국가로 둔갑시키기 위해 모든 부문이 과잉충성을 해야 했다. 그러지 않으면 반당반혁명분자로 낙인찍힐 수 있었다.

북한은 봉건사회도 모자라 노예사회로 퇴행했다. 나는 그 시기를 김일성이 죽은 1994년 이후로 본다. 김일성 사후 김정일이 내세운 선군정치는 군사독재를 넘어 노예사회와 같은 체계를 수립했다. 사람의 목숨이 노예주인 김정일의 기분과 감정에 따라 좌우되었다. 김정일은 프룬제아카데미 사건, 카잔 유학생 사건, 독일유학생 사건, 심화조 사건 등을 일으켜 무자비한 처형과 숙청을 남발하고 마지막에는 부하에게 모든 책임을 뒤집어 씌웠다. 유럽에 북한 화폐를 대량으로 매각해 인플레이션이 극에 달했을 때도, 화폐개혁으로 북한 역사상 최초로 주민들이 반기를 들었을 때도 김정일은 책임을 회피하고 부하의 목숨을 앗아갔다.

노예란 남의 소유물로 되어 부림을 당하는 사람, 모든 권리와 생산수단을 빼앗기고 물건처럼 사고 팔리는 사람이다, 북한 주민에게는 인간의 기본 권리인 의사표시의 자유, 이동의 자유, 생산수단을 보유할 자유, 자기 자식을 자기가 관할할 수 있는 자유조차 없다. 단언컨대 오늘의 북한은 현대판 노예사회다.

김정은, 거칠고 즉흥적이나 똑똑하고 논리적이기도

김정일은 그나마 15년여에 걸쳐 후계구도를 완성했다. 1964년 당중앙위원회에 들어왔고, 1974년 당 전원회의에서 항일혁명투사들을 움직여 후계자로 부각되었고, 1980년 노동당 제6차 대회를 통해 후계구도를 확정했다.

김정일은 북한 왕국의 후계자가 되기 위해 나름대로 심혈을 기울였다. 김정일이 후계자로 공식 지명될 때 노동당이 "김정일 동지는 10년 동안 당중앙위원회에서 일하면서 후계자로서의 능력을 검증 받았다"고 설명한 것은 이 때문이다. 이 기간 동안 김정일은 당과 김씨 가문 내부를 자신의 지지 세력으로 만들었다. 동시에 삼촌 김영주, 계모 김성애와 그의 오빠 김광협, 김성애의 소생인 이복형제 김평일 등을 주요 직책들에서 내몰았다.

이 과정에서 김정일은 혈통적으로 '아버지는 빨치산대장, 어머니는 항일의 여성영웅'이라는 정체성을 부각했다. 김일성의 빨치산 동료와 가문 내의 지지를 얻기 위한 노림수였다. 김정일이 김영주나 김평일을 후계 구도에서 제거할 수 있었던 결정적인 요인은 그가 김일성의 장남이자 본처 소생이라는 점이다. 북한은 공산주의와 성리학 개념이 결합된 특수한 사회구조를 지니고 있다. 성리학의 기본은 정통성과 명분이다. 모든 것이 막무가내로 진행되는 것 같지만 사실 북한도 정통성과 명분을 중시한다. 북한 사회에 뿌리 깊이 남아 있는 유교 의식이 김정일에게 후계자로서의 정통성과 명분을 달아준 것이다.

그 결과 김정일은 김일성이 여전히 왕성한 활동을 하던 1980년대 초부터 북한의 실질적인 지배자였다. 김정일은 스스로 정적을 제거하고 후계자 자리를 쟁취했다. 이것은 김일성으로부터 김정일로의 세습 이행 과정이 '상향식'이라는 의미다.

반면 김정은은 김일성이 구축한 북한 체제를 이어 받았다는 점에서는 김정일과 같지만 그 방식이 '하향식'이었다는 차이가 있다. 다시 말해 김정은 자신의 노력 없이 김정일로부터 권력을 거저 넘겨받았다는 뜻이다.

김정은은 권력 획득 과정에서 카리스마를 창출하지 못한 것에 더해 태생적인 콤플렉스가 있다. 스스로 백두혈통임을 내세우지만 김일성의 인정을 받지 못한, 갑자기 튀어나온 이상한 백두혈통이다. 더구나 김정은은 새파랗게 젊은 나이에 최고 권력을 거머쥐었다. 간부들과 북한 주민들이 '나를 인정해 줄까' 하는 불안과 초조를 느낄 수밖에 없다.

신격화는커녕 지도자로서의 정통성과 명분이 부족한 김정은이 결국 선택할 수밖에 없었던 것이 핵과 대륙간탄도미사일(ICBM), 그리고 공포정치다. 이것으로 카리스마를 형성하고 신적인 존재가 되지 않으면 체제는 물론 김정은 자체가 무너진다. 김정은이 그토록 핵과 ICBM에 집착하고 장성택 숙청으로 대표되는 공포정치를 휘두르는 이유가 여기에 있다. 그 사례는 이미 상당 부분 소개한 바 있다.

김정은은 또한 성격이 대단히 급하고 즉흥적이며 거칠다. 그러면서도 두뇌와 논리가 있는 편이다. 이것은 그의 과격한 행동에 성격적인 측면과 전략적인 측면이 존재하며 때로는 그 두 가지가 혼합된 형태로 나타날 수도 있다는 의미다. 먼저 성격적인 측면의 사례를 두 가지만 들어본다.

7월 27일은 휴전협정일이지만 북한에서는 전승절로 기념하고 있다. 2013년 7월 재개관을 앞둔 조국해방전쟁승리기념관(전쟁기념관)에 화재가 발생했다. 보고를 받은 김정은이 부리나케 달려와 아직도 물바다인 지하에 구둣발로 들어갔다. 수백 명이 진화와 정리 작업을 벌이고 있었는데 김정은은 "내가 그렇게 불조심하라고 했는데 주의 안 하고 무엇을 했느냐"며 고래고래 고함을 지르면서 쌍욕을 했다.

작업 중이던 사람들이 다 들었고 현장 분위기는 싸늘해졌다. 그러다가 김정은은 화마를 피한 김일성 사진을 발견했다. 북한에서 유명한 사진이었다. 김정은은 "그래도 이 사진은 살았네. 이거라도 살았으니 다행"이라며 흥분을 가라앉혔고 현장 분위기도 부드러워졌다.

2015년 5월 김정은은 자라양식공장을 '현지지도'했다. 공장 현황이 말이 아니었다. 새끼 자라가 거의 죽었다. 공장 지배인은 전기와 사료 부족을 이유로 들었으나 김정은은 "전기, 사료, 설비 문제 때문에 생산을 정상화하지 못하고 있다는 것은 말도 안 되는 넋두리"라고 심하게 질책했다. 김정은을 수행하던 고위 간부들도 고개를 떨군 채 그의 지시를 받아쓰기에만 급급했다. 돌아오는 차에 오르면서 김정은은 지배인 처형을 지시했고 그 즉시 총살이 이뤄졌다.

김정은이 과격한 행동을 하면서도 계산과 논리를 사용하는 사례도 있다. 2016년 5월 미국 대선이 한창이던 때의 일화다. 공화당 대선 후보 도널드 트럼프가 "김정은과 햄버거를 먹으며 협상할 수 있다"는 발언을 해 세계적인 화제가 되었다. 북한은 이 해 3월 미국 대학생 오토 웜비어에게 노동교화형 15년을, 4월에는 한국계 미국인 김동철에게 10년형을 선고했다. 북한과 김정은에 대한 미국의 여론이 매우 나빴던 상황이었다.

트럼프의 발언 직후인 5월 18일, 북한을 방문 중이던 영국 APTN 대표단이 최고인민회의 상임위원회 양형섭 부위원장과 인터뷰를 했다. APTN은 평양에 상설 지국이 있는 영국의 통신사다. 양형섭은 트럼프 발언에 대해 어떻게 생각하느냐는 APTN의 질문에 "우리는 대화 자체는 반대하지 않는다. 대화는 전쟁 때도 한다. 대화 못할 이유는 없다"고 했다. 외무성이 사전에 작성해 준 원고대로 '우리는 언제나 대화에 임할 준비가 되어 있다'는 취지에서 한 말이었다.

그런데 APTN은 김정은도 트럼프와의 회담을 원한다는 뜻으로 읽었다. APTN은 당일 평양발 보도로 북한이 트럼프의 대화 제기를 환영했다고 보도했다. 집무실에서 세계 주요 언론 채널을 실시간으로 보고 있던 김정은이 이 뉴스를 접했다. 그는 야밤에 외무성 김계관 1부상에게 전화를 걸어 이렇게 질책했다.

"야, 그 늙은이(양형섭)가 어떻게 내 승인도 없이 트럼프와 대화에 임하겠다고 말할 수 있는가. 나를 대표해서 말할 수 있는 권한을 누가 줬는가. 나는 조선의 지도자이고 트럼프는 대통령도 안 된 후보인데 같은 급이 아니다. 외무성이 그 늙은이한테 그리 말하라고 써줬는가."

양형섭은 1925년 생으로 알려져 있으며 김일성의 사촌 매부다. 그런 인물을 '늙은이'라고 칭한 것은 분명 김정은의 거친 성격을 보여준다. 하지만 그의 말 속에 나름대로의 논리와 계산이 있다는 점까지 묵과해서는 안 된다고 생각한다.

APTN이 영국 통신사이기 때문에 영국 주재 북한대사관이 수습하라는 외무성의 지시가 내려왔다. 현학봉 대사는 "일개 대통령 후보가 우리의 최고 지도자와 대화하겠다는 것은 결례"라고 반박하고 사태를 정리했다.

평양에서는 양형섭에게 문건을 써준 외무성 관계자들이 중앙당 조직지도부로부터 엄중한 경고를 받았다. 속으로는 다들 억울해했다. 대화에는 대화로, 군사공격에는 보복으로 대답한다는 것이 북한의 일관된 대응 방침이었다. 양형섭이 김정은의 성격을 미리 알았다면 APTN의 질문에 "그 문제는 우리 최고영도자 동지께서 결정할 것"이라고 답했을 것이다. 이 사건을 계기로 지금은 누구든지 김정은과 관련된 질문을 받으면 "그것은 최고영도자 동지가 결정할 문제"라고 답변하고 있다.

2017년 9월 20일 트럼프 대통령은 유엔총회 연설에서 "북한을 완전히 파괴해 버릴 수도 있다"는 초강경 발언을 했다. 다음날 김정은은 관련 성명을 발표하면서 트럼프를 '늙다리'라고 지칭했다. 순간 나는 김정은이 양형섭을 '늙은이'라고 불렀던 일화를 떠올리며 '늙다리'가 김정은이 직접 넣은 표현이라는 것을 직감했다.

북한 체제가 견디기 어려운 까닭

한국에 꽤 알려진 북한 사진이 있다. 2010년 10월 10일 노동당 창건 65주년 기념 열병식에서 김정일과 김정은이 나란히 찍힌 사진이다. 사진 속의 김정일은 한눈에도 병색이 완연해 보이고, 좀 모질게 말하면 죽을 날이 얼마 남지 않은 것처럼 보인다. 그런 김정일이 아들 김정은을 물끄러미 쳐다보며 매우 걱정스러운 눈길을 보내고 있다. 자신의 건강보다 아들의 미래가 더 염려스러운 표정이다. 나는 이 사진이 김정일 사망 후 김정은 체제의 미래를 상징적으로 보여주고 있다고 생각한다.

핵과 ICBM, 공포정치로 카리스마를 형성하려고 했던 김정은은 실패로 치닫고 있다. 집권 이후 네 차례 핵실험을 실시했고 ICBM은 쏠 만큼 쏘아 올렸다. 고모부 장성택과 이복형 김정남을 처단한 마당에 이젠 누구를 처형해도 더 이상의 공포는 줄 수 없다. 그의 카리스마는 이제 추락하는 것만 남았다. 부질없는 상상이지만 김정은이 자신과 어울리는 젊음, 패기, 개방성, 해외 유학파의 국제적 안목 등을 부각시키는 방법으로 카리스마를 만들려고 했다면 뭔가 다른 결과가 나왔을지도 모른다.

김정은이 카리스마 형성에 실패하게 되면 자신은 물론 체제 자체가 붕괴된다. 김일성·김정일 대에는 지도자의 카리스마가 흔들리는 상황이 와도 외부정보 유입 차단, 이동통제, 세뇌교육, 정치조직생활 등으로 체제 유지가 가능했다. 하지만 이런 것들이 현재 김정은 대에 와서 다 무너졌다.

이제는 한국의 인기 드라마나 영화가 DVD나 USB 형태로 몇 주 안에 북한 장마당에 들어오고 있다. 상황이 이렇게 된 것은 북한 주민의 생활이 윤택해져서가 아니라 10여 년 전부터 전력사정이 악화돼 TV를 마음대로 볼 수 없게 됐기 때문이다. TV를 대체할 영상물이 필요했던 것이다. 중국 업체가 이 틈을 파고들었다. 12볼트 배터리로 DVD나 USB를 재생하는 미디어플레이어 '노텔(NOTEL)'을 생산해 북한에 들이밀었다.

노텔은 하루에 1~2시간만 전기가 들어와도 배터리 충전이 가능했다. 설령 정전이 지속되어도 장마당에서 새 배터리를 구입하면 된다. 가격도 30달러부터 70달러까지 저렴한 편이어서 북한의 거의 모든 가구가 노텔을 보유하게 되었다. DVD나 USB에 담긴 한국 콘텐츠가 북한 전역에 무차별하게 퍼지게 된 이유가 여기에 있다.

또한 휴대폰의 도입으로 가격과 수요에 대한 정보공유가 북한 전역에서 실시간으로 이루어지고 있다. 목숨을 건 탈북 행렬이 이어지고 북한에 남은 가족이 북중 국경지대에서 휴대폰으로 한국의 탈북자와 통화하는 시대가 왔다.

이동의 자유도 개선되고 있다. 전국적으로 종합시장이 형성되자 주요 도시를 연결하는 버스 체계가 당국의 묵인 하에 만들어졌다. 이제는 중소 도시나 군 단위에서도 주요 도시로의 접근이 가능하다. 기본적으로 비무장지대나 북중 접경 지역을 제외하면 북한 전역을 여행할 수 있게 됐다.

자라나는 북한 아이들은 더 이상 김일성 노작 같은 것을 거들떠보지 않는다. 세뇌교육도 먹힐 리 없다.

정치조직 생활의 기본인 자기비판과 호상비판도 구시대의 유물이 된 지 오래다. 지방은 말할 것도 없다. 외무성 같은 중앙기관 내에서도 호상비판에 참가하는 사람이 매우 드물다. 저마다 당위원회 부원에게 담배나 돈을 갖다 바치면서 자기를 호상비판 명단에서 빼달라고 사업한다. 앞서도 언급했지만 당회의기록부에 소설을 써야 할 정도다.

회의 도중 조는 사람도 많다. 휴식시간마다 졸지 말라는 경고가 계속 나온다. 이제는 회의 주재자도 모르는 척하고 강연 자료를 읽기만 한다. 2016년 5월 당대회 때는 김정은이 주석단에 앉아 있는데도 당 대표들이 자꾸 졸았다. 그러자 회의실 온도를 14℃로 낮추고 냉풍을 내리 쏘아 수많은 사람들이 감기에 걸렸다.

이 대회에서 평양시 철도국 정치부장과 국장을 반당분자로 몰아 당대표직을 박탈했고 그중 한 명은 자살했다. 이 사실은 한국 언론에도 보도되었다. 최고 간부들이 모인 당대회가 이런 형편이다.

북한 체제의 불안한 상태는 엘리트층의 동향을 통해서도 알 수 있다. 엘리트들은 북한 체제와 김정은에게 등을 돌리고 있다. 20년 동안 경제위기에서 벗어나지 못한 것은 공산권에서도 오직 북한뿐이기 때문이다. 고난의 행군은 북한이 6·25전쟁 후 처음으로 겪는 경제위기였다. 변명과 합리화도 가능했다. 김정일은 "사회주의는 과학이다. 고난의 행군은 노동당의 정책적 실패에서 비롯된 것이 아니라 모든 동구권이 겪는 난관"이라고 설명했다. 그러면서 TV 등을 통해 소련과 동유럽의 실상을 계속 내보냈다. 북한 주민들도 전쟁의 잿더미를 헤치고 나온 북한이 곧 고난의 행군을 극복할 수 있으리라고 믿었다.

몇 년이 지나 다른 동구권 국가들은 모두 경제적 위기를 극복하고 제 궤도에 올라섰지만 북한만은 그대로였고 상황은 시간이 가면 갈수록 악화됐다. 지난 시기 북한이 원조를 주던 베트남과 라오스, 캄보디아. 앙골라 등에 오히려 북한 인력들이 달러를 벌기 위해 파견되는 정도다. 이제야 간부들은 우리가 정말 이러자고 혁명을 했는가 하는 질문을 제기하고 있다. 그리고 이러한 노예생활이 앞으로 30~40년 더 지속된다고 생각하면서 더 끔찍해 한다.

김정은의 공포정치 하에서 북한 간부들은 '태양에 너무 가까이 가면 타죽고 너무 멀어지면 얼어 죽는다'는 격언을 상기하며 김정은과 적당한 간격을 유지하려 하고 있다. 간부들은 더 이상 북한에 미래가 없다고 본다. 모두들 은밀히 달러를 모으는 데만 혈안이다. 일단 권력이 생기면 자식들을 외화벌이 기관에 보내 달러를 벌게 한다.

이밖에도 김정은 체제에 가장 위협이 되는 존재가 있다. 시장이다. 사실 내가 어릴 때인 1960년대에도 장마당은 있었다. 그때는 장마당이라고 하지 않고 농민시장이라고 불렀다. 농민들이 자기 텃밭에서 생산한 것을 파는 곳이었고 한 달 혹은 10일 단위로 열렸다. 평양과 같은 도시에는 없었다.

북한에 오늘과 같은 장마당이 형성된 것은 고난의 행군을 겪던 1990년대 말이다. 지방은 물론 평양의 거리와 골목에도 불법 장사꾼들이 생겨났다. 처음에는 개인 텃밭에서 생산한 마늘, 채소, 감자 등과 공장에서 은밀히 반출된 맥주, 빵 신발 등이 거래 품목이었다. 그러다가 쌀과 같이 국가가 유통을 철저히 통제하는 식량까지 나오기 시작했다.

나는 1996년 6월 덴마크로 떠났다가 스웨덴을 거쳐 2000년 7월 북한으로 돌아왔다. 덴마크로 떠날 때만 해도 평양시에 공식 장마당은 없었다. 4년 후에 돌아와 집 근처인 모란봉구역 인흥 장마당에 가보고 엄청난 변화를 느꼈다. 국영상점 매대는 텅 비어 있었는데 장마당과 외화상점에는 물건이 가득했다. 빈부의 차이도 엄청 났다. 사람들은 돈을 벌기 위해 분주히 오고가고 있었다.

김정은 집권 후 북한의 종합시장 숫자는 크게 늘어났다. 김정일 시대에도 시장은 있었지만 국가는 그 존재를 아예 보지 않은 것처럼 무시했다. 하지만 김정은 시대에 들어서면서 장마당은 사실상 단속하지 않기로 결정했다. 북한 주민들은 여전히 시민의 권리를 누리지 못하고 있지만, 개인의 판매권을 비롯한 경제적 권리는 점차 확대되어 가는 추세다.

한번 눈을 뜨게 된 권리를 침해받으면 목숨을 걸고서라도 싸우게 된다. 장마당에서는 상인과 보안원(경찰)의 다툼이 자주 일어난다. 처음엔 보안원을 피해 메뚜기처럼 이리저리 옮겨다니던 상인들이 이제는 진드기처럼 눌러앉아 보안원과 맞상대한다. 나는 외국기자 간담회에서 "북한에도 주민들의 저항이 있는가"라는 질문을 받았을 때 "메뚜기장이 진드기장으로 변했다"고 대답한 적이 있다.

실제로 화폐개혁에 실패했을 때 들고 일어난 주민들의 저항은 북한 역사상 유례없는 일이었다. 시장은 이처럼 김정은에게 위험한 존재다.

북한 주민이 진짜 신을 믿는다면

성격은 다르지만 북한 체제와 김정은을 위협하는 위험한 존재는 또 있다. 종교다. 김정은이 아무리 신적인 존재가 된다한들 진짜 신을 믿는 독실한 신자 앞에서는 한갓 나약한 사람일 뿐이다. 물론 현재 북한 주민의 신앙과 종교 활동은 대단히 미약하다. 그러나 북한에도 신앙인과 종교 활동이 있다는 것만큼은 잊지 말아야 한다. 이것은 종교의 자유가 있다는 것과는 다른 의미다.

한국에 온 후 나는 북한을 방문했던 종교계 인사들을 꽤 만났다. 북한에 여러 번 다녀 온 분들이지만 내게 제일 많이 하는 질문은 이런 것이었다.

"북한에 정말 신앙의 자유가 있는가."

"봉수교회, 장충성당 등에 가봤는데 그곳에 있는 사람들은 진짜 신자들인가."

"북한에 가정예배소가 수백 개 있다고 하는데 사실인가."

한국의 종교인이 북한을 방문하면 당연히 북한의 종교계 인사가 종교시설을 안내하며 신앙의 자유가 있는 것처럼 선전한다. 종교시설에 가서 종교의식을 참관하고 나면 북한에도 종교의 자유가 있다고 착각할 수 있다. 하지만 그야말로 착각이다.

북한의 사회주의 헌법에도 종교의 자유가 명시돼 있지만 북한에는 헌법보다 높은 법이 있다. 김씨 3대의 '말씀', '당의 유일적 영도체계 확립의 10대원칙', '조선노동당규약'과 같은 수령과 당의 정책 등이 그것이다. 당의 정책은 주체사상 또는 김일성·김정일 주의만을 믿어야 한다고 규정돼 있으므로 북한에서 종교를 가진다는 것은 당의 정책에 반대하는 행위다.

북한은 6·25전쟁 이후 미국에 대한 북한 주민의 적개심을 종교에 돌리며 철저히 종교를 탄압했다. 교인들은 적대계층으로 분류되며 감시통제를 당했다. 북한은 종교를 '인민들을 억압하고 착취하는 도구', '제국주의의 사상문화적 침투의 도구 내지 앞잡이'라고 공격했고 교회를 '반동 통치계급이 인민의 계급의식을 마비시키는 사상을 선전하여 퍼뜨리는 거점'이라고 규정했다. '종교는 아편'이라고 한 공산주의의 일반적인 종교관보다 더 나간 것이다.

1970년대 김일성은 북한 주민들이 노동당만 믿고 살고 있으므로 종교문제는 해결되었다고 선언한다. 그러면서도 유명무실했던 종교단체의 활동을 재개시켰다. 적화통일전략의 통일전선을 구축하려는 목적이었다. 이때가 남북대화가 시작된 시점이라는 점을 유의해야 한다.

1980년대 한국 종교단체들이 이전보다 적극적으로 민주화 투쟁에 나서면서 북한은 한 발 더 나아갔다. 북한에도 기독교가 존재하고 있음을 내세우려고 한 것이다. 이 무렵부터 북한은 '기독교는 제국주의 사상문화 전파의 앞잡이'라는 문구를 출판물에서 삭제하고, 교회에 대해서도 '여러 가지 종교의식을 하는 장소'라고 객관적으로 표현하기 시작했다.

1988년을 고비로 평양에는 봉수교회와 장충성당을 건설했다. 좋게 말하면 한국의 반정부 종교단체들과의 교류를 확대하려는 의도였고, 나쁘게는 이들을 포섭하려는 속셈이었다. 그런데 교회나 성당을 평양에만 세우고 지방에는 짓지 않는 이유가 있다. 원래는 원산이나 강계 등 지방 주요 도시에 종교시설을 건설하려던 계획이 있었지만 결국은 취소할 수밖에 없었다. 관리가 안 되고 감당도 안 되기 때문이다.

북한에서 교회를 운영하려면 최소한의 조건이 있다. 목회자와 가짜 교인이 있어야 한다. 목회자는 당이 적당히 내려 보낼 수도 있었다. 하지만 가짜 교인은 교회나 성당 주변의 주민 가운데 선발해야 했다. 1980년대 말에는 일요일에 버스가 운행되지 않았기 때문이다.

그래서 봉수교회나 장충성당 근처에 거주하는 '빨갱이 여성들'을 뽑았다. 진짜 교인이 생길 위험 요소를 미리 제거했다. 처음에는 이들을 교회나 성당에 나오게 하는 것이 정말 어려운 일이었다. 오죽했으면 출석부까지 만들었다. 출석이 저조한 사람은 생활총화에서 자기비판을 해야 했고 호상비판을 받아야 했다. 이들에게 특별강습도 했다.

"교회나 성당에 나와 찬송가를 부르고 종교의식에 참가하는 것은 단순한 활동이 아니다. 사회주의 제도의 우월성을 보여주는 투쟁 활동이다. 미제와의 반미 성전에 떨쳐나선 남조선 종교계 인사들을 쟁취하기 위한, 그리고 조국의 통일을 위한 숭고한 투쟁이다."

이렇게 교육을 시켜도 출석률은 나아지지 않았다. 많은 여성들이 아프다, 집에 갑자기 일이 생겼다고 하면서 빠지기 일쑤였다. 그런데 어느 순간부터 변화가 감지되었다. 출석에 대한 통제가 완화되었음에도 교회나 성당에 나오는 여성 수는 오히려 늘어났다.

나쁜 점도 있겠지만 종교 활동의 좋은 점을 여성들이 느꼈던 듯하다. 목회자의 설교를 듣고 노래도 부르니 마음이 편안해지고 사교도 저절로 된다. 예배와 찬양을 하는 시늉만 하던 이들이 믿음이 생기자 모든 것이 달라졌다. 예배 시간 전부터 교회나 성당에 나오는 사람들이 많아졌다. 고열로 끙끙 앓아도 종교 활동은 빼먹지 않았다. 조금만 아파도 안 나오던 이들이었다.

이들의 자발적인 모습에서 진짜 신앙이 생겼음을 당은 간파했다. '위험 요소'가 돌출되자 당은 봉수교회 주변 아파트에 망원경을 설치했다. 교회 주변에 접근하는 사람들을 감시하기 위해서였다. 다시 말해 숨어 있는 신도를 색출하려는 시도였다고 할 수 있다.

놀라운 일이 목격되었다. 교회에서 찬송가 소리가 들려오면 청년 몇 명이 나타나 교회 담장에 기대 무언가를 열심히 적는 것이었다. 보위부가 그들을 체포했다. 음악대학 작곡반 학생들이었다. 1980년대에는 북한의 음악대학에서 자유주의 국가의 명곡을 가르치지 않았다. 어느 날 찬송가 선율을 들은 한 음악대학 학생이 그 사실을 급우들에게 알렸다. 급우들은 찬송가를 채보하고 싶었지만 교회에 들어갈 수는 없었다. 담장 밖에서 몰래 채보를 하다가 보위부에 붙잡힌 것이다. 학생들은 보위부의 경고만 받고 풀려났다.

그 다음 목격된 사례도 당으로서는 충격적인 것이었다. 교회에서 종교의식을 하는 시간이면 어김없이 나타나 그 옆길을 서성이는 사람들이 있었다. 체포해 조사해 보니 이전 신자였다. 김일성은 북한에 더는 신자가 없고 종교문제는 해결되었다고 선언했지만 교인들의 신앙은 변하지 않았다는 증거였다. 당국의 탄압이 두려워 신앙을 버렸다고 했을 뿐이었다.

당은 더 이상 교회나 성당을 세우지 않기로 결정했다. 외부에 보여주기 위해 지방에 교회나 성당을 지었다가는 체제를 위협하는 요소로 작용할 것이 분명했다. 한국의 종교계는 이같은 점에 유념할 필요가 있다. 북한에 새로운 종교시설이 생긴다면, 그래서 가짜 신자를 만들어야 한다면, 그리고 가짜 신도가 진짜 신을 믿게 된다면 어떤 일이 생기게 될까. 그 결과는 익히 짐작할 수 있다.

김영남의 눈물과 김여정의 미소

북한 사회를 지탱하던 주체사상과 공산주의 이념은 이미 북한 주민의 마음에서 떠난 지 오래다. 지금도 북한은 수령에게 모든 것을 의지하고 운명도 미래도 맡기면 된다고 선전하지만 북한 주민은 자신의 힘과 머리만을 믿고 있다. 현재 북한 사회에서 일어나고 있는 가장 큰 변화는 주민들이 사실과 진실을 바라고 있다는 점이다.

김정은이 제일 무서워하고 있는 것도 진리의 힘이다. 김정은은 북한 사회에 진리가 전달되는 것을 필사적으로 막고 있지만 별 소용이 없을 것이다. 진리를 요구하는 북한 주민의 열망은 갈수록 강해지고 있다. 북한 주민 모두가 진리를 알고 공감대가 형성될 때 김정은 체제는 맥 없이 허물어질 것이다.

진리라고 해서 특별할 것은 없다. 정보가 차단된 북한에서는 세계의 실상이 곧 진리다. 가능한 모든 방법을 동원해 한국을 비롯한 외부 세계의 실체를 북한 주민에게 보여주어 그들의 마음속에 비교 개념을 심어주어야 한다. 북한 주민이 한국과 북한, 세계와 북한을 비교한다면 그 결과는 자명하다.

나는 평창동계올림픽 개막식을 보고 큰 충격을 받았다. 세계적인 IT강국인 한국이 주최하는 동계올림픽이니 응당 훌륭할 것이라는 생각은 했다. 하지만 그토록 환상적인 개막식을 연출하리라고는 상상하지 못했다. 북한의 김영남과 김여정 등 400여 명이 방남해 개막식을 본 것이 다행이라는 생각이 들었다.

평창올림픽 기간 동안 나는 매일 북한 중앙TV를 시청했다. 김정은이 개막식을 녹화방송 형식으로라도 북한 주민에게 보여주지 않을까 하는 기대를 품었다. 그러나 중앙TV는 몇 장의 사진만을 보여주었다. 그것도 북한대표단이 참가했기 때문에 올림픽이 잘 진행되고 있는 것처럼 사실을 오도했다. 김정은은 이렇게 진실을 무서워한다.

한국에 체류하며 김영남은 여러 번 눈물을 흘렸고, 김여정은 몇 차례 옅은 미소를 지었다. 이 장면은 한국 언론에 수없이 보도되었다. 그 눈물과 미소의 의미는 무엇이었을까.

김영남은 전문 외교일꾼으로 많은 국가를 방문했지만 한국은 처음이었다. 그는 해방 후 소련군이 북한에 세운 마르크스-레닌주의학교에 들어가 공산주의 사상을 배웠고, 6·25전쟁 때는 소련에 들어가 유학 생활을 했다. 90평생을 북한에 진정한 공산주의, 사회주의 사회를 건설하는 데 바쳤다고 할 수 있다.

내가 알고 있는 김영남은 매우 냉철한 사람으로 웬만해서는 눈물을 흘리지 않는다. 북한에서 유력자는 인사권, 표창권, 징벌권의 유무로 판단하는데 김영남은 중앙당 국제비서, 외교부장, 상임위원회 위원장 등 고위직책을 거치면서 이 세 가지 권한을 행사할 수 있는 기회가 있었다. 하지만 결코 그 권한을 쓰지 않았다. 권한을 쓰는 순간 주변에 사람이 모이고 아첨꾼이 생긴다. 그러면 김정일이나 김정은의 견제를 받을 수 있고, 한순간에 목이 날아갈 수도 있다는 것을 너무나 잘 알고 있었다. 그는 적지 않은 처형과 숙청의 위기를 피했고 그 흔한 혁명화조차 받아보지 않았다.

말하자면 김영남은 냉철하고 처신에 능한 공산주의자다. 그런 그가 눈물을 흘린 이유는 무엇이었을까. 짐작은 되지만 굳이 설명하지는 않으려고 한다.

김여정은 한국의 발전상을 본 북한 응원단과 예술단 성원들이 북한 체제를 계속 지지할 것인지 상당히 우려했을 것 같다. 체제 유지를 위해서는 핵과 미사일을 포기하면 안 되겠다는 각오 또한 더욱 굳게 다졌을 것이다. 그런 감정의 교차가 몇몇 언론이 쓴 표현대로 '모나리자의 미소'와 같은 미묘한 표정을 짓게 하지 않았나 생각한다.

북한 예술단과 응원단이 한국을 떠나는 모습을 보니 모두들 얼굴이 밝지 못했다. 그들이 한국에서 보낸 시간은 그들의 머릿속에서 평생 지워지지 않을 것이다.

통일은 노예해방혁명이다

미국의 남북전쟁은 노예를 해방하기 위한 전쟁이었다. 인류 역사에 정의로운 전쟁으로 남아 있는 이유다. 최근에 나는 한국 대학생들을 더러 만난다. 통일에 관심도 없고 통일은 필요 없다고 생각하는 학생들이 많지만 미국의 남북전쟁만큼은 긍정적으로 바라보는 이가 대부분이었다. 수많은 사람들이 희생되긴 했어도 노예를 해방시키기 위한 전쟁이었기 때문에 의의가 있다고 했다.

우리는 한반도의 통일을 도덕적인 기준으로, 인간의 보편적인 권리와 존엄을 되찾기 위한 측면으로 고찰할 필요가 있다. 노예사회의 특성은 김정은 대에 와서 더욱 심화되었다. 김정일과는 달리 형식적인 절차도 없이 일사천리로 후계자가 된 김정은은 아버지보다 더 잔인한 '노예주'로 군림했다. 54부 수산기지 사건, 장성택 처형, 은하수악단 단원 총살, 평양민속공원 철거 등이 그 사례다. 말 한마디 잘못했다고 사람을 죽이고 개인적으로 밉다고 고모부를 처형했다. 멀쩡한 민속공원까지 장성택이 떠오른다며 폐허로 만들었다. 수많은 노예들을 순장시키던 고대 노예사회에서나 있을 법한 일이며, 탈레반이나 이슬람극단주의 세력이나 감행할 수 있는 일이 아니겠는가.

거듭 말하지만 북한은 나라 전체가 오직 김정은 가문만을 위해 존재하는 노예제 국가다. 따라서 한반도의 통일은 북한 주민을 노예 사회에서 해방시키는 '노예해방 혁명'이다. 북한 주민에게 인간으로서의 고유한 권리를 되찾아주는 것이 통일이다. 남북으로 갈라진 체제와 이념을 하나로 통일하고 민족 문화와 동질성을 융합하는 것은 그 이후의 가치다.

노예 상태인 북한 주민들을 그대로 내버려 둘 수는 없다. 미국의 남북전쟁처럼 물리적인 방법을 쓸 수는 없지만 한반도의 노예해방의 싸움은 시작되어야 한다. 그러자면 통일의 주체를 북한 주민으로 보아야 한다. 북한 주민은 자체로 일어날 힘과 의식이 있고 이미 엄청난 정보가 북한으로 들어가고 있다.

북한 내부의 변화는 이미 진행형이다. 그 변화가 어떤 모습으로, 어떤 속도로 올 것인지가 문제일 뿐이다. 10년 전이라면 상상하기도 힘든 일들이 벌어지고 있다. 북한에 장마당이 수백 개로 늘어나고 북한 주민이 한국 영화나 드라마를 본다는 것을 누가 예측할 수 있었겠는가. 그렇다고 한국이 가만히 있으면 안 된다. 한국이 주동이 되어 그런 변화를 앞당기기 위해선 대북 제재를 지속해야 한다.

대북 제재는 단순히 경제 수치로 효과를 따질 문제가 아니다. 대북 제재는 북한의 시장을 성장시켜 자본주의적 요소를 유입시키는 장치라는 측면에서 접근해야 한다. 예를 들어 북한의 석탄 수출이 막히면 석탄은 내수로 돌아간다. 수출 가격은 국제시장 기준이지만 내수 가격은 북한 당국이 정한다. 그런데 당국이 정한 가격은 국제시장 기준의 수백분의 1 아니 수천분의 1이다.

사정이 이러하니 석탄은 장마당으로 흘러갈 수밖에 없다. 장마당에서 국정 가격보다 수백 배 이상 비싸게 팔 수 있기 때문이다. 석탄만 예를 들어도 이러한데 모든 물자가 이렇게 장마당에 모여들게 되면 시장경제가 커질 수밖에 없다. 이를 정권이 통제하려 든다면 정권과 시장의 충돌은 불가피하며 그 결과는 시장의 승리로 귀결될 수밖에 없다.

또한 북한의 최대 경제 주체는 군대다. 건설 현장이나 갖가지 생산 현장에 동원되는 것이 군인이다. 대북 제재가 지속되면 전시를 대비해 비축해 둔 군량미 창고를 열 수밖에 없다. 이것은 곧 전쟁을 포기하는 것과 마찬가지다.

다음 단계는 한국의 콘텐츠, 즉 소프트파워를 끊임없이 북한에 유입해야 한다.

나는 김정은이 가장 무서워하는 것이 이것이라고 생각한다. 2017년 11월 〈노동신문〉이 장문의 기사를 게재했다. 새것에 민감한 청년들에 대한 사상교양 사업을 잘하지 못하면 북한 사회에 큰 우환이 될 수 있다는 내용이었다. 북한은 지금까지 단 한 번도 미국의 군사적 공격에 의해 체제가 붕괴될 수 있다고 말한 적이 없다. 하지만 사상과 문화적 침투가 체제 위협의 요소라고 본 것은 북한이 이를 얼마나 두려워하는지 단적으로 보여주는 사례다.

북한 사회가 죽어간다는 것은 최근 북한에서 영화나 드라마가 나오지 못하고 있는 사실로도 알 수 있다. 현재 방영되는 북한 영화나 드라마는 거의 10여 년 전에 제작된 것이다. 예전에는 해마다 수십 편씩은 나왔다. 김정은은 지금도 영화나 드라마를 만들어내라고 닦달하고 있지만 별 효과가 없다. 제작해 봐야 보는 주민들이 없다는 것을 작가나 연출가들이 잘 알기 때문이다.

북한 당국은 고심 끝에 영화광이었던 김정일의 영화 창고를 열기까지 했다. 창고에 수장된 수천 편의 영화 가운데 재미있는 것을 골라 DVD로 만들어 보급했다. 유튜브를 통해서도 알 수 있지만 평양에는 이런 DVD를 파는 매장이 여러 개 있다. 하지만 전쟁물이나 스파이물, 애국심을 고취하는 사회주의 영화로는 한국의 소프트파워를 이길 수 없다. 심지어 미국 만화 〈톰과 제리〉나 〈라이언 킹〉까지 보급한다. 이런 것을 보급하지 않으면 한국 영화나 드라마를 본다. 한마디로 한국 콘텐츠만 아니면 다 된다는 소리다.

1960년대는 말할 것도 없고 1970년대나 1980년대에 한국 콘텐츠가 북한에 유입됐다면 그다지 인기를 못 끌었을 것이다. 그때만 해도 북한이 한국보다 못산다고 할 수 없었다. 그러나 2000년대 초부터 한국 콘텐츠가 북한으로 밀수되면서 북한 주민들은 남한의 현실이 당국의 선전과 다르다는 것을 알게 되었다. 특히 한국인들의 생활수준이 북한과 대비조차 할 수 없을 정도로 높다는 것이 충격이었다.

'왜 남쪽은 저렇게 잘사는데 우리는 왜 이렇게 가난하게 사는가?'

북한의 수령론에 의하면 혁명과 건설 과정에서 수령이 결정적 역할을 한다. 북한의 발전 원인도 수령의 현명한 영도 덕분이라고 설명했다. 그 이론대로라면 오늘 북한이 한국과 비교조차 할 수 없이 가난하게 사는 것도 수령 때문이라는 결론에 이르게 된다. 북한 지도부가 한국의 실제 모습이 북한에 전달되는 것을 극도로 경계하는 이유다.

북한 주민들이 중국드라마나 심지어 미국드라마를 보는 것도 어느 정도 용서된다. 그러나 한국 콘텐츠를 보면 가중처벌을 받는다. 북한 주민들이 해외에 나가 제일 주의해야 할 대상은 미국인도 일본인도 아닌 한국인이다. 외국에 다녀오면 보위성 총화를 받게 되는데 그 기본은 해외에 체류하는 동안 한국인을 만난 적이 있느냐는 것이다. 미국이나 일본에 거주하는 친척에게서 돈을 받을 수 있어도 한국 친척에게는 안 되는 것도 같은 맥락이다.

그러나 북한 주민들은 이미 한국의 소프트파워에 빠져 버렸다. 김정은 집권 후 '불순녹화물'과의 전쟁을 선언하고 한류 차단을 전문으로 하는 단속반 '109호'라는 상설조직을 창설했다. 이러한 '109호'의 단속사업도 이제는 돈벌이 수단으로 전락했다. 한국 콘텐츠를 보다가 적발됐을 경우에는 얼마, 손전화(휴대폰)에서 한국 게임이나 책, 한국식 용어가 발견되었을 경우 얼마, 이렇게 가격까지 형성돼 있다. 대학생의 경우 6개월에 한 번씩 학부형 총회를 열고 불순녹화물 단속정형을 점검하고 있지만 근절되지 않고 있다. 북한의 젊은 층 사이에 '자기야', '오빠', '-거야' 등 한국식 표현이 너무 많이 돌고 있어 통제불능 상황이다.

내가 아는 북한 주민 중에 한국 콘텐츠를 보지 않은 사람이 없다. 북한이 통제하지 못하고 있는 것이 마약과 한류인데 이것은 한류가 마약만큼 강렬하다는 뜻도 된다. 총살을 당해도, 목에 칼이 들어와도 한국 영화와 드라마는 본다.

우리는 북한 주민의 의식을 변화시킬 충분한 수단과 방법을 보유하고 있고 이를 제공할 수 있다. 북한 주민의 노예와 같은 삶과 세습통치의 비합리성을 드러내는 맞춤형 콘텐츠를 제작해 들여보내야 한다. 오락과 문화는 물론 정치, 경제, 사회, 교육 등 다양한 부문에서 맞춤형 콘텐츠를 생산해 북한 주민이 24시간 시청할 수 있게 한다면 한반도의 평화와 통일, 북한의 민주주의와 개혁개방을 촉진하게 될 것이다. 이를 위해서는 라디오와 위성TV 인프라, 와이파이(Wi-Fi)를 포함한 인터넷 이용환경 조성이 필수적이다.

독일이 통일된 것은 동독 주민들이 수십 년 동안 서독 TV를 시청했기 때문이다. 그러나 독일의 사례를 그대로 따라서는 안 된다. 동독 주민들과는 달리 북한 주민은 자유민주주의 체제, 3권 분립, 인권 등에 대한 초보적인 개념조차 없다. 충격적이지 않으면서 북한 주민의 의식에 부드럽게 다가갈 수 있는 콘텐츠 개발이 필요한 것이다. 한국과 국제사회의 다양한 모습, 특히 자유와 평등을 바탕으로 운영되는 시장경제와 민주정치의 원리를 북한 주민의 정서와 경험에 맞게 친절하게 알려주는 것이 중요하다.

북한 체제의 붕괴를 촉진하기 위해서는 더 많은 주민이 북한을 탈출하게 만들어야 한다. 그래야 통일의 과정도 빨라진다. 지금 수만 명의 탈북민이 중국에서 숨어 살면서 한국에 올 날만을 기다리고 있다. 더 많은 주민이 한국으로 올 수 있게 거국적인 운동을 벌여야 한다. 탈북민이 한국에 오는 것 자체가 통일의 과정이다. 나는 한국 사회가 탈북민을 '통일민'으로 불러주기를 바란다. 그들은 먼저 온 통일이다.

나는 2016년 연말을 달군 한국의 촛불혁명을 보면서 한국인과 시민사회가 지닌 엄청난 힘을 목격했다. 통일을 이룩하려면 전 국민적인 시민네트워크를 형성해야 한다. 지금까지 한국 정부의 통일정책이 큰 성과를 내지 못했던 것은 역대 정부가 좌우로 갈려 일관된 정책을 펴오지 못했기 때문이다. 이 문제는 시민사회의 영향력을 강화할 때 극복할 수 있다. 통일운동을 위해 거대한 시민네트워크를 형성할 필요가 있다. 시민사회가 통일운동의 주도 세력이 되어 정부의 대북정책을 견인하거나 견제해야 한다. 그래야 대북정책의 일관성과 영속성을 유지할 수 있다.

나는 통일 자체보다는 통일 후 북한 내에서 어떻게 계층 간 화해를 이룰 것인지에 대해 우려가 크다. 김정은 정권이 붕괴되어도 핵심계층이나 지도부 인사에 대한 정치적 보복이 진행되지 않을 것이라는 것을 부단히 알려주어야 한다. 통일은 김정은 가문을 제외한 북한의 모든 주민에게 기쁨과 안정, 새 출발의 기회가 되어야 한다. 새로운 공포와 불안이 주어져서는 안 된다.

만일 통일 과정에서 과거에 대한 처절한 복수와 보복이 난무한다면 북한은 오늘날 예멘이나 시리아, 리비아처럼 될 수 있다. 남아프리카공화국의 넬슨 만델라 식의 화해와 협력, 용서와 관용을 따라야 한다고 생각한다.

나는 통일의 과정을 북한의 노예들이 촛불을 들고 일어나는 과정으로 묘사하고 싶다. 노예들이 촛불을 들 그날은 머지않았다. 나는 그날까지 실천하는 통일, 움직이는 통일, 행동하는 통일 운동을 만드는 데 미력한 힘을 다하려고 한다.

에필로그

만인의총 앞에 서서

내 나이 지금 50대 후반이다. 세계경제협력개발기구(OECD)가 발표한 자료에 따르면 2015년 현재 한국의 평균수명은 여자 84.6세, 남자 78.0세다. 북한의 평균수명은 여자 73.3세, 남자 66.3세로 한국과 비교하면 각각 11.3세와 11.7세가 짧다고 한다. 나는 한국에 왔고 나의 친구들은 북한에 남아 있다.

OECD 자료 그대로야 되지는 않겠지만 나는 앞으로 20년은 더 살 수 있고 북한의 친구들은 10년이 지나면 세상을 뜨게 된다. 나이를 먹을수록 마음만 급해지는 것은 어쩔 수 없는 일인 것 같다. 한국에서 50대 후반은 나이 든 축에도 못 끼겠지만 수구초심이란 이런 것일까 라는 생각도 든다.

나의 고향 명천에 마지막으로 가본 것이 2012년 8월이다. 북한 외무성 유럽국 부국장 자격으로 평양 주재 외교단을 이끌고 칠보산을 관광하는 길에 고향에 들렀다. 칠보산은 명천군 상고면에 있는 명산으로 핵실험이 실시된 풍계리와도 멀지 않다. 외교단을 그리로 이끌고 간 것은 핵실험이 환경에 나쁜 영향을 끼치지 않았다는 점을 국제사회에 보여주기 위해서였다.

그때 나는 삼촌과 고모를 찾아뵈었다. 그것이 마지막일 줄은 꿈에도 몰랐다. 명천에는 그때도 태씨 수백 명이 집성촌을 이루며 살고 있었다. 지금도 크게 다르지 않을 것이다. 북한에서 족보를 따지는 것은 봉건사회의 구습이라 하여 금기시된다. 이제 한국에 왔으므로 단 한 번 '집안 자랑'을 하려고 한다. 양해해 주시리라 믿는다.

내가 어릴 때 아버지는 "태씨는 발해를 건국한 대조영의 후손인 왕손 집안"이라며 다음과 같은 이야기를 들려주었다. 발해가 멸망한 뒤 세자 대광현이 유민 수만 명을 이끌고 고려로 망명했다. 고려 태조는 대광현에게 벼슬과 함께 태씨를 하사했고, 그 후 태씨는 협계와 영순계로 갈라진다. 우리 집안은 협계 태씨로서 전라북도 남원을 본적으로 살아오다가 그 일부가 함경북도 명천군으로 이주해 명천 태씨를 이루었다.

나의 조상인 남원 태씨들은 정유재란 때 떼죽음을 당했다. 남원성을 사수하기 위해 전라도의 모든 태씨가 입성했고 이들 대부분이 장렬히 전사했다. 만인의총은 남원성 전투에서 왜군에게 죽임을 당한 민관군 1만여 명을 합장한 합동묘다. 만인의총 충렬사에는 당시 공을 세운 장수 52명의 위패가 모셔져 있는데 이 중 다섯 분이 태씨 어른이다.

한국에 온 후 2017년 추석에 나는 아내와 두 아들과 함께 만인의총 앞에 섰다. 만감이 교차했다는 표현으로 당시 심정을 형용할 수밖에 없다. 나의 뿌리인 태씨 집안, 발해 역사의 복원, 민족의 수난과 고통, 나라를 위해 목숨을 바친 조상들, 북한에 남아 있는 친구와 동료들, 나와 우리 겨레의 아이들, 통일 같은 낱말들이 머릿속을 스치고 지나갔다.

연약하지만 따뜻한 피가 흐르는 한 인간으로서 소원이 있다. 언젠가 그날이 오면 내 발로 평양에 찾아가고 싶다. 친구들과 친척들, 나를 혈육처럼 돌봐준 외무성의 선후배 동료들을 만나고 싶다. 그들에게 무릎을 꿇고 용서를 구하고 싶다. 그들을 두고 나만 대한민국에 와 있는 현실이 한스럽다. 이것만으로도 나는 그들에게 죄를 지었다.

친척의 아이들도 눈에 밟힌다. 서울에서 버스를 한 대 빌려 아이들을 모두 태워 데려오고 싶다. 이들을 한국의 대학에서 공부시킨다면 친척들에 대한 내 마음의 짐도 만분의 일이나마 덜어낼 수 있을 것 같다. 그리고 평양에 잠들어 계신 부모님을, 언젠가는 나도 돌아가야 할 명천의 '태씨 성산'에 모시고 싶다.

태영호 증언
3층 서기실의 암호

1판 1쇄 발행 | 2018년 5월 15일
1판 6쇄 인쇄 | 2018년 6월 04일

지은이 | 태영호
펴낸이 | 안병훈
펴낸곳 | 도서출판 기파랑
디자인 | 조의환, 오숙이
등록 | 2004. 12. 27 | 제 300-2004-204호
주소 | 서울시 종로구 대학로8가길 56(동숭동 1-49 동숭빌딩) 301호
전화 | 02-763-8996(편집부) 02-3288-0077(영업마케팅부)
팩스 | 02-763-8936
이메일 | info@guiparang.com
홈페이지 | www.guiparang.com

ISBN 978-89-6523-650-4 03800